Лорел
Гамильтон

Лорел Гамильтон

обнаженная натура

ИЗДАТЕЛЬСТВО

Астрель
Полиграфиздат
МОСКВА

УДК 821.111(73)-312.9
ББК 84 (7Сое)-44
Г18

Laurell K. Hamilton
SKIN TRADE

Перевод с английского М.Б. Левина

Компьютерный дизайн А.Б. Ткаченко

*В оформлении обложки использованы работы,
предоставленные фирмой Fotobank*

Печатается с разрешения автора и литературных агентств
Writers House и Synopsis.

Подписано в печать 22.11.11. Формат 84х108/ 32.
Усл. печ. л. 30,24. Тираж 5 000 экз. Заказ № СК 3618М.

Гамильтон, Л.
Г18   Обнажённая натура: [фантаст. роман] / Лорел Гамильтон;
пер. с англ. М.Б. Левина. – М.: АСТ: Астрель: Полиграфиздат,
2012. – 575, [1] с.

ISBN 978-5-17-074042-0 (ООО «Изд-во АСТ»)
ISBN 978-5-271-40212-8 (ООО «Изд-во Астрель»)
ISBN 978-5-4215-3005-3 (ООО «Полиграфиздат»)

Анита Блейк уже не считается лучшей из лучших? Ее репутация под
вопросом? И хотя список удачно завершенных дел Аниты в несколько раз
превосходит достижения лучших охотников... кто рискнет поручить
серьезное дело девушке, близко связанной с вампирскими кланами и
стаями оборотней? Перед Анитой встает нелегкий выбор: выйти из игры —
или выиграть там, где все остальные потерпели неудачу.

Если у нее получится взять знаменитого вампира-маньяка из Лас-
Вегаса — она подтвердит свой статус лучшей из лучших.

А если не справится?

Об этом Анита старается не думать. Она просто готовится к новой
смертельно опасной охоте...

УДК 821.111(73)-312.9
ББК 84 (7Сое)-44

Джонатону

Он как никто знаком с моим сволочным характером и приступами хандры, но любит меня несмотря на это. Иногда — именно за это.

Потому что мы с ним понимаем друг друга

Внезапно, быстро и легко
Порвалась связь,
И у могилы понял он,
Что значит «навсегда»*.

---

* Из стихотворения Роберта Фроста «Порыв» («Жена с холмов», 1922 г.

Глава первая

С серийными убийцами я имела дело много раз, но никто еще никогда не присылал мне по почте человеческую голову. Это был ново.

Голова, проглядывающая сквозь пластиковый пакет, стояла у меня на столе, посередине, как сотни других пакетов, доставленных в «Аниматорз инкорпорейтед» (это наша анимационная контора с девизом: «Здесь живые зарабатывают на жизнь, поднимая мертвых»). Голову обложили льдом — профессионально, будто паковал ее какой-то почтовый служащий. Может, кстати, так оно и было: вампиры бывают более чем убедительны, а эту посылку отправлял вампир по имени Витторио. Он приложил письмо, где на конверте каллиграфическим почерком вывел мое имя: Анита Блейк. Явно хотел, чтобы я знала, кому обязана этим милым сюрпризом. Этот самый Витторио со своими вампирами растерзал в Сент-Луисе более десяти человек и отбыл в неизвестном направлении. Теперь, быть может, уже известном, потому что на посылке был обратный адрес — Лас-Вегас, Невада.

Либо Витторио по-прежнему там, либо еще раз бесследно исчез. Остался он в Лас-Вегасе — или отправил мне голову, а когда я извещу тамошнюю полицию, окажется, что его и след простыл?

Заранее не узнать.

Из приемной все еще доносилась истерика Мэри, нашей дневной секретарши. К счастью, клиентов сейчас в офисе не было. До моего первого клиента оставалось еще тридцать минут, и он сегодня вообще первый в «Аниматорз» — повезло. Так что Мэри спокойно может предаваться нервному срыву, пока наш бизнес-менеджер Берт пытается ее успокоить. Может, и мне надо было бы помочь, но я — маршал США, и дело для меня — прежде всего. А дело требовало позвонить в Вегас и сообщить, что у них в городе может находиться серийный убийца. Понедельник, блин, день счастливый.

Я села за стол, держа телефон в руке, но не стала набирать номер. Так и сидела, уставясь на портреты чужих родственников на моем столе. Когда-то наш с Мэнни Родригесом стол был пуст — только папки в ящиках, но потом Мэнни принес свою семейную фотографию. Такую, которая в каждой семье есть — где все слишком серьезные, и только один или двое хорошо улыбаются. Мэнни в костюме и галстуке выглядел неестественно и неловко. Предоставленный сам себе, он вечно галстук забывал, но его жена Розита, на пару дюймов выше и на несколько дюймов шире своего тощего супруга, потребовала, чтобы на семейном портрете он был одет как следует. В таких вещах он обычно ей уступал. Мэнни в строгом смысле слова не назовешь подкаблучником, но и авторитарным главой своего дома он тоже не был.

Две дочери, Мерседес и Консуэлла (Конни), девушки весьма взрослые, высокие и прямые, хрупкого, как отец, сложения, обладали такими хорошенькими личиками, что просто сияли в тени более тяжелого и пожилого лица Розиты. Глядя на них, я понимала, что мог он видеть в ней много лет назад, когда Розита — «розочка» — больше соответствовала своему имени. Их сын Томас был еще ребенком, в начальной школе учился. Третий класс или четвертый? Не помню.

Еще стояла пара фотографий в рамочках с подставкой. Одна была свадебная фотография Ларри Киркленда и его жены, детектива Тамми Рейнольдс. Они смотрели друг на друга как на чудо, сияли и были полны надежд. На второй были изображены они же с дочерью Анджеликой, быстро превратившейся в просто Ангела. У деточки были папины кудри рыжеватым ореолом вокруг головы. Он свои красно-рыжие волосы стриг так коротко, что кудрей не было видно, но темно-каштановые волосы Тамми чуть затемнили прическу девочки, придав ей цвет опавших листьев. Они были чуть темнее и чуть менее яркие, чем рыжеватые волосы Натэниела.

А не стоит ли мне принести портреты Мики, Натэниела и свой, чтобы поставить на стол? У других аниматоров нашей конторы тоже есть на столе портреты.

Но нужны ли мне фотографии? И если я принесу свой портрет в окружении двух мужчин, то портрет с другими возлюбленными тоже тогда надо будет? Если живешь в одном доме с четырьмя мужчинами (по самому скромному подсчету), а еще встречаешься с пятью-шестью, кого из них выбрать для семейного портрета?

Стоящий на столе пакет не вызывал никаких чувств. Не было ни страха, ни отвращения, а только большая легкая пустота, почти как тишина в голове, когда я спускаю курок, наведя на кого-нибудь ствол. Это я так хорошо рулю ситуацией или это шок отупения? На этот вопрос я могла ответить только неопределенным хмыканьем, так что, наверное, все же шок. Вот так вот.

Я встала и посмотрела на голову в пластиковой обертке, подумала про себя: «Не будет фотографий бойфрендов. На работе — не будет» У меня бывали клиенты, которые потом оказывались бандитами, нехорошими людьми. И не надо, чтобы они видели портреты тех, кого я люблю. Не надо им давать идеи, они и без подсказок могут устроить кучу мерзостей.

Нет, личные фотографии на работе — мысль неудачная.

Я набрала справочную, потому что никогда не звонила до сих пор в полицию Лас-Вегаса. Есть шанс либо завести новых друзей, либо разозлить новую кучу народу — у меня и так может получиться, и этак. Не то чтобы я это делала нарочно, но у меня как-то само собой выходит гладить против шерсти. Отчасти потому, что я женщина, играющая в мужские игры. Но в основном все же — мое непобедимое обаяние.

Я села так, чтобы не видеть содержимое коробки. В местную полицию я уже позвонила — пусть с коробкой разбираются судмедэксперты, поищут следы, чтобы поймать этого мерзавца. Чья же это голова, и почему именно мне такой подарок? Это он имеет на меня зуб за то, что перебила столько его вампиров, когда они устраивали резню в нашем городе, или тут что-то другое? Что-то такое, что мне никогда вообще на ум не приходило?

На серийных убийствах работает множество умелых составителей профилей, но все они, мне кажется, упускают из виду одну вещь: мыслить так, как эти убийцы, невозможно. Никто не может, ни один нормальный индивидуум. Можно попытаться. Можно заползти им в голову настолько, что никогда уже не отмоешься, кажется. Но все-таки — если ты сам не такой — понять, что ими движет, ты не сможешь. И еще: они создания очень эгоистичные, заботятся только о своих удовольствиях, о своих патологических наклонностях. Серийный убийца не станет тебе помогать ловить других серийных убийц, разве что это способствует его целям. Конечно, многие считают, что я тоже серийный убийца. У меня самый большой личный счет легально ликвидированных вампиров среди всех истребителей в США. В этом году я перевалила за сотню. И так ли важно, что эти убийства мне не доставляют радости? Что-нибудь меняет факт, что я не получаю от них сексуального удовлетворения? Существенно ли, что при первых ликвидациях меня наизнанку выворачивало? А от того факта, что у меня почти всегда был ордер на ликвидацию, станут совершенные мною убийства лучше? Не столь грубыми? Бывали серийные убийцы, применявшие только яд, действующий почти без боли — они куда менее грубо убивали, чем я. Последнее время я всерьез стала задумываться, что же отличает меня от личностей вроде Витторио. Стала задаваться вопросом: имело ли для моих жертв — легальных, вполне легальных! — какое-нибудь значение, какие мотивы мною движут?

В Лас-Вегасе взяла трубку женщина, и я стала пробиваться по линии к тому сотруднику, который, быть может, сумеет мне сказать, чья это у меня голова в пакете.

Глава вторая

Голос у помощника шерифа Руперта Шоу оказался грубый. То ли много и часто приходится орать, то ли слишком много и слишком давно курит.

— Как, вы говорите, вас зовут?

Я вздохнула и в надцатьнадцатый раз повторила:

— Я маршал США Анита Блейк. Мне нужно говорить с кем-то, кто в курсе дела, и я так понимаю, что это вы, шериф Шоу.

— Найду, кто навел на вас репортеров, и в глаз ему дам.

— О чем это вы, шериф?

— Вы не слышали о том, что произошло?

— Если вы про радио или телевизор, у меня сейчас ни то, ни другое не включено. Что-то такое, что я должна была бы знать?

— Откуда же вы знали, маршал, что вам следует звонить нам?

Я устроилась в кресле поудобнее, ни черта не понимая.

— Такое впечатление, что если бы я вам не позвонила, шериф, вы бы позвонили мне.

— Откуда вы знали, что вам следует звонить нам? — повторил он свой вопрос, выговаривая каждое слово слегка отчетливее предыдущего. С некоторым напряжением, если не злостью в голосе.

— Я вам позвонила, потому что у меня на столе — посылка, отправленная из Лас-Вегаса.

— Какого рода посылка? — был следующий вопрос.

Не пора ли рассказать все сначала? Раньше я этого не сделала, потому что, когда сообщаешь кому-нибудь определенные вещи (например, что у тебя на столе человеческая голова в коробке), тебя могут принять за психа. Я достаточно давно имею дело с журналистами, чтобы кто-то мог притвориться мною, и потому я хотела добиться серьезного к себе отношения, когда от меня не отмахнутся, как от сумасшедшей дуры.

— Мне прислали по почте человеческую голову. Обратный адрес — вашего города.

Он замолчал почти на целую минуту — слышно было хриплое дыхание. Да, это от курения. Когда я была готова уже спросить, что с ним, он заговорил:

— Можете описать голову?

Много чего он мог сказать, но этой фразы у меня в списке ожидаемых не было. Слишком спокойно, даже для копа, слишком по-деловому. И когда он попросил дать описание, я поняла, что он кого-то имеет в виду. У кого отсутствует голова.

Блин.

— Голова в пластиковом пакете, набитом льдом. Волосы кажутся темными, но цвет может быть искажен упаковкой. С виду прямые, но опять-таки, это может быть из-за влаги. Европеоид, несомненно, и глаза кажутся светлыми. Серые или светло-голубые, хотя после смерти глаза иногда выцветают Время смерти я никак не могу определить, и потому не знаю, насколько они могли выцвести.

— Вы смотрели в коробку, нет ли там еще чего-нибудь?

— У вашего отсутствует не только голова? — спросила я.

— Значок и палец. На пальце — венчальное кольцо.

— Вот это прискорбно слышать.

— Почему?

— Вам придется сообщать его жене. Не завидую.

— Самой вам часто приходилось?

— Достаточно часто приходится говорить с родственниками жертв вампира. И всегда хреново.

— Да, хреново, — согласился он.

— Я жду судмедэксперта, сама ничего не трогаю. Не хочу затаптывать возможные следы ради собственного нетерпения.

— Дайте мне знать, что обнаружат эксперты.

— Обязательно.

Я ждала, чтобы он еще что-нибудь сказал, но он молчал. Я только слышала его дыхание — слишком резкое, слишком трудное. Интересно, когда он последний раз был на медосмотре. Наконец я спросила сама:

— Шериф Шоу, что же случилось в Вегасе? Почему у меня на столе лежит кусок вашего сотрудника?

—Мы еще не знаем точно, кто это.

—Да, но было бы очень большим совпадением, если бы у вас был сотрудник с отрезанной головой, а у нас оказалась бы голова, присланная в коробке из вашего города, примерно схожая с головой погибшего сотрудника. Я бы в такое совпадение не поверила, шериф.

Он вздохнул, закашлялся. Сильный, глубокий кашель. Может быть, он сейчас выздоравливает после болезни.

—Я бы тоже не поверил, Блейк. Я вам больше скажу: мы скрываем факт исчезновения головы и значка. Также мы скрываем от репортеров, что на стене, где убили моих людей, была надпись. Написанная кровью убитых и адресованная вам.

—Мне? — повторила я несколько менее уверенным голосом, чем мне хотелось бы. Настала моя очередь прокашляться.

—Да. Там написано: «Скажите Аните Блейк, что я ее жду».

—Да, это... жутковато, — сумела я найти наконец слова. Ничего другого не приходило на ум, но на секунду сквозь шок от этих слов меня будто стукнуло изнутри, и я знала, что это такое. Это был страх.

—Жутковато? Не более того? Этот вампир послал вам человеческую голову. Будет ли для вас важнее, если я вам скажу, что голова принадлежала местному истребителю вампиров?

Я об этом подумала в течение нескольких вдохов и выдохов подряд, потом снова ощутила тот же толчок изнутри — нечто среднее между электрическим ударом и ощущением шампанского вместо крови в жилах.

—Какое слово вас бы устроило, Шоу? От других тел тоже взяты сувениры?

—Вы имеете в виду — отрезаны ли головы у остальных?

—Именно это я имею в виду.

—Нет. Он со своими монстрами убил трех оперативников, но на сувениры части тела не брали.

—Оперативников... ваш истребитель вампиров служил в подразделении СВАТ?

—Выполнение ордеров на ликвидацию считается операцией высокого риска, и потому СВАТ оказывает поддержку.

—Да, в Сент-Луисе тоже об этом идут разговоры.

Я еще не разобралась в своих мыслях на тему о том, что будет, если меня заставят брать с собой СВАТ на охоту за вампирами. С одной стороны, я была бы рада поддержке, с другой стороны — я категорически против. В прошлый раз, когда СВАТ меня прикрывал, он потерял несколько бойцов, а я решительно не люблю отвечать за чужую жизнь. А к тому же всегда очень непросто бывает их убедить, что я не меньше их стою и могу вместе с ними выбивать дверь плечом.

— Если наши люди свалили кого-нибудь из монстров, свидетельств тому нет. Похоже, что их убили сразу.

На это я не знала, что ответить, поэтому просто промолчала.

— Давно это все случилось?

— Вчера... нет, позавчера ночью. Я уже давно на ногах, от этого счет времени теряется.

— Знаю, — ответила я.

— Какого дьявола сделали вы этому вампиру, что он так вас полюбил?

— Понятия не имею. Может быть, дала ему удрать и не стала гнаться. Черт побери, Шоу, вы же знаете, что у этих мартовских зайцев логики нет.

— Мартовских зайцев, — повторил он.

— Ладно, серийных убийц. Мертвые или живые, они действуют по собственной логике. Для всех остальных она смысла не имеет, потому что мы не мартовские зайцы.

Он издал какой-то звук, который можно было принять за смех.

— Да, это точно. Мы — не они. В газетах и по телевизору говорили, что вы свалили много его шестерок.

— Мне помогли, с нами был наш СВАТ. И тоже потерял людей.

— Я видел статьи, но думал, честно говоря, что вы всю заслугу приписали себе и о полиции не говорите.

— Они вошли туда со мной. Рисковали жизнью, некоторые погибли. Это было плохо, и вряд ли я это забуду.

— Про вас говорят, что вы за пиар готовы под любого ле... — он закашлялся, заменив, очевидно, одно слово другим, — подстроиться.

Я даже засмеялась, что хороший признак. Меня даже не шокировало его заявление, ага!

— Я не гоняюсь за славой, шериф, а подстраиваться не согласна. Можете мне поверить, что внимания репортеров у меня больше, чем мне хотелось бы.

— Для женщины, которая не хочет внимания, у вас его чертовски много.

Я пожала плечами, сообразила, что он этого не видит.

— Я участвовала в расследовании жутких дел, шериф. Это привлекает репортеров.

— А еще вы красивая молодая женщина и у вас роман с мастером вашего города.

— Вам сказать спасибо за «красивую» до или после того, как объяснить, что моя личная жизнь — не ваше дело?

— Мое, если она мешает вашей работе.

— Подымите записи, шериф Шоу. После начала романа с Жан-Клодом я вампиров убила больше, чем до.

— Говорят, вы отказываетесь выполнять казни в морге.

— Потеряла вкус к протыканию колом связанных цепями и прикованных к каталкам.

— Но они же спят — или как там это у них называется?

— Не всегда. И можете мне поверить: первый раз, когда приходится смотреть в глаза приговоренному, молящему о пощаде... скажем так, что кол даже в опытной руке — орудие медленной смерти. А приговоренные умоляют и объясняются до самой последней секунды.

— Но они же что-то сделали такое, чем заслужили смерть?

— Не обязательно. Иногда они просто попадают в «закон трех нарушений» для вампиров. В нем записано, что каково бы ни было преступление, пусть и незначительное, но три рецидива — и на твою шкуру выписывается ордер на ликвидацию. А я не люблю убивать за кражу без применения насилия.

— Но кража, значит, крупная?

— Нет, шериф. Одну женщину казнили за кражу какой-то фигни дешевле тысячи долларов. У нее был диагноз клептомании еще до обращения в вампиры, и смерть ее от этой болезни не вылечила, хоть она и надеялась.

—И кто-то проткнул ей сердце за мелкую кражу?

—Кто-то проткнул.

—Закон не предоставляет права отказа от работы маршалам, занимающимся преступлениями с противоестественной подоплекой.

—Строго говоря, нет, но я просто не выполняю казней. Перестала еще до того, как истребители вампиров были включены в программу маршалов США.

—И вам позволяют?

—В общем, я нахожу понимание у начальства.

Понимание заключалось в том, что я не стану свидетелем со стороны родственников женщины, казненной за кражу в универмаге, если меня не станут заставлять убивать кого-то, кто никого не лишал жизни. Жизнь за жизнь — в этом я вижу смысл. Жизнь за побрякушки — смысла не вижу. И от этой женщины многие из нас отказались. В конце концов ее послали в Вашингтон Джеральду Мэллори, одному из первых охотников на вампиров, который еще жив. Он по-прежнему считает вампиров чудовищами, и потому без малейшего колебания ее заколол. Мэллори меня как-то пугает. Когда он глядит на вампира, любого вампира, есть что-то в его глазах безумное.

—Маршал, вы здесь?

—Да, шериф, простите. С вашей подачи задумалась о той магазинной воровке.

—В новостях передавали, что ее родственники подают в суд по поводу неправомерной смерти.

—Подают.

—Вы не из разговорчивых, маршал?

—Я говорю то, что должно быть сказано.

—Вы весьма молчаливы для женщины.

—А вам не нужны мои разговоры. Как я понимаю, вам нужно, чтобы я приехала в Вегас и сделала свою работу.

—Блейк, это западня. Поставленная конкретно на вас.

—Возможно. А послать мне голову вашего истребителя — более прямой угрозы быть уже не может.

—И вы все равно приедете?

Я встала, посмотрела на коробку, откуда таращилась на меня мертвая голова. Вид у нее был то ли удивленный, то ли сонный.

— Он прислал мне голову вашего истребителя вампиров. Прислал прямо мне в офис. Написал для меня послание кровью на стене, где убил троих ваших оперативников. Да, черт возьми, я приеду.

— Голос у вас злой.

Лучше злой, чем перепуганный, подумала я. Если я смогу поддерживать в себе ярость, может быть, удастся не дать вырасти страху. Потому что он уже свернулся у меня под ложечкой, замаячил в глубине разума черной тенью, готовой вырасти, если я ей это позволю.

— А вы бы не разозлились?

— Я бы перепугался.

Вот тут я осеклась. Копы никогда — или почти никогда — не говорят, что им страшно.

— Вы нарушаете правило, Шоу. Нельзя признаваться, когда боишься.

— Я просто хочу, чтобы вы знали, Блейк, во что лезете, только и всего.

— Чувствую, вам плохо пришлось.

— Я видал и больше мертвецов. Мне, черт возьми, случалось и больше людей терять под моей командой.

— Вы воевали?

— Воевал.

Я подождала, чтобы он назвал род войск, но он молчал.

— Где же вы бывали?

— Это секретная информация, в основном.

— Спецкоманды?

Это был полувопрос, полуутверждение.

— Да.

— Можно спросить, какого рода, или надо оставить тему, пока не услышала: «Если я вам скажу, мне придется вас убить на месте»?

Я попыталась пошутить, но Шоу юмора не принял.

— Шутите, значит. Раз вы на это способны, значит, до вас не дошло, что здесь творится.

— У вас трое убитых оперативников, один убитый и расчлененный истребитель вампиров. Это плохо, да. Но вы же не послали с маршалом всего трех оперативников? Значит, остальные члены группы сумели уйти.

— Они не сумели уйти, — ответил он, и от его интонации страх из черной ямы поднялся у меня внутри чуть выше.

— Но они не погибли, — сказала я. — По крайней мере так я вас поняла?

— Нет. В строгом смысле слова они не погибли.

— Тяжело ранены?

— И это тоже не так.

— Шоу, перестаньте ходить вокруг да около и скажите прямо.

— Семеро моих сотрудников в госпитале. На них ни царапины. Они просто лежат.

— Если ни царапины, почему они лежат и почему в госпитале?

— Они спят.

— Что?

— Вы слышали.

— В смысле, они в коме?

— Врачи говорят, что нет. Они спят. Просто мы не можем их разбудить.

— У врачей есть какие-нибудь зацепки?

— Единственное что-то похожее на это состояние наблюдалось у тех пациентов в двадцатых годах — которые заснули и не проснулись.

— А несколько лет назад сняли фильм про их пробуждение?

— Да, но оно тянулось недолго. И до сих пор неизвестно, чем эта форма сонной болезни отличается от нормы.

— И получается, что вся ваша группа подхватила эту сонную болезнь в разгар перестрелки?

— Вы меня спросили, что говорят врачи.

— Хорошо, теперь я спрашиваю, что скажете вы.

— Один из наших практиционеров утверждает, что это магия.

— Практиционеров? — переспросила я.

— У нас к каждой группе прикреплен человек с парапсихическими способностями, мы их так называем. Но я бы не стал называть их нашими ручными колдунами.

— Значит, оперативники и практиционеры.

— Да.

— То есть на пострадавших кто-то навел чары?

— Не знаю. Я знаю, что от всего этого разит парапсихологией, и когда кончаются объяснения, имеющие смысл, остаешься с тем, что есть.

— Когда вы исключите невозможное, то, что останется, как бы невероятно оно ни было, и будет истиной, — сказала я.

— Вы мне Шерлока Холмса цитируете? — возмутился он.

— Ага.

— Тогда вы не поняли, Блейк. Вы просто еще не поняли.

— О'кей, давайте тогда без обиняков. Моя реакция оказалась в чем-то не такой, как вы ожидали, поэтому вы убеждены, что я не понимаю всей серьезности положения. Вы — бывший спецназовец, то есть женщины для вас до настоящих работников не дотягивают. Вы меня назвали «красивой женщиной», и это тоже соответствует — большинство копов и военных женщин недооценивают. Но вы — спецназ; вы же не считаете, что среди военных другие дотягивают до вашего уровня? Или среди копов? Я — женщина, и смиритесь с этим. Я маленького роста и отлично убираю дом, с этим тоже смиритесь. Да, у меня роман с вампиром, мастером нашего города, и что? Никакого отношения это не имеет ни к моей работе, ни к тому, почему Витторио меня приглашает охотиться за ним в Вегасе.

— Отчего он бежал от вас в Сент-Луисе? Отчего не стал бежать здесь, когда знал, что мы за ним идем? Отчего устроил засаду моим людям, а не вашим?

— Может быть, он не может себе позволить снова потерять столько вампиров. Или просто решил сделать ваш город своим последним оплотом.

— Гребаное наше везенье.

— Ага.

— Я позвонил кое-кому поговорил с другими копами, с которыми вы работали. С другими истребителями вампиров. О вас, естественно. Хотите знать их мнение, отчего бежал этот вампир в Сент-Луисе?

— Я вся внимание.

— От вас. От вас он бежал — так они считают. Наш мастер города мне сказал, что вампиры вас зовут Истребительницей. И уже много лет.

— Да, дали они мне такое ласковое прозвание

— Почему вам? Почему не Джеральду Мэллори? Он дольше работает.

— Да, он работает дольше меня, но у меня личный счет больше. Факт, наводящий на размышления.

— Как получилось, что у вас больше личный счет, если он этим занимается на десять лет дольше вас, как минимум?

— Во-первых, он приверженец кола и молота. Отказывается переходить на огнестрельное оружие с серебряными патронами. А это значит, что вампир перед тем, как Мэллори его убьет, должен быть полностью выведен из строя. Вывести из строя вампира, полностью — работа очень трудная. Я могу его ранить, свалить с дальней дистанции. Во-вторых, я думаю, его ненависть к вампирам мешает ему на них охотиться. Из-за нее он упускает следы и не продумывает ситуации до конца.

— То есть вы их просто убиваете лучше всякого другого.

— Очевидно, так.

— Я честно вам скажу, Блейк: мне было бы спокойнее, если бы вы были мужчиной. Больше вам скажу: еще спокойнее мне было бы, если бы у вас в биографии была военная служба. Я навел о вас справки. Если не считать нескольких охотничьих экспедиций с отцом, вы не держали в руках оружия, пока не начали убивать монстров. У вас даже пистолета своего не было.

— Все мы когда-то были чайниками, Шоу. Но можете мне поверить: я давным-давно хорошо пообтерлась.

— Наш мастер города полностью с нами сотрудничает.

— Вот уж не сомневалась.

— И он советует вас привезти в Лас-Вегас, и вы наведете порядок.

Вот тут я замолчала. С Максимилианом — Максом — мы виделись только однажды, когда он приехал к нам в город со своими тиграми-оборотнями после одного печального метафизического инцидента. В результате этого инцидента один из его тигров, Криспин, оказался довольно сильно мною одержим. Макс увез Криспина с собой в Вегас, но не потому что тигр хотел со мной расстаться. Он слишком ко мне привязался, что внушало опасения. Я тут была честно не виновата, но все равно ущерб был нанесен. Последнее время, похоже, некоторые силы, которые я приобрела как слуга Жан-Клода, стали притягивать ко мне мужчин с метафизическими возможностями. Вампиры, оборотни — пока только это, но и того вполне хватает. Иногда даже слишком. Я не помню, чтобы както выступала в те дни, когда Макс у нас был.

Большую часть его визита я старалась быть хорошей и вежливой слугой Жан-Клода, и то, что становилось моим — например, тигр-оборотень, — становилось и Жан-Клодовым. Мы с моим мастером ради наших гостей устроили действительно волнующую метафизику. Макс даже был несколько шокирован — если, конечно, он не куда более бисексуален, чем готов признать.

— Блейк, вы здесь?

— Да, Шоу. Просто задумалась о вашем мастере города. Польщена его заявлением, что я способна навести порядок.

— Это должно быть так. Он — мафиози прежних времен. Не поймите меня неправильно, но если мое мнение о женщинах — по-вашему — невысоко, то у мафиози старого закала оно куда как ниже.

— Да-да. Вы считаете, что женщины не созданы для этой работы, а мафиози считают, что они вообще созданы раздвигать ноги да рожать детей.

Он опять издал звук, похожий на смех.

— Прямой вы человек, Блейк, черт вас побери!

Я это восприняла как комплимент — каковым он и был задуман. Он же не сказал «прямая вы женщина»? Если я добьюсь, чтобы он обращался со мной как с прочими ребятами, то смогу сделать свою работу.

— Вы таких прямых еще не видали, Шоу.

— Начинаю в это верить.

— Верьте, и ребят своих предупредите. Это сбережет нам время.

— О чем предупредить? О вашей прямоте?

— Да обо всем. О прямоте, о том, что я девчонка, симпатичная, с вампирами кручу, — обо всем вообще. Чтобы у них это выветрилось еще до моего приезда в Вегас. Не хочу я брести по колено в мачистской чуши, когда надо работу делать.

— Тут я ничего не могу сделать, Блейк. Придется вам утвердить себя, как люб... как любому сотруднику.

— Вы хотели сказать «любой женщине». Я знаю, как это дело устроено. Я — девчонка, а потому должна превзойти парней, чтобы получить тот же уровень уважения. Но сейчас, учитывая три трупа в Вегасе и еще семерых заколдованных, десять трупов здесь в Сент-Луисе, пять в Новом Орлеане и два в Питтсбурге, хотелось бы мне думать, что ваши люди будут больше заинтересованы поймать убийцу, чем создавать мне трудности.

— Мотив серьезный, Блейк. Но все равно: вы — красивая женщина, а они — копы.

Комплимент я оставила без внимания, не зная, как на него реагировать.

— И они напуганы, — сказала я.

— Этого я не говорил.

— Не было необходимости. Вы — спецназовец, и вы признали, что боитесь. Если вас напугало, то уж наверняка напугало и остальных. Они будут нервничать и искать виноватых.

— Виноваты вампиры, убившие наших людей.

— Да, но некоторые из них все равно сочтут меня мальчиком для битья.

— Почему вы так решили?

— Послание на стене — для меня. Голову прислали мне. Вы уже меня спросили, что я такого сделала, что Витторио так разозлился. Некоторые из ваших подчиненных скажут, будто я его разозлила нарочно, чтобы заставить его все это проделать, или что он это все сделал, чтобы произвести на меня впечатление. Ухаживание серийного убийцы, так сказать.

Шоу помолчал, только тяжелое дыхание слышалось в телефоне. Я не торопила его, просто ждала, и наконец он сказал:

— Вы больший циник, чем я, Блейк.

— Вы считаете, я не права?

Еще помолчал пару вдохов и выдохов.

— Нет, Блейк. Я не считаю, что вы не правы. Я думаю, вы как раз точно все сказали. Мои люди напуганы, и им нужен виноватый. Этот вампир добился того, что у полиции Вегаса к вам смешанные чувства.

— О чем вам следует спросить себя, Шоу, так это вот о чем: нарочно он это сделал, чтобы осложнить мою работу, или ему было совершенно наплевать, как он действует на вас и ваших людей?

— Вы знаете его лучше, чем я, Блейк. И что вы скажете? Нарочно или наплевать?

— Я не знаю этого вампира, Шоу. Я знаю его жертв и тех вампиров, которых он бросил на гибель. Я думала, что он всплывет где-то, потому что эти парни не могут уже остановиться, достигнув определенного уровня насилия. Это как наркотик, а они — наркоманы. Но я никогда не думала, что он будет посылать мне подарки или оставлять послания. Честно не думала, что произвела на него такое впечатление.

— Когда приедете, покажем вам место преступления. Можете мне поверить, Блейк, впечатление вы на него произвели.

— Не то, которое хотелось бы.

— А какое хотелось бы?

— Пулю в лоб и пулю в сердце, чтобы насквозь было видно в обе дырки.

— В этом я вам помогу.

— Мне казалось, что помощник шерифа не должен заниматься полевой работой.

— На этот случай я сделаю исключение. Когда вы здесь будете?

— Мне нужно посмотреть расписание рейсов и правила для перевозки моего снаряжения. Потому что они меняются чуть ли не каждый раз, как мне надо лететь.

— У нашего маршала не было ничего такого, что нельзя везти на самолете — то, что разрешено сопровождающему рейс маршалу.

Может, оттого он и погиб, подумала я про себя. А вслух сказала:

— Я привезу фосфорные гранаты, если смогу пронести их в самолет.

— Фосфорные гранаты? Серьезно?

— Серьезно.

— На вампиров они действуют?

— Они действуют на все, Шоу, и от воды только жарче горят.

— Вы видели когда-нибудь, как человек ныряет в воду, думая, что загасит пламя, а оно только вспыхивает? — спросил он.

У меня в голове возникла картина: гуль перебегает ручей, пытаясь скрыться. Он — или кто-то из той же стаи — убил бродягу, который заснул на кладбище, где гули выходили из могил. Если он не спал, они бы ни за что не напали, но все же они его съели и за то подлежали истреблению. Я была всего лишь в резерве у группы истребителей с огнеметами, но гули, у которых хватило храбрости напасть на живого, а не быть просто падальщиками, могли оказаться смертоносными. В этом случае им на подмогу не посылают гражданских без значка. Вот тогда-то я впервые и воспользовалась гранатами — они на гулей действуют лучше всего, что я пробовала. Вставший на путь зла гуль силен, как вампир, быстрее и сильнее зомби, неуязвим для серебряных пуль, и без огня его убить почти невозможно.

— Я видела, как подожженные бежали через ручей. Куда плескала вода, там фосфор вспыхивал так ярко, что глазам больно было. И вода сверкала, как на солнце.

— А люди кричали долго, — сказал Шоу.

— Это были гули, но — да. Долго.

Голос у меня был совершенно холодным. Я не могла себе позволить по этому поводу никаких чувств.

— Я думал, современный фосфор такого не делает, — сказал он.

— Новое — хорошо забытое старое, — ответила я.

— Кажется, начинаю понимать, почему вампиры вас боятся, Блейк.

— Не оттого, что у меня гранаты, Шоу.

— А отчего?

— Оттого что я готова пустить их в ход.

— Не в том дело, что готовы пустить в ход, Блейк. А в том, что готовы это повторить.

Я подумала и согласилась:

— Да.

— Позвоните мне, когда будете знать свой рейс.

Судя по голосу, он был мной недоволен. Как будто я сказала такое, чего он слышать не хотел.

— Как только, так сразу. Дайте мне свой прямой телефон, если вы — тот, к кому я должна буду обратиться.

Он вздохнул достаточно отчетливо, чтобы я это слышала:

— Да, это я. — Он продиктовал мне добавочный и номер своего сотового. — Но ждать мы вас не будем, Блейк. Если сможем поймать этих гадов — поймаем.

— Ордер на ликвидацию был действителен, пока был жив ваш истребитель. Если вы их убьете без меня или другого истребителя вампиров, Шоу, то вам предъявят обвинения.

— Если мы их найдем и замешкаемся, они убьют нас.

— Я знаю.

— Так что вы мне советуете делать?

— Я просто напоминаю вам закон.

— А если я скажу, что нечего каждому тут вшивому истребителю напоминать мне закон?

— Я буду у вас как только смогу. У одного моего друга есть свой самолет — может быть, это будет быстрее всего.

— У вашего друга или вашего мастера?

— Чем я вас достала, Шоу?

— Не знаю точно. Может, вы мне напомнили что-то, чего я помнить не хочу. Может, вы просто постарались, чтобы я знал, что может еще случиться в моем городе, пока не кончится эта история.

— Если вам нужны утешительные сказочки, то вы не к тому маршалу обратились.

— Еще я слышал о вас, что вы трахаете все, что шевелится.

Да, я его и правда достала.

— Вы можете не волноваться, Шоу, вашей добродетели ничего не грозит.

— Почему это? Недостаточно для вас красив?

— Может, и достаточно, но я не сплю с копами.

— А с кем спите?

— С монстрами.

Я повесила трубку, хотя не надо было бы. Надо было ему объяснить про эти слухи, почему это не так, и сказать, что никогда у меня секс не мешал работе — всерьез. Но бывают моменты, когда просто уже надоедает объясняться. И — посмотрим правде в глаза — невозможно доказать отрицательное утверждение. Я не могу доказать, что не сплю со всеми подряд. Я могу только делать свою работу как можно лучше и стараться выжить при этом — да, и чтобы выжили все, кто со мной. И убивать плохих вампиров.

Вот этот момент следует помнить.

Перед тем, как уехать из города, мне надо было сделать еще несколько звонков. Сотовый телефон — потрясающая вещь.

Первый звонок — Ларри Киркланду, коллеге — маршалу США, истребителю вампиров. Он ответил на втором звонке.

— Привет, Анита, что стряслось?

Голос у него все еще молодой и свежий, но за четыре года нашего знакомства он приобрел первые шрамы, жену и ребенка и стал основным исполнителем казней в морге. Магазинную воровку он тоже отказался убивать. На самом деле именно он звонил мне из морга и спрашивал, какого черта теперь делать. Роста он примерно с меня, волосы ярко-рыжие, которые вились бы, если бы он их не стриг почти под ноль, веснушки, бородавки. Вид такой, будто ему самое место рядом с Томом Сойером, каверзы строить Бекки, но ему случалось стоять со мной плечом к плечу в очень нехороших местах. И если есть у него недостатки (помимо того, что я не слишком большая поклонница его жены), то это то, что он — не стрелок. Он все еще мыслит как коп, а не как ликвидатор, а это иногда в нашей сфере деятельности минус. А что я имею против его жены, детектива Тамми Рейнольдс? Она не одобряет мой выбор бойфрендов, а также пытается меня обратить в свою секту христианства, которая для меня, пожалуй, слишком сильно гностична. Это на самом деле одна из последних форм христианства, основанная на гностицизме, выжившая еще с ранних дней церкви. В нее принимают колдунов — в данном случае телепатку, читающую мысли. Тамми считает, что я была бы прекрасной сестрой-по-вере. Ларри теперь тоже брат-по-вере, поскольку он, как и я, может поднимать зомби из могил. Если ты делаешь это для церкви, то это не есть зло.

— Я тут по ордеру лечу в Вегас...

— Взять на себя твою работу, пока тебя не будет? — перебил он.

— Ага.

— Взял.

Я подумала было сообщить ему подробности, но побоялась, что он захочет ехать со мной. Подвергать себя опасности — это одно дело, а подвергать опасности Ларри — совсем другое. Отчасти потому, что у него жена и ребенок, но главное — я привыкла его беречь. Он меня моложе всего на пару-тройку лет, но что-то в нем есть еще мягкое, неокрепшее. Я это ценю, но этого же и опасаюсь. В нашей работе мягкость должна уйти, иначе уйдешь ты — на тот свет.

— Спасибо, Ларри. Увидимся, когда вернусь.

— Береги там себя, — сказал он.

— А разве я не? — удивилась я.

— Не, — рассмеялся Ларри, и разговор кончился.

Он будет злиться, когда узнает подробности про Вегас. Злиться, что я в него не верю, и злиться, что до сих пор его берегу. Но пусть злится, переживу. Его гибель пережить было бы труднее.

Еще я позвонила в Новый Орлеан. Тамошний охотник на вампиров, Дени-Люк Сент-Джон, взял с меня обещание, что если Витторио где-нибудь всплывет, я дам ему возможность поучаствовать в охоте. Сент-Джон едва не стал одной из жертв Витторио: несколько месяцев в больнице и долгая реабилитация. И твердая решимость убить вампира, который ему это все устроил.

На звонок ответила женщина, что меня удивило. Насколько мне известно, Сент-Джон не женат.

— Прошу прощения, не уверена, что попала на нужный номер. Я ищу Дени-Люка Сент-Джона.

— Кто спрашивает? — спросила женщина.

— Маршал США Анита Блейк.

— Истребитель вампиров, — сказала она так, будто это что-то плохое.

— Да.

— Я сестра Дени-Люка.

Имя она произнесла с акцентом, который я не смогла определить.

— Здравствуйте. Могу я говорить с вашим братом?

— Его нет, но скажите, что ему передать.

— О'кей.

И я рассказала ей про Витторио.

— Это тот вампир, что чуть его не убил? — спросила она.

— Да.

— Зачем же вы ему звоните?

Голос был уже неприкрыто враждебен.

— Он взял с меня обещание ему позвонить, если этот вампир снова появится — чтобы у него был шанс поучаствовать в охоте.

— Похоже на моего братца.

И снова в голосе совершенно не было радости.

— Так вы ему передадите?

— Передам, конечно.

И она повесила трубку.

Я не была так уж уверена, что она передаст, но других телефонов Сент-Джона у меня не было. Можно было бы позвонить в местную полицию и довести все же до его сведения, но а вдруг как на этот раз Витторио его убьет? Что я тогда скажу его сестре? Так что пусть уже решает сама. Передаст — хорошо, не передаст — не моя вина. Я обещание выполнила, и по моей вине его не убьют. В любом случае я в выигрыше.

Глава третья

В кино всегда показывают, как герой прыгает в самолет и летит сражаться со злодеями. В реальности надо сперва вещи сложить. Одежду я куплю себе в Вегасе, а вот оружие... оружие надо брать с собой.

В данный момент моим домом был подвал «Цирка проклятых». Давняя традиция, что владелец живет над своей лавкой, только когда водишься с вампиром, то широкие окна — плохо, а глубокие подвалы — хорошо. Кроме того, этот подвал — самое обороноспособное место в Сент-Луисе, а когда твой любовничек-вампир еще и мастер города, про оборону надо очень даже думать. Уже не люди, а другие вампиры пытаются отъесть кусок от твоего бизнеса. Хотя, впрочем, однажды это была группа оборзевших оборотней, но проблемы те же. Монстры, стоящие вне закона, так же опасны, как и люди вне закона. Но гораздо более изощрены.

Вот почему я знала, паркуясь и направляясь потом к задней двери, что за мною наблюдают охранники. Всегда хочется помахать рукой, но наблюдение считается тайным, так что я сдерживаюсь.

Когда я стала вытаскивать ключи, зазвонил мой телефон. Снова рингтон изменился: зазвучала песня «Уайлд бойз» группы «Дюран Дюран». Натэниела очень прикалывало, что я не умею программировать свой рингтон, и потому он его периодически менял без предупреждения. Теперь, значит, вот этот будет звучать по умолчанию. Мальчишки.

— Блейк слушает.

От голоса на том конце линии я остановилась на парковке как вкопанная.

— Анита, это Эдуард.

Эдуард — наемный убийца, специализирующийся по монстрам, поскольку люди — это слишком легко. Под именем Теда Форрестера он значится маршалом США и моим коллегой-истребителем. Под любым другим именем — самый умелый убийца из всех, кого я знаю.

— Что случилось, Эдуард?

— У меня все спокойно, но дошли слухи, что у тебя стала очень интересная жизнь.

Я стояла на солнцепеке, ключи болтались в руке, и было мне страшно.

— Ты о чем, Эдуард?

— Пообещай мне, что позвонишь и мы встретимся в Вегасе. Что не пойдешь на эту охоту, не пригласив меня в игру.

— Каким чертом ты дознался?

Когда-то, не так уж давно, если кто-нибудь погибал, тем более зрелищно, можно было ставить приличные деньги, что без Эдуарда тут не обошлось. У меня на миг закралось сомнение, не знает ли он о Вегасе больше меня.

— Ты не забыла, что я — маршал США?

— Помню, но я сама узнала меньше часа назад. Как получилось, что тебя известили, и кто?

— Там убили одного нашего, Анита. Копы такое очень сурово воспринимают.

Он сказал слово «нашего» и тут же упомянул о копах, будто сам не из них. Эдуард вроде меня: значок у него есть, но иногда он не совсем уместен.

— Как ты узнал, Эдуард?

— У тебя подозрительный голос, Анита.

— Не морочь задницу, выкладывай.

Слышно было, как он глубоко вздохнул.

— Что ж, ты права. Ты помнишь, что я живу в Нью-Мексико? Это недалеко от Невады. Я думаю, обзвонили всех истребителей западных штатов.

— Откуда ты знал, что надо звонить мне?

— Ту информацию скрыли от репортеров, но не от других маршалов.

— Так что ты знаешь о надписи на стене, потому мне и позвонил.

Вопрос был в другом: знает ли он про голову? Насколько хороши его источники? Когда-то он был для меня загадочным гуру: всевидящий, всезнающий, во всем меня превосходящий.

— Ты мне хочешь сказать, что не едешь в Вегас разбираться с этим гадом?

— Нет, еду.

— Чего-то ты недоговариваешь, — сказал он.

Я прислонилась к стене дома:

— Про голову ты знаешь?

— Что вампиры отрезали голову у истребителя Лас-Вегаса? Знаю. Мне было интересно зачем. Это же вампиры, не гули и не одичавшие зомби, они мяса не едят.

— Даже гули, которые запасают пищу, голову не возьмут. Они предпочитают части помясистее.

— Ты видела, как гули делают запасы? — спросил он.

— Однажды.

Он тихо засмеялся:

— Иногда я забываю кое-что про тебя.

— Что именно?

— Что на всем свете только ты видала такую жуть, которой даже я не видал.

— Даже не знаю, смущаться мне от комплимента, обижаться на оскорбление или пугаться угрозы.

— Смущаться, — ответил он, и я знала, что он всерьез.

— Они не для еды взяли голову, — сказала я.

— Ты знаешь, куда она девалась?

— Да.

— И мне даже не надо спрашивать?

Я вздохнула:

— Не надо. — Я ему рассказала про утренний сюрприз. Он молчал, и потому я добавила: — Нам повезло, что это было в то единственное утро, когда я целый день принимаю клиентов. Бог знает, что сделал бы Берт, наш бизнес-менеджер, если бы меня не было. А так я сумела его уговорить дождаться судебных экспертов.

—Ты действительно думаешь, что пакет пришел в такое утро по случайному совпадению? — спросил Эдуард.

Я прислонилась к стене чуть сильнее, сжимая телефон в одной руке, а в другой ключи. Вдруг я почувствовала себя на парковке как на ладони — поняла, что имеет в виду Эдуард.

—Ты думаешь, Витторио за мной следит? Знает мой распорядок?

Я оглядела залитую светом парковку. Спрятаться негде. День — значит, машин немного. Но мне вдруг захотелось оказаться в помещении, за закрытой дверью.

Я сунула ключ в замочную скважину, придержала телефон плечом, отпирая дверь.

—Да.

Эдуард таков. Точность и никаких попыток смягчить истину.

Я просочилась в дверь и закрыла ее прежде, чем охранники внутри успели от стены отлипнуть. Оба они были в черных футболках и джинсах, только пистолеты и кобуры нарушали небрежный стиль одежды. Они попытались со мной заговорить — я жестом показала, что разговариваю по телефону. Они снова вернулись подпирать стену, а я направилась к дальней двери. Это был один из двух путей в подземелье, где спали Жан-Клод и его вампиры. Вот почему у нас всегда в кладовой стоят двое охранников. Очень скучный пост, и потому всегда на него ставили новичков. Я вспомнила, что один из них — Брайан, но убей не могла вспомнить, как зовут второго.

—Анита, ты здесь еще?

—Погоди минуту, я найду место, где меня не будут слышать.

Я открыла ведущую вниз дверь и закрыла ее за собой, оказавшись на каменной площадке, от которой уходили вниз ступени, теряясь вдали. Держась рукой за стену, я начала спуск. Туфли на каблуках придуманы не для таких лестниц. Черт побери, эти ступени вроде бы и сделаны не для тех, кто ходит как люди. Для существ побольше, и с другими ногами, похоже.

—Витторио в Сент-Луис не приедет, — сказала я.

—Наверное, нет. Но ты лучше других охотников знаешь, что у вампиров есть иные ресурсы.

—Ну, да. Если я — слуга Жан-Клода, то у Витторио тоже может найтись слуга.

—Да блин, Анита, у него могут быть люди просто с парой укусов. Ты знаешь, что если вампир на ком-то сфокусирует взгляд и проделает этот фокус с укусами, человек сделает все для своего мастера.

—Человека с несколькими укусами я бы не распознала. Они ощущаются просто как люди.

—Так что — да, я думаю, за тобой шпионят. Я бы тебе посоветовал не ездить, Анита, но знаю, что ты не послушаешь.

Я оступилась на лестнице и ухватилась за стену, так что чуть задержалась с ответом:

—Ты честно посоветовал бы мне не ехать на это дело? Ты, который меня всегда приглашал на охоту за монстрами побольше, да и позлее?

—У этого к тебе личное, Анита. Ему нужна твоя голова.

—Спасибо за образ. После сегодняшнего подарка он мне в самый раз.

—Я нарочно так сказал, Анита. Ты сейчас как я: у тебя есть те, кого ты любишь, и ты не хочешь с ними расставаться. Я только тебе напоминаю, как ты напоминаешь мне, что у тебя действительно есть выбор. Можешь на этот раз отсидеться.

—То есть торчать в Сент-Луисе, пока вы будете на этого гада охотиться?

—Да.

—И ты можешь мне сказать, опять же честно, что я в твоем мнении не потеряю после этого?

Он не отвечал так долго, что я уже успела дойти до слепого поворота на половине лестницы. И я его не торопила, только слушала его дыхание и смотрела, куда ставлю каблуки на этом неровном камне.

—Я не сочту тебя виноватой, если ты останешься дома.

—Но ты будешь думать обо мне хуже.

Он ответил ровно и спокойно:

—Постараюсь так не думать.

— Ага, а остальные копы, которые уже знают, что я — женщина и сплю с вампирами, и что сплю подряд со всеми остальными копами, они что подумают?

— Не стоит погибать из гордости, Анита. Это чисто мужская причина. Раз в жизни поступи как женщина.

— Эдуард, раз он за мной наблюдает в Сент-Луисе, то я и здесь тоже не вне опасности.

— Может быть. А может быть, он тебя хочет выманить. Может быть, он готов был бы и в Сент-Луис за тобой приехать, но при том количестве народа, что толпится вокруг Жан-Клода, ему тебя не достать.

Я обошла угол, обдумывая.

— Вот надеюсь, черт побери, что ты тут все же не прав.

— Ты знаешь, Анита, что это западня.

— Да. Но знать, что Витторио бросил перчатку в Вегасе — это одно дело. Думать, что он выбрал какое-то другое и далекое место, чтобы выманить меня от Жан-Клода и его охраны... это пугает.

— Отлично. Я и хотел тебя напугать, потому что в этом деле надо бояться.

— И что это должно значить?

— Это значит, что Витторио за тобой следит или кого-то поставил за тобой следить. Он послал голову в тот день, когда ты будешь на работе. Послал рано утром, когда твой любовник-вампир спит, и никто тебе не скажет, чтобы ты взяла с собой охрану или не ехала вообще. В Сент-Луисе, если Жан-Клод еще не проснулся от дневного сна, командуешь ты.

— Мы усердно работаем над тем, чтобы сделать меня более слугой, а Жан-Клода более мастером.

— Ага, настолько усердно, что ты к нему переехала. Остальные маршалы не в восторге, что ты трахаешься с мастером своего города.

— Сволочи с предрассудками.

Я стояла у большой решетчатой двери, ведущей в подземные покои.

— Еще я слышал, что Жан-Клод и твои бойфренды объявили о своей бисексуальности. Я думаю, идея, что Жан-Клод имеет тебя и твоих бойфрендов, имела целью объяснить, почему он разрешает тебе трахаться с другими.

— Это мы сообщили сообществу вампиров, но не маршалам. Откуда они узнали?

— Не только ты в хороших отношениях со своими местными вампирами, Анита.

— Видала я твоих местных вампиров и знаю, что с Обсидиановой Бабочкой ты не общаешься. Она такая жуткая, что мировая вампирская общественность в Альбукерк вообще не суется.

— Я в Санта-Фе живу.

— Это все равно близко к Обсидиановой Бабочке и ее группе. Вот почему ты ездишь на охоту за вампирами за пределы штата. Местный мастер слишком жуткая личность, чтобы ими делиться.

— Она считает себя ацтекской богиней, Анита. Боги не делятся.

— Она вампир, Эдуард. Хотя может быть, ее почитали ацтеки под этим именем.

— И это не меняет того, что она вампир, Анита.

— Что-то меня твой тон настораживает, Эдуард. Обещай мне: если когда-нибудь у тебя будет ордер на ликвидацию любого из ее вампиров, ты мне разрешишь тебе помочь.

— Ты чуть не улетела в Вегас без меня.

— Могло быть. Может быть, человеческая голова в коробке даже меня может вывести из равновесия. Может быть, я боюсь Витторио и не хочу бежать в западню, как кролик. Может быть, я просто не успела подумать, что тебе надо позвонить.

— Слишком много «может быть», Анита.

— Я спускаюсь под землю, Эдуард, там телефон может не брать. Но мне надо собрать вещи, так что...

— Мне в Вегас лететь ближе, так что там увидимся.

— Эдуард?

— Да?

— Ты правда думаешь, что Витторио хотел вытащить меня в Вегас до того, как проснется Жан-Клод и меня отговорит или заставит меня взять с собой охрану?

—Не знаю. Но если он это планировал, значит, твоей охраны опасается. Или тебя с Жан-Клодом. Но тебя самой по себе он не боится.

—Я не буду сама по себе, — возразила я.

—Не будешь, — согласился он.

—Я не про тебя, Эдуард. Витторио убил сотрудников полиции. Вряд ли он понимает, насколько это серьезно.

—Мы ему объясним, — сказал Эдуард без акцента, без интонации — совершенно пустым голосом. Такой голос у него бывал, когда он становился наиболее опасен.

—Объясним, — ответила я.

Он повесил трубку.

Я отключила телефон и вошла в дверь, ведущую в гостиную Жан-Клода.

Глава четвертая

Двое моих любовников лежали в нашей общей кровати — мертвые. Они потом оживут к вечеру, точнее, в начале ночи, но пока что Жан-Клод и Ашер мертвы, как бревна. Я достаточно ощупала на своем веку мертвых тел, чтобы знать: сон — не имитация смерти. Даже у больных в коме нет той расслабленности и пустоты.

Они валялись в путанице шелковых простыней. Жан-Клод в черных кудрях, лицо безупречной красоты: добавить или убавить одну черту — и слишком будет красивым, слишком женственным, но никто никогда, поглядев в его лицо, не подумает: девушка. Слишком он мужественный, каким бы ни выглядел красивым. Ну, и то, что он лежал голый поверх простыней, добавляло определенности. Очень, очень мужское тело.

Золотые волны волос Ашера упали на лицо, скрыв самый совершенный профиль в мире. У меня сохранились некоторые воспоминания от Белль Морт — вампирши, которая его создала. Белль Морт, Красивая Смерть. Она существует более двух тысяч лет, и она считает, что такого красивого профиля, как его левый, не видела ни у одного мужчины, ни до, ни после. Правый его профиль в ее глазах много потерял из-за кислотных шрамов на коже, оставленных святой водой, когда церковники пытались выжечь из него дьявола. Они не так уж много места заняли на его лице, шрамы, всего лишь от середины щеки до подбородка. Рот все равно звал к поцелуям, лицо поражало красотой, от которой сердце замирало, но для Белль шрамы все портили.

Шея осталась нетронутой, но от груди до паха, захватывая часть бедра, все тело было покрыто шрамами от святой воды. Выглядели они так, будто кожа расплавилась и потом застыла, как воск. Текстура кожи отличалась от неповрежденных мест, но она не была разрушена. Кожа ощущала мое прикосновение, ее можно было целовать и гладить, прикусывать. Просто она была другая. Это был Ашер, которого я люблю.

Не так, как я люблю Жан-Клода, но я давно знаю, что слово «любовь» может означать много разных вещей, и как бы ни выглядело все одинаково снаружи, изнутри разница видна. Разница между хорошим и хорошим, но все же разница.

Я уже собралась, хотя придется попросить пару охранников, чтобы вынести наверх сумки с оружием. Мне предстояло добраться до аэропорта, где уже ждал заправленный самолет, потому что я хотела попасть в Вегас еще при свете дня. Если Витторио хотел вытащить меня из Сент-Луиса, пока Жан-Клод еще не очнулся и не дал мне в сопровождение охрану, то — ладно. Тогда и я могу прилететь в Вегас, пока Витторио еще мертв для мира. Это сильно уравнивает шансы — что вампиры днем беспомощны. И я это максимально использую к своей выгоде. Конечно, Витторио это обо мне знает, если за мной шпионит. И мысль, что его дневные глаза и уши ждут меня в Вегасе, не успокаивала.

Глядя на лежащих вампиров, я жалела, что не могу с ними попрощаться.

Открылась дверь ванной, и вышел Джейсон, одетый в халат, на котором не дал себе труда завязать пояс. Но когда я раньше зашла в эту комнату, он лежал между двумя вампирами совершенно голый. Ну, и вообще не то чтобы я всего этого раньше не видела. Он у Жан-Клода pomme de sang, яблоко крови — нечто среднее между содержанкой и утренним завтраком. Как правило, никто своего pomme de sang не трахает, и Жан-Клод — не исключение, но репутация Джейсона пала жертвой необходимости поднять авторитет нашего с ним общего мастера в глазах вампирской общественности. Еще у него была смешная обязанность: когда Жан-Клод проснется, докладывать ему, где я была и что делала.

Джейсон моего роста, на дюйм выше разве что — низковат для мужчины, и для женщины, пожалуй, тоже. Светлые волосы доходили до плеч — он снова начал их отращивать, хотя, если честно, он один из немногих мужчин, которым больше идет строгая короткая стрижка. Но, хотя мы с ним добрые друзья и любовники, я не его девушка, и не мое дело, какой длины у него волосы.

Он мне улыбнулся — весенние голубые глаза искрились какой-то шуткой, известной только ему. Потом взгляд изменился: ушло веселье, появилась серьезность, а потом... я вдруг как-то осознала, что он голый, и что халат очень мало прикрывает, и что...

— Джейсон, прекрати, — тихо сказала я.

Не знаю, почему рядом со спящими вампирами всегда разговариваешь шепотом — будто они и вправду спят, но так почему-то получается. Если специально за собой не проследить, при знакомых вампирах днем ведешь себя так, будто они слышат, и ты боишься их разбудить.

— Что прекратить? — спросил он голосом чуть более низким, чем надо бы. Не могу сказать, в чем именно изменилась его походка, но вдруг я вспомнила, что его дневная работа — стриптизер.

— С чего ты решил заигрывать всерьез, Джейсон? Ты же знаешь, что у меня сейчас времени нет.

Он подошел к торцу кровати, и мне оставалось либо отступить, либо остаться стоять на дороге. Отступить казалось трусостью, и когда-то я вполне могла противостоять вниманию Джейсона, но с тех пор, как случайно сделала его волком своего зова, он стал сильнее действовать на мое либидо. Обычно он этим не злоупотребляет, так зачем же он сейчас раздувает жар?

Я не отошла с дороги, но почти до боли чувствовала, как близко он подошел.

— Ты знаешь, что Жан-Клод взбесится, когда проснется, — сказал он.

— Жан-Клод никогда не бесится.

— Витторио поставил на тебя капкан, Анита. И ты туда лезешь головой вперед.

Он зашел сзади, касаясь меня полами халата.

— Джейсон, пожалуйста. Мне пора.

Это не был шепот, чтобы не разбудить вампиров — просто мне голос изменил. Один из серьезных минусов переезда в цирк и жизни со всеми мужчинами, с которыми у меня имеется метафизическая связь, состоял в том, что они набирали силу — некоторую власть надо мной. С Жан-Клодом еще понятно: он — мастер города. Ашер тоже, поскольку он мастер-вампир. Но Джейсон — он же вервольф, донор крови и волк моего зова. Казалось, тут я должна быть хозяйкой — а не получалось.

Он обошел меня, близко, очень близко, настолько, что не касаться друг друга было труднее, чем сократить это ничтожное расстояние. Я держалась одной рукой за стойку кровати — как за якорь, за привязку к реальности. Джейсон встал передо мной, глаза чуть ниже моих — я стояла на каблуках.

— Тогда иди, — ответил он тоже шепотом.

Я проглотила слюну пересохшим ртом — и не отодвинулась. На секунду задумалась, почему это я не могу, и этой мысли хватило. Закрыв глаза, я шагнула назад. Это все-таки Джейсон, не Жан-Клод. Я в силах прервать.

— Не уходи.

Джейсон поймал мои руки.

— Я должна.

Но приходилось держать глаза закрытыми, и мое заявление сильно потеряло в убедительности.

Он притянул мои пальцы к своему телу, я коснулась мускулистой глади живота. Джейсон положил мою руку на свой пах, и был уже куда больше рад меня видеть, чем когда я смотрела последний раз. Он заполнил мне ладонь, снова большой и идеальный. Два месяца назад нас с ним поймали некие плохие люди. Пытали его сигаретами, огнем, вообще такими вещами, которые только ликантроп может выдержать. Красивое тело исчеркали шрамами. Чуть не убили.

Я полезла руками ему под халат, обняла, притянула к себе, ощутив, какой он голый. Обняла, и он меня обнял в ответ. Обнимая, вспомнила, как он истекал кровью, а я тогда тоже обнимала его, думая, что он умирает.

А он голосом нормальным, не соблазняющим, сказал:

— Анита, прости, пожалуйста.

Я отодвинулась заглянуть ему в лицо.

— За то, что попытался новообретенной властью заставить меня остаться дома?

— Ага, — усмехнулся он. — Но мне нравится, как ты любуешься мною исцеленным.

— Я просто рада, что док Лилиан догадалась: если вырезать обожженные куски, то раны заживут нормально.

— А я рад, что нашли, наконец, анестезию, действующую даже при нашем быстром метаболизме. Перенести такие операции в сознании я вряд ли согласился бы.

— Понимаю.

— Ты слыхала? Они говорят о том, чтобы вырезать у Ашера часть шрамов и посмотреть, не заживут ли раны нормально.

— Он вампир, Джейсон, а не оборотень. У вампиров ткани не нарастают тем же способом.

— Свежие раны можно лечить на любых видах мертвой плоти, в том числе и на вампирах.

— Именно свежие, Джейсон. И притом не ожоги.

— Если врачи удалят шрамы, это вполне может считаться свежей раной, и тогда его можно будет лечить.

— А если не поможет? Если выйдет, что доктор Лилиан отрежет от Ашера куски, я их не вылечу и сами они не зарастут? Будет ходить с дыркой на боку?

— Попробовать все же нужно.

Я покачала головой:

—Сейчас я только в одном уверена: мне надо успеть на самолет, и мне нужно, чтобы охранники помогли вынести оружие.

—Опять же, охранники теперь тебя боятся.

—Ага. Они думают, что я — суккуб и сожру их души.

—Ты питаешься сексом, Анита, и если не будешь питаться регулярно, умрешь. Не таково ли — в общем и целом — определение суккуба?

Я скривилась:

—Вот спасибо, Джейсон! Как мне сразу приятно стало!

Он усмехнулся, пожал плечами:

—На ком будешь в Вегасе кормиться?

—Там Криспин живет.

—На одном маленьком тигре ты не прокормишься долго.

—А я еще умею питаться гневом, помнишь?

Это я только недавно открыла. Жан-Клод такого не умеет, и никто из его линии крови не умеет. Это значит, что если бы я силу получала только от него, я не умела бы тоже. А я умею.

—Ты знаешь, объяснить это научно пока не удалось, — сказал он.

—Знаю, но это действует.

—И чьим гневом ты будешь питаться в Вегасе?

—Помилуй, Джейсон! Я ж буду тусоваться с копами и подозреваемыми. Это публика сердитая.

—Питаться от них без их разрешения — незаконно. Я даже думаю, что это тяжкое преступление.

—Если бы я питалась кровью — тогда да. Но за вампирами, которые могут питаться другими средствами, закону не уследить. Если бы я питалась от секса против воли партнера, то это подпадало бы под закон о парапсихическом или магическом изнасиловании на свидании, но я питаюсь гневом, а тут в законе пробел.

—А если это выйдет наружу? Копы и без того склоняются к мысли, что ты из нас.

Я подумала, пожала плечами.

—Честно говоря, формулировка ордера обычно такова, что с моей стороны для преследования преступников поощря-

ется использование любых способностей, в том числе метафизических.

— Вряд ли ордер выписывается ради питания от них, —
возразил он.

— Нет, конечно, — улыбнулась я, — но таковы формули-
ровки. Юриспруденция — это только формулировка законов
и их интерпретация, ничего больше.

— Что случилось с той девушкой, с которой я был знаком
несколько лет назад? Которая верила в правду, справедливость
и Американский Образ Действий?

— Повзрослела.

На лице Джейсона отразилось сочувствие.

— Вот не знаю, не следует ли мне за это извиниться от имени всех мужчин твоей жизни?

— Не льсти себе. Полиция тоже помогла мне закалиться.

— Гневом ты питалась всего несколько раз, и обычно это
было несколько хуже, чем ardeur.

— Жан-Клод может разделить мой ardeur между всеми
вами на время, пока меня не будет. Он это уже делал, и полицию вполне устроило.

— Да, но это мера временная, и действует лучше, если ты
перед тем как следует заправишься.

— Это предложение? — спросила я.

Он радостно оскалился:

— А если да, то что?

— То это приемчик, чтобы задержать меня до пробуждения
Жан-Клода. Ты считаешь, что когда он очнется, я не смогу
просто так улететь.

— Я вижу, что тебе достаточно трудно сказать «нет» даже
моей скромной персоне; если же наш мастер проснется и скажет: «Не уезжай» — сможешь ли ты устоять?

И я вдруг испугалась, потому что Джейсон был прав. Что
бы ни происходило между мной и моими мужчинами, труднее всего сопротивляться Жан-Клоду. Как будто не мой талант некромантки не дает ему стать моим властелином, а
только дистанция. Как будто чем дольше я рядом с ним, тем

сильнее тают моя способность сопротивляться и моя независимость.

— Спасибо, Джейсон.

— За что? — наморщил он брови.

— Я теперь ухожу, потому что не знаю, смогу ли уйти, если он очнется и велит мне остаться. Это мне не нравится. Я — маршал США и истребитель вампиров, и я должна быть способна делать свою работу. Иначе кто я вообще такая?

— Ты — Анита Блейк, слуга-человек Жан-Клода и первый настоящий некромант за последнюю тысячу лет.

— Ага, ручной некромант Жан-Клода.

Я пошла к двери — сказать охранникам, чтобы послали кого-нибудь помочь вещи тащить.

— Ты — один из моих лучших друзей, — сказал Джейсон мне в спину. — И я беспокоюсь, как там у тебя будет в Вегасе.

Я кивнула, но не обернулась — просто чтобы зрелище одного из моих лучших друзей в голом виде не заставило меня передумать.

— Я тоже боюсь, Джейсон. Вегаса, Витторио, но я начинаю бояться и остаться здесь. — Взявшись за ручку двери, я сказала: — Когда он бодрствует, когда на меня смотрит, мне все труднее и труднее говорить «нет». Я теряю себя, Джейсон.

— Я — зверь твоего зова, Анита. Коснись меня — и обретешь силу для сопротивления вампирам.

— Проблема в том, Джейсон, что от тебя я тоже себя теряю. Не в Жан-Клоде дело — во всех вас. С одним или двумя я еще могу бороться, но с шестью — нет. Численным превосходством задавите.

Я открыла дверь и сказала охраннику в черном, что мне нужны носильщики. Возвращаться в спальню я не стала — не хотела продолжать разговор с Джейсоном, не хотела пялиться на кровать, где лежали два красавца-вампира. Не будь я так уверена, что Витторио хочет меня убить и кому-нибудь послать мою голову по почте, я бы радовалась поездке в Вегас. Какая-то нужна дистанция между мною и мужчинами моей жизни.

Глава пятая

Самолет приземлился в Вегасе, а я за весь полет не устроила истерику — очко в мою пользу. Вот что неприятно, так это что мне проще летать, когда кто-то рядом сидит. Я радовалась уединению, но не хватало руки бойфренда, чтобы в нее вцепиться. Нельзя же одновременно *хотеть* от них от всех смыться и по ним по всем скучать? Даже для меня это кажется бессмысленным.

В Сент-Луисе жарко, но в Лас-Вегасе жарче намного. Можно в оправдание сказать, что там жара сухая, но в печке она тоже сухая. Так было жарко, что у меня на миг дыхание перехватило. Как будто тело хотело спросить: «Это ты шутишь?» Увы, не только не шучу. Еще в этой жаре придется охотиться на вампиров. Класс!..

Я надела темные очки, будто от этого жара станет хоть чуть слабее. Но они хотя бы слепящий свет гасили.

Пилот помог мне выгрузить багаж, и тут я заметила, что к нам идет крупный мужчина в форме. А за ним еще несколько, и тоже в той же форме, на почтительном расстоянии, и мне даже не нужно было видеть табличку с надписью «Помощник шерифа», чтобы знать: это шериф Шоу.

Он был мужик не маленький, и моя рука утонула у него в ладони в момент рукопожатия. Глаз не было видно за зеркальными очками, но и он моих тоже не видел. Солнечные очки — это красиво, но они исключают один из самых надежных способов понять, кто перед тобой. Много чем может человек лгать, но глаза очень затрудняют ложь — иногда даже не тем, что они показывают, а тем, что они скрывают. Очень много можно сказать о личности на основании того, что она хочет скрыть. Хотя мы сейчас стояли посреди пустыни. Так что, наверное, очки были не для сокрытия чего-то, а просто для удобства.

— Фрай и Реддик возьмут ваши сумки, — сказал Шоу. — А вы можете поехать со мной вперед.

— Прошу прощения, шериф, но как только ордер на ликвидацию вступает в силу и охота начинается, я по закону обязана держать оружие под присмотром, или же лично его куда-то определить в безопасное место, или осуществлять за ним наблюдение и скрывать от посторонних взглядов.

— Когда такая норма появилась? — спросил он.

Ответил Граймс:

— Около месяца тому назад.

Я кивнула лейтенанту:

— Удивительно, что вам это известно.

Он даже улыбнулся в ответ:

— Мы с нашим местным истребителем работаем уже год. Нам полагается знать, когда закон меняется.

Я снова кивнула. Не стала говорить вслух, что многие их полицейских все еще считают маршалов противоестественных отделов низшей расой, если не просто гирей на ногах. Не могу их осудить: многие из нас действительно немногим лучше убийц со значками. Но остальные все-таки стараются изо всех сил.

— А почему такая перемена? — спросил Шоу.

Мне это понравилось — многие бы не стали спрашивать. На этот раз ответила я.

— Один охотник на вампиров в Колорадо оставил свой мешок с подарками на заднем сиденье машины, и его сперли какие-то несовершеннолетние злоумышленники. Что это такое, они вряд ли поняли, но пистолеты продали, и один из них потом использовался в драке со смертельным исходом.

Шоу посмотрел на тюки с тяжелой техникой.

— Не можете же вы все это таскать на охоту? Некоторые сумки больше вас весят.

— Я их складываю на хранение и беру то, что нужно для охоты. Сокращается до рюкзака и нескольких единиц оружия.

— Хранить можно у нас, — сказал Граймс. — Во время выполнения ордера мы будем с вами, так что можете вместе с нами приходить и загружаться.

— Звучит приятно, — кивнула я.

Граймс снова мне улыбнулся. Я не поняла пока, это естественная улыбка — или у него такой вариант полицейской физиономии. Одни делают каменную морду, другие улыбаются, но и у тех, и у других ничего по лицу не прочтешь. Может быть, я даже и не узнаю, что это было, потому что лейтенант вряд ли пойдет помогать выполнять ордер. Он будет сидеть в командном пункте и командовать.

— Сонни нас отвезет обратно, и там сложите свое барахло.

Я не очень поняла, кто такой Сонни, но решила, что соображу, когда он сядет за руль.

— Мне нужно будет выслушать маршала Блейк, — сказал Шоу.

— Поедете с нами, шериф? — спросил Граймс.

Шоу задумался на пару секунд, снял шляпу и вытер выступивший пот — стрижка у него была короче, чем у ребят из СВАТ. Сугубо армейская прическа: почти бритые виски, немногим короче волосы на темени — будто он и не уходил со службы. Во всяком случае, от ее парикмахеров.

— Поеду за вами. Давайте только уберемся с солнцепека.

Все кивнули, я только подождала, пока кто-нибудь двинется к машине, на которой мы поедем. Я вообще-то думала, что после приземления события пойдут быстрее. А тут что-то все были слишком спокойные, да и я тоже. Что бы мы ни чувствовали, внешне все было исключительно по-деловому. Для эмоций время наступит потом — быть может. Иногда эмоциональные реакции откладываешь до того момента, когда вопрос о них станет чисто академическим. Потому что во время работы просто не можешь себе их позволить.

Я взяла одну большую сумку и потянулась за второй, но Рокко успел первым — я не стала ему мешать. Хупер взялся за последнюю, и я опять же не возражала. Проблемы начались, когда лейтенант хотел взять ту, что я уже держала.

— Спасибо, лейтенант, я уже взяла.

Секунду он колебался, мы смотрели друг на друга. Наконец я сказала:

— Если хотите, можете взять багаж.

Он кивнул и пошел за багажом. Я поняла, что Сонни — это Хупер, потому что он открыл багажник внедорожника. Там было полно его собственного снаряжения. Я увидела бронежилет и два шлема. Много всякого, но ничего огнестрельного.

— Оружейный сейф, — сказал он, будто я спросила, и сдвинул кучу, чтобы сейф стал виден.

— Послепродажное дополнение? — спросила я.

Он кивнул.

— Надо бы мне о таком подумать, — сказала я. — Удовлетворяет букве нового закона и куда как удобнее.

— Мы должны быть готовы действовать в любой момент.

— Я тоже.

Он добавил к своему снаряжению мои сумки, и багажник оказался забит под завязку. Подошел Граймс с единственным чемоданом.

— Пилот сказал, что это все.

— Правду сказал, — подтвердила я.

— Три сумки длиннее вашего роста, полные оружия, и один чемодан с одеждой? — спросил Рокко.

— Ага.

Они как-то вроде кивнули, выискивая место для чемодана в багажнике. Я давно уже выучила, что, если пакуешься как девушка, теряешь очки в глазах полиции. А кроме того, в континентальной части Соединенных Штатов всегда найдешь молл, если чистые шмотки кончатся.

Хупер, он же Сонни, сел на водительское место, Граймс рядом. Старший по званию ездит на переднем сиденье. Или на заднем — как сам решит. Сержант Рокко сел рядом со мной. Груда оружия и сумок слегка подпирала сзади, как будто разрушительная сила подтекала оттуда. А может, просто нервы. Я знала, что у меня в сумках — гранаты. Да, граната — твой друг, пока ты ее не нажмешь, не дернешь или не активизируешь иным способом, но все-таки все эти хлопушки и петарды я не так давно с собой ношу. И в глубине души не могу одолеть недоверие. Логики тут нет, просто нервы. Не люблю я взрывчатки.

Мы поехали, а Шоу остался стоять в кругу своих одетых в форму сотрудников. Это он предложил убраться с солнцепека, но сам же и остался на нем стоять, разглядывая меня из-под зеркальных очков. До меня дошло, что я так и не увидела его глаз. Но, если честно, он моих тоже не видел.

—Он знает, что мы все еще его видим? — спросила я, когда мы проехали мимо.

—Да, а что? — ответил Граймс.

—У него вдруг стал мрачный вид.

—Потери личного состава, — пояснил он.

Я посмотрела на Граймса и увидела, что приятная мина несколько изменилась. Стали видны какие-то внутренние переживания. Боль потери и, быть может, намек на злость, от которой нам никуда не деться.

—Ничего я не могу сделать такого, что их бы вернуло. Но я сделаю все, чтобы убить вампира, который в этом виноват.

—Наше дело — спасать жизнь, маршал, а не отнимать, — возразил Граймс.

Я открыла было рот, но заговорила не сразу, думая, что бы такое сказать, чтобы его не расстроить сильнее.

—Я не спасаю жизнь, лейтенант. Я ее отнимаю.

—Вы верите, что, убивая вампиров, спасаете их будущих жертв?

Это спросил Рокко.

Секунду подумав, я мотнула головой:

—Думала когда-то. Может быть, это даже и правда, но ощущение — я просто убиваю.

—Убиваете — как людей? А не уничтожаете, как монстров?

—Когда-то я считала, что они монстры и есть.

—А сейчас? — спросил Рокко.

Я пожала плечами и отвернулась. Передо мной тянулись пустыри, начинали появляться моллы. Наверное, Вегас, но выглядело это как Где-Угодно, США.

—Не хотите ли вы сказать, что скандально знаменитая Анита Блейк дает слабину? — подал голос Хупер.

—Хупер! — одернул его Граймс таким тоном, что было ясно: босс им недоволен.

Хупер не стал извиняться:

—Вы мне сказали, что моя группа в ее распоряжении. Мне нужно знать, лейтенант. Всем нам нужно.

Рокко не шевельнулся, даже не вздрогнул, он просто застыл, будто не очень понимал, что будет дальше. Одна эта реакция мне уже показала, что своему лейтенанту они задают вопросы редко или никогда. То, что Хупер сейчас на это решился, показывало, как их вывела из себя гибель товарищей и попадание группы в больницу. В данный момент Хупер так выражал свое горе.

Я сидела рядом с Рокко и не пыталась прервать тяжелое молчание. Следуя примеру сержанта.

Наконец Граймс ответил:

— Задавая человеку вопросы, ты не узнаешь, можно ли ему доверять, Сонни.

— Знаю, лейтенант. Но ни на что другое у нас нет времени.

Я почувствовала, что сидящий рядом со мной Рокко уже не так напряжен, и сочла это за хороший знак.

Граймс обернулся ко мне:

— Мы не можем спросить вас, не даете ли вы слабину, маршал. Это было бы грубо, и вы наверняка ответили бы, как каждый из нас: нет.

Я улыбнулась и покачала головой:

— Этих ваших вампиров я убью, Граймс. И убью всех, кто им помогает. Всех, кого разрешает мне убивать мой ордер. Отомщу за ваших людей.

— Нас месть не интересует, — сказал он.

— А меня интересует, — ответила я.

Граймс посмотрел вниз, на большую свою руку, лежащую на сиденье. Поднял на меня карие глаза на печальном лице.

— Мы не можем позволить себе мстить, маршал Блейк. Мы полиция. Мы хорошие парни. Месть — это только для преступников. Мы поддерживаем закон — месть его отменяет.

Я посмотрела ему в глаза и поняла, что он говорит искренне, из самой глубины души.

— Мужественное и чудесное чувство, лейтенант. Но люди, которых я любила, умирали у меня на руках, убитые этими тварями. Я видела разрушенные семьи... — Я мотнула головой. — Витторио — зло. Не потому что он вампир, а потому что серийный убийца. Он получает удовольствие от страданий и смертей. Он будет убивать, пока его не остановят. Закон дает мне юридическое право это сделать. Если вы не хотите, чтобы это была месть за ваших людей, то это ваши внутренние вопросы. Он будет мертв, за чью бы смерть я ни мстила ему.

— И за чью смерть вы ему будете мстить? — спросил Хупер.

На этот раз никто не мешал ему задать вопрос.

Я подумала и нашла ответ:

— За Мельбурна и Болдуина.

— Двое полицейских из СВАТ, погибших в Сент-Луисе, — сказал Граймс.

Я кивнула.

— Это были ваши близкие друзья? — спросил он.

Я покачала головой:

— Виделись однажды.

— Зачем вам мстить за людей, которых раз в жизни видели? — спросил Рокко, и от него потекла первая струйка энергии. Он опустил свои экстрасенсорные щиты — чуть-чуть. Эмпат, который хочет знать, что я чувствую на самом деле?

Машина подъехала к стоянке, Хупер стал парковаться. Я поглядела в темные глаза Рокко — темнее, чем у лейтенанта. Настолько темные, что ближе, пожалуй, к черным. От этого зрачки терялись в радужках, как у вампира, когда сила начинает заполнять его глаза — сплошь цвета радужки и без зрачка.

— Какая у вас порода?

— Порода чего?

— Вы слишком уже большой, чтобы жеманиться, сержант.

Он улыбнулся:

— Я эмпат.

Я прищурилась, разглядывая его лицо. У него зачастил пульс — чуть-чуть, слегка приоткрылись губы. Я лизнула нижнюю губу и сказала:

— На вкус — вранье.

— Я — эмпат, — повторил он очень твердо.

— И? — спросила я.

— Что «и»?

— Эмпат и?..

Мы смотрели друг на друга в упор, воздух между нами густел, тяжелел по мере того, как мы опускали щиты.

— Может быть, зайдем внутрь? — спросил Граймс.

— Да, сэр, — ответил Рокко.

— Конечно, — согласилась я.

— Вы согласны, чтобы он прочел ваши эмоции?

— Граймс сказал, что вопросы не дадут вам ответа, понты у меня или мне можно доверять реально. Но что-то говорит мне, что Рокко, который не только эмпат, сможет рассказать вам куда как больше.

— Мы хотим знать о вашей последней охоте на вампиров, маршал. Вы готовы это открыть?

На Граймса я даже не посмотрела, не оторвалась от темного упорного взгляда коллеги-экстрасенса, потому что я знала то, что вряд ли знал о своем сержанте лейтенант. Рокко рвался меня испытать. Отчасти это был мужской инстинкт — выяснить, кто в лесу медведь, — но не только. Его сила рвалась в дело, и был в этом рвении оттенок голода. Я не могла найти вежливый способ спросить: не питаются ли его экстрасенсорные способности собираемыми воспоминаниями? Если да, то я не единственный живой вампир в Вегасе.

Глава шестая

Мы с Рокко снова подняли щиты, как надевает человек на себя куртку пожатием плеч. Оба, значит, профессионалы. Приятно.

— Давай проезжай через гараж, — сказал Граймс Хуперу. — Зал совещаний уже должен быть готов.

Хупер выехал с парковки и вырулил к двери гаража, по-настоящему большой. Весь внедорожник въехал внутрь, и вдруг я поняла, почему так велика дверь.

Я бы сказала, что гараж был набит грузовиками, но это слово их слабо характеризует. Я видала технику, которая есть у СВАТ Сент-Луиса, и сейчас меня заполнила серьезная зависть к местной технике.

Мы все вышли. Я заметила слева нечто вроде гимнастического зала, но в основном я рассматривала машины. Узнала броневик «Lenco B.E.A.R.», потому что такой есть и в Сент-Луисе, но остальное было для меня ново. Два грузовика поменьше, похожие на младших братьев броневика, — каковыми они, вероятно, и были, — но про остальные я и понятия не имела. В смысле, могла догадаться, что они делают, но не как их зовут. И еще здесь был самый большой рекреационный фургон, который я в жизни видела. Сами машины выглядели грозными и странно мужественными. Обычно мужчины о своих любимых машинах говорят как о красивых женщинах, но ни в чем, стоящем в этом гараже, и капли женственности не было.

— Маршал Блейк! — обратился ко мне Граймс с некоторым напором в голосе.

Я обернулась — они стояли кучкой, глядя на меня.

— Простите, лейтенант. На секунду предалась зависти к вашей оснащенности.

Он улыбнулся.

— Если выдастся время перед вашим отъездом, будем рады устроить вам экскурсию.

— Я бы с удовольствием.

Дверь гаража опустилась на место.

— Ваше оружие надежно заперто в багажнике машины Сонни.

— Согласна.

— Тогда в зал совещаний.

Он сделал приглашающий жест рукой.

Я кивнула и пошла вслед за ними по краю тренажерной зоны. Вдоль стены тянулся ряд бежевых шкафчиков с замками. Я подумала, что это ящики для оружия, и потом мы туда мое барахло перегрузим, но честно: если бы злодеи сюда проникли, я бы поставила на нас. Багажник машины Сонни — это класс.

Зал совещаний был просторен, с длинными столами и стульями в ряд. Классная доска на передней стене и вообще очень похоже на школьный класс. Но шесть человек, ожидавших нас там, не походили на учеников. Из грузовика никто не звонил, так что одно из двух: или Рокко даже больше экстрасенс, чем я думаю, или с самого начала запланировано представить меня их практиционерам. Я не могла сообразить: то ли меня завели в засаду, то ли я бы на их месте поступила так же. Стала бы я себе доверять?

У этих шестерых была такая же короткая стрижка, как у прочих, будто все ходили к одному парикмахеру, но я видела прическу Шоу, и мне было, с чем сравнить. То есть у них было полно волос, просто короткие. Все они были высоки, самый низкорослый — пять футов десять дюймов, самый длинный — за шесть футов. Но все они из СВАТ: тут либо держи себя в форме, либо вылетишь. Так что основные различия между ними были в цвете глаз, волос и кожи. Они стояли, ничего не делая, но видно было, что они вместе, что они группа, команда, боевая единица. Чувствовала ли я, что я здесь лишняя? Нет. А чувствовала ли себя как экспонат на выставке в день открытых дверей? Ну, слегка.

Сержант Рокко вошел и меня представил. Лейтенант и Хупер остались у двери, которая теперь закрылась.

— Вот это — Дэвис, Дэви.

Дэви был соломенным блондином, с ясными синими глазами и ямочкой на подбородке, подчеркивающей красивый рот. Может, не следовало мне замечать красивые рты? Наверное, не стоило.

Я протянула руку, он ее пожал уверенно и хорошо. Поскольку рука у него была вдвое больше моей, приятно, что он пожал мне руку без колебаний. Иногда мужчины не сразу пожимают мне руку, будто боятся сломать. Дэви был уверен, что мне не причинит вреда. Это хорошо.

— Это Мерсер, Мерси.

У Мерси были каштановые волосы и светлые глаза, которые никак не могли решить, быть им серыми или голубыми. Глядя прямо мне в глаза, он пожал мне руку, и они были голубые, но цвет какой-то неуверенный, будто они готовы его сейчас поменять. Рукопожатие у него тоже было хорошее — может, они тренировались.

У следующего волосы были почти того же цвета, но кудряшек было в них столько, что даже короткой стрижкой это было не скрыть. Глаза — чистого цвета молочного шоколада. Вот эти уж цвет менять не станут.

Меня представили Растерману, и я ожидала услышать прозвище «Расти», но нет.

— Паук.

Я подавила желание спросить «Почему паук?» — и пошла дальше по очереди вслед за Рокко. Следующий был Санчес, вполне подходящий к своему имени, но умевший настолько выглядеть похоже на коллег, что перед тобой стоял военный, только с некоторым испанским колоритом. Не в том было дело, что он был высок и спортивен, а была в них во всех какая-то похожесть, будто эту команду набирал человек, имеющий пристрастие к определенному типу.

Звали Санчеса Аррио, и я не поняла, это его имя или прозвище. Но спрашивать не стала, потому что на самом деле это было не важно. Мне называли имена, я их запоминала.

Рука Санчеса в моей дала искорку, будто легкий электрический удар. Мы оба постарались не вздрогнуть, но остальные заметили, а может быть, почувствовали. Я стояла в комнате, полной тренированных экстрасенсов.

— Ай-ай-ай, Аррио! Ты ее уколол, плохой практиционер. Не будет тебе конфетки, — сказал Паук. Остальные засмеялись тем мужским смешком, который ни одна женщина, будь она даже активной лесбиянкой, воспроизвести не в состоянии.

— Простите, маршал, — извинился Санчес.

— Ничего страшного, — ответила я.

Он улыбнулся и кивнул, но был смущен. Я поняла, что рукопожатие — это была проверка не только для меня, но для всех нас. Как мужчины испытывают свои тела со штангой, в тире, на спортплощадке — это тоже было испытание. Можешь ли ты скрыть, кто ты такой, пожимая руку другому экстрасенсу? Я многих видала, кто не мог.

— Поработай над удержанием щитов в момент контакта, Аррио, — сказал Рокко.

— Поработаю, сержант

Рокко кивнул и перешел к следующему. Это был Теодорос, греческое имя и греческая внешность, но звали его Санта, хотя в моем детстве Санта никогда так не выглядел. Волосы у него были прямые и черные, как у меня или Санчеса. Как и полагается, высокий, темный, красивый — если кто любит спортивных мужчин. Интересно, каким лешим он сумел себе имя «Санта» заработать. По-испански это значит «святой», но вряд ли за святость.

Санта пожал мне руку без малейших затруднений, не дав почувствовать ничего, кроме крепкого рукопожатия. Для него и для последнего в очереди это был момент гордости. Санчес тут прокололся, поэтому они особо постарались.

Последний тоже был экзотического происхождения, но какого именно, я не поняла. Короткие курчавые волосы вполне африканские, но кожа и черты лица не совсем такие. Он тоже был высокий, темноволосый и красивый, но по-иному. Глаза не могли выбрать между черным и темно-карим. Где-то между **цветом** моим и Рокко. Но обрамлены они были странно **короткими, зато о**чень густыми ресницами, и потому казались больше и изысканней, чем были на самом деле — как в оторочке черного **кру**жева.

—Мунес, Мун, — представил его Рокко.

Улыбка, рукопожатие. Рокко жестом пригласил меня выйти с ним вперед, к доске.

—Я Каннибал.

Это, как «Паук», вызвало у меня интерес: откуда взялась кличка?

—Если мы по именам и прозвищам, то я — Анита.

—Мы слышали, что у тебя есть прозвище, — ответил Каннибал. Я молча смотрела на него, ожидая, чтобы он его произнес. — Истребительница?

Я кивнула:

—Вампиры и правда меня так называют.

—Что-то ты маленькая для Истребительницы с большой буквы, — отозвался Дэви.

—С тобой рядом все маленькие, Дэвис, — ответила я. — У тебя сколько — шесть футов четыре дюйма?

— Шесть-пять.

— Вот тебе все человечество должно казаться низеньким — когда ты не на работе, конечно.

Все засмеялись над ним и со мной, что было хорошо. Сержант жестом прекратил смех и сказал:

— Мы действительно называем друг друга кличками. Хотите, чтобы вас тоже, маршал?

Я посмотрела на него:

— То есть чтобы вы меня называли не Анита и не Блейк, а Истребительница?

Он кивнул.

— Ну уж нет. Во-первых, слишком длинное. Во-вторых, никогда не слыхала, чтобы это имя произносили хорошим голосом.

— Вы его стесняетесь?

— Да нет, но оно как Иван Грозный. Серьезно сомневаюсь, чтобы кто-нибудь так называл его в лицо.

— Вампиры вас так называют.

Каннибал это сказал так, будто знал точно. Может, и знал. Я кивнула.

— Мы тоже могли бы тогда.

Я вздохнула:

— Мне бы не хотелось, сержант. Слишком много преступников так меня называли, когда пытались убить. Смотрели на мою внешность и называли Истребительницей — в насмешку. Маленькая, хрупкая, совсем с виду не опасная.

— А после того, как они над вами смеялись? — спросил он, серьезно рассматривая мое лицо.

Я посмотрела ему в глаза:

— А после они погибали, сержант. Иначе меня бы здесь не было.

— Больше никогда не назову тебя коротышкой, — вставил Дэви.

Это сломало лед, и я была рада рассмеяться вместе со всеми.

— Ну, тогда Анита, если ты будешь с нами работать.

— А буду или нет — зависит от того, как пройдет это маленькое испытание?

—Да.

От дверей раздался голос лейтенанта Граймса, и все повернулись к нему. Автоматически.

—Экстрасенсов в мире много, маршал Блейк, но немного достаточно сильных, чтобы от них была польза, и достаточно собой владеющих, чтобы можно было взять их с собой в бой. Нам необходимо знать, насколько хорошо вы владеете собой и какого рода у вас экстрасенсорные способности. Некоторые виды способностей конфликтуют между собой, и, если с кем-то из здесь присутствующих у вас есть конфликт, мы сделаем так, чтобы вы не попали в одну группу.

—Я понимаю мысль, которую вы сюда вкладываете, лейтенант, но я знаю также, что присутствующий здесь Каннибал испытывает ваших людей одновременно со мной. Он хочет знать, могут ли они находиться в одной комнате со мной, когда он испытывает мою силу, и не подвергаться ее действию. Да, вы хотите знать, не конфликтует ли моя сила с силой ваших людей, но заодно проверяете своих практиционеров.

—Одного из них мы потеряли, маршал. Одного из лучших. У нас очень мало времени для разгона и притирки. Вам приходилось гоняться за этим вампиром, и нам нужно знать, что вы о нем знаете.

—Все есть в рапортах, — ответила я.

Он покачал головой:

—Способности Каннибала нам дадут возможность узнать, точны ли ваши рапорты.

—Другими словами, не наврала ли я.

Он улыбнулся и покачал головой:

—Нет, не наврали — умолчали. У вас роман с мастером вашего города, маршал. Нам необходимо знать, не компрометирует ли это вашу лояльность.

—Спасибо за вежливую формулировку, лейтенант. Последний раз, когда я говорила на эту тему с копом из Вегаса, меня обвинили в том, что я трахаюсь со всем, что шевелится.

Граймс брезгливо сморщился:

—Ни один из моих людей никогда бы вам такого не сказал, но я приношу вам свои извинения за нарушение нашим городом долга гостеприимства.

— Спасибо, лейтенант, я тронута.

— Колдун был правой рукой Каннибала в этом подразделении.

— Это тот, кого вы потеряли?

Он кивнул.

— Мы должны посмотреть, как вы впишетесь, а у нас на это, может быть, всего час — потом мы должны вас доставить к Шоу.

Не к «шерифу Шоу», отметила я. Интересно, догадался ли он, кто меня оскорблял.

Каннибал заговорил, и я повернулась к нему.

— Если бы вы были как наш прошлый истребитель и использовали только оружие, мы бы отвели вас в тир, но нас больше интересуют ваши экстрасенсорные способности. Оружие мы всегда можем отобрать, а остальное — нет.

— Если я не пройду испытание, что тогда?

— Если вы представляете опасность для моих людей, маршал Блейк, я не стану подвергать их этой опасности.

— А если пройду?

— Тогда мы поможем вам выполнить ордер, — ответил Граймс.

— Если вы не пройдете, есть в городе другие охотники на вампиров, — добавил Каннибал. — У которых нет паранормальных способностей, составляющих проблему.

— Тогда у них и полезных паранормальных способностей не будет.

— Мы и сами можем справиться, — ответил Каннибал.

— Кто-нибудь из вас умеет чуять живых мертвецов? — спросила я.

— Нет. Ни у кого из нас нет способностей в работе с вампирами.

Я посмотрела в темные глаза Каннибала:

— Мертвые бывают многих видов, Каннибал, не только вампиры. — Я шагнула к нему ближе, но не вторгаясь в личное пространство. И добавила тише: — Как и вампиры бывают разных видов.

Каннибал улыбнулся, и снова я уловила от него всплеск нетерпения.

—Тогда давайте это проделаем.

—Давайте.

И громче, для всех присутствующих — для своих людей и лейтенанта, он сказал:

—Анита, готова?

—Насколько я должна быть готова?

—В смысле?

—Я должна сопротивляться или помогать тебе в акте чтения мыслей?

—Когда-нибудь мне интересно было бы попытаться сломать твои щиты, но сейчас у нас нет времени. Последнего экстрасенса, игравшего со мной в эту игру, увезла «Скорая».

—Ты настолько умелый или настолько безжалостный? — спросила я.

Кто-то из его людей шумно то ли вздохнул, то ли ахнул. Мы не стали отвлекаться.

—Настолько умелый, — ответил он. — Кроме тех случаев, когда со мной дерутся — тогда я безжалостен.

—Если бы было время, я бы заставила тебя подтвердить свои слова, но его нет. Так что я опускаю щиты, открываясь тебе, но не хочу их опускать полностью. Пожалуйста, не пытайся сдвинуть их до конца.

—Почему?

—Потому что не только я умею чуять мертвых, но и они иногда чуют меня. Если мои щиты будут взломаны, я засверкаю, как маяк, и все местные вампиры будут знать, что в городе что-то появилось. Я бы пока предпочла себя не рекламировать.

—Я не думаю, что ты говоришь неправду. Я хочу спросить, не преувеличиваешь ли ты.

—Я стараюсь не преувеличивать, сержант. Правда и без того достаточно странно выглядит.

—Я буду осторожен с твоими щитами, Анита.

—О'кей, так как мы это будем делать?

—Сядь, — сказал он.

—На случай, если кто-нибудь из нас упадет? — догадалась я.

—Вроде того.

— Ты и правда считаешь, что ты — самый сильный здесь экстрасенс?

— Да.

Я пожала плечами:

— Ладно, возьмем стулья.

Нам принесли два стула, мы сели лицом к лицу. Я слегка опустила щиты, будто дверь приоткрыла. Я ощутила не только гудящую вокруг меня энергию Каннибала, но и гудение и вспышки от всех прочих. На них я постаралась не отвлекаться, просто не обращать внимания, как обычно на призраков. Не обращай внимания — и призрак уйдет.

— Лучше получается, если я могу тебя коснуться, — сказал он.

Я глянула на него. Он улыбнулся:

— Такая молодая — и уже такая циничная.

Я протянула руки, все еще хмурясь:

— Ну, ладно.

Он взял мои руки в свои, и только тогда опустил собственные щиты, только тогда потянулся ко мне своей гудящей энергией. Только тут до меня дошло, что прикосновение усугубляет все вампирские силы, ужесточает их, даже если данный конкретный вампир имеет живое сердце и одет в полицейский мундир.

Глава седьмая

Его сила потекла в брешь моих щитов, как что-то теплое и живое. У оборотней энергия теплая, но в ней есть что-то электрическое, будто кожа не может решить, приятно ей или больно. Оборотни балансируют на этой грани между удовольствием и страданием, а вот эта энергия была просто теплая, почти успокаивающая. Что за черт?

Его руки в моих стали теплее, чем были за минуту до этого, будто у него температура поднималась. И снова я попробовала сравнить с ликантропом, потому что очень уж это было не похоже на холодное касание могилы.

Я заметила, что смотрю на наши соединенные руки. Я обращалась с ним как с вампиром. Им не смотришь в глаза, но это для меня уже много лет неактуально — давно не попадался мне вампир, который мог бы меня подчинить взглядом. И один весьма живой паранормальный вампир вряд ли мог бы это сделать, не так ли? Отчего же я тогда не смотрю ему в глаза?

Я поняла, что взволнована, почти испугана, а почему — сказать не могу. У меня нервы как канаты — если никто не пытается меня убить или дело не касается моей личной жизни. Отчего же сейчас?

Я заставила себя оторвать взгляд от его рук и посмотреть в глаза. Те же глаза, почти черные, зрачки теряются в радужке, но не глаза вампира. Цвет радужки не разлился сиянием по всему глазу. Человеческие глаза, и сам он всего лишь человек. Черт побери, уж как-нибудь я этот взгляд выдержу.

Понизив голос, вкрадчиво, как говорят гипнотизеры на сеансе, он спросил меня:

— Анита, готова?

Я нахмурилась:

— Давай, сержант, эта прелюдия несколько затянулась.

Он улыбнулся. Кто-то из других экстрасенсов (я еще не очень знаю их голоса, чтобы различать) сказал:

— Маршал, дайте ему быть нежным. Ей-богу, не стоит проверять, что он может.

Посмотрев в темные-темные глаза Каннибала, я сказала правду:

— А я как раз хочу проверить, что он может.

— Уверена? — спросил он голосом все еще низким, осторожным, будто боялся кого-то разбудить.

Я тоже ответила тихо:

— Не меньше, чем ты хочешь видеть, что могу я.

— Будешь сопротивляться?

— Если ты будешь делать мне больно, то да.

Он улыбнулся скорее свирепо, чем радостно:

— О'кей.

Наклонившись вперед, чтобы компенсировать разницу в росте, приблизив ко мне лицо, он прошептал:

— Покажи мне Болдуина, Анита. Оперативника, которого вы потеряли. Покажи мне Болдуина.

Это не должно было быть так просто, но получилось, будто слова волшебные. Воспоминания вышли на передний план, и я не могла их остановить, будто в голове стали крутить фильм.

Мечущиеся впереди и сзади лучи фонарей не могли разогнать темноту. У меня фонаря не было, и потому их свет мне не помогал, а ночное зрение нарушил. Глянув вниз, я увидела лежащие в коридоре два тела и перешагнула, споткнувшись, через третье. Успела только отметить, что это наш, а остальные нет. Слишком много было крови, слишком много увечий. Кто это был — я не могла разобрать. Он был пришпилен клинком к стене, похож на черепаху с раскроенным панцирем — бронежилет разорван, видны красные ошметки торса. Большой металлический щит раздавлен. Болдуин? Из какой-то двери торчали ноги. Дерри их миновал, считая, что прошедшие перед ним бойцы не оставили там ничего опасного или живого. Такой уровень доверия мне давался с трудом, но я держалась. Оставалась с Дерри и Мендесом, как мне было сказано.

И я оказалась на том же стуле, судорожно дыша, уставилась на Каннибала, а он крепко держал меня за руки. Сдавленным голосом я сказала:

— Это была не просто память. Ты меня вернул в тот коридор, в тот момент.

— Я должен был почувствовать то, что чувствовала ты, Анита. Покажи мне самое страшное, что было той ночью.

— Нет, — сказала я, но снова оказалась в комнате за коридором. Вампирша, еще живая, сжалась в комок. Окровавленное лицо она сунула в угол за кроватью, ручки протягивала наружу, будто защищаясь. Сперва показалось, что на ней красные перчатки, потом блеснул свет на крови, и стало ясно, что это не митенки — это кровь до самых локтей. Но даже видя это, даже видя, что перед ней лежит недвижимо Мельбурн, Мендес ее не застрелил. Янг стоял у стены. Он упал бы, если бы не держался усилием воли. У него была разорвана шея, но кровь не хлестала. Вампирша промахнулась мимо сонной артерии — спишем на неопытность.

— Убей ее, — сказала я.

Вампирша жалобно замяукала, как перепуганный ребенок. Жалко и высоко прозвучал ее голос:

— Пожалуйста, не надо, не надо, не трогайте меня! Он меня заставил, заставил!

— Мендес, стреляй! — сказала я в микрофон.

— Она просит пощады, — сказал он, и мне не понравился его голос.

Я взяла два патрона и на ходу сунула в ружье, направляясь к Мендесу и вампирше. Она все еще плакала и умоляла:

— Нас заставили, они нас заставили!

Янг зажимал рану на шее. Тело Мельбурна лежало на боку, одна рука вытянута к сжавшейся в углу вампирше. Он был недвижим, а вампирша — нет. Неправильно, но я это исправлю.

Дробовик был заряжен, но висел у меня на боку. На таком расстоянии обрез быстрее, и патронов зря можно не тратить.

Мендес посмотрел на меня, отведя глаза от вампирши, потом на своего сержанта.

— Не могу я стрелять в нее, она просит пощады.

— Нормально, Мендес. Я смогу.

— Нет. — Он посмотрел на меня — слишком широкие белки были у его глаз. — Нет.

— Мендес, отойди, — сказал Хадсон.

— Сэр...

— Отойди и не мешай маршалу Блейк работать.

— Сэр... так нельзя!

— Ты отказываешься выполнить приказ, Мендес?

— Нет, сэр, но я...

— Тогда отойди и не мешай маршалу.

Мендес медлил.

— Мендес, быстро!

Он шагнул назад, но мне не понравилось, что он оказался у меня за спиной. Он не был зачарован, она не заколдовала его глазами. Все было куда проще: работа полиции — спасать, а не убивать. Если бы она напала, Мендес бы выстрелил. Если бы напала на кого-нибудь другого, тоже бы выстрелил. Если бы у нее был вид рычащего монстра, он бы выстрелил. Но она, скорчившись в углу, никак не была похожа на монстра, и тянула ручки, маленькие, как у меня, будто хотела отвратить неизбежное. Прижалась к стенке как ребенок к последнему убежищу перед поркой, когда прятаться больше негде, ты загнан в угол в буквальном смысле и ничего сделать не можешь, и никакие слова или действия не остановят неотвратимое.

— Встань рядом с сержантом, — велела я.

— Мендес! — окликнул его Хадсон. — Иди сюда.

Мендес повиновался этому голосу, как был обучен, но поглядывал назад на меня и на вампиршу в углу.

Она выглянула из-под руки, и, поскольку на мне не было освященных предметов, она могла смотреть на меня прямо. Светлые в неверном свете глаза смотрели испуганно:

— Пожалуйста! — просила она. — Пожалуйста, не надо меня трогать. Это он нас заставил делать такие ужасные вещи. Я не хотела, но кровь, кровь мне нужна. — Она подняла ко мне точеный овал лица. — Я не могу без нее.

Все лицо ниже носа превратилось в алую маску.

Я кивнула, взяла ружье на прицел, упирая приклад в бедро вместо плеча.

— Я знаю.

— Не надо!

Она протянула руки.

Я выстрелила прямо в лицо с расстояния меньше двух футов — и голова исчезла в брызгах крови. Тело осталось стоять прямо, заваливаясь так медленно, что я успела спустить курок еще раз, направив ствол в середину груди. Она была миниатюрная, и с одного выстрела свет прошел насквозь.

— Как ты могла вот так смотреть в ее глаза и выстрелить?

Я обернулась. Мендес стоял рядом. Он снял маску и шлем, хотя наверняка это было против правил, пока мы не вышли из здания. Я закрыла микрофон рукой, потому что не надо было, чтобы узнали о чьей-то гибели в результате несчастного случая.

— Она вырвала горло Мельбурну.

—Она говорила, что ее другой вампир заставил. Это правда?

—Возможно.

—Почему же ты ее убила тогда?

—Потому что она преступница.

—А кто это умер и оставил тебя судьей, присяжными и... Он осекся.

—...палачом, — договорила я. — Федеральное и местное правительство.

—Я считал, что мы — хорошие парни.

—Так и есть.

Он замотал головой:

—Ты — нет.

Сквозь все это я чувствовала энергию Каннибала — как звучащую в голове песню, которую никак не заткнешь, и эта песня питалась страданием, ужасом и даже недоумением.

Я уперлась в нее, оттолкнула прочь, но это было как пытаться схватить паутину, через которую бежишь. На коже она ощущается, но чем сильнее ты выдергиваешься, тем больше ее налипает, пока не поймешь, что паук где-то тут и плетет новые пряди быстрее, чем ты рвешь прежние. И надо подавить желание впасть в панику, заорать, потому что он здесь, ползет по тебе, готовый укусить.

Но воспоминание отступило, будто кто-то сделал радио тише. Оно еще осталось, но ко мне вернулась способность думать. Я ощущала в своих руках руки Каннибала, я могла открыть глаза, посмотреть на него, увидеть настоящее вместо прошлого. Не разжимая стиснутых зубов, я сказала:

—Прекрати.

—Еще рано.

И снова меня толкнуло его силой. Как когда тонешь: кажется, уже пробилась к поверхности, и тут тебе прямо в лицо новая волна. Но чтобы не утонуть, главное — не паниковать. Страха я ему не выдам. Воспоминания мне ничего плохого не сделают, я все это пережила наяву.

Я попыталась остановить это воспоминание, но не могла. Потянула на себя руки, которые он держал, и мелькнуло изображение-кадр, как в телевизоре при переключении каналов. Как моментальный снимок Каннибала, его памяти.

Я потянула на себя руки и увидела больше: женщина в его руках, он не дает ей подняться. Она смеется, в шутку вырываясь, и я знаю, что это его жена. Волосы у нее темные, как у него, и загар смотрится на фоне красного шелка. Солнце заливает кровать, Каннибал тянется вниз — поцеловать ее.

И вдруг я оказалась в другой спальне, в темной, с мертвыми. Повернув руки в ладонях сержанта, я погладила ему пальцем запястье — где тоньше всего кожа и ближе всего течет кровь. Мы снова оказались в солнечном воспоминании, где красный шелк на хлопковых простынях, где женщина смотрела на него так, будто он — весь ее мир.

Я ощутила ее тело под ним, почувствовала, как он хочет ее, как ее любит. И эмоция была так сильна, что я не сдержалась — стала питаться. Впитывала в себя эмоции этого момента.

Но Каннибал не сдался. Он оттолкнул меня, и я оказалась в спальне у себя дома. Надо мной нависло лицо Мики, зелено-золотые глаза в дюймах от моих, тело глубоко вошло в мое, и мои ладони гладят его голую спину, находят закругление зада, и я ощущаю работу мышц, качающих его в меня и обратно.

Я оттолкнула энергию обратно к Каннибалу, выгнала его из своей памяти — и снова мы оказались в солнечной спальне. Одежды было теперь меньше, я смутилась мелькнувшему кадру его тела внутри нее, и он выбросил меня обратно, выдернул руки, и как только прикосновение прервалось, все кончилось. Я снова была у себя в голове с собственными воспоминаниями, а он со своими — у себя.

Слишком быстро поднявшись, он опрокинул стул, упавший с громким лязгом. Я осталась сидеть, охватив себя за плечи, сохраняя в себе чувство его силы, роющейся у меня в голове, хотя трудно передать это ощущение точно. Очень интимное, но не имеющее отношения к сексу. Просто его энергия прокладывала себе в меня путь.

Каннибал отошел к дальней стене, встал к ней лицом. На меня он не глядел.

— Сержант Рокко! — окликнул его лейтенант Граймс.

Я услышала голос Каннибала, но сама тоже не готова была на него смотреть.

— В рапортах все точно. Она переживает потерю этих оперативников. И она устала убивать.

— Замолчи! — Я вскочила на ноги, но стул не перевернула. Очко в мою пользу. — Это уже личное. Последнее воспоминание ничего общего не имеет с гибелью двух человек.

Он обернулся, опустил руки, будто тоже обнимал себя за плечи. Посмотрел на меня, но по лицу было видно, что это стоило ему усилий.

— Ты убила вампиршу, которая убила Мельбурна. Убила, когда она молила о пощаде, и тебе было очень неприятно это делать. Но ты это сделала, мстя за него. Я чувствовал: ты отняла ее жизнь, потому что она отняла жизнь у него.

— Я отняла у нее жизнь, выполняя свой долг перед законом, чтоб его.

— Я знаю, зачем ты это сделала, Анита. Знаю, что ты при этом чувствовала.

— А я знаю, что ты чувствовал в той, другой комнате, сержант. Хочешь, чтобы я всем рассказала?

— Это никак не связано с работой.

Я шагнула к нему, мимо лейтенанта. Все встали. Будто чувствовали, что сейчас что-то может произойти. Я подошла поближе и прошипела хриплым шепотом прямо в лицо Рокко:

— Ты перешел границы, и ты это знаешь. Ты питался моими воспоминаниями, моими эмоциями.

— А ты моими.

Он говорил так же тихо, как и я. Строго говоря, то, что мы сделали, не было незаконным, потому что закон не учитывал факта, что можно быть вампиром и не быть мертвецом. С точки зрения закона ни он, ни я вампирами не были.

— Ты начал, — возразила я.

— Ты использовала мои способности против меня.

Говорил он тихо, но не шепотом. Я поняла: нам надо обсудить то, что сейчас произошло.

— Иногда, когда вампир использует против меня свою силу, мне удается ее позаимствовать.

— Каннибал, объясни, — велел Граймс.

Мы посмотрели на него, потом друг на друга. Очень не люблю объяснять паранормальные способности тем, у кого их нет. Невозможно передать точно.

Начал Каннибал:

— Насколько я мог почувствовать, это в основном воспоминания о насилии, страхе, боли. Когда Анита пыталась меня остановить, она взяла воспоминание у меня, абсолютно мирное. Как ты это сделала?

— Если мирное, то о чем оно было? — спросил Граймс.

Мы с Каннибалом переглянулись еще раз, я пожала плечами.

— Это было личное, семейное, — ответил сержант, снова посмотрел на меня и повторил вопрос:

— Как ты это сделала?

— В реальной жизни я занимаюсь именно насилием. Но в паранормальной сфере у меня другие вещи получаются лучше.

Так было достаточно туманно. Вот что я не хочу, чтобы знала полиция, — это что я суккуб. Единственное, что удерживало Каннибала от разглашения, — это его нежелание, чтобы я трепалась про него. Каждый из нас будет умницей, и тогда мы оба останемся при своих секретах.

По лицу сержанта пробежала тень эмоции — будто он решал, какое выражение ему принять.

— Она мне показала любовь, нежность — женскую версию того, что я умею.

Опять-таки правда, но не слишком много.

— Ты быстро учишься, Каннибал. Последнее воспоминание, которое ты у меня взял, тоже было мирное.

Он кивнул:

— Ты глянула на мое, а я на твое.

— На что именно? — спросил Граймс.

— На тех, кого мы любим, — пояснил сержант.

Граймс посмотрел на нас по очереди, нахмурясь.

— Тот мужчина в твоем воспоминании не был вампиром, — сказал Каннибал. — Я думал, что ты живешь с мастером города?

— Живу.

— Тогда кто этот мужчина? Я видел его глаза — это не глаза человека.

— Он — леопард-оборотень, — ответила я.

— А люди-мужчины в твоей жизни есть? — спросил он.

— Нет.

— А почему так?

Я могла бы найти разные ответы, но остановилась на одном.

— Ты влюбился в свою жену по заранее обдуманному плану?

Он открыл рот, закрыл, потом сказал:

— Нет, мы собирались только переспать разок. — Он нахмурился и этого было достаточно. Он не собирался говорить этого вслух. — Если ты была мужчиной... не знаю, что бы я сейчас сделал.

— А что? Дал бы в глаз?

— Может быть.

— Ты меня протащил через одно из худших убийств в моей биографии. И ты тут стоишь и злишься, что я тебе напомнила что-то радостное. Наверное, по кармическим очкам я тут впереди. И вот что: не пытайся больше так лезть мне в мозги.

— А то что? — спросил он.

— Стрелять в тебя я не могу, но если ты еще раз когда-нибудь так сделаешь, я найду способ сделать тебе что-нибудь очень неприятное и не менее законное, чем ты сейчас сделал мне.

Мы смотрели друг на друга в упор. К нам подошел Граймс:

— О'кей, Каннибал, так что тебе не понравилось?

— Она перехватила мою силу и обратила ее против меня. Я отобрал ее, но пришлось побороться.

Граймс глядел на меня вытаращив глаза. Смотрел так, как мог бы смотреть на новое оружие, на новый классный броневик, который можно поставить к себе в гараж, теша собственный тестостерон.

— И насколько она сильна?

— Она сильна, — ответил Каннибал. — И владеет собой. Мы могли бы серьезно друг другу повредить, но оба были осторожны. Честно говоря, лейтенант, знай я, насколько она сильна, действовал бы осторожнее. Если бы она не так хорошо владела своими способностями, нас могли бы на каталке в больницу увезти на целый день.

Граймс смотрел на меня так, будто только что увидел, но обращался к Каннибалу, будто меня здесь и не было.

— Ты видел ее результаты в тире, когда она получала значок?

— Да, сэр.

— Паранормальными способностями она владеет так же хорошо, как пистолетом?

— Лучше, сэр.

— Лучше, — повторил довольный Граймс.

— Знаете, Граймс, это слегка раздражает, когда про тебя говорят так, будто тебя здесь нет.

— Извините меня, маршал, это было непростительно. Но я никогда не видел, чтобы кто-нибудь вот так скрутил Каннибала. Он у нас лучший практиционер в своем виде.

— Да, я понимаю, что на допросах он — ад на танковых гусеницах.

— Он добывает информацию, которая помогает нам спасать людей, маршал Блейк.

— Ага. А я почувствовала, как он ее добывает, Граймс, и мне не понравилось.

— Я же тебе говорил: при сопротивлении может быть больно.

— Нет, ты только сказал, что если я буду противиться твоему проникновению за мои щиты, тогда может быть травма. Я тебя впустила — и знаешь что? Получилось, как если бы приглашенный гость украл серебряные ложки.

— Я что-то упустил из виду? — спросил Граймс.

— Нет, сэр.

— Вы упустили из виду тот факт, что у вас нет паранормальных способностей, а вы пытаетесь командовать теми, у кого они есть. Ничего личного, лейтенант, но поскольку у вас их нет, вы будете некоторые вещи упускать из виду.

— Я и не врач, маршал, и вот почему в каждой группе есть свой, плюс еще санитар, который выходит на каждое задание. Так как мы ввели в наши группы практиционеров, то мы спасаем больше жизней без потерь личного состава, чем любое другое подразделение в стране. Я могу не понимать, что случилось между вами и Каннибалом, но что я понимаю — это что, если вы так же сильны, как и он, это поможет нам спасать людей.

На это я не знала, что сказать. Он говорил очень искренне. Может, он даже и прав, но это не отменяет того факта, что Каннибал влез мне в мозги и радостно жрал мою боль. Конечно, я тоже подпиталась от его воспоминания о сексе с женой, и оба мы питались от воспоминаний обо мне с Микой. Это я нашла новый способ питать ardeur, или же без Каннибала и его способностей мне этого не повторить? Непонятно. Да и непонятно, важно ли.

Она устала убивать, сказал Каннибал. И это было самое худшее оскорбление из всех, потому что он был прав. У меня за плечами шесть лет крови, и я устала. Я вижу перед собой вампиршу с окровавленными ручками, умоляющую о пощаде. Она мне снилась еще долго после этого, и Мика с Натэниелом убаюкивали меня снова, или вставали вместе со мной, и я пила кофе чашку за чашкой, или ждали, пока придет время идти на работу, где я буду поднимать мертвых — или получу новый ордер, обязывающий меня убить.

Я запихнула все это в тот чулан души, где хранились прочие противные вещи, но то, что сделал Каннибал, было как разбередить закрывшуюся рану, и она снова стала кровоточить. Я думала, что справилась с нею, но нет — я только пыталась делать вид, что ее нет.

— Мы сейчас отведем вас к шерифу Шоу, маршал, — сказал Граймс. — Но мы хотели бы отвезти вас в больницу, показать вам наших людей. Все наши практиционеры, все наши врачи никак не могут понять, что с ними случилось. Каннибал, которому я верю, потрясен — а его нелегко потрясти.

— Я с радостью поеду в больницу на них посмотреть. Если смогу помочь, я это сделаю.

Он посмотрел на меня со всей силой во взгляде искренних карих глаз. Это не была паранормальная сила, но все же была сила. Сила веры, сила чистоты цели. СВАТ был призванием Граймса, его религией, и он был истинно верующим. Из тех пугающих людей, чья вера бывает заразной, и вдруг ты замечаешь, что веришь в его мечты, его цели, будто они стали твоими. Последний, кого я знала из обладающих такой энергией, был вампир. Я думала, что Малькольм, глава Церкви вечной жизни, опасен как мастер вампир, но поняла сейчас, глядя в чистые карие глаза Граймса, что у Малькольма тоже дело не в вампирской силе. А в простой вере.

Граймс верит в то, что делает, и тут не может быть сомнений. Хотя ему лет на десять с довеском больше, чем мне, я вдруг почувствовала себя старой. Есть вещи, которые оставляют на душе след. Это не годы, это кровь и боль, это частичный отказ от самой себя, чтобы побеждать мерзавцев, а потом как-нибудь глянешь в зеркало — и уже не совсем понимаешь, на какой же ты стороне. Наступает момент, когда обладание полицейским значком не ставит автоматически тебя в ряд с хорошими парнями. А я должна быть на их стороне — иначе что я вообще, черт побери, делаю?

Глава восьмая

Насчет бежевых шкафов у стены я оказалась права, и сейчас присела возле открытых оружейных сейфов, просматривая свои три сумки и решая, что оставить при себе. Я снова осталась только с Граймсом, Хупером и Рокко. Остальных практиционеров отпустили, но далеко они не ушли — большей частью направились в тренажерную зону и стали качаться. Я копалась в сумках под тихий перезвон блинов и негромкие звуки, которые издают люди за физической работой. Большое открытое пространство лучше поглощало шумы, чем обычные гимнастические залы, и было очень тихо.

Хупер тронул меня за плечо:

— Слушай, а это что?

Я посмотрела на открытую сумку:

— Покажи, на что ты смотришь, и я тебе скажу.

Он присел рядом, показал пальцем:

— Вот это.

—Фосфорная граната.

—Не похожа на те, что я видал.

—Эта на основе старых моделей.

Вот теперь я завоевала их внимание. Они все склонились или присели возле сумки.

—И насколько эта штука старая? — спросил Хупер.

—Не старая, на самом деле она недавно изготовлена. Специализированной оружейной фирмой.

—Какого рода специализированная фирма? — спросил Граймс с подозрительным видом.

—Такого, который понимает, что старая идея применения фосфора лучше работает против нежити.

—В чем лучше?

Это спросил Хупер.

—Чтобы противник не мог забежать в воду и погасить огонь. Мне надо, чтобы он сгорел.

—У нее тот же радиус действия, что и у подлинно старых? — спросил Рокко, разглядывая меня слишком темными глазами.

Я заставила себя смотреть, но хотелось отвести взгляд. Прямо сейчас сержант у меня добрых чувств не вызывал.

—На самом деле нет. Нет необходимости соблюдать расстояние не менее пятидесяти футов, чтобы не сгореть вместе с целью. Зона опасности — десять футов. Гранату легко привести в действие и проще смыться. — Я протянула руку и вытащила гранату поменьше. — А эта всего пять футов.

—Фосфор использовался не для гранат — для сигналов, — сказал Хупер.

—Ага. И если ты оказывался ближе пятидесяти футов к этому сигналу, то испарялся — или жалел потом, что не испарился. Назовем лопату лопатой, джентльмены. Это оружие.

—Оно снято с вооружения. Странно, что тебе удалось получить новую технику с этим материалом.

—Правительство сделало исключение для нежити и оборотней.

—Не слыхал об этом.

Интонация у Граймса подразумевала, что он не мог бы не знать, будь это правдой.

— Джеральд Мэллори из Вашингтона, главный охотник на вампиров, добился принятия специального билля. Имелись случаи гибели маршалов противоестественного направления из-за того, что новые гранаты гасятся водой.

— Об этом я слышал, — сказал Граймс. — Вампиры их сожгли заживо и сняли на видео.

— Ага, — подтвердила я. — И вывесили на «Ютубе», пока ролик не сняли оттуда. Это послужило аргументом в получении на них ордера, а нам — новых игрушек.

— Ты смотрела этот ролик? — спросил Рокко, и снова слишком тяжел был его взгляд. Я его выдержала, но пришлось заставить себя не поежиться. Можно подумать, мне стало неуютно теперь в его присутствии? Ну, так это не так.

— Нет.

— А почему? — спросил он.

Я ожидала, что Граймс его остановит, но никто не пришел мне на выручку. Такое ощущение, что они все еще пинают меня по шинам. Что-то в том, что я сделала в том зале с их главным экстрасенсом, заставило их отнестись ко мне серьезнее.

Отвечая, я перевела взгляд на Граймса.

— Я это видела, я это делала. Хвастаться этим не хочу.

— Объясните, — потребовал Граймс.

— Я видела, как сгорают заживо, лейтенант, и еще раз смотреть у меня не было желания. Кроме того, на тех, кто видел вживую и чуял этот запах, ролик уже не произведет впечатления.

Я знала, что в глазах у меня можно прочитать злость, если не враждебность, но наплевать. Я сюда не на собеседование приехала, а дело делать.

И я снова стала разбираться в сумке.

— Войти в убойный отдел с взрывчаткой вам не позволят, — сообщил Граймс.

— Даже с маленькой гранатой? — спросила я, не поднимая головы.

— Вряд ли.

— Я тогда оставлю их здесь, — сказала я и стала подбирать то, что мне должны разрешить пронести.

Наконец выложила на полу оружие в ряд. Ружье «моссберг 590А1 бантам», обрез, который собственноручно сделала из «Итаки-37», «МП-5 Хеклер и Кох», мой любимый полуавтоматический пистолет, и «Смит-и-Вессон МП9». Еще у меня был «браунинг БДМ», заменивший мой усиленный «браунинг» как оружие скрытого ношения. Тот слишком выпирал, его было заметно под одеждой. Хотя, если честно, лучше всего из трех для скрытого ношения подходит «Смит-и-Вессон», но он как раз для этой цели и сделан.

Дальше я выложила ножи. Мачете — мой любимый инструмент для обезглавливания — в основном кур, но пришлось пару раз использовать его и против вампиров. Два лезвия поменьше для ношения в наручных ножнах — в них содержание серебра выше, чем в обычном ноже, и они сбалансированы под мою руку. Эти ножи лежали сейчас на полу в самодельных ножнах, сшитых специально под мои небольшие, но мускулистые предплечья. Еще один дополнительный нож промежуточного размера, который я стала носить, когда меня заставили надеть бронежилет. Он держался на липучках в системе лямок жилета.

Дальше — патроны, выложить дополнительные магазины для всех стволов. Я люблю, чтобы было не меньше двух на единицу оружия. Лучше три, но вопрос, куда их девать. Для ружья у меня был магазин с дополнительными патронами, пристыкованный к прикладу. И еще по коробке патронов на ружье.

Последнее — два деревянных кола и небольшой молот-киянка. Это и все, что будет размещено на мне и в рюкзаке.

— Кольев у тебя не куча, — заметил Хупер.

— Я их не использую, кроме как для казней в морге. По закону они — один из утвержденных методов исполнения ордера. Но если честно, достаточно просто вынуть сердце и отделить голову, даже в морге. Обычно исполнители пользуются лезвиями или металлическими штырями: они легче проходят мясо и кости, чем дерево.

— А на охоте вы колья не используете? — спросил Граймс.

— Почти никогда. — Трое мужчин переглянулись. — Судя по вашим взглядам, ваш местный истребитель держался кола и молотка?

— Нам говорили, что большинство так, — ответил Граймс.

Я улыбнулась и покачала головой.

— Так считается официально, лейтенант, но можете мне поверить, в основном мы предпочитаем серебро и нож.

— Тони не верил, что вампир может быть по-настоящему мертв, если его не проткнули колом, — сказал Рокко.

Я подняла с пола «Моссберг».

— Достаточно только удалить сердце и голову. Можете мне поверить, любой здесь ствол с этой работой справится.

— И даже «Смит-и-Вессон»? — усомнился Рокко.

— Придется перезаряжаться, но в конце концов да.

— И сколько раз перезаряжаться? — спросил Граймс.

Я посмотрела на «Смит-и-Вессон».

— «Браунинг» приходится перезаряжать дважды, а в нем зарядов примерно вдвое против «Смит-и-Вессона», так что раза четыре, наверное, но это возможно. Чертовски много патронов тратится, правда. — Я подняла «Моссберг» чуть повыше. — Для фактической ликвидации я предпочитаю «МП5» и ружья, но могу справиться почти всем, что есть у меня в наборе. — Я осмотрела свое богатство. — Не стану пытаться обезглавить вампира наручным ножом, но до сердца он достанет.

Я положила дробовик и открыла вторую сумку, достала жилет и шлем. Вот шлем я терпеть не могу еще больше, чем жилет. Выступать мне приходится против тварей, которые запросто оторвут мне голову, и потому шлем кажется мне глупостью, но таковы новые правила, для нас установленные. Вот интересно, что нас следующим заставят на себя нацеплять или с собой носить?

— Так что колья вы носите, потому что требуется? — уточнил Граймс.

— Я следую правилам, лейтенант, даже если я с ними не согласна.

— Металлических кольев я не вижу, — заметил Хупер.

— Я не выполняю казней в морге, если могу этого избежать, а в остальном я доверяю стволам.

Сняв жакет, я стала снимать наплечную кобуру. Она не подойдет под жилет, или я не смогу достать из нее оружие, когда жилет будет сверху.

— Погодите, — сказал Граймс.

Я обернулась к нему.

— Уберите волосы со спины, если можно.

Я сдвинула доходящие почти до талии волосы, показывая спину. Что он увидел, я знала.

— Этот нож в половину вашего роста почти, от плеча до талии, и он все время был на вас!

— Да.

Я отпустила волосы, и лезвие стало как по волшебству почти невидимым. Добавить жакет или плотную кофту, и будет невидимым совсем.

— У вас есть еще какие-нибудь сюрпризы, маршал Блейк? — спросил он.

— Нет.

— Легко вытаскивается клинок?

— Настолько легко, что я трижды заказывала новые ножны, чтобы продолжать его так носить.

— А зачем нужно было делать новые? — спросил Рокко.

— В приемном покое всегда все с тебя срезают, если не успеешь помешать.

— Это оттуда у вас шрамы на руке? — задал вопрос Хупер.

Я посмотрела на руки, будто заметив старые раны. Коснулась рубца на левом локтевом сгибе.

— Вампир. — Я показала ниже, на тонкий шрам. — Ведьма-оборотень в зверином облике. — Крестообразный шрам ожога перечеркивали рубцы, и крест был чуть скошен на сторону. — Слуги вампира, они меня заклеймили. Думали, это смешно. — Я обратилась к правой руке. — Драка на ножах со слугой мастера вампира. — Я расстегнула пояс, чтобы спустить наплечную кобуру, придержала ее и спустила с плеча блузку. — Тот же вампир мне перекусил ключицу. — Я показала блестящий шрам на плече. — Это подружка одного бандита в меня стреляла. — И я улыбнулась — а что еще мне оставалось делать? — Чтобы видеть остальные шрамы, нужно более близкое знакомство.

Граймс и Хупер несколько смутились, а Рокко — нет. Мы с ним миновали точку, где нас мог смутить легкий намек —

слишком далеко мы заглянули в частную жизнь друг друга, чтобы теперь стесняться. Мне это не очень нравилось, а что думал по этому поводу Рокко — не знаю. Ему не понравилось, что я заглянула в его интимные отношения с женой — вот это я знала наверняка.

Я стала натягивать жилет.

— Вы собираетесь надеть снаряжение? — удивился Граймс.

Я посмотрела на него поверх воротника жилета — липучки еще не застегнула.

— Да, а что?

— Если только вампир, за которым вы охотитесь, не находится внутри вместе с шерифом Шоу, вам придется все это снять, чтобы к нему пройти.

— Меня в полном снаряжении не пропустят в здание полицейского участка?

— Во всем этом? Остановят еще на подступах. В допросную в боевом снаряжении не пустят.

Я вздохнула, стянула жилет через голову.

— Отлично, а то я не люблю ни жилет, ни шлем. Понесу их в сумке.

— Жилет и шлем спасают жизнь, — возразил Граймс.

— Может быть, но если охотишься не за такими тварями, которые жилет срывают как луковую шелуху и разбивают шлем как яйцо. Мне нравится, что у меня есть значок и что я служу маршалом, но тот, кто там правила составляет, снаряжает нас как на охоту за людьми. А можете мне поверить: здесь, в Вегасе, охота будет не на человека.

— Что бы надели вы, будь ваша воля? — спросил Граймс.

— Может быть, что-нибудь получше против режущего удара. Пока что против колющих ударов ничего достаточного нет. Но если честно, я бы взяла оружие и все защитное снаряжение оставила дома, если бы решать только мне. Без жилета я двигаюсь быстрее, а быстрота для выживания мне важнее бронежилета.

— А вам трудно двигаться в полном снаряжении? — уточнил Граймс.

— Эта чертова штука весит почти пятьдесят фунтов.

— То есть примерно половину вашего веса?

Я кивнула:

— Типа того. У меня сто десять.

— Это как на кого-нибудь из нас надеть стофунтовый жилет. Тоже вряд ли смогли бы двигаться.

Возникший у всех вопрос задал Хупер:

— И насколько же тебе трудно двигаться в бронежилете?

— Вот не пойму я, что это вам вступило всем. Я все жду, что вы меня повезете в больницу смотреть на ваших людей или к Шоу, чтобы начать работу, а вы меня все проверяете и проверяете.

— Мы намереваемся доверить вам свою жизнь на охоте, где уже погибли трое наших оперативников. Быстрота их не вернет к жизни, и спешка не пробудит наших ребят в больнице. От нее только могут погибнуть еще люди в нашей группе, а это неприемлемо. Вы сильный и владеющий собой практиционер, но если вы едва можете двигаться в полном снаряжении, то вы будете обузой, а не помощью.

Я глянула в лицо Граймса — оно было очень серьезно. И его слова не лишены были смысла. Жилет у меня новехонький, и когда я не работала в связке со СВАТ, то изо всех сил старалась его не надевать, но совсем не потому, что не могла в нем двигаться.

Еще раз вздохнув, я отложила жилет к прочему снаряжению и подошла к тренажерной зоне. Люди там работали с железом, но и на нас тоже смотрели. Я подошла к скамейке, где лежал Санта — высокий, темноволосый и красивый, — и выжимал штангу. Мерси с прямыми каштановыми волосами за ним наблюдал, и это значило, что вес для этого крупного мужчины приличный. И Санта, и Мерси весили хорошо за двести фунтов, и в основном — мышц.

Я видела, как вздуваются бицепсы у Санты от усилий, когда он поднимал штангу и снова опускал ее в гнездо. Мерси держал руки наготове, чтобы подстраховать, и ему иногда приходилось направлять гриф. Санта работал уже на пределе выносливости.

— Могу я на секунду влезть? Лейтенант вот интересуется, не буду ли я вас тормозить в работе.

Они переглянулись, потом Санта сел и улыбнулся:

— Скажи, какой тебе нужен вес, мы поставим.

— Сколько стоит сейчас?

— Двести шестьдесят. Тренировочный.

Он это добавил, чтобы я не думала, будто это максимальный вес, который он может поднять. Чисто мужские примочки, это я понимаю.

Я посмотрела на блины, раздумывая. Собиралась я сделать такую вещь, которая ребятам и понравится, и очень будет неприятна. Я знала, что могу этот вес выжать — дома такое делала. Из-за вампирских меток и живущих в моей крови нескольких штаммов ликантропии я могу делать такое, что иногда сама себя удивляю. И не настолько давно я так сильна, чтобы ощущение утратило новизну. Но я никогда не показывала этого до сих пор людям-копам. Спорное решение, но самый быстрый способ довести до них свою мысль.

— Так какой тебе поставить, Блейк? — спросил Мерси, протягивая руку к блинам. Я рукой ему показала, что не надо:

— Тот, что есть.

Они переглянулись — все. Некоторые улыбнулись. Санта встал со скамейки и показал на нее рукой — дескать, к твоим услугам.

Я подошла — Мерси отошел с дороги, остальные тоже отодвинулись, давая мне место. Я знала, что могу выжать этот вес, и это на них произведет впечатление, но я знала, что есть вещь, которая впечатлит их сильнее, и мне уже надоело, что меня все время проверяют на вшивость. Хотелось с испытаниями покончить и пойти на охоту, пока не стемнело. Значит, нужно нечто весьма зрелищное.

Я положила руки на гриф, расставила ноги пошире для хорошей опоры. Сил поднять штангу у меня бы хватило, но не хватило бы массы, чтобы ее уравновесить, так что приходилось полагаться на другие мускулы, чтобы удержали меня ровно и прямо, пока руки будут заняты другой работой.

Я взялась за гриф, приняла стойку.

—Тут двести шестьдесят фунтов, Блейк, — сказал Санта.

—Я в первый раз расслышала, спасибо.

Я подняла гриф, напрягла мышцы живота и ног, чтобы удержаться после рывка. Сделать рывок точным и контролируемым трудно, но я смогла. Вытолкнула штангу вверх, потом опустила, чуть звякнув.

Дыхание у меня стало чуть затрудненным, тело запело, будто наполнилось кровью, даже слегка зашумело в ушах, что означало: пока что не стоит пытаться еще раз вытолкнуть такой вес. Я и не стала бы, но...

Ребята вокруг стояли так тихо, будто дышать перестали.

Я поставила руки на бедра и стала успокаивать дыхание. Сейчас надо было, чтобы никому не показалось, будто меня качает или голова кружится.

—Господи! — выдохнул кто-то.

Я посмотрела на лейтенанта и сержанта, стоявших у края мата.

—Так что свой вес я могу нести, лейтенант.

—Да ты и мой могла бы, — отозвался Мерси.

—Как ты это сделала? — спросил Санта. — Тебя же просто слишком мало, чтобы такой вес поднять.

—А опять можете? — спросил Граймс.

—В смысле, как на тренировке?

Он кивнул.

Я осклабилась:

—Может, и могу, но не хотелось бы пробовать.

Он чуть ли не улыбнулся в ответ, но покачал головой.

—Ответьте на вопрос Санты, Анита.

—Вы слышали слухи. Да вы же наверняка навели справки еще до того, как я сошла с самолета.

—Вы правы, навел. Значит, вы и правда слуга-человек вашего местного мастера города.

—Это такой силы не даст, — возразила я

—Я видел вашу медицинскую карту.

—И что?

—Вы медицинское чудо.

—Так мне говорили.

— Что такое? — спросил Санта, глядя то на меня, то на него.

— У вас пять различных видов ликантропии в крови, но вы не перекидываетесь.

— Это так.

— Погодите! — вмешался Санта. — Это же невозможно.

— На самом деле, — ответил Граймс, — есть три документированных случая в одних только США, вы — четвертый. В мире зарегистрировано тридцать. Люди вроде вас и послужили толчком к идее вакцины от ликантропии.

Очевидно, кто-то как-то шевельнулся, потому что Граймс сказал:

— Да, Аррио?

— Ее ликантропия заразна?

— Анита? — спросил лейтенант.

— Оборотни заразны только в облике зверя, а у меня такового не имеется. Следовательно — нет.

— Вы уверены? — спросил он.

— Не на сто процентов. Я не стала бы пить мою кровь, а если у вас порез, не советовала бы с ней соприкасаться.

— Но у тебя в крови пять различных видов ликантропии? — спросил Санта.

— Да.

— Так что при контакте с вашей кровью я получил бы их все — или ни одного, так?

— Так, — кивнула я.

— И это дало бы мне способность делать то, что ты только что делала?

— Ты это и так можешь.

Он покачал головой, нахмурясь.

— Способность поднять в рывке двойной свой вес, шестьсот девяносто... примерно семьсот фунтов.

— Я видела оборотней твоего размера, которые могли это сделать, но я не так сильна, как настоящий оборотень. Иначе я могла бы повторить это несколько раз, а я не могу.

— Оборотень твоих размеров был бы еще сильнее?

Это спросил Дэви, высокий блондин с красивым ртом.

— Наверняка. — Я оглянулась на лейтенанта. — Вот это я и имею в виду насчет жилета и шлема. От такой силы они просто не защищают.

— Защищают, если получаешь удар в грудь или в голову.

— Отчасти.

— Работая с нами, вы будете носить полное снаряжение, Анита.

— Вы тут начальник.

Он улыбнулся:

— В рапортах сообщается, что вы не очень следуете приказам.

— И это правда.

— Но начальник — я.

— У этих людей и в этом подразделении — да. Я хочу с вами работать — значит, начальник вы.

— У вас федеральный значок, вы могли бы попытаться командовать.

Я засмеялась.

— Я же вижу, как ваши люди на меня реагируют. Ни один из них не признает меня начальником, будь у меня хоть десять федеральных значков.

— Если хотите ткнуть их мордой, то вам пришлось бы взять в участок все свое оружие.

— Я стараюсь завести себе друзей, а не врагов.

— Это только значит, что такого вежливого федерала мы еще не видели.

Я пожала плечами:

— Единственное, чего я хочу — начать охоту за этими вампирами до темноты. Скажите, что мне для этого надо сделать, и я это сделаю.

— Собирай снаряжение и пойдем к Шоу.

— Надевать или просто нести с собой?

— Спрашиваешь моего мнения?

— Да.

— Просто нести — это менее агрессивно, но может быть воспринято как слабость.

—Если я просто попрошу проводить меня на место преступления, ты это сделаешь?

—Нет.

Я вздохнула:

—Ладно, тогда ведите меня к Шоу. Пусть тоже мне под капот заглянет.

—И почему это так похабно прозвучало? — спросил Санта.

—Потому что для тебя все звучит похабно, — ответил ему Мерси.

—Не все, — осклабился Санта.

—А за что тебя назвали Сантой? — спросила я.

Ухмылка обернулась ко мне.

—Потому что я знаю, кто хорошо себя вел, а кто шалил.

Я посмотрела на него пристально. Он взметнул руку в салюте:

—Честное скаутское!

—Он не врет, — сказал Паук с вьющимися каштановыми волосами.

Я развела руками в воздухе, будто разгоняя дым.

—Ладно, что бы это ни значило. Пойдем.

Я шагнула в сторону Граймса, Рокко, Хупера и моего снаряжения.

Мерси спросил достаточно громко, чтобы до меня донеслось:

—А скажи нам, Санта, Блейк — хорошая девочка или шалунья?

Я почувствовала, как что-то покалывает мне спину, обернулась и уставилась на Санту:

—Каннибала я пустила за свои щиты, а тебя не пущу.

Санта сделал такое лицо, будто слышит что-то, неслышное мне. Заморгал, глядя на меня, и глаза его смотрели куда-то мимо, будто он усилием воли возвращается откуда-то издалека.

—Я через ее щиты не могу пройти.

—Да ладно, Блейк, — сказал Мерри. — Неужто ты не хочешь, чтобы мы знали, ты шалунья или хорошая девочка?

—Шалунья, Мерсер. Слишком много я убила народу, чтобы быть хорошей.

Реакции я ждать не стала — просто повернулась и пошла к своему снаряжению. Сейчас я его уложу, и пусть ведут меня к шерифу Шоу. Может, он просто поверит на слово лейтенанту Граймсу, что все со мной в порядке, но я помнила, с каким лицом Шоу отъезжал, и этот вариант казался мне малореальным. Я ценю, конечно, профессиональную осторожность у них у всех, но если так и дальше будет тянуться, то за работу придется браться затемно, а охотиться за Витторио в темноте мне не хотелось. Он мне по почте прислал голову охотника, который пытался его убить. Конечно, он рад будет и мне что-нибудь отрезать и кому-нибудь послать.

Глава девятая

Прошел час, а я все еще не попала на место преступления. Почему так? Потому что сидела в допросной за маленьким столом. Можете сколько хотите смотреть «Расследование на месте», но допросная в Вегасе — точно такая же, как все, что я видела. Стекло и просторное помещение, которые показывают в телевизоре — это чтобы камеры могли работать и выглядело прилично, а в реальной жизни — как обычная комната: маленькая, тусклая, покрашенная в светлый, но всегда почему-то странный цвет, будто есть где-то список цветов, подходящий для допросных и ни для чего больше.

Оружие в допросную вносить не разрешается, и мне пришлось все оставить в шкафах. Будучи абсолютно невооруженной, я нервничала, несмотря на ситуацию, и это свидетельствовало не в пользу моего умонастроения. Не то чтобы я ожидала от Шоу или кого-нибудь из присутствующих враждебных действий — просто я люблю, когда при мне есть оружие, особенно в городе, где есть охотящийся на меня вампир. Шоу попросил меня ответить на несколько вопросов о прошлом разе, когда я гонялась за Витторио. Я не очень поняла, что он собирается обращаться со мной как с подозреваемой. Я думала, он соберет копов, и я им расскажу, что знаю про Витторио.

А вместо этого меня стали расспрашивать, причем не самым доброжелательным образом.

Шоу прислонился к двери, сложив на груди мощные руки. Шляпу он какое-то время тому назад бросил на стол. Смотрел на меня тяжелым взглядом и умел это делать, но я знала, что убивать он меня не попытается. А последнее время мне было абсолютно наплевать, кто каким взглядом на меня смотрит. Погибать от разрыва сердца я не намеревалась.

— Расскажите, как вы в последний раз имели дело с этим кровососом.

— Я уже рассказала дважды.

— Нет, это все есть в рапортах. Мне нужно знать, о чем вы умолчали.

— Со мной были люди из нашего СВАТ, Шоу. Сопоставьте их рапорты с моим.

— Это я сделал, но я не о штурме дома, которым все кончилось. Я хочу знать, что вы с вашим вампирским бойфрендом держите в секрете.

Я подумала пару секунд, подавила желание почесать себе шею.

— Единственное, что могло не попасть в рапорт, это тот факт, что Витторио умеет скрывать свое присутствие от других мастеров городов.

— Разве не все сильные вампиры это умеют?

— Нет. Мастера городов имеют особую способность воспринимать энергию сильных вампиров, появляющихся на их территории. Для кого-то такого мощного, как Витторио, скрыться от всех вампиров Сент-Луиса, в том числе от мастера города — очень необычное умение.

— А я думал, что старина Макс врет.

— Ваш мастер города тоже его не почуял?

— Он говорит, что нет.

И снова в голосе слышалось явное сомнение.

— Он не лжет.

— Или вы врете в его пользу.

— Это что значит?

— Это значит именно то, что я сказал.

— Я приехала вам помочь.

— Вы приехали, потому что серийный убийца-вампир написал на стене ваше имя кровью моих людей. Вы здесь, потому что этот гад вам послал голову нашего истребителя. Я и хочу знать, что вы этому типу сделали такого, что он вас так любит.

— Я за ним охотилась, Шоу, а он от меня ушел. Это все.

— Сперва полиция Сент-Луиса сообщила, что его взяли. А вы сказали, что его упустили. Откуда вы знали, что его нет среди убитых вампиров, если никогда раньше не видели?

— Среди убитых не было ни одного достаточно сильного, чтобы натворить то, что он натворил. Если бы он там был, у нас потерь было бы больше.

— Вы тоже потеряли троих.

— Поверьте мне, будь он там, все обернулось бы куда хуже.

— Настолько плохо, что трое наших людей убиты, а остальные в больнице?

— Я указала в рапорте, что он где-нибудь появится. Он — серийный убийца, и то, что он вампир, для этой патологии не очень существенно. Как правило, серийные убийцы должны убивать и убивать, они не могут или не хотят прекратить это, пока их не убьют или не поймают.

— Убийца по прозвищу СПУ не убивал годами, — сказал Шоу.

— Да, этот... «связать, пытать, убить» — всегда терпеть не могла эту кличку. То, что он умел перенаправить тягу к убийствам на воспитание детей и на присмотр, у кого как газон подстрижен, сыграло чертовски злую шутку со всеми составителями профилей. Когда он переставал убивать, все думали, что он мертв, или в тюрьме за что-то другое. Нас всех учили, что серийный убийца не может остановиться на двадцать лет. Он может затаиться на время, или же пока снова не припрет, но не на десятки лет. То, что он умел останавливаться, означает, что и другие могли бы остановиться, если бы хотели, или же для него это был вопрос контроля над жизнью. Это только выглядит для нас как убийство на сексуальной почве, а для него все дело было в том, чтобы осуществить этот контроль. И раз он держал под контролем другие аспекты своей жизни, остановиться он мог.

— Вы так говорите, будто размышляли на эту тему.

— А вы нет? Как и всякий другой коп? Дело в том, что этот самый СПУ опрокинул множество традиционных теорий, спустил их в унитаз. Получается, что из-за него одного мы теперь об этих типах знаем намного меньше.

— Вы говорите как коп, — сказал он.

— И вас это удивляет?

— В общем, да. Дело в том, что я слышал о вас весьма интересные мнения.

— Не сомневаюсь.

— И вас это не удивляет?

— Я вам еще по телефону сказала, что я девушка и что я хорошо умею убирать. Есть сплетни, живущие сами по себе. Но у меня роман с вампиром, и хотя по закону никто не может мне за это слова сказать, другим копам это не мешает меня ненавидеть.

— Не в романе с вампиром дело, Блейк.

— А в чем?

— В том, что вы к нему переехали. Или вы будете отрицать, что живете у мастера вашего города?

— С чего бы я стала отрицать?

— И вы совсем этого не стыдитесь?

— Не вижу ничего стыдного в том, чтобы кого-то любить, Шоу.

— Вы его любите? Вампира?

— Они по закону обычные граждане, Шоу. У них есть право быть любимыми — как у всякого другого.

У него по лицу пробежало выражение омерзения, такое сильное, что даже смотреть было неприятно. И этого было достаточно. Закон защищает вампиров, но не делает их достойными романа или любви в глазах всех сразу. Самое печальное, что еще несколько лет назад я была бы согласна с шерифом.

Мы переехали в «Цирк», чтобы поднять репутацию Жан-Клода среди других вампиров, но не учли, что это сделает с моей репутацией среди копов. Этого следовало ожидать, и переживать по этому поводу не следовало, но я не ожидала и переживала.

Дверь открылась, и вошел добрый коп — в пару к злому копу Шоу. Он принес мне кофе, и от этого мне стало лучше. Уже от одного аромата настроение поднялось.

Коп представился как детектив Морган, хотя подозреваю, что ранг у него был чуть повыше, чем просто себе детектив. Выглядел как человек в штатском, сливающийся с народом, но привыкший командовать окружающими.

Морган поставил кофе передо мной и сел на стул, который освободил Шоу. Переплел на поцарапанной столешнице сильные загорелые пальцы. Волосы у него были сочного темно-каштанового цвета, коротко стриженные, но все равно доходящие почти до глаз, будто ему давно уже пора подновить стрижку. Я определила его как примерно моего возраста, но разглядев за час беседы тонкие морщинки вокруг глаз и в углах губ, решила, что к сорока ему ближе, чем к тридцати. Хорошие, спортивные такие сорок, но совсем не был он таким молодым дружелюбным парнем, каким хотел казаться. Хотя наверняка эта маска много лет приносила отличные результаты на допросах, и, вероятно, вне работы — с женщинами.

Он подождал, пока я возьму чашку. Я вдохнула аромат, и он был достаточно горький, чтобы понять: передержали на огне. И все равно это был кофе.

— Так вот, Анита, — мы почти сразу перешли на имена, — мы просто хотим знать, что этот тип против тебя имеет. Это же можно понять.

Я посмотрела в карие глаза, на эту мальчишескую улыбку, и подумала, не потому ли его сюда привели, что я — женщина с репутацией любительницы мужчин. Они решили, что меня можно расколоть обаянием? Мамочки мои. Они не ту девушку облаивают.

— Я тебе все уже рассказала, Эд.

Да, его звали Эд Морган. Мы сразу стали называть друг друга Эд и Анита, и он решил, что это добавляет в его пользу очки. Да хоть он себя Тип О'Нейл назови, мне было бы плевать.

Дверь открылась, и вернулась лейтенант Тергуд. Класс. Это была женщина, но из тех, что других женщин ненавидят. Высокая, она двигалась с мускулистой грацией, говорящей о поддержании формы. Постарше меня лет на десять как минимум, почему, наверное, и стала лейтенантом. Короткие небрежно завитые волосы, но хорошо смотрятся, рассыпанные вокруг узкого лица с великолепными скулами — такими, за которые люди платят пластическим хирургам. У нее они были свои, потому что любой, кто за такие скулы заплатил, мог бы позволить себе костюм получше. Ее сидел на ней как с чужого плеча, или же она когда-то хорошо потеряла вес, а гардероб обновлять не стала.

— Проваливайте оба. У нас тут девичий разговор будет.

Она это сказала чуть ли не с отвращением.

Морган посмотрел на Шоу, будто спрашивая: *Нам уйти?* Наверняка весь спектакль давно отработан. Шоу кивнул со стоическим видом, и они вышли, оставив меня с Тергуд наедине. Просто отлично.

Она наклонилась через стол, пытаясь подавить меня ростом. Для женщины она была высокая, хотя я видала и повыше, но ростом меня не поразить. Я привыкла, что каждый и всякий меня выше.

— Ты с этим Витторио тоже трахалась? Оттрахала его и бросила, променяв на мастера города? За это он послал тебе голову? Сувенирчик на память о прошлом?

Она наклонилась так, что шипела мне прямо в лицо.

Почти любой отклонился бы от нее назад, но это «почти» как раз про меня. Я наклонилась ей навстречу — аккуратно, только торсом. Вдруг мы оказались на расстоянии поцелуя, и она отпрянула, будто я ее укусила.

Она шарахнулась от меня на ту сторону стола — и мне это было приятно, как и столь бурная реакция на мое слабое движение. Она меня боялась, боялась искренне. Какого черта?

— Я не знала, что ты на девок бросаешься, Блейк.

Я встала. Она пошла к двери.

Интересно, но не настолько, чтобы с этим мириться.

— Свои маленькие лесбийские фантазии держи при себе, Тергуд. У меня след простывает, пока вы тут мне яйца морочите. Хуже того, близится закат, и не знаю, как ты, я а точно не хочу гоняться за вампирами по темноте, если можно это делать при свете.

— Если нам нужно будет тебя здесь продержать весь день, мы продержим, — сказала она. И это была ошибка.

— Вы мне предъявляете обвинения?

— Какие обвинения мы должны тебе предъявлять?

Я пошла на нее, и она попятилась. Что за черт?

Дверь открылась, вошел Морган и встал между нами, Шоу вслед за ним. Два приличных размеров мужика, и они, не угрожая мне, заставили отступить, просто идя в мою сторону. Я только что то же проделала с Тергуд, так что не мне обижаться.

Морган очаровательно улыбнулся и сказал:

— Давай, Анита, сядем и выпьем еще по чашечке кофе.

— Нет, Морган, спасибо.

— Эд, называй меня Эд.

— Так, больше этой игры в доброго и злого копа не будет. Либо предъявляйте мне обвинения, либо отпускайте.

Они переглянулись.

— Анита, ну не надо...

— Знаете, Морган, я передумала. Называйте меня Блейк, а лучше — маршал Блейк. Расхотелось мне общаться по именам.

— Да если бы вы только захотели с нами говорить...

— Разговоры закончены. У меня значок федерального маршала и все права присутствовать на месте преступления. Еще раз повторяю: предъявляйте обвинения или отпустите.

Из глаз Моргана начало уходить их дружелюбное сияние.

— И в чем же вас обвинить, маршал?

Я улыбнулась в ответ — не слишком любезной улыбкой.

— Так-то лучше. Я знала, что вам я тоже не понравилась.

— Вы говорили, что я для вас недостаточно красив, — сказал Шоу от дверей, — так я решил позвать Моргана. Или он тоже недостаточно хорош для вас?

Я оглядела Моргана сверху вниз, медленно, снизу вверх. В последнюю очередь стала рассматривать лицо, чтобы дать ему время выйти из себя. Но он из себя не вышел. Он был настроен вызывающе, протестующее — но настоящей злости в нем не было.

— И как? — спросил он.

Я хотела сказать что-нибудь неодобрительное, но подумала, что не моя это манера. Он достаточно привлекателен. Я вздохнула, утомленная всеми этими играми.

— Я хотела что-нибудь сказать колкое, но вы достаточно милы. Я только не знала, что полиция Вегаса включила соблазнение в список методов допроса.

Он принял удивленный вид:

— Я вас не понял?

— Зачем вас сюда включили? Зачем сделали упор на то, что у вас симпатичное лицо? Что это должно было доказать, чего этим хотели добиться? — Я помахала рукой, будто разгоняя дым. — Ладно, ерунда. Все равно.

Я посмотрела на стоящего за ним Шоу:

— Мне будут предъявлены обвинения?

— У нас нет обвинений, которые мы могли бы вам предъявить. Пока нет.

— Отлично, тогда отойдите с дороги.

И я почти его коснулась, когда он все же отошел, открыл дверь и придержал ее для меня. Я прошла мимо не останавливаясь.

Глава десятая

Шоу отвел меня туда, где лежало мое оружие. Не дать мне делать мою работу они не могли, не могли также помешать мне иметь при себе оружия больше, чем у Господа Бога, хотя им это не нравилось. А меня не колышет. Я взяла с собой оружия поменьше, чтобы не тыкать им в морду свой федеральный значок. Граймс предупреждал, что это воспримут как слабость. В следующий раз приду в полном боевом, и пусть местные копы утрутся. Я пыталась по-хорошему, помня, как мне в морду совали федеральные значки, пока нас самих ими не снабдили по милости правительства. Сегодня я начала понимать, отчего федералы бывают так недружелюбны. Держись заносчиво, тогда к тебе меньше приставать будут.

Рюкзак был новый, потому что у меня с собой было больше смертельных игрушек, чем легко нести. Мне пришлось подгонять лямки к спине, затягивать их туго, чтобы рюкзак не перекашивался от кобуры с «браунингом». Когда приходится надевать бронежилет, «браунинг» у меня в набедренной кобуре. «Смит-и-Вессон» на лямках впереди на жилете, а без жилета — у меня на пояснице. Кобуру на штанах я перестала носить, когда женские джинсы стали так разнообразны по стилям и расположению талии. В гнездах, предназначенных изначально для патронов, я держала святую воду, запасные кресты и священные облатки, но хватало карманов и для дополнительных обойм, и для других полезных вещей. Рюкзак очень полезен, но довольно неуклюж при надетом бронежилете — еще одна причина, по которой я от жилетов не в восторге. Мне пришлось убрать пистолеты, которые были на мне, перед тем, как надеть рюкзак. Жилет и шлем я снова понесу в большой сумке, как и принесла.

А глаза у Шоу вытаращились от удивления именно при виде большого ножа на спине. Я изо всех сил старалась шерифа игнорировать. На другой стороне кобуры было место для дополнительного магазина «браунинга», что давало мне четырнадцать патронов в пистолете и еще четырнадцать в дополнительном магазине, плюс еще два запасных магазина в рюкзаке. «Смит-и-Вессон» я повесила на пояс, сдвинув вперед, чтобы в других лямках не запутался. При мне была набедренная кобура, переделанная для хранения дополнительных обойм к «браунингу» и «МП-5», который будет висеть на перевязи вокруг тела поверх всего остального. В рюкзаке еще ружье «бантам» с дополнительными патронами, пристегнутыми к прикладу, и еще отдельно патроны в рюкзаке. Во время охоты на вампиров у меня в руке будет ружье, а «МП-5» — в запасе, но в рюкзак войдет не все, так что «МП-5» останется на перевязи.

— Если бы я видел, как вы пакуете снаряжение, то допроса бы не было.

Я глянула на Шоу и больше на него не обращала внимания, пока не убедилась, что все так, как я хочу. Потому что не хочется, чтобы предметы снаряжения сползали вниз или в сторону — желательно помнить, где у тебя что, когда надо за него хвататься. Решают доли секунды.

— Вы собираетесь убивать меня молчанием?

— Вы со мной обращались как с уличенной преступницей, Шоу. Что вы хотите услышать? Мою радость, что вам понравилось, как я пакуюсь?

— Вы снаряжаетесь как солдат.

— У нее был хороший учитель, — заявил голос от двери.

Я встала, затягивая лямки, и улыбнулась Эдуарду.

— Не приписывай себе всю заслугу.

Он был не очень высок — пять футов восемь дюймов, так что Шоу его на несколько дюймов превосходил. Он был мускулист, но не эффектно. Никогда у него не было внушительных плеч, как у его визави, но я знала, что в каждой унции его тела больше смертельной угрозы, чем в любом человеке, которого мне доводилось знать.

— Да у тебя еще перышки не обсохли, когда я тебя встретил, — сказал он и улыбнулся — настоящей улыбкой, когда и глаза смеются.

Я — один из немногих обитателей нашей планеты, которому улыбается Эдуард настоящей улыбкой. Нет, фальшивых у него полно; детектив Морган по сравнению с ним в притворстве жалкий дилетант. Если бы Эдуард не был таким выраженным синеглазым блондином, он бы мог сойти за кого угодно, но слишком уж у него БАСПовский вид, чтобы проканать в каком-нибудь очень уж экзотическом месте.

— Где тебя черти носили... Тед? Ты, кажется, говорил, что из Нью-Мексико сюда лететь быстрее, чем из Сент-Луиса.

Улыбка исчезла, и глаза стали холодны, как северная зима. Минута счастливого взгляда — и вот он, истинный Эдуард. Не то чтобы он законченный социопат, но бывают моменты.

— Меня развлекала беседой полиция Вегаса

— Тебя тоже допрашивали?

Он кивнул.

— Но ты же не был на той охоте за Витторио, что ты мог рассказать?

— А меня о нем не спрашивали.

С этими словами он посмотрел на Шоу. Недружелюбным взглядом — а по части недружелюбных взглядов Эдуард кому хочешь может фору дать.

Шоу под этим взглядом не побледнел, но и не так чтобы не почувствовал.

— Мы делаем свою работу, Форрестер.

— Нет, вы пытаетесь сделать из Аниты козла отпущения.

— Что они тебя обо мне спрашивали? — спросила я.

— Хотели знать, как давно мы с тобой трахаемся.

У меня глаза на лоб полезли:

— Что?

Он смотрел на Шоу:

— Ага. Согласно имеющимся слухам, ты спала со мной, Отто Джеффрисом, каким-то копом в Нью-Мексико, да, и еще там несколько. Очевидно, ты очень занятой маршал США.

— Как там Донна и дети?

Я спросила, во-первых, потому что действительно хотела знать, а во-вторых, от нежелания дальше обсуждать эти слухи в присутствии Шоу.

— Донна шлет привет, Бекки и Питер тоже.

— Когда у Питера испытание на черный пояс?

— Через две недели.

— Он его получит, — сказала я.

— Я знаю.

— А у Бекки как с танцами?

Он снова улыбнулся по-настоящему.

— Преуспевает. Учительница говорит, что у нее настоящий талант.

— Вы на домашние темы завели разговор, чтобы мне стало стыдно? — спросил Шоу.

— Нет, — ответила я. — Мы просто вас не замечаем.

— Я понимаю, заслужил. Но посмотрите на это с моей стороны...

Я подняла руку:

— Мне надоело, что со мной обращаются как с преступницей только потому, что я свою работу делаю лучше всех мужчин.

Эдуард резко кашлянул, и я добавила:

— Речь не о присутствующих.

Эдуард кивнул.

— Но это только часть проблемы. Да, я работаю лучше всех прочих истребителей. У меня больше список, и при этом я женщина. Вот этого они выдержать не могут, Шоу. Не могут взять в толк, что я просто так умею работать. Нет, наверняка я себе дорогу наверх мандой проложила. Или вообще урод ярмарочный.

— Не можете вы уметь так работать.

— Почему? Потому что я женщина?

У него хватило такта смутиться.

— Чтобы так хорошо работать, нужно пройти обучение.

— Она именно так хорошо работает.

Эдуард сказал это тем пустым голосом, который умеет делать. Таким, от которого волосы на шее встают дыбом — если знаешь, что именно слушаешь.

— Вы служили в спецвойсках. У нее такого тренинга нет.

— Я не говорил, что она хороший солдат.

— Что тогда? Хороший полицейский?

— Нет.

Шоу нахмурился:

— А что тогда? Что за работа, которую она так хорошо делает? Если вы скажете «трахаться», я разозлюсь.

— Убивать, — ответил Эдуард.

— Что?

— Вы спросили, что она умеет хорошо делать. Я ответил на ваш вопрос.

Шоу смерил меня взглядом — не как мужчина смотрит на женщину, а будто хотел понять, что ему говорит Эдуард.

— Вы действительно так хорошо умеете убивать?

— Я стараюсь быть хорошим копом. Стараюсь быть хорошим послушным солдатом и выполнять приказы — до определенного момента. Но по сути я не коп и не солдат. Я — убийца, которому закон разрешил убивать. Я — Истребительница. С большой буквы.

— Никогда не слышал ни от одного маршала признания в том, что он — убийца.

— Строго говоря, это незаконно, но я преследую граждан США с намерением их убить. Я отрубила голов и вырезала сердец больше почти любого серийного убийцы. Если хотите, чтобы получилось красиво, дайте мне ордер — отлично, возражать не буду. Но я знаю, в чем моя профессия. Я знаю, что я делаю. И это я умею делать очень, очень хорошо.

— Лучше вас кто-нибудь умеет? — спросил он.

Я покосилась на Эдуарда:

— Только один.

Шоу глянул на Эдуарда и снова на меня.

— Надо понимать, мне очень повезло, что вы оба оказались здесь.

Голос его был густо замешан на сарказме.

— Вам действительно повезло, — сказала я и направилась к двери. Эдуард пошел за мной и протянул ключи:

— Я взял нам машину, чтобы могли с тобой поговорить, — сказал он.

— Это хорошо.

— Да, и Олафа я вспомнил не просто к слову.

Я остановилась посреди коридора:

— Ты ведь не хочешь сказать...

— Маршал Отто Джеффрис — один из маршалов западных штатов. Когда я прилетел сюда, он уже был на месте.

Олаф — настоящий серийный убийца. Но он, как СПУ, умеет до определенной степени контролировать свои порывы. Ни одного из своих худших преступлений он не совершал в этой стране — насколько мы с Эдуардом знаем. Доказательств у нас нет никаких, но я знаю, кто он, и он знает, что я это знаю. И ему нравится, что я знаю.

Совместная со мной охота на вампиров навела Олафа на мысль, что он сам может стать маршалом и свои любимые серийные убийства совершать легально. Способ изъятия сердца и отрубания головы у вампира закон не регламентирует — это просто полагается сделать. Когда процесс убийства начат, вампира уже не защищают никакие законы. Никакие. Вампир полностью зависит от милости истребителя.

Одна из целей моей жизни — никогда, никогда не оказаться на милости Олафа.

Глава одиннадцатая

Эдуард взял для нас большой внедорожник, черный и какой-то зловещий. Я знала, что цвет он не выбирал, но получилось совершенно правильно. Машину я одобрила. Потому что если придется ехать куда-то в пустыню или вообще без дорог, она справится.

— Когда ты успел арендовать машину? — спросила я.

— Я на допрос попал первым. И знал, что других трех маршалов США они будут допрашивать долго, так что время у меня было.

Я остановилась посреди шага:

— Ты сказал — трех других?

Он повернулся ко мне и кивнул:

— Сказал.

Чуть ли не улыбаясь. Это значило, что он от меня что-то скрывает. Любит Эдуард быть загадочным, и то, что я знаю его семью и знаю почти все его тайные личности, не вылечило его от этой привычки. Просто ему труднее найти возможность меня удивить.

— И кто четвертый? — спросила я.

Он поднял руку — я видела у него этот жест на работе, когда он работал с теми, кто понимает язык жестов. Этот значил «давай вперед».

Возле заднего выхода розовато-коричневого здания стояла небольшая группа полицейских. Я их заметила, мельком, как замечаешь в нашем деле все: людей, пальмы, жару, солнце. И вдруг среди них оказался Олаф. Он был на полголовы выше любого из них, кроме одного. Горбился, что ли? Но не только. Еще он был одет в черную футболку, черные джинсы, заправленные в черные ботинки. Черная кожаная куртка через руку, бицепсы ходят под кожей. Чуть в нем прибавилось цвета с последнего раза, как я его видела, будто он больше был на солнце, но Олаф, как и я, не загорает. У кого в жилах много немецкой крови, загорают с трудом.

Голова у него была так же выбрита наголо, и черные брови выделялись резким контрастом. Под подбородком залегла тень щетины — он из тех, кому приходится бриться дважды в день, чтобы быть чисто выбритым. Я задумалась: он голову бреет или просто лысый? Раньше как-то не интересовало.

Голова, одежда, рост — все это выделяло его из группы полицейских как волка среди овец — или гота среди людей в форме. А я его просто даже и не заметила. Совсем.

Эдуард тоже это умеет — быть невидимым на самом виду.

Олаф шел к нам, я смотрела и видела, что для человека таких размеров он движется грациозно, но это была грация мышц и сдерживаемой агрессии.

Агрессивному виду способствовала наплечная кобура с «Хеклер и Кох П-2000» и дополнительные магазины на другой стороне ремня. В последний раз у него был запасной пистолет на пояснице — надо будет потом проверить. На боку — нож, длиннее моего предплечья, привязан к бедру. Клинки носят с собой почти все охотники на вампиров.

Он шел ко мне, весь темный и зловещий, а потом улыбнулся. Не дружеской улыбкой, а бойфрендской. Нет, более того, так улыбается мужчина женщине, с которой у него был секс, и он надеется повторить. Олаф на такую улыбку права не имел.

— Анита! — сказал он, и опять же слишком много эмоций вложил в мое имя.

Мне пришлось запнуться, чтобы назвать его фальшивое имя:

— Отто!

Он продолжал идти, пока не навис над нами с Эдуардом. Конечно, при его почти семи футах над кем хочешь можно нависать.

Он протянул мне руку. В те два раза, когда мы встречались, протягивал ли он мне руку для пожатия? Надо подумать... нет, он женщинам руки не пожимает. Но вот — он протягивает руку, излишне фамильярная улыбка чуть-чуть увяла, но никуда не делась.

Вот она и вызвала у меня нежелание к нему прикасаться. Но патологическая ненависть Олафа к женщинам сделала это рукопожатие очень важным моментом. Он считал, что я достойна. Кроме того, нам придется работать вместе на глазах у полиции. И я не хочу, чтобы он злился на меня с самого начала охоты.

Я приняла руку.

Он обхватил ею мою ладонь, вторую руку положил выше, мне на предплечье. Некоторые мужчины так поступают, и я не очень понимаю зачем, но в этот раз я знала.

Я попыталась высвободиться — не смогла сдержаться. Он сжал пальцы, давая мне понять, что меня держит — или что придется драться, чтобы вырваться. Только миг, момент, но мне этого хватило, чтобы вспомнить, как мы виделись последний раз.

Мы с Олафом должны были вынуть сердца у вампиров, за которыми тогда охотились. Вампиры были старые и сильные — в таких случаях недостаточно проткнуть сердце колом. Его надо вырезать из грудной полости и потом уничтожить огнем.

Я доставала сердце, запутавшееся в каких-то органах тела, Олаф предложил помочь. Я забыла, кто он — и согласилась.

Он просунул руку в сделанную мною дыру, вдоль моей руки, в грудную клетку. И только когда его ладонь охватила мою, прижав пальцы к еще теплому сердцу, я на него посмотрела. Мы оба наклонялись над телом, лица почти вплотную, руки ушли вверх в куда более длинное тело вампира. Олаф посмотрел на меня над телом, и наши руки держались за сердце, и кровь была повсюду. И смотрел он на меня так, будто это был ужин при свечах, а я в красивом кружевном белье.

Он свободной рукой придерживал мою руку, управляя скоростью, с которой мы вылезали из грудной полости, затягивал процесс и глядел на меня в упор. Последние несколько дюймов он смотрел вниз, на рану. Смотрел, как выходят наши руки из кровавой дыры под грудиной. А меня он держал ладонью выше локтя и поднял наши руки вверх — мы секунду держали сердце вместе, и он глядел на меня поверх кровоточащей мышцы.

Вот так он и украл поцелуй — первый, и я очень постараюсь, чтобы последний.

— Отпусти, — сказала я тихо и очень отчетливо.

Он приоткрыл губы, выдохнул долгим вздохом. Это было хуже улыбки. Я в этот момент поняла, что стала трофеем той охоты. Трофеем, который серийный убийца берет себе от жертвы или с места преступления, и когда его видит, трогает или слышит, ощущает на вкус или на запах, к нему возвращаются воспоминания.

Я изо всех сил старалась не показать страха, но, наверное, не удалось. Эдуард встал рядом с нами и сказал:

— Ты ее слышал.

Олаф повернул к нему взгляд солнечных очков. В прошлый раз, когда мы работали вместе, Эдуард делал все, что в его силах, чтобы защитить меня, но защита от Олафа — это вопрос не только оружия и силы. В прошлый раз Эдуард взял меня под руку, как девушку — быть может, даже как свою девушку. Девушку, которую намерен защищать. Я не разрешила бы никому подвергать себя опасности ради лжи, но знала, что если кто-то может управиться с Олафом, то это Эдуард. Кроме того, Эдуард был другом Олафа еще до нашего с ним знакомства, так что вроде бы по его вине Олаф на меня запал.

Сейчас Эдуард сделал это снова. Он обнял меня за плечи. Впервые. Это вряд ли подняло мою репутацию в глазах прочих копов, но меня они мало интересовали. Все, что мне сейчас было важно, — это чтобы этот человек убрал от меня руки. Прикосновение было совершенно невинным, но действие его на меня и на Олафа было настолько далеко от невинности насколько вообще бывает.

Эдуард положил руку мне на плечи — не столько обнимая, сколько обозначая свою территорию. Примерно как школьные звезды спорта любят приобнимать своих подруг-болельщиц. Тоже невинный жест, но при том — знак владения. *Мое, не твое!*

И очень это было непохоже на Эдуарда, но я в этот момент готова была стать чьей угодно, лишь бы это убрало от меня Олафа. Я отбивалась от воспоминания о нашем совместном убийстве, от которого у меня мороз пошел по коже на вегасской жаре.

Олаф обратил на Эдуарда всю тяжесть прикрытого очками взора, а потом отпустил меня — медленно. Шагнул назад.

Эдуард держал руку на моих плечах и смотрел на гиганта. Я стояла, пыталась подавить дрожь, но сдалась. И на воздухе таком жарком, что дышать больно, затряслась.

Олаф от этого снова улыбнулся, и у меня мелькнула мгновенная, но очень ясная мысль: когда-нибудь я его убью. Может быть, не сегодня или даже не в этот раз, но он переступит черту, и я его убью.

Эта мысль помогла успокоиться, прийти в себя. Помогла снова улыбнуться ему, но уже другой улыбкой. Он улыбался чертовски сексуально, а я — той неприятной улыбкой, от которой дрожали преступники по всей стране.

Олаф нахмурился — я улыбнулась шире.

Эдуард чуть стиснул мне плечи, потом отошел назад.

Я поймала на себе взгляды нескольких копов, стоящих вне здания — они смотрели спектакль. Вряд ли они все поняли из увиденного, но можно было уловить напряжение между Олафом, Эдуардом и мной. Они могли прийти к тем же выводам, что Олаф: Эдуард и я — пара, и руки прочь.

Они и без того твердо знали, что я со всеми подряд трахаюсь, так отчего же мои чувства ранило, что копы лишний раз в этом убедились?

Я посмотрела на наблюдающих за нами полицейских, и увидела, что двое из них на нас не смотрят. Увидев это, я поняла, кто четвертый маршал.

Рядом с помощницей шерифа стоял Бернардо Конь-В-Яблоках. У женщины были волосы до плеч, забранные в хвост, треугольное лицо обращено к собеседнику, все в улыбочках, на грани смеха. И даже форма не могла скрыть, что девушка фигуристая, хотя и миниатюрная.

Бернардо высок, темноволос и красив — даже по тем меркам, к которым я привыкла. Он — индеец с такими скулами, которые может тебе дать только наследственность. В комплекте все смотрится потрясающе, и не зря помощница смотрела ему вслед, когда он шел к нам, а на лице написано было, что если он ей потом позвонит, свидание ему обеспечено. Но Бернардо это и так знал: в списке его проблем робость с женщинами не значилась.

Он улыбнулся, еще подходя к нам, надевая на глаза солнечные очки, и выглядел, подойдя, как совершеннейшая модель.

— Отличная была пантомима, — сказал он. — Они теперь убедились, что все большие мужики имеют с тобой роман или хотят заиметь, а Тед так уж точно имеет. Я изо всех сил пытался убедить помощницу шерифа Лоренцо, что не конкурирую за твою нежность.

Я не могла не улыбнуться, качая головой.

— Приятно слышать.

Он состроил забавную мину:

— Я знаю, что ты говоришь искренне. Но позволь тебе сказать: это удар по самолюбию.

— Я думаю, ты его перенесешь. Кроме того, у помощницы был такой вид, будто она рада будет тебе помочь пережить травму.

Он оглянулся и послал девушке улыбку экстра-класса. Она улыбнулась в ответ и будто действительно взволновалась. И это только из-за улыбки с расстояния в несколько ярдов.

— Прямо как «неделя встречи земляков» на старой родине, — сказала я.

— Ну, да. Сколько прошло? Почти три года, — согласился Бернардо.

— Примерно, — ответила я.

Олаф смотрел на нас так, будто его это все не радует

— Ты девушке понравился.

— Понравился, — согласился Бернардо.

Белая футболка отлично смотрелась на загорелой коже. И только она и нарушала стиль, который я бы назвала небрежным шиком наемного убийцы: черные джинсы, черная футболка, тяжелые ботинки, кожаная куртка, оружие, темные очки. Кожаная куртка висела на руке, как у Олафа, потому что в такую невыносимую жару ее не надеть. Я свою в Сент-Луисе оставила.

Бернардо протянул руку, я подала свою, он поднял ее к губам и поцеловал. Он это сделал, потому что я дала ему понять, что не считаю его восхитительным, и ему это отчасти было неприятно. Не надо было ему это позволять, но не было способа — кроме грубой борьбы — остановить его, когда он уже стал поднимать руку. Ему не стоило этого делать — ради помощницы шерифа. Мне не стоило ему позволять — ради других копов и Олафа.

Олаф смотрел не на меня — на Эдуарда, будто ожидая каких-то его действий по этому поводу.

— Бернардо заигрывает со всеми, ничего личного, — сказал Эдуард.

— Я ей руку не целовал, — ответил ему Олаф.

— Ты сам знаешь, что ты делал, — напомнил ему Эдуард.

Бернардо посмотрел на Олафа, потом на меня, даже опустил очки, чтобы глянуть на меня в упор младенчески карими глазами.

— Есть что-то такое, что ты мне должна сказать про себя и про этого здоровенного парня?

— Не поняла?

— Он только что среагировал, как любой парень реагирует на меня — и женщину, которая ему нравится. Раньше Олафу было все равно.

— Мне все равно, — сказал Олаф.

— Хватит, — закончил Эдуард. — Наш эскорт готов двигаться, так что все в машину.

В его голосе звучало резкое недовольство, что бывало редко. В смысле, он редко выражал голосом столь сильные эмоции.

— Я на переднем, — сказал Бернардо.

— На переднем Анита, — ответил ему Эдуард и обошел машину чтобы сесть на место водителя.

— Она тебе больше нравится, чем я, — сказал Бернардо.

— Ага, — согласился Эдуард и сел за руль.

Я уселась на пассажирское сиденье, Олаф сдвинулся поперек и устроился от меня сзади по диагонали. Я бы усадила туда Бернардо, но трудно было бы решить, что лучше: чтобы я видела, как Олаф на меня пялится, или же знать, что он на меня пялится, и его не видеть.

Патрульная машина впереди нас включила мигалку и сирену. Очевидно, больше времени мы терять не будем. Я посмотрела на солнце в сверкающем небе — таком светлом, что вылиняло почти до белого, как много раз стираные джинсы. До полной темноты оставалось часов пять.

И еще одна машина ехала за нами с мигалкой и сиреной. Явно не мне одной показалась неудачной мысль задерживать всех охотников на вампиров.

Глава двенадцатая

Местом преступления оказался просторный склад, полупустой и гулкий. Или был бы гулкий, если бы не множество копов всех родов и видов, персонал «Скорой» и судмедэксперты, от которых было не протолкнуться. Не так плотно, конечно, как было несколько часов назад, но все равно чертовски много для места, где преступление случилось в позапрошлую ночь. Впрочем, здесь были убиты их товарищи, и все рвались поучаствовать, помочь, а главное — почувствовать, что помогают. Никто не любит чувствовать себя бесполезным, а коп — вдвойне. Ничто так не выводит полицию из себя, как невозможность что-то исправить — такое вот у ребят отношение. У ребят — не в сексистском смысле; я это про всех копов. Все будут ошиваться в поисках зацепок или пытаться как-то найти в этом всем смысл.

Зацепки могут быть, но смысла не будет. Витторио — серийный убийца, у которого достаточно вампирских сил, чтобы заставить вампиров послабее себе помогать. Серийный убийца, который может заражать своей патологией других — не убеждением, а метафизической энергией. Всякий, кого он обратил в вампира, может быть принужден разделить его хобби и участвовать в его извращениях.

Я смотрела на контуры, обведенные на полу там, где лежали тела. Шоу сказал, что потеряли троих, но это было всего лишь слово и цифра. А когда стоишь и смотришь на следы маркера, где лежали убитые, где пролилась кровь, тогда до тебя доходит смысл слова «потери».

Много было и других контуров, отмечавших, где лежали предметы. Интересно, какие именно. Оружие, стреляные гильзы, одежда — все и вся было обведено мелом, зафотографировано, записано на видео.

Пол выглядел как минное поле — столько было на нем пометок, что почти невозможно было пройти между ними Что же здесь, черт возьми, произошло?

— Перестрелка, — тихо сказал Эдуард.

Я посмотрела на него:

— Что?

— Перестрелка. Стреляные гильзы, разряженные и брошенные стволы. Неслабый бой.

— Если вот эти отметки маркером — стреляные гильзы, то почему нет мертвых вампиров? Невозможно выпустить столько металла в таком пространстве и ни в кого не попасть. Особенно с тем тренингом, который эти парни прошли.

— И даже охотник на вампиров у них в прошлом военный был, — вставил Бернардо.

— Откуда ты знаешь? — удивилась я.

Он улыбнулся:

— Помощница шерифа Лоренцо любит поговорить.

Я посмотрела на него одобрительно:

— Так ты не просто с ней заигрывал, ты еще информацию добывал. А я только что подумала, где ты ее берешь.

— Это был многозадачный режим, — ответил он. — Я добыл информацию, а девушка симпатичная.

Олаф двинулся через все эти мелкие отметки и знаки, которые оставили криминалисты. Двигался он грациозно, почти элегантно, казался даже несколько нереальным. У меня не получилось бы так пройти, ничего не сдвинув, но Олаф будто плыл. Я почти все свое время провожу с вампирами и оборотнями, которые отлично могут проиллюстрировать термин «грациозно», но все равно движение Олафа впечатляло — и тревожило.

Я бы предпочла увидеть настоящие вещественные доказательства и настоящие тела, но понимала, что их нельзя было оставлять на жаре. Понимала также, что нельзя оставить валяться оружие, а патроны и гильзы надлежит собрать как вещественные доказательства на случай суда.

— Всегда так собирают вещественные, будто обязательно будет суд, — сказал Эдуард, будто прочтя мои мысли.

— Ага, — согласилась я. — Но для вампиров суда нет.

— Для них есть мы, — сказал он.

Эдуард разглядывал место преступления, будто мог увидеть, что отсюда унесли. Я пока не могла. Фотографии и видеозаписи мне дадут больше, чем это пустое место. Тогда я его смогу увидеть, а здесь просто были убраны предметы и запах смерти усилился в жарком воздухе Вегаса.

Тела унесли, но кровь еще не смыли, и другие жидкости тоже, так что никуда он не делся.

Я старалась изо всех сил его не замечать, но когда его уже отметишь для себя, игнорировать становится трудно. Один из минусов такого количества штаммов ликантропии в крови в том, что обоняние у меня иногда переходит в форсированный режим. На месте убийства это удовольствия не доставляет.

Язык густо обволокло запахом высохшей крови, гниющей крови. Учуяв запах, я не могла уже ее не видеть. Она и раньше была здесь, но теперь будто фильтр сорвали с глаз, и я увидела, что пол на складе просто потемнел от крови. Всюду лужи. Сколько бы крови ты ни видел по телевизору или в кино, это все равно не то. Так много крови в человеческом теле, и так много было ее на полу, что казалось, будто черное озеро замерзло здесь на бетоне.

Нам дали что-то типа бахил, и я теперь поняла, что это не просто ради очевидной причины. Без них мы бы потом по всему Вегасу оставили кровавые следы.

— Вампиры не пили крови, — сказал Бернардо.

— Не пили, — подтвердила я. — Просто обескровили людей.

— Может быть, часть крови — вампирская, — предположил Эдуард. — А своих мертвых они унесли с собой.

— В Сент-Луисе он бросил своих как приманку, как ловушку. Бросил их жить или подыхать, и плевать ему было, выживут они или нет. Вряд ли он из тех, кто будет уносить мертвых, раз не заботится о живых.

— А если эти мертвые могли что-то выдать? — спросил Эдуард.

— В смысле?

— Если он не унес мертвых, потому что это достойно, он мог их унести, потому что это разумно.

Я подумала, потом пожала плечами:

— Что могли нам рассказать мертвые вампиры такого, чего мы еще не знаем?

— Понятия не имею, — ответил Эдуард. — Просто предположение.

— Как они устроили засаду на группу СВАТ? — спросил Бернардо.

— Покойный охотник на вампиров имел талант работы с мертвыми? — спросила я в ответ.

— В смысле, был ли он аниматором?

— Да.

— Нет. Отставной военный, мертвых никогда не поднимал.

— Это значит, что они сюда вошли, не обладая способностью чуять вампиров, — сказала я и вынуждена была добавить: — Я знаю, что у них был практиционер — из тех, кто погиб. Но быть экстрасенсом — не значит уметь работать с мертвыми.

— У нас мало обладателей того таланта, что есть у тебя, Анита, — ответил мне Эдуард.

Я посмотрела ему в лицо, но он разглядывал место преступления — или смотрел на Олафа, очень осторожно опустившегося на пол среди бойни.

— Всегда удивляюсь, как вам всем удается выживать, если вы вампиров не чуете.

Эдуард улыбнулся:

— Просто я свое дело умею делать.

— Ты тогда должен уметь лучше меня, раз у тебя нет этих способностей и ты жив.

— Тогда я тоже лучше? — спросил Бернардо.

— Ты — нет, — ответила я, голосом ставя точку.

— Почему же это Тед лучше, а я нет?

— Потому что он это доказал делом, а ты пока что — всего лишь красавчик.

— На прошлой нашей совместной игре я чуть не погиб.

— Как все мы.

Бернардо нахмурился. Я поняла, что мое несогласие поставить его на один уровень с Эдуардом его задело.

— А Отто? Он лучше тебя?

— Не знаю.

— А Тед?

— Надеюсь, что нет, — ответила я тихо.

— А почему ты об этом так сказала — надеешься?

Не знаю, что заставило меня сказать Бернардо правду. Эдуарду — понятно, но этот пока еще не заработал такой откровенностью.

— Потому что если у меня не хватит квалификации убить Отто, я надеюсь, что Эдуард сможет.

Бернардо наклонился ко мне, всмотрелся в лицо пристально. И тихо спросил:

— Ты планируешь его убить?

— Когда он на меня решит напасть, то да.

— С чего он решит на тебя напасть?

— Потому что будет момент, когда я его разочарую. Когда мне надоест быть его сувениром серийного убийцы или когда он решит, что я мертвая буду прикольнее живой, тогда он попробует напасть.

— Этого ты не знаешь, — возразил Бернардо.

Я оторвалась от зрелища высохшей крови и большого ловкого мужчины, лавирующего среди ее островков.

— Это я знаю.

— Она права, — тихо сказал Эдуард.

— И вы собираетесь его убить, но будете с ним работать, пока он не переступит черту?

Бернардо говорил почти шепотом.

— Да, — ответила я.

— Да, — ответил Эдуард.

Бернардо посмотрел на нас по очереди, покачал головой.

— Знаете, иногда я не так боюсь этого гиганта, как вас.

— Это потому что ты — не миниатюрная брюнетка. Можешь мне поверить, Бернардо: когда соответствуешь профилю жертвы, в присутствии этого гиганта начинаешь понимать значение слова «жуть».

Он открыл рот, будто собирался возразить, но не стал. Кивнул.

— Ладно, будь по-вашему. Но если вы не собираетесь убивать его сегодня, давайте работать.

Он отошел от нас, но не к Олафу. Обсуждать убийство Олафа он с нами не станет, но и мешать тоже не будет.

Я не очень могу понять, куда попадает Бернардо на шкале «хороший — плохой».

Иногда у меня такое чувство, что он сам этого не понимает.

Глава тринадцатая

Через два часа мы уже знали все, что мог нам сообщить этот склад. Имелись деревянные контейнеры, используемые как гробы, и они были расстреляны ко всем чертям из «М4», состоявших на вооружении группы Если бы вампиры в это время там находились, охота была бы удачной, но внутри контейнеров крови не было.

Олаф вернулся к нам — как-то бесшумно ступая в черных ботинках.

— Я думал, это был взрыв, но ошибся. Впечатление такое, будто действовали существа, способные пускать кровь и обездвиживать, но не убивать на месте. Что бы это ни было, на земле следов не осталось. Ни одного следа ног в луже крови, кроме полицейских ботинок.

— Откуда ты знаешь, что это было нечто, пускающее кровь и обездвиживающее, но не убивающее? — спросила я.

Глаза пещерного человека надменно глянули на меня исподлобья. Это выглянул прежний Олаф, человек, твердо уверенный, что женщины для этой работы не годятся. Да и вообще не годятся ни на что.

— От такого взгляда мне хочется не признать этот факт, а расколоть это дело. И хочется сильнее, чем быть невозмутимой.

— Какого взгляда? — спросил он.

— Который говорит, что я женщина, а потому дура.

Он отвел глаза и сказал:

— Я не думаю, что ты дура.

Я при этом подняла брови, и мы с Эдуардом переглянулись.

— Спасибо, Отто, — сказала я, — но представим себе, что я не умею взглянуть на бетонный пол и проследить ход преступления. Так что просто объясни... пожалуйста, — добавила я, потому что раз уж мы оба стараемся быть друг с другом любезными, то я готова.

— Узор разлития крови, отметки на полу. Фотографии и видео подтвердят, что это была западня. Не бомба, не солдаты — что-то такое, что могло, — он сделал неопределенный жест рукой, — парить в воздухе, и при этом атаковать. Я нечто похожее видел однажды.

Все внимание теперь было на него.

— Расскажи, — попросил Эдуард.

— Я был тогда на задании в Песочнице.

— В Песочнице? — не поняла я.

— Ближний Восток, — пояснил Эдуард.

— Да, группа террористов. У них был чернокнижник, — сказал Олаф и задумался так глубоко, что мне тревожно стало.

— Ты слова на букву «т» не говори, — попросил Бернардо, — а то налетят из национальной безопасности или ФБР, и дело у нас заберут.

— Когда буду представлять рапорт, я должен буду сказать, что я видел, — сказал Олаф.

Флирт кончился, он был полностью в деловом настроении. Холоднее, сдержаннее, и когда-то мне казалось, что он становится жутким. Сейчас, когда я увидела его флиртующим, деловой вид мне стал нравиться куда больше.

— Слово «чернокнижник» ты употребляешь в том смысле, в котором его говорят в Штатах? — спросила я.

— Я не знаю.

— «Чернокнижник» означает того, кто получает магические способности от сделки с демонами или силами зла, — сказал Эдуард.

Он покачал головой.

— Нет, это просто был некто, использующий свои силы во вред и никогда ради добра. Практиционера, как здесь это называется, у нас не было. Поэтому о магии я могу говорить лишь с точки зрения ее поражающей способности.

— И насколько было похоже на вот это? — спросила я.

— Чтобы ответить уверенно, я должен увидеть тела, но узор разлития крови не совсем такой. Тела там в... — он запнулся, будто говорить название местности не имел права, — там, где я был, сильно отличались. Там они были разорваны на части, будто невидимой силой, не оставившей следов иных, кроме своих жертв.

— Я никогда не слыхал, чтобы террористы Ближнего Востока работали с магией, — сказал Бернардо. — Они ведьм и колдунов убивают на месте.

— Это были не мусульмане, — ответил Олаф. — Они свою родину относят к гораздо более ранним временам. Считают себя прежде всего персами. Утверждают, что ислам ослабил их как народ, и потому используют более древние силы, которые мусульманами считаются нечистыми и злыми.

— Погоди, — сказал Бернардо. — Ты работал с местными?

— Это часто приходится делать, — ответил ему Эдуард.

Я глянула на него и на лице ничего не прочла, но он признал, что работал на Ближнем Востоке. Я этого не знала, но не удивилась.

— Люди, с которыми мы работали, за неделю до того с радостью бы нас перебили, но опасность грозила нам всем.

— Враг моего врага — мой друг, — сказал Бернардо.

Все мы кивнули.

— Так что это могло быть какое-то персидское пугало. Не демон, но нечто подобное. Как я уже сказал, с нами не было практиционеров, так что я могу лишь сказать, что поражения кажутся похожими, но не одинаковыми.

— О'кей. Значит, надо посмотреть, найдем ли мы в городе кого-нибудь, знающего больше меня о доисламской персидской магии. — Я посмотрела на Эдуарда — Разве что ты знаешь о ней хоть что-нибудь, потому что у меня знаний ноль.

— Ничего, — ответил он.

— На меня можете не смотреть, — заявил Бернардо.

Я проглотила первый пришедший в голову ответ: «Мы и не смотрим». Это было бы злобно и не совсем правда — информацию у помощницы шерифа выведал для нас он.

— Ладно, посмотрим, есть ли кто-то знающий в городе или в каком-нибудь университете. Где-то же найдется эксперт.

— Профессора не всегда дружат с информацией о реальном мире, — заметил Эдуард.

— Сейчас у нас уровень нулевой, значит, любая информация будет лучше, чем ничего. — Я пожала плечами. — От спроса вреда не будет.

Детективы из убойного отдела отозвали маршала Теда Форрестера для разговора. Эдуард отошел, предъявив им открытое лицо своего альтер эго. Я знала, что на самом деле скрывает лицо Теда. Интересно, что больше никого из нас не позвали.

Я отвернулась к Олафу и Бернардо.

— О'кей, персидский след поищем позже, а сейчас у меня есть другой вопрос. Почему их убили так, что не было шанса выпить их кровь?

— Может, у их мастера нет вкуса к мужчинам — предположил Олаф

— Что?

— Жертвы их мастера — танцовщицы стриптиза. Женщины. Верно? — спросил он

— Да

Он наклонился вперед и прошептал так, чтобы слышали только я и Бернардо

— Я убивал мужчин просто и чисто, а с женщинами иногда растягивал удовольствие Возможно что их мастер вампир таков же. Он не получает удовольствия, питаясь кровью мужчин.

— В Сент-Луисе он убил стриптизера, — напомнила я.

— А тот был вроде этих ребят? Солдат обученный?

Я вспомнила, как выглядело тело — поскольку это была единственная жертва мужского пола я его ясно помнила.

— Высокий но худой, не мускулистый более... женственный

— Он любит чтобы жертва была мягкотелая. Эти не таковы.

— О'кей, — сказал Бернардо. — А тебе не жутко слушать, как он тут рассказывает насчет убийства мужчин, чтобы продлить удовольствие от убийства женщин? Только мне это кажется несколько тревожным?

Я посмотрела на Олафа — это был обмен взглядами. Потом мы оба обернулись к Бернардо

— Я знаю, кто такой Отто и что он делает, — ответила я. — Честно говоря, эти его комментарии — одна из немногих причин, по которым я радуюсь его присутствию. Ты не можешь не признать что у него уникальная возможность увидеть мир серийного убийцы изнутри

— И ты к этому так спокойно относишься?

Я пожала плечами и снова посмотрела на Олафа. Он ответил спокойным скучающим взглядом.

— Работа есть работа.

Бернардо замотал головой:

— Ребята, вы оба жуткие типы знаете вы это?

— Ты бы приглушил голос, Бернардо, — сказал Эдуард. Он вернулся, переговорив с детективами и шерифом Шоу, который наконец появился. Нас всех, кроме Эдуарда, они игнорировали. Почему-то меня не задело, что Шоу не хочет говорить со мной.

— Извини, — ответил Бернардо.

— Нам дадут доступ к материалам: фотографии, видеозаписи, все, что упаковано и надписано.

— Из фотографий и фильмов я надеюсь узнать больше, — сказал Олаф.

— Они надеются, что все мы узнаем больше, — ответил ему Эдуард.

— Вы только дайте мне их посмотреть, — сказала я.

— Вы только дайте мне в кого-нибудь пострелять, — добавил Бернардо.

— Наверное, жизнь для тебя проще, — заметила я ему

Бернардо посмотрел на меня неприятным взглядом.

— Ты психуешь, потому что мы уже здесь не первый час торчим, и ничего нет такого, что нам помогло бы найти этого гада.

— Мы знаем, что это нечто похожее на персидского чернокнижника, с которым я встречался в Песочнице, — напомнил Олаф.

— Понимаю, что это было бы необычное и слишком уж невероятное для реальной жизни совпадение, но не может это быть тот же чернокнижник, только заклинание чуть другое или еще что? — спросила я.

— Невозможно, — ответил Олаф.

— Почему?

— Он не был пуленепробиваемым.

— То есть его нет в живых? — спросила я.

Олаф кивнул.

— Что ж, если мы не сможем найти в этой стране кого-то, кто балуется персидской магией, то придется искать кого-то, кто вдруг исчез из жизни.

— В смысле? — спросил Бернардо.

— Кого-то, знающего магию подобного рода, кто вдруг пропал. Кого объявили пропавшим с работы, или жена, или родственник, кто угодно, о ком сообщено, что он пропал. Тогда, быть может, мы ищем кого-то, кто недавно стал вампиром.

— Почему? — спросил Олаф.

— Потому что если бы такая магия была известна им в Сент-Луисе Новом Орлеане или Питтсбурге, они бы пустили ее в ход. У них почерк переменился коренным образом. Если бы не было пропавших стриптизеров, подходящих под исходный профиль жертвы — отчего возобновили ордер на ликвидацию, то я бы сказала что кто-то подписался именем Витторио на стене и в записке, которая пришла мне в офис, и это не он.

— Это могут быть два разных преступления — сказал Эдуард

— В смысле?

— Может быть, Витторио убивает стрипперов в Лас-Вегасе, но это не значит что наш чернокнижник и убийцы этих оперативников действительно вампиры Витторио. Они следовали стандартной процедуре охоты на вампиров в светлое время суток.

— Я знала, что СВАТ обычно за преступниками-людьми приходит ночью, но охота на вампиров идет днем, если это возможно.

— Они вошли днем, Анита. Эта парящая магия или что там еще, убила троих, и либо какой-то чародей, либо иная сила погрузила остальных в подобие сна

— Никогда о таком не слышала

— Никто не слышал.

— Но если это было днем, — спросил Бернардо, — кто тогда написал записку их кровью? Кто отрезал голову и послал ее тебе? Был день, а здесь есть окна, не затемненные. Единственная причина, по которой копы решили, что это вампиры — потому что Витторио подписался на стене, и тут было старое вампирское логово.

— Ты хочешь сказать что кто-то подставляет Витторио и его вампиров?

Бернардо пожал плечами:

— Может быть.

— Блин, даже не знаю, как лучше — если ты прав или если нет. Если ты прав, то мы должны найти Витторио, пока он еще одну стриптизершу не кокнул, а плюс к тому — психа-чернокнижника, который пытается свалить это преступление на вампиров. На погибших были следы клыков?

— Никто не говорил, — ответил Эдуард.

— Только не говорите мне, — сказал Бернардо, что мы должны сейчас ехать в морг и осматривать тела.

— Тебя это пугает? — спросил Олаф.

Бернардо посмотрел на него недружелюбно, но тот даже не поморщился.

— Нет, просто не хочу.

— Боишься, — сказал Олаф.

— Отставить, — скомандовал Эдуард. — Обоих касается. Мы едем смотреть на тела. Хотя ты, Отто, мог бы начать пока работать по персидскому следу Ты единственный из нас, кто видал подобное.

— Нет, я поеду в морг с... — он покосился на меня, — с Анитой. Но позвоню в местный университет из машины и спрошу, есть ли у них нужный нам эксперт.

— Все поедем к коронерам, — сказал Эдуард.

— Отто только хочет понаблюдать, как я буду ворочать эти тела, — сказала я.

— Нет, — ответил Олаф. — Я хочу тебе в этом помочь.

Тут мне захотелось сказать, что я, пожалуй, дома посижу Я бы лучше просто посмотрела снимки и записи, и мне бы хватило. Я не хотела ехать в морг и смотреть на свежеубитых, особенно когда на земле столько крови. Будет очень неприятно, но еще больше я не хотела, чтобы Олаф мне помогал их ворочать. Ему это понравится.

Но тела были изъяты с места преступления. На них может быть куча зацепок. И я должна посмотреть, не найдется ли что-нибудь, что поможет нам поймать того, кто это сделал. Будь то Витторио с новым приятелем-чернокнижником, или другой кто-то, остановить его надо. И до чего я готова дойти, чтобы это сделать? Получается, что аж до морга, в компании ручного серийного убийцы.

Иногда меня просто поражает, что только приходится делать на работе. Поражает и тревожит.

Глава четырнадцатая

Пока мы ехали, Олаф со своего навороченного мобильника поискал в онлайне, нет ли в ближайшем университете или колледже того, что нам нужно. Победителем конкурса вышел университет штата Техас в Остине, где изучают персидскую и иранскую культуру и читается спецкурс по мифологии Ближнего Востока. В других университетах и колледжах имелось первое и второе, но не третье. Олаф послал письмо на факультет ближневосточной культуры, и мы заехали на парковку возле офиса коронера Лас-Вегаса графства Кларк.

Невзрачное здание располагалось посреди промышленного района, но было отмечено заметным знаком, сказавшим нам, что мы приехали куда надо. На краю парковки стояло также небольшое стадо белых автомобилей с надписью «Коронер графства Кларк».

Мы вышли, Эдуард подвел нас к дверце рядом с воротами гаража и нажал на кнопку звонка.

— Ты здесь раньше бывал? — спросила я.

— Да.

Я понизила голос:

— И кто бывал в городе — Эдуард или Тед?

Он улыбнулся, будто говоря, что есть вещи, которые он знает, а я нет.

— Оба.

Я прищурилась:

— То есть ты сюда приезжал и как маршал, и как наем...

Дверь открылась, вопрос пришлось отложить. Бернардо, наклонившись вперед, прошептал мне на ухо:

— Он никогда никому, кроме тебя, на вопросы не отвечает.

Входя в коридор вслед за Эдуардом, я бросила через плечо:

— А тебе завидно?

Бернардо посмотрел на меня мрачно. Нет, подначивать его не следовало, но я нервничала, а дразнить Бернардо — это было куда более приятное занятие, чем то, что нам предстояло.

В телевизоре показывают выдвижные ящики. В реальности их нет — по крайней мере в тех моргах, куда я наведываюсь. То есть наверняка они должны бы быть, но вы заметили, что по телевизору они всегда так высоко, что без стремянки тел не достанешь?

Откуда такое берется?

Мы с Олафом оделись в застегивающиеся сзади халаты, Олаф и патологоанатом надели еще по две пары перчаток: латекс и синий нитрил. Такое правило принято в большинстве моргов для защиты от передающихся через кровь патогенных факторов. Я из-за меток Жан-Клода вряд ли могла бы что-то подцепить даже с голыми руками, поэтому я надела лишь нитриловые. Во-первых, меньше потеют руки, во-вторых, если что-то надо будет трогать или брать, в одном слое это будет не так неуклюже. Не люблю перчаток, мне в них неуютно. А нитрил я выбрала потому, что он более стоек к проколам, чем латекс.

В моргах почти никогда не бывает темно и мрачно, как показывают по телевизору. Графство Кларк тоже не исключение: здесь было светло и как-то странно жизнерадостно. И пахло чистотой с легкой примесью дезинфекции и еще чего-то. Никогда не могла понять, чего именно, но этот запах не заставляет меня дышать глубже. Может быть, это даже не запах, а только мое воображение, потому что в моргах обычно ничем особо не пахнет. В графстве Кларк тела, которые могли бы создать иной запах в морге, хранятся в другом холодильнике, чему я была очень рада.

Мы с Олафом находились в первом секционном зале, где стояли красные секционные столы, серебрились раковины, стены выложены красной и бронзовой плиткой. Цветовая гамма — как в веселенькой кухне. Только в кухнях, как правило, возле раковин и столов не лежат тела в пластиковых мешках на каталках. Я не могла выкинуть из головы аналогию с кухней, и потому тело за слоями пластика не выглядело чем-то потусторонним, а смутно напоминало нечто, вынутое из холодильника.

Когда-то мне не по себе было в присутствии тел, но это было давно. Что мне трудно было в моргах теперь — это думать о тех немногих вампирах, которые были в сознании когда я должна была их казнить. В сознании прикованные к каталке. Те что плевались, шипели и до самого конца пытались меня укусить, — это как раз просто. А вот те кто плакал кто молил о пощаде — те приходят во сне.

Сейчас морг вызывает у меня мысль о слезах и не о моих. В графстве Кларк была небольшая комната сбоку гаража — специально для казни вампиров. Соседнее помещение было отведено под изъятие органов. Почти одинаковые, только одна была для спасения жизни, а другая — для ее отнятия. Ну, вампирская комната отличалась цепями и освященными предметами.

Слава богу что сегодня мне не туда.

Доктор Т. Мемфис — честное слово, так было написано у него на табличке — стоял над первым телом. Он был ростом пять футов шесть дюймов, с небольшим животиком, и белый халат застегивался непросто, но все же был застегнут до самого верха. Белый халат, галстук и воротничок. Чертовски должно быть неприятно на пустынной жаре, но он почти все свое время проводит в кондиционированном помещении. Вьющиеся волосы, проигрывая битву, отступали назад от линии лба, седина завоевывала себе место на изначально полностью каштановом поле. Вид дополняли и придавали ему законченность кругленькие очочки.

Выглядел он безобидным и профессиональным — пока в глаза не посмотришь. А они были серые и злые. Сердитые — недостаточно точный термин, он был разозлен, и не давал себе труда это скрывать.

Конечно, и не глядя ему в глаза можно было понять, что нам он не слишком рад. Он просто дергался от злости на каждом движении. Перчатки надел с резким щелчком. Ударил по каталке сбоку. Сдернул пластик с лица трупа — именно с лица, чтобы все тело осталось закрытым.

Олаф смотрел бесстрастно, будто этот человек для него ничего не значит. Может быть, так оно и было. Может быть, Олаф всю жизнь ждет, чтобы его кто-то заинтересовал, и просто люди этого не делают? А в голове у него мирно или одиноко? Или, быть может, просто тихо.

Эдуард и Бернардо смотрели на единственное тело, которое пока не успели обработать до конца. Это происходило в другой комнате, так что с доктором Мемфисом были только Олаф и я. С теми была женщина-врач, фамилию я не расслышала. Я была уверена, что Эдуард выяснит все, что мне нужно знать, а Бернардо из красивой женщины любую информацию вытащит. Так или иначе, за них можно было не волноваться.

Не я решила начинать с обработанных тел, это Эдуард установил разделение труда. Он хотел объединить в одну группу себя с Олафом, а в другую меня с Бернардо, но Олаф твердой и большой ногой встал намертво. Единственное, что Эдуард смог сделать — это выделить нам тела, которые должны быть Олафу менее интересны.

В конце концов нам предстояло увидеть и другие тела, но мы оттягивали момент, который должен был взволновать Олафа наиболее сильно. Иногда лучшее, что ты можешь сделать — это хоть немного отсрочить худшее.

У мужчины, заключенного в пластик, были короткие темные волосы. Лицо было серым, с темными краями, будто загорелого человека обескровили до бледности. Уже по виду лица и шеи я поняла, что он умер от потери крови. Официальной причиной смерти могло быть написано что-то другое, но он успел прожить после нее достаточно долго, чтобы почти вся кровь вытекла.

— Официальная причина смерти — кровопотеря? — спросила я.

Доктор Мемфис посмотрел на меня чуть менее враждебно.

— У этого — да. Почему вы спрашиваете?

— Я охотник на вампиров. Много видела обескровленных трупов.

— Вы сказали: «У этого — да», — вмешался Олаф. — У других убитых другие причины?

Он посмотрел на гиганта, и опять же не слишком дружелюбно. Может быть, просто ему не нравились мужчины, превышающие его ростом на целый фут. Ранимость — болезнь коротышек.

— Сами смотрите, — сказал Мемфис и стащил пластик дальше, обнажив труп до пояса.

Я знала, как он был обескровлен — разрезами. Много разрезов, я следы ножа могу узнать. Но редко бывает столько ран, как широко распахнутые безгубые пасти, показывающие бледное мясо.

— Какое-то лезвие.

Олаф кивнул и протянул к телу руку в перчатке. Я его остановила перед самым касанием — тоже рукой в перчатке. Он посмотрел на меня сердито, и глубоко посаженные глаза снова полыхнули враждой, которая в них была до того, как я стала ему «нравиться».

— Сперва спроси. Тут доктор распоряжается, а не мы.

Он продолжал на меня смотреть, и лицо его изменилось. Не смягчилось, но изменилось. Положил ладонь на мою руку, прижав ее к своей, давая теперь уже мне основания для недовольства. Но у меня от этого прикосновения забился быстрее пульс, и не по той причине, по которой прикосновение мужчины увеличивает частоту сердечных сокращений. Пульс забился в глотке, будто я леденцом подавилась, — от страха. И я изо всех сил постаралась ничем иным этот страх не выразить. Не из-за Олафа, а чтобы доктор чего не подумал.

И мой голос не дрогнул, когда я спросила:

— До тела можно дотронуться?

— Я закончил исследование этого... тела, так что — да.

Он запнулся перед словом «тело», которое патологоанатомы произносят обычно без проблем. И тут до меня дошло, что я просто не сообразила. Он знал этих людей, одного из них по крайней мере. И скорее всего ему пришлось обрабатывать тела тех, кого он знал. А это трудно.

Я попыталась снять руку с руки Олафа, но он продолжал ее держать. На секунду мне показалось, что сейчас будет ссора, но он убрал свою ладонь.

Я подавила желание отойти на шаг. Почти все мои силы ушли на то, чтобы не удрать с воплем. Увидеть такое порезанное тело для Олафа было очень романтичным. Блин горелый.

— Ты побледнела, Анита, — шепнул он.

Я облизала сухие губы и сказала единственное, что в голову пришло:

—Не трогай меня больше.

—Ты меня первая тронула.

—Ты прав, моя ошибка. Больше этого не будет

Он снова прошептал, наклонившись надо мной:

—А я надеюсь, что будет.

Вот это уже оно. Я шагнула от него в сторону. Он меня заставил вздрогнуть и отступить — мало кто может этим похвастаться, но я не могла стоять рядом с ним возле изрезанного трупа этого человека, этого полисмена, и знать, что Олаф мое прикосновение над мертвым телом счел прелюдией любовной игры. Господи, я же не могу с ним работать. Просто не могу, правда ведь?

—Проблемы? — спросил доктор Мемфис, оглядывая нас с любопытством. Он уже не был зол — был заинтересован. Непонятно, лучше ли так.

—Никаких, — ответила я.

—Никаких, — поддержал Олаф.

Мы вернулись к осмотру трупа, и то, что я смотрела больше не изрубленного человека, а на ожившие глаза Олафа, очень много говорило и об Олафе, и обо мне. Не знаю, что именно но много.

И ничего хорошего.

Глава пятнадцатая

Я ожидала, что Олаф начнет тискать труп тяжелыми руками, раз ему разрешили, но нет. Он осторожно, деликатно исследовал раны кончиками пальцев, будто боялся разбудить человека или сделать ему больно. Может, это такое военно-полицейское свойство: уважаем своих мертвых. А потом до меня дошло, что это совсем другое.

Когда он занимался третьей раной и снова точно тем же образом, тогда я стала понимать. Он начал с самого края раны кончиками пальцев, потом, обходя второй раз, вдавил пальцы чуть глубже, но все с той же странной мягкостью. На следующем круге вдвинул два пальца в глубину раны. Движение не было плавным — будто он натыкался на что-то, останавливающее руку, но снова обходил рану.

Наконец он вдвинул пальцы так, что рана издала чавкающий звук. И он тогда закрыл глаза, будто прислушиваясь, будто получая информацию, но я не сомневаюсь, что он просто смаковал звук. Как закрываешь глаза, слушая любимую музыку. Закрываешь глаза, чтобы зрение не отвлекало.

И когда он взялся за четвертую рану, я хотела что-то сказать, но Мемфис опередил меня.

— Вы это делаете с какой-то целью, маршал Джеффрис?

По тону было ясно, что он в этом сомневается.

— Все раны, которые я исследовал, нанесены разными клинками. Две из них сделаны чем-то, имеющим отчетливую кривизну. Первая сделана более стандартным по форме лезвием.

Мы с Мемфисом уставились на Олафа так, будто он заговорил на языках. Я думаю, из нас двоих никто ничего полезного не ожидал от заигрываний с трупом. Да, блин.

— Совершенно верно. — Доктор уставился на гиганта, после долгого взгляда покачал головой. — Вы смогли это определить, просто ощупывая рану?

— Да, — ответил Олаф.

— Я бы сказал, что это невозможно, но вы правы. Может быть, вы сможете нам помочь поймать этого... негодяя.

Интересно, какое слово он хотел сказать вместо «негодяя»? Или он из тех людей, что редко употребляют сильные выражения, и потому им нужно попрактиковаться? Я бы ему с радостью в этом помогла

— Я понимаю в холодном оружии, — сказал Олаф своим обычным пустым голосом, хотя, когда голос такой низкий, пустота становится гулкой.

— Вам нужно видеть всю картину? — спросил Мемфис.

— Всю картину? — переспросил Олаф.

— Он спрашивает, хотим ли мы открыть тело целиком?

Олаф молча кивнул. Лицо его было бесстрастным.

Я не была уверена, что нам нужно видеть все раны ниже пояса, но не могла отказаться. Что если я сдрейфлю, не стану

их смотреть, а потом окажется, что там были какие-то существенные наводящие следы? Какая-нибудь метафизика, которую ни Олаф, ни доктор не заметят, а я могла бы определить,
что это? Олаф разбирается в холодном оружии, знает его куда
интимнее, чем я знаю и, даст бог, буду знать. Но я лучше понимаю метафизику. В определенном смысле Эдуард, разбирающийся в метафизике просто отлично для человека, лишенного такого таланта, и Бернардо, которому главное, чтобы
было во что стрелять, составляли идеальную группу для осмотра тел. Как ни странно, то же можно сказать про нас с Олафом.
У каждого из нас были умения, отсутствующие у другого, и мы
больше могли узнать вместе, чем порознь. Как ни неприятно
было мне это признать.

Порезы продолжались в нижнюю часть тела. Не знаю, почему на раны половых органов так тяжело смотреть, но это
так. Ничего там не было особенного — просто режущий удар
который пришелся поперек паха. Не то чтобы кто-то специально увечил тело, порез как порез. И все равно у меня возникло желание отвернуться. Может быть, табу на наготу, в
котором я была воспитана, но нехорошо как-то было просто
смотреть. Можно подумать, что я давно уже это табу преодолела, так нет. Сексуальное увечье, даже ненамеренное, все
равно меня волновало.

Олаф потянулся к телу, и я на жуткий миг подумала, что
именно туда, но рука направилась к ране на бедре. Он не стал
ее любовно исследовать, как предыдущие — просто всунул
пальцы внутрь, будто что-то там искал.

Он даже присел возле каталки, вглядываясь в рану. Засунул
пальцы как можно дальше, и даже попытался протолкнуть их
еще. Даже чуть-чуть еще крови выдавил.

— Что вы ищете? — спросил Мемфис.

— Эта глубже других и рваная. Вы нашли в ней обломок
острия?

— Да, — ответил Мемфис, теперь уже глубоко заинтересованный.

На меня тоже произвело впечатление, но я еще и знала, где
Олаф приобрел свой опыт.

— Ты просто по виду этой конкретной раны понял, что там внутри сломалось оружие? — спросила я.

Он посмотрел на меня, держа пальцы глубоко в ране. Из сделанного им разрыва выступила оставшаяся еще кровь. Потом его лицо повернулось к доктору, но он дал мне увидеть, что он думает. Черты лица смягчились и даже не потеплели — наполнились жаром, радостным ожиданием. Романтикой.

Блин.

— У тебя пальцы меньше моих, они могли бы проникнуть дальше, — сказал он и встал, вынув пальцы из раны. Она снова чавкнула.

Он закрыл глаза и позволил себе проявить дрожь, скрытую от доктора, которую видела только я. И это не была дрожь страха или отвращения.

Я отвернулась от его лица к трупу

— Я уверена, что доктор уже вынул из раны все, что мог найти. Я права, док?

— Да, но он тоже прав. Я нашел острие клинка. Проанализируем его и, даст бог, найдем что-нибудь.

— Все тела похожи на это? — спросила я.

Олаф все так же не смотрел на доктора. Я встала так, чтобы его лица мне не было видно. Не хотелось мне знать, что он думает, и уж точно не хотелось видеть, как эти мысли отражаются у него на лице.

— С этим телом вы закончили? — спросил доктор в ответ.

— Я — да. Джеффрис — не знаю.

Олаф сказал, не оборачиваясь:

— Ответьте сперва на вопрос Аниты, потом я отвечу на ваш.

— Тела, которые осматривал я, похожи на это. Некоторые похуже. Одно не так сильно изрезано, но в основном похуже.

— Тогда да, — ответил Олаф. — С этим телом мы закончили.

Он вполне владел голосом, и когда он обернулся, лицо у него снова было недовольно-безразличным.

Доктор накрыл тело, и нам был представлен номер второй. Олафу пришлось снять перчатки и надеть свежие. Я тела не трогала, поэтому менять перчатки не стала.

Следующее тело было почти таким же, только слегка покороче, более мускулистое, волосы и кожа светлее. Но изрезано было почти в клочья. Не просто порезами, а будто какая-то машина пыталась его прожевать или... На отмытом и распростертом теле повреждения были отчетливо видны, но все равно разум отказывался их воспринимать.

— Что это с ним стряслось? — спросила я вслух, не поняв даже зачем.

— Несколько ран, которые я сумел выделить, имеют края, похожие на те, что вы уже видели. Это тот же тип оружия, быть может, то же самое оружие — мне нужно еще кое-что проверить, чтобы убедиться.

— Но это же другое. — Я показала рукой на тело. — Это.. его просто изрубили, как мясники.

— Не как мясники. Намерения использовать мясо для еды не было, — сказал Олаф.

— Мясо?

Я посмотрела на него.

— Ты сказала, что его изрубили как мясники. Это не точно. Мясо таким образом не рубят.

— Это была фигура речи, Отто, — сказала я, опять же не зная, как можно с ним иметь дело.

Он смотрел на тело, и в этот раз не смог до конца скрыть от доктора, что это доставляет ему удовольствие.

Я посмотрела на Мемфиса и попыталась подумать еще о чем-нибудь, кроме Олафа.

— Вид такой, будто это сделала машина. Слишком много для одного человека, нет?

— Нет, — ответил Олаф. — Человек может нанести все эти повреждения, если часть из них посмертная. Я видал, как люди режут трупы, но это, — он наклонился над телом, поближе к ранам, — другое.

— В чем другое? — спросила я.

Может быть, если задавать вопросы, он будет отвечать и не будет так жутко выглядеть.

Он провел пальцем по ране на груди. Любой другой показал бы пальцем над кожей, но Олаф коснулся тела.

Кто бы сомневался.

— Первое тело: раны нанесены сознательно, отстоят друг от друга. А здесь — в умопомрачении. Раны перекрещиваются, налезают друг на друга. У первого — почти как в ножевой драке, большинство ран не смертельны, будто убийца с ним играл, оставив его напоследок. Эти раны с самого начала глубокие, будто убийца хотел побыстрее закончить. — Он посмотрел на Мемфиса. — Кто-то помешал? Не было найдено гражданских среди убитых?

— Вы думаете, убийца услышал что-то и перестал играть, чтобы просто убить? — спросил Мемфис.

— Есть такая мысль.

— Нет, гражданских нет. Только полицейские и местный охотник на вампиров.

— Последнее тело изрезано так же, как это? — спросил Олаф.

Я бы в конце концов подумала об этом, но мне нелегко было при Олафе состоять добрым следователем. Бегущие по коже мурашки несколько мешали думать.

— Один из членов СВАТ изрезан так же, как этот. Только тело, которое вы уже видели, и охотник на вампиров изрезаны, по вашему выражению, будто с ними играли или была драка на ножах.

— У них есть раны на руках и на ногах, будто они сами были вооружены ножами и отбивались? — спросила я.

— Откуда ты знаешь про такие раны? — спросил Олаф.

— Когда дерешься на ножах, руки используешь как щиты. Это как раны, когда жертва прикрывается руками, но выглядят иначе. Объяснить трудно, но с опытом научаешься различать.

— Потому что у тебя раны такие же?

В его голосе слышался едва заметный энтузиазм. Мне очень было неприятно отвечать, но...

— Да.

— Ты видела такие раны на руках у этих тел? — спросил Олаф.

Я постаралась вспомнить, вызвать перед глазами картину.

— Нет.

— Потому что их там не было.

— Значит, не было драки на ножах.

— Или противник, кто бы он ни был, оказался существенно быстрее их, и их умение им никак не помогло.

Я посмотрела на Олафа:

— Белым днем, при незашторенных окнах склада. Это не могли быть вампиры.

Он посмотрел на меня странно:

— Уж кто-кто, а ты знаешь, что не только вампиры быстрее людей.

— О'кей, поняла. Ты про оборотней?

— Да.

Я посмотрела на Мемфиса:

— Есть ли признаки повреждений, нанесенных не лезвиями ножей? Я имею в виду, следы когтей или зубов?

— Да, — ответил он. — И то, что вы до этого додумались, вызывает у меня радость, что вас сюда позвали. Это были наши люди, понимаете?

— И вы хотели раскрыть дело без помощи посторонних, — сказала я.

— Да. Это наш долг перед убитыми.

— Я понимаю, — сказал Олаф.

Наверное, понимал. Он же был военным когда-то.

— Но вы лучше разбираетесь в этих монстрах, чем обычная полиция. Я полагал, что противоестественный отдел в службе маршалов — просто политический целесообразный способ дать значки истребителям. Но вы, я вижу, действительно в монстрах понимаете.

Я посмотрела на Олафа — он все еще разглядывал тело. И патологоанатому ответила я.

— Понимаем, док. Потому что это наша работа.

— Я прекратил работу с последним телом, когда нашел то, что счел повреждением, нанесенным ликантропом. Мне хотелось подождать экспертов по противоестественному Насколько я понимаю, это как раз вы.

— Так нам говорят, — сказала я

Дверь в секционный зал распахнулась, и вошли трое в халатах и в перчатках, везя на каталке что-то в пластике. Пластик лежал свободно, будто его спешно набросили на тело. Мемфис стащил с себя перчатки и стал надевать новые. Новое тело — новые перчатки, помыть, убрать. Я тоже сбросила перчатки, Олаф следом — как в игре, где повторяют действия лидера. Он стоял за мной, нависая, чуть слишком близко. Я поспешила за Мемфисом и вновь прибывшими. Трое незнакомцев и труп — и я рвалась с ними познакомиться. Ради шага в сторону от Олафа.

Глава шестнадцатая

Я ожидала, что вслед за телом на каталке войдут Эдуард с Бернардо, но они не вошли. Я подумала, не позвонили ли Эдуарду по поводу ордеров.

Трое незнакомцев были уже одеты и готовы действовать. Мемфис представил одного из них как Дейла, другую как Патрисию. У Дейла за защитным стеклом имелись очки и короткие каштановые волосы. Очевидно, он решил быть предельно осторожным. У Патрисии — только защитные очки. Она была повыше меня и темные волосы заплетены в две тугие косички. У взрослых женщин такие косички увидишь не часто. Несколько высоковата на вкус Олафа, но волосы правильного цвета. Я бы предпочла чисто мужскую компанию или же блондинку. Но непонятно было, как об этом попросить, не сообщая, что среди нас серийный убийца, причем он не из плохих парней, за которыми мы гоняемся. Хотя, может быть, мне стоило бы перестать волноваться о других женщинах и для разнообразия позаботиться о собственной шкуре? Нет, потому что я знаю, кто такой Олаф, и если кто-то станет его жертвой, я сочту себя виноватой. Глупо, но правда.

Последний вошедший держал в руках камеру.

— А это Роза, — сообщил Мемфис.

— Роза? — переспросил Олаф.

— Сокращение от кое-чего похуже, — пояснил Роза и ничего больше не добавил. Я подумала, что может быть для мужчины хуже, чем имя Роза, но спрашивать не стала. Как-то он своим тоном не оставил места для вопросов и уже приготовился снимать Дейла и Патрисию, когда они начнут раздевать труп. Доктор объяснил нам, что мы не должны прикасаться к телу до тех пор, пока он не даст разрешение, потому что иначе можем испортить материал. Меня устраивает — я не особо рвусь трогать размолоченных мертвецов. А тело на каталке было размолочено в кашу.

Первое, что я увидела — темнота. Тело было одето в темно-зеленую форму СВАТ, которая была на Граймсе и его людях. В ткань впиталась кровь, и почти вся одежда стала черной, и все тело казалось черной фигурой на светло-коричневом пластике каталки. Лицо, когда сняли шлем, смотрелось бледным пятном, но волосы были так же темны, как форма. Брови густые и тоже темные. Но ниже бровей лица просто не было — красное месиво, которое глаза отказывались рассматривать.

Я поняла, почему Мемфис подумал об оборотне. С той стороны комнаты мне трудно было сказать точно, но нижняя часть лица выглядела как обгрызенная.

Патанатом заговорил в небольшой цифровой рекордер:

— Осмотр начат в четырнадцать тридцать. Наблюдатели — маршалы Анита Блейк и Отто Джеффрис. — Он посмотрел на меня: — Маршалы, вы наблюдать будете через весь зал?

— Нет, — ответила я и пошла вперед.

Сделала под тонкой маской глубокий вдох и встала рядом с доктором и остальными.

Олаф подошел за мной как жуткая тень, завернутая в пластик. Я знала, что тело его не пугает, и он будет все это использовать лишь как повод держаться ко мне как можно ближе.

Лучше не придумаешь.

Вблизи повреждения лица стали очевидны. Я видала похуже, но иногда дело не в том, хуже — не хуже. Иногда бывает просто *достаточно*. Служи я в обычной полиции, меня бы перевели через два, много через четыре года подальше от насильственных преступлений. Я уже работаю шесть с лишним лет, и никто мне такого не предлагает. В противоестественном отделе не так много маршалов, чтобы устроить ротацию, да и на обычного маршала меня не обучали.

Я смотрела на тело, стараясь думать о нем как о *теле*, не произнося про себя слова «человек». Каждый справляется своими средствами — для меня это слова «тело», «предмет». Предмет на каталке — уже не личность, и чтобы мне сделать мою работу, мне нужно все время в это верить. Одна из причин, по которым я перестала выполнять казни в морге, — я не могла больше думать о вампирах как о неодушевленных предметах. Когда предмет становится личностью, убивать его труднее.

— Сняв пластик, вы остановились, потому что вид был такой, будто нижнюю часть лица жевали по-настоящему большие челюсти, — сказала я.

— В точности моя мысль, — ответил Мемфис.

Торчали бледные осколки костей, но нижняя челюсть была оторвана.

— Нижнюю челюсть вы нашли?

— Нет.

Олаф перегнулся через меня, перегнулся посмотреть на рану, но прижался ко мне так близко, как только можно было в его защитном фартуке и моей одежде. Надевая фартук, я не подумала о защите себя сзади. Хотя второй фартук вряд ли был бы той защитой, которая нужна мне от Олафа. Скорее уж пистолеты.

У меня пульс бился в горле, и не от вида трупа.

— Отто, отодвинься, — сказала я сквозь сжатые зубы.

— Я думаю, это мог быть какой-то инструмент, а не челюсти, — сказал он, наклоняясь еще ближе, прижимаясь ко мне. Вдруг до меня дошло, что он очень рад ко мне прижаться.

По коже пробежал жар. Непонятно было, стошнит меня сейчас или я потеряю сознание. Я оттолкнула Олафа и шагнула прочь от тела — наверное, быстрее, чем мне казалось, потому что Дейл и Патрисия отодвинулись с дороги, и я оказалась у конца стола одна.

Олаф смотрел на меня, и глаза его не были безразличны. Вспоминал ли он случай, когда заставил меня помогать ему резать вампиров, и ночь кончилась его мастурбацией окровавленными руками у меня на глазах? Тогда меня тоже стошнило.

— Ты сука мерзкая, — сказала я, но моему голосу не хватало крутости. Он прозвучал слабо и перепуганно, черт бы побрал!

— Анита, есть инструменты, которые могут вот так изуродовать человеческое лицо.

Он говорил по делу, но лицо у него было совсем не деловое. Едва заметная улыбка искривила губы, а в глазах был тот жар, что никак не подходит к секционному залу.

Я хотела сбежать отсюда и от него, но не могла дать ему победить. Не могла допустить такого провала перед лицом незнакомых людей. Дать такое удовлетворение этой здоровенной сволочи. Ведь не могла же?

Сделав несколько глубоких вдохов сквозь маску, я взяла себя в руки. *Сосредоточься, сбавь дыхание, сбавь пульс. Самоконтроль.* Именно так я не давала своим зверям восстать. Такие рывки адреналина опасны, но если умеешь их унять или не допустить, то дальнейшее не произойдет.

Наконец я смогла посмотреть на него спокойными глазами:

— Стой на той стороне стола, Отто. И не вторгайся вновь в мое личное пространство, иначе я тебе предъявлю обвинение в харасменте.

— Я ничего плохого не делал, — ответил он.

— Маршал Джеффрис! — сказал Мемфис, кашлянув. — Если у вас нет романа с этой юной леди, я предлагаю вам сделать так, как она говорит. Я видал, как мужчины такое делают, «обучая», — он пальцами показал кавычки, — женщин игре в бейсбол, гольфу, даже стрельбе, но впервые вижу такое во время вскрытия.

— Ты псих ненормальный! — радостно сказал Роза.

Олаф к нему обернулся и посмотрел так, что улыбку смыло с лица фотографа. Он даже побледнел за лицевым щитком.

— Вы недостаточно со мной знакомы, чтобы делать такие заявления

— Да ладно, я просто согласился с доком и маршалом Блейк!

— Так какой же инструмент мог нанести подобные повреждения? — спросил Мемфис, пытаясь вернуть всех к работе.

— Есть такие разрушающие инструменты, используемые в промышленной обработке мяса. Для удаления рогов, для кастрации, некоторые перерезают шею одним движением.

— Зачем кому-то таскать с собой такие штуки? — спросила я.

Олаф пожал плечами.

— Не знаю. Я просто сказал, что есть альтернатива ликантропам.

— Понятно, — ответил Мемфис и посмотрел на меня, несколько более добрыми глазами. — Маршал Блейк, вы готовы дальше осматривать тело, или же вам нужна еще минутка?

— Все в порядке, если он будет стоять по ту сторону стола.

— Верно замечено, — сказал Мемфис и посмотрел на Олафа уже не так дружелюбно.

Я обошла каталку так, чтобы она стояла между Олафом и мною. Это было лучшее, что я могла сделать, чтобы остаться в зале. Но когда мы закончим с этим телом, я найду Эдуарда, и мы поменяемся партнерами в этом танце. Не могу я работать с Олафом в морге. Он все это видел как любовную игру, и я просто не могу это выдерживать. Даже не то чтобы не могу, а не буду.

Бернардо будет заигрывать, но не при работе с телами. Для него свежерастерзанные трупы не сексуальны, и это будет глотком свежего воздуха после работы с серийным убийцей, как бы ни был безобразен этот флирт.

Доктор начал расстегивать бронежилет, потом остановился.

— Поснимай крупным планом, Роза, — попросил он и показал пальцем перчатки на какие-то места жилета. Олаф тут же нагнулся посмотреть, так что мне, чтобы узнать, что там увидел доктор, надо тоже нагнуться. Блин, неужто так Олаф меня достал, что я не могу делать свою работу?

Наконец я придвинулась и увидела следы порезов. Их могли оставить лезвия — или по-настоящему большие когти. Ткань мало что мне могла сказать про это, голая кожа сказала бы больше.

Вскрытие жертвы убийства — вещь очень интимная. Тут не только резать тело надо, но и раздевать. Не хочется же порезать или дополнительно повреждать одежду, чтобы не стереть следы, и приходится поднимать тело, держать чуть ли не в объятиях, раздевая как куклу или спящего ребенка. По крайней мере окоченение уже прошло. Раздевать тело в окоченении — это как раздевать статую, только оно на ощупь отличается от любой статуи.

Никогда не завидовала работе служителей морга.

Дейл и Патрисия придвинулись поднять тело и снять жилет. Я никогда не любила наблюдать эту часть процесса. Не знаю, почему мне неприятно видеть, как раздевают труп, но это так. Может быть, потому что это часть процесса, который я обычно не вижу. Для меня мертвые либо полностью одетые, либо совсем голые. А смотреть, как они переходят из одного состояния в другое, это вроде вторжения в их частную жизнь. Глупо звучит? Мертвой оболочке на секционном столе на это плевать. Она давно уже по ту сторону смущения, — а я вот еще по эту. Живые спорят со смертью, а мертвых она устраивает.

Олаф снова оказался рядом со мной, но не настолько, чтобы я могла огрызнуться. Пока не настолько.

— Почему тебе трудно смотреть, как его раздевают?

Я ссутулилась, скрестила руки на груди, согнула пальцы в перчатках.

— Почему ты решил, что мне трудно?

— Я вижу, — ответил он.

Видеть он мог только половину моего лица, тело было спрятано в халате не по росту. Я знала, что свою осанку и движения я контролирую, так что же он мог заметить? Наконец я посмотрела на него и позволила своим глазам показать, что у меня мелькнула ужасная мысль.

— Что я теперь такого сделал? — спросил он, и это был тон, который используют все мужчины   нет, не все   Все бойфренды. Черт побери

— Он опять вас достает, маршал Блейк? — спросил подошедший Мемфис.

Я покачала головой.

— Вы говорите «нет», но вы снова побледнели.

Мемфис очень недружелюбно посмотрел на Олафа.

— У меня просто возникла одна мысль, вот и все. Не стоит в этом копаться, док. Просто дайте мне знать, когда мы сможем вернуться и посмотреть на тело.

Он посмотрел на меня, на него, но наконец вернулся к своим коллегам. И даже отсюда глядя, я была почти уверена, что грудь вспороли когтями, а не разрезали ножом.

— Я снова тебя расстроил, Анита.

— Оставим эту тему, Отто.

— Что же я сделал плохого?

Опять бойфрендский вопрос

— Ничего. Ты не сделал ничего жуткого или отвратительного. Просто на минуту ты вел себя как мужчина.

— Я и есть мужчина.

Нет, хотелось ответить мне. *Ты серийный убийца, которого заводят мертвые тела. Ты почти враг, и я уверена, что мне когда-нибудь придется тебя убить ради спасения жизни. Ты мужского пола, но для меня ты никогда не будешь мужчиной.*

Сказать это вслух я не могла.

А он смотрел на меня из-под полуприкрытых век, но в этом взгляде было едва-едва заметное мерцание. Вы его знаете. Так смотрит мужчина на тебя, когда ты ему нравишься и он пытается понять, чем бы тебе угодить, но не получается. Взгляд, который говорит: *Что же мне делать теперь? Как тебя завоевать?*

Что же была у меня за жуткая мысль? Та, что Олаф искренен. В каком-то сумасшедшем, патологическом смысле я ему *как бы* нравилась. Как могла бы нравиться бойфренду. Не чтобы меня оттрахать или зарезать, но быть может, только быть может, он хотел завести со мной роман, как нормальный человек с нормальной женщиной. И вроде бы понятия не имел, как заинтересовать женщину так, чтобы не ужаснуть ее. Но он пытался. Господи Иисусе, Иосиф и Мария! Он пытался.

Глава семнадцатая

Голая грудь оказалась изорвана и изрезана, но не так, как другие. Никто меня не убедит, что это сделано лезвиями — я умею различать следы когтей на глаз.

— Это не нож, и никакой не инструмент, — сказала я. — Это когти.

Олаф наклонился со своей стороны к телу. Может быть, чуть ближе, чем нужно, и к телу, и ко мне, но не так чтобы слишком заметно было. Или это я слишком чувствительна стала? Да нет.

— Я знаю, что это не известный мне тип лезвия или инструмента, — сказал он.

Я подняла глаза от тела и увидела, что — да, он не на труп смотрит, а на меня. Блин, он меня нервирует и сам это знает.

— Но в чем причина смерти? — спросил Мемфис.

Я посмотрела на доктора, потом опять на тело. Он был прав: ни одна из этих ран не была смертельной.

— Рана на челюсти ужасна, но если он не умер от болевого шока, то...

Я опустила глаза к нижней половине тела, все еще закрытой.

— Да, — понял меня Мемфис. — Надо искать причину смерти.

— Я не патологоанатом, — сказала я. — Мне не надо знать причину смерти, док. Мое дело — выяснить, сверхъестественна она или нет. Вот это и вся моя работа.

— Тогда можете выйти, маршал Блейк. Но сперва скажите: вы подтверждаете, что это — нападение ликантропа?

Мне пришлось вернуться к телу, протянуть руки над ранами и изогнуть пальцы, пытаясь повторить рисунок следов. Очень осторожно, не касаясь тела, я провела руками по воздуху.

— Это когти, и это ликантроп. Он был в момент нападения в получеловеческой-полуживотной форме.

— Отчего вы так решили? — спросил Мемфис.

Я протянула руку:

— Смотрите, я проведу рукой над ранами. Эти следы оставлены не лапой, а рукой.

Женщина, Патрисия, заметила:

— У вас рука слишком маленькая, чтобы оставить такие следы. Даже с когтями.

— Руки увеличиваются при превращении. — Я вздохнула, посмотрела на ту сторону стола. — Отто, можешь дать мне руки на минутку?

— Да, конечно, — ответил он и протянул свои большие руки.

— Можешь положить руки над ранами, как я только что, и провести по следам?

— Покажи еще раз, — попросил он.

Я провела руками над телом, и он положил свои, куда большие, поверх моих, так что мы вместе вели пальцами над порезами. Я попыталась убрать руки, но он их прижал к ранам, зажал между телом и своими ладонями. Собственные пальцы он вложил в разрезы, расставив их, и они подошли по размеру. А мои руки он прижал к телу, вкапываясь пальцами в мясо открытых ран.

Роза продолжал снимать.

— Отто, прекрати, — сказала я сквозь стиснутые зубы. Оружия при мне было много, но ничего из того, что он пока сделал, не оправдало бы убийства его при свидетелях

— Я делаю то, что ты попросила.

Я попыталась вытащить руку из-под его руки, но он прижал сильнее, вдавливая наши руки в мертвую плоть и свежие раны. Его пальцы влажно чавкали в ранах.

— Вы портите следы, маршал Джеффрис, — сказал ему Мемфис.

Отто будто его и не слышал. У меня было несколько возможностей. Упасть в обморок — нет, не годится. Блевануть на Олафа — попало бы на мертвое тело. Была возможность вытащить левой рукой пистолет и застрелить его — заманчиво, но непрактично: слишком много свидетелей. Я подумала еще об одной возможности.

Наклонившись к нему, я сказала тихо

— Если вообще хочешь когда-нибудь встречаться со мной, отпусти.

Я предпочла бы встречаться с неукрощенным кугуаром, но решила, что он достаточно психованный, чтобы этого не понять.

Он посмотрел на меня с удивлением. Приподнял руку, чтобы я могла вытащить свою. Я тут же прижала освобожденную руку к зеленому фартуку, будто она болела.

— Рука болит, маршал Блейк? — спросил Мемфис.

Я помотала головой:

— Нет, но мне нужно на воздух. Простите, доктор.

Никогда не уходила из секционного зала преждевременно. И сейчас тоже ушла не из-за мертвого тела. Из-за Олафа, который стоял и на меня смотрел. Смотрел не с сексуальным голодом серийного убийцы, а с некоторой озадаченностью. Снова нормальный взгляд мужчины, который искренне пытается сообразить, как угодить мне. Вот от этого взгляда я и сорвалась прочь. От этого зрелища я направилась к двери, изо всех сил стараясь не бежать.

Глава восемнадцатая

Я сорвала с себя перчатки и фартук, отбросила их прочь. И шла спокойно, пока не вышла через наружную дверь в коридор, а тогда пошла как можно быстрее, почти побежала. Я знала, что бежать себе не позволю, но очень хотелось.

Я взволновалась сильнее, чем думала, потому что едва не налетела на Эдуарда и Бернардо, вышедших из другой двери. Эдуард подхватил меня, иначе бы я упала.

— Тебе нехорошо, Анита? — спросил он.

Я кивнула.

— Тела жуткие, — сочувственно сказал Бернардо.

Я замотала головой.

— Тела нормальные. Не в них дело.

Пальцы Эдуарда на моей руке стали тверже:

—Что на этот раз сделал Отто?

Но я молчала, только мотала головой, и почувствовала, как вытекают из глаз первые слезы. Мать твою, это я плачу, что ли?

—Что он сделал? — Я снова не ответила, и Эдуард встряхнул меня. — Анита! Что он с тобой сделал?

Наконец я смогла успокоиться настолько, чтобы посмотреть ему в глаза. И снова покачал головой:

—Ничего.

Пальцы Эдуарда сжались сильнее, почти до боли.

—Это не похоже на «ничего».

Но его глаза, его голос — все вообще заставило меня со страхом подумать, что он может сделать, если всерьез решит, что Олаф меня обидел.

—Честно, Эдуард. Просто обычная его жуть.

Я достаточно успокоилась, чтобы не так напрягаться в его руках. Он тоже ослабил хватку, но продолжал держать меня за руки, рассматривая мое лицо.

—Во-первых, Тед, Анита.

Но голос его и глаза принадлежали Эдуарду в самом опасном его состоянии.

Я кивнула:

—Извини, Тед. Извини. Я только...

Я мотнула головой. Что я должна была сказать? Что Олаф меня так напугал, что я обо всем забыла? Это ни Эдуарда, ни меня не успокоит.

—Во-вторых, тебя не так легко напугать. Что он такого сделал?

Последнюю фразу он произнес тихо и отчетливо, с тщательно сдерживаемой яростью. В этот момент до меня дошло, что Эдуард считает себя виноватым в интересе Олафа ко мне. Да, он поставил нас вместе, но я поняла, что в случае худшего исхода он будет винить себя, и ни бог, ни дьявол не охранят тогда от него Олафа. Конечно, я к тому времени погибну, и погибну страшной смертью, и мне как-то будет все равно.

Вот черт.

—Мы осматривали тело со следами когтей. Какие-то оборотни. Доктор что-то хмыкал насчет того, что может быть и больше подобных тел, но на остальных в основном ножевые ранения.

Эдуард и Бернардо посмотрели мне за спину. Я не стала оборачиваться, не сомневаясь в том, что там можно увидеть.

— Пока он к нам не подошел, я хочу знать, чем он тебя так расстроил, Анита, — сказал Эдуард.

— Не знаю, смогу ли я это объяснить, Эдуард. Патанатом не поверил, что человеческие руки могут оставить такие следы, потому что у меня руки слишком малы. Я попросила Олафа дать мне руки, чтобы показать их размер.

Эдуард меня отпустил и пошел к гиганту.

— Нет, Эдуард. Олаф по ранам на других телах определил многое. Действительно важную информацию. У него давнее знакомство с ножами и пытками, и оно много нам дало. Даже на доктора Мемфиса произвело впечатление.

Эдуард смотрел не на меня, а вдоль коридора. Я заговорила быстрее:

— От этого тела мы не узнали так много, потому что на нем были следы когтей, а это уже моя область. Я разрешила ему мною командовать, Эдуард, больше чем надо было, потому что с тем первым телом он здорово себя проявил. Разрешила ему собой манипулировать, пока не сорвалась. Это не его была вина. Он просто был собой, а я забыла на секунду, Эдуард.

Он посмотрел на меня обнял меня за плечи — так неожиданно, что я напряглась. Он посмотрел на меня, и взгляд это был ни в коей мере не романтичный. Пристальный, сердитый и в самой глубине глаз — с едва заметной примесью страха. Он боялся за меня. Эдуард, который никогда ничего не боится.

Почти никогда.

— Никогда не забывай, кто он, Анита, — прошептал он, наклоняясь ко мне. — Когда забываешь, что монстр — это монстр, он тебя убивает.

И он поцеловал меня в щеку — я поняла, что это из-за Олафа. А в губы он меня не поцеловал — из-за меня и из-за себя. Слишком это было бы для нас дико

Когда Олаф подошел ближе, стягивая с себя халат, я вскинула на него глаза. Перчатки он уже выбросил. Посмотрел на меня, на Эдуарда, снова на меня, и опять на Эдуарда.

— Что она тебе сказала?

— Что ты не виноват. Что она позволила тебе собой манипулировать, потому что ты здорово работал с другими телами. Что твой опыт в работе с холодным оружием и пыткой оказался полезен.

Вид у Олафа был удивленный, и голос тоже.

— Она не врет.

— А ты думал, что я буду врать? Скажу, что ты страшный и злой человек, и буду просить помощи?

Он обратил ко мне свои глубоко посаженные глаза и кивнул.

— Женщины лгут. Женщины натравливают мужчин друг на друга. Это их свойство.

Я покачала головой и мягко отодвинулась от Эдуарда.

— Я такой фигней не занимаюсь. Я позволила тебе мною манипулировать, и больше это не повторится, но я знала, что этого делать не надо. Я тебе разрешила... влезть мне в голову, зная, что не надо. — Я ударила себя ладонью в грудь так, что стало больно. — Знала, что не надо. И я никого не прошу защитить меня от моей собственной глупости.

— Чтобы понять, что я знаю про оборотней меньше тебя, ушло больше времени, чем я ожидал. Ты могла отказаться допустить меня в зал.

Я кивнула:

— Сама дура.

И пошла прочь, мотая головой. Пошла прочь под заинтересованными взглядами Олафа, Эдуарда и Бернардо. Хватит с меня на сегодня тестостерона.

— Маршал Блейк, можно вас на минутный разговор? — окликнул меня доктор Мемфис.

Я обернулась на патанатома, стоявшего за спиной этих троих. Он все еще был в халате, без перчаток, как Олаф. Черт. Я позволила Олафу меня напугать — второй раз я той же ошибки не повторю. Пройдя мимо них, я показала на гиганта пальцем:

— Ты останешься здесь. Вы двое, присмотрите за ним, чтобы мне не пришлось.

И я прошла мимо них всех, направляясь к доктору. Надела другой халат, другую маску, новые перчатки. Я, черт меня побери, сама посмотрю на эти тела, потому что Олаф прав — я лучше знаю ликантропов, чем все они, вместе взятые. Я узнаю что-нибудь, что позволит нам понять, какая чертовщина тут творится.

— Маршал Джеффрис не вернется? — спросил Мемфис.

— Нет, — ответила я и вошла в двери зала.

Глава девятнадцатая

Когда Мемфис вернулся в зал, тело уже раздели. Оно лежало голое и очень неживое. И выглядело как тело, без одежды, а раны — как яркие разрывы на коже.

С другого конца зала мне было видно, что пах окровавлен, но с такого расстояния я не могла сказать, насколько повреждения серьезны. И не хотела на самом деле этого знать, но, как обычно, должна была увидеть все.

Черт бы побрал.

Роза либо уже снял все необходимые кадры, либо был слишком потрясен, чтобы снимать. Он стоял, опустив забытый фотоаппарат. Дейл чем-то был занят возле ящиков, Патрисия подошла к Розе и повернулась спиной.

— Все, кому нужно уйти, могут это сделать, — сказал Мемфис.

Дейл вышел, не сказав ни слова.

— Они были друзьями, — пояснил Роза, и это было достаточно.

— Патрисия! — обратился к ней Мемфис. — Тебе тоже нужно уйти?

— Нет, доктор. Я останусь. Я не знала его так хорошо, как Дейл, и есть еще... некоторых я знала лучше. Над ними я не хочу работать, и потому сейчас остаюсь.

Она отвернулась, бледная, со сжатыми губами, но решительная. Годится.

— Роза?

— Все о'кей, доктор. Не то чтобы я его знал, я просто как-то от раны охренел. Извиняюсь. — Он кивнул. — Все будет нормально.

И Роза стал щелкать фотоаппаратом.

Я обошла тело, чтобы ближе посмотреть на рану. Не то чтобы мне хотелось ее видеть, но она была странная. Конечно, находясь с другой стороны, я отчетливо видела внутреннюю поверхность правого бедра. Кто-то ее распорол от паха почти до колена. От бедренной артерии должны были остаться клочья. Через такую рану вся кровь вытекает за пятнадцать, много двадцать минут. Можно спастись, если рана достаточно низко, чтобы наложить жгут, и медицинская помощь близко. Но тот, кто его распорол, не предусматривал самоспасение с помощью походной аптечки.

Там, где он был когда-то мужчиной, осталось окровавленное... но нет, гениталии были нетронуты, или выглядели нетронутыми. Единственный способ проверить — потрогать и убедиться, а мне этого не так уж хотелось. Мне пришлось присматриваться пристальнее, чем хотелось бы, но я была права: раны шли не поперек гениталий, а все больше вокруг.

— Когда вы собираетесь смыть эту кровь?

— Да, — ответил доктор Мемфис, — мы рассмотрим раны получше, когда отмоем тело, но сперва мы хотели, чтобы это увидели вы.

Я уставилась на него:

— Зачем?

— Вы же эксперт по оборотням.

— У вас свои оборотни есть в Лас-Вегасе

— Есть, но их не разрешено подпускать к жертвам нападения ликантропов.

— Понятно, у нас так же. Значит, вам придется обойтись мною.

— Если ваша репутация реальна, маршал Блейк, это не называется обойтись.

Я отвернулась от его слишком пристальных глаз. Он хотел, чтобы я раскрыла это дело. Чтобы помогла поймать тварь, убившую их товарищей. Помочь я хотела, но терпеть не могу ощущать давления. Неприятное чувство, что, если я пропущу какой-то след, уже никто его не найдет. Я подумала, не позвать ли Эдуарда, но не знала, смогу ли я вызвать часть своего резерва так, чтобы не явился весь. А с Олафом я сегодня дела иметь не буду, если в моих силах этого избежать.

Я всмотрелась в раны как можно пристальнее.

— Такое впечатление, что когтями провели через пах, но только туда и обратно, не раздирая. — Я поднялась и показала на разорванное бедро. — Не вот так.

— Оборотней было несколько? — спросил Роза.

Хороший вопрос.

— Не исключено, хотя я так не думаю. При таком тесном и личном контакте места для драки хватило бы только двоим. Я не отбрасываю такую возможность, но эти раны настолько выводят из строя, что не было нужды второму оборотню вступать в бой.

— Его звали Рэндолл Шерман. Рэнди, – сказал Мемфис.

Я мотнула головой:

— В морге имен нет. Я только и могу действовать, потому что это тело. Мне жаль, что это был ваш друг, но я не могу думать о нем иначе, потому что тогда не смогу работать.

— Я думала, вам нужно имя, чтобы поднять мертвого, – сказала Патрисия.

— Да, но ни одно из этих тел поднято быть не может

— Почему?

— Жертвы убийства первым делом бросаются преследовать убийц. Они увечат или убивают все, что оказывается на дороге. В том числе ни в чем не повинных людей.

— Вот как, — сказала она.

Я смотрела на останки сотрудника Рэндолла Шермана и проклинала Мемфиса, который сообщил мне имя Не знаю, почему такая разница, но вдруг передо мной оказался человек, а не тело. Я заметила, что он был высоким и спортивным, много времени посвящал поддержанию формы. Было ему где-то за тридцать, но только-только. Столько работы, чтобы быть сильным, быстрым, лучшим — и вдруг какой-то монстр оказывается сильнее, быстрее и лучше только потому, что у него в крови болезнь. Сколько ни таскай железо, сколько ни набегай миль, никогда не будет человек равен оборотню. Несправедливо. Но правда.

— Какие волосы найдены на теле и на одежде? — спросила я.

— Человеческие звериной шерсти нет — ответил Мемфис.

Я посмотрела на него.

— Да, — сказал он. — Имеете право на удивленный вид. Я видал двух жертв оборотней, и там мы много шерсти нашли на обоих. Невозможно подобраться так близко и не оставить собственной шерсти, но оборотень очистил это тело, чтобы мы не узнали, кто он.

Я покачала головой:

— Не обязательно, док. Можно вычистить медяшку, но не одежду и кожу. Я видела место преступления. Чертовская была драка, и времени на такую чистку не было.

— Тогда что же сделала эта тварь? Она была в костюме?

Доктор коснулся собственной одежды.

— Сомневаюсь, — ответила я. — Но по-настоящему сильный оборотень может выполнять частичное превращение.

— Я знаю форму человековолка или человекокота, — сказал Мемфис.

— Нет, я о другом. Истинно сильные могут превращать только кисти рук и ступни в передние и задние лапы. Я видела, как один вервольф так лез по стене здания.

— Это было одно из ваших дел?

— Не знаю, что вы имеете в виду, но я видела, как он это делал.

— Вбивая когти в стену дома? — спросила Патрисия.

— Да.

— Ух ты! Темные очки человека-паука, — произнес Роза.

— Скорее Росомаха, — ответила я, — но принцип тот же.

— И он ушел, — сказал Мемфис.

— Временно, — ответила я.

— И как его поймали? — спросила Патрисия.

— Я получила разрешение на поиск одичавшего вервольфа с помощью цивилизованных. А потом я его убила.

— То есть как — убили? — спросила она.

— Как? Подошла и всадила ему пулю между детских синих глаз.

Она беззвучно открыла рот кружочком.

— Всего одну пулю? — заинтересовался Роза.

— Нет.

— Давайте к делу. Воспоминания маршала послушаем потом, когда поймаем нашего клиента.

— Простите, доктор, — сказала Патрисия.

— Виноват, док.

— Значит, вы думаете, это сделал очень мощный оборотень?

— Практически я в этом уверена, и тогда остается очень небольшой выбор подозреваемых. Ни в одном городе не найдется много оборотней, на такое способных. В большой группе одного вида — не больше пяти. В маленькой — один.

— Вы думаете, что других наших людей тоже растерзали оборотни?

— Нет. Там будто бы что-то многорукое действовало. И в каждой руке по лезвию.

— Вы знаете какое-нибудь противоестественное создание с большим числом рук, маршал?

Я задумалась.

— Многорукие существа есть во многих мифологиях, но ни одного аборигенного для нашей страны И если честно, доктор Мемфис, нет ни одного сейчас, о котором я бы твердо знала, что оно существует

— Очень трудно отделить факты от вымысла когда мы живем в мире, где мифы реальны, - сказал он

— Какие-то существа вымерли, — ответила я

— То, что убило Рэнди Шермана, никак не вымерло.

Я почувствовала, как у меня губы кривятся в очень неприятной улыбке, спрятанной за полумаской Я бы не хотела пугать штатских

— Мы постараемся это исправить.

— Вам нужен будет ордер на ликвидацию, — сказал Мемфис.

— Четверо погибших полицейских. Один явно погиб от нападения оборотня. Вряд ли будут трудности с получением ордера.

— Полагаю, что да, — ответил Мемфис таким тоном, будто не вполне этому рад.

— Что-то не так?

— Только то, что я подписывал петицию в Вашингтон о пересмотре Акта о противоестественных опасностях. Я считаю, что ордера на вашу работу даются слишком широко и нарушают права человека.

— Не вы один.

— А сейчас я хочу только, чтобы вы поймали мерзавцев, которые это сделали, и черт с ним, что ордер будет выписан на основании плохого закона. Получается, что я — лицемер, маршал Блейк. А я не привык о себе так думать.

— Вам случалось видеть жертв вампира и оборотня, — сказала я.

Он кивнул.

— Хотя не здесь. В Вегасе уровень убийств противоестественными средствами ниже, чем в любом городе США.

Я раскрыла глаза пошире:

— Не знала. — А про себя подумала: «Макс и Вивиана правят очень твердой рукой». Вслух сказала: — И это впервые так погибает человек, которого вы знаете?

— Нет, но впервые — мой друг. Наверное, если бы мои убеждения были более искренними, для меня бы не было разницы.

— Эмоции всегда создают разницу

— Даже для вас? — посмотрел он на меня.

Я кивнула.

— Я слыхал крики, когда истребитель закалывал вампиров. Они молили о пощаде.

— В камере смертников все невиновны, доктор. Вы это знаете.

— И вас это не трогает?

Мне пришлось отвернуться от испытующего взгляда. Но тут же, поймав себя на этом, я заставила себя посмотреть ему в глаза и сказать правду:

— Иногда — да.

— Зачем же это делать?

Будет ли это зло — сказать то, что я сейчас скажу? Даже не знаю. Может быть, это будет всего лишь правда.

— Я сочувствую вашей утрате, доктор. Искренне сочувствую, но вот этот момент — прекрасная иллюстрация того, зачем я делаю мою работу. Посмотрите, что они сделали с вашим другом. Вы хотите, чтобы так поступили с чьим-нибудь вообще другом, братом, мужем?

Лицо у Мемфиса окаменело, вернулось прежнее враждебное выражение.

— Нет.

— Тогда вам нужно, чтобы я сделала свою работу, доктор, потому что если оборотень переступит черту вот таким образом, обратно он вернуться не может. Почти никогда. Он уже не сможет удержаться от выпускания зверя на свободу. Для него это приятное ощущение, и он будет делать это снова и снова — пока его кто-нибудь не остановит.

— Вы хотите сказать: «Пока его кто-нибудь не убьет».

— Да, не убьет. Я хочу убить оборотня, который убил вашего друга. И убить до того, как он еще кого-нибудь убьет.

Настала его очередь отвести глаза.

— Вы сумели объяснить вашу точку зрения, маршал. И если вам нужно, я подпишу заключение, что это сделал оборотень. Потому что это правда.

— Спасибо, доктор.

Он кивнул:

— Но при теперешней формулировке Акта вам никакая моя подпись ведь не нужна? Достаточно позвонить в Вашингтон, и вам ордер пришлют по факсу.

— В отличие от того, что пишут в газетах и по телевизору показывают, нам нужно уверить тамошнее начальство, что природа преступления противоестественна.

— Уверить, но не доказать, не оставляя тени сомнения.

— «Тень сомнения» — это для судов, доктор.

— Но этот оборотень никогда не увидит зала суда?

— Вероятно, нет.

Он покачал головой:

— Мне предложили, чтобы с телом Рэнди работал кто-то другой. Но это последнее, что я могу для него сделать.

— Не последнее, доктор Мемфис. Вы мне можете помочь собрать достаточно улик, чтобы получить ордер и поймать этого убийцу.

— И вот опять, маршал, мы возвращаемся к моей моральной дилемме.

На это я не знала, что сказать. У меня своя была моральная дилемма, которую тоже надо решать, и я недостаточно хорошо была знакома с Мемфисом, чтобы рассказывать о своих сомнениях насчет работы. Поэтому я сделала единственное, что мне в голову пришло: вернулась к работе.

— Сочувствую вашей утрате, но не могли бы вы мне показать личные вещи, которых я не видела?

Про себя я добавила: «Когда Олаф заставил меня удрать из зала», но именно что про себя. И без того было достаточно унизительно, чтобы еще кому-то рассказывать. Я даже не осознавала, насколько он выбил меня из колеи, пока он не ушел. Разделение труда меня с ним наедине не оставит, пообещала я себе.

В пластиковом мешочке лежала серебряная пентаграмма.

— Он был викканец?

— Да, — ответил Мемфис. — Это важно?

— Может быть, поэтому оборотень первым делом впился ему в лицо.

— Объясните.

— Если я права, то Шерман начал произносить заклинание, и оборотень его прервал.

— Но разве есть заклинания от ликантропов? — спросил Роза.

— Нет, — ответила я. — Но есть заклинания, влияющие на другие противоестественные сущности. Они предназначены почти исключительно для бестелесных существ.

— Вроде призраков? — спросила Патрисия

Она так тихо сидела в углу секционного зала, что я почти о ней забыла.

Я покачала головой:

— Нет, не призраков. На них достаточно не обращать внимания. Это для духов, сущностей, демонов и других подобных созданий.

— Вроде дьявола? — уточнила Патрисия.

— Нет, я неточно сказала, не надо было вспоминать демонов. Я имею в виду: нечто скорее энергетическое, нежели материальное. В таком духе

— Кто размахивает ножом, тот вполне материален, — заметил Мемфис.

— Ножи весьма материальны, но если Шерман думал, что заклинание поможет, то тот, кто их держал, мог материальным не быть.

— Не понял, — сказал Роза.

— Я тоже, — отозвался Мемфис.

Терпеть не могу излагать метафизику Всегда получается неправильно, в лучше случае — непонятно

— Мне нужно поговорить с ковеном Шермана или хотя бы с его верховной жрицей, но если он хорошо разбирался в магической стороне своей религии, то не стал бы тратить дыхание на что-то бесполезное.

— Рэнди был очень верующим и к вере своей относился серьезно, — сказал Мемфис

Я кивнула:

— О'кей, я все равно хочу говорить с жрицеи но пока что надо посмотреть, смогу ли я определить, какого вида животное это было

— Там не осталось звериной шерсти маршал

— Я слышала — кивнула я.

— На анализ следов от когтей уйдет время

— И может все равно не дать результатов особенно при такой модифицированной форме оборотня Мы знаем что ищем кого-то не очень высокого

— Почему маршал?

— Когда оборотень заставляет когти вылезти, руки у него становятся больше, чем у нормального человека. Маршал Джеффрис смог накрыть ладонью следы на груди. Он мужик крупный, но руки у него не так велики, как у оборотня в полуживотной форме. Это значит, что мы ищем кого-то пониже или с руками поменьше.

— Но вы же только что сказали, что руки увеличиваются, — заметила Патрисия.

— Да, но есть предел, насколько увеличиваются. Если взять двух оборотней одного вида, но у одного шесть футов роста и большие руки, а другой пять футов с маленькими ручками, то после превращения у каждого животная форма будет больше человеческой, но тот, кто поменьше, все равно останется поменьше. Связано с отношением масс.

— Я много читал о ликантропах, маршал, но ни разу не видел, чтобы кто-то такое написал.

Я пожала плечами:

— Я знаю оборотней, доктор.

— Хорошо, значит, ищем мужчину пониже ростом.

— Или женщину, — подсказала я.

— Вы и правда думаете, что такое сделала женщина?

— Я видала оборотней обоего пола, которые творили совершенно поразительные вещи, доктор. Так что — да, эти повреждения женщину не исключают.

— Вы сказали, что хотите определить, что это за зверь. Мы взяли образцы на анализ ДНК, и это может дать результат. Но если ликантроп был в человеческой форме, только с когтями и зубами, как вы говорите, то ДНК может оказаться человеческой.

— В ней должен тогда быть вирус, — ответила я.

— Да, и через несколько дней мы его выделим.

Я покачала головой:

— У нас нет столько времени, доктор.

— Я открыт предложениям, маршал.

— Я вам говорила, что являюсь носителем ликантропии. Поэтому иногда я чую по запаху такое, чего не могут люди.

— Вы хотите на запах определить, что это был за зверь?

Я кивнула.

— Но, — вмешалась Патрисия, — если оборотень был в образе человека, разве запах не будет человеческий?

— Нет, — ответила я. — Если знаешь, что вынюхивать, то есть фон... — Я мотнула головой: — Не могу объяснить. Но хочу попытаться.

— Я буду рад видеть, — сказал Мемфис.

— Мне придется снять маску.

— Это против правил.

— Может оказаться на чем-нибудь мое дыхание или слюна, но сама я не могу ничем заразиться от этого... от Шермана.

— Если это поможет поймать тварь на несколько дней раньше, давайте.

Я посмотрела на предметы и попыталась решить, какой предмет одежды или снаряжения наиболее близок был к ликантропу. Пересмотрела все мешочки и остановилась на ларингофоне с наушником. На нем были повреждения от зубов.

— Мне нужно, чтобы кто-нибудь из вас достал его из мешка, чтобы вещественное доказательство не было скомпрометировано.

— Ваше вынюхивание в суде учтено не будет, даже при таком количестве погибших полицейских, — сказал Мемфис.

— Не будет, — согласилась я; — но я не ищу доказательство для суда. Я ищу след — типа, куда идти и где искать подозреваемых. Больше мы ничего из этого не получим.

— Если вы унюхаете какое-то определенное животное, то пойдете говорить с местной группой, — догадался он.

— Да.

Он подошел и осторожно достал вещественное доказательство. Я сняла маску и подалась вперед. Закрыв глаза, я вызвала в себе то, что уже было не вполне человеческим. Зверей внутри себя я умею визуализовать: волчица, леопард, львица, белая и желтая тигрицы. Все они лежат в темной тени древних деревьев — так визуализируется мое внутреннее пространство с тех пор, как меня слегка переделала одна очень древняя вампирша. Марми Нуар, Королева Всех Вампиров, придала мне тигров для контроля надо мной. Пока что контролирую их я. Пока что.

Я осторожно позвала зверей и почувствовала, как они зашевелились. Сейчас я уже умею их удержать от физического проявления. Могу их вызвать как энергию — вот это я и попробовала сделать. Мне нужно было уловить некоторый запах, и я позвала волчицу. Они пришла трусцой на мой зов, белая с черными подпалинами. Я покопалась в источниках и выяснила, что ее масть означает штамм ликантропии, пришедший с дальнего севера, из холодных мест. Где больше снега, там больше белых волков.

Кожа пошла мурашками, я опустила лицо навстречу этому изделию технологий. Первым запахом была смерть. Волчица заворчала, и это ворчание пролилось из моих губ.

— Что с вами, маршал? — спросил Мемфис.

— Все в порядке. Не надо, пожалуйста, со мной разговаривать, когда я это делаю.

Запах пластика был резкий, почти едкий. Волчице он не понравился. Под ним угадывался пот и страх, и это ей понравилось: пот и страх означают еду. Эту мысль я затолкала обратно и сосредоточилась. Мне нужно было больше. Я чуяла запах Шермана, мужчины, и он все еще пах мылом и шампунем, которыми в этот день мылся. Как шелуху с лука снимаешь. Я подумала, что если бы я была волчицей, я бы все это учуяла и истолковала, но человеческий мозг тормозил.

Я почувствовала, как коснулась носом кусочка войлока и подумала: *Какой зверь это сделал?* Ощущался запах слюны, и он был не такой, как запах Шермана. Ум не брался понять, чем отличается — он отличался, и все. Мне нужен был запах животного, а не чего-то человеческого. Я отдала себя волчице, предалась ощущению меха и мягких лап, и... вот. Едва заметное дуновение чего-то звериного.

За этим едва заметным запахом я пошла, как идут найденной в лесу тропинкой. Тропинкой едва существующей, теряющейся в бурьяне и тоненьких деревцах. Я пробивалась сквозь узкий просвет, и вдруг мир наполнился... тигром.

Тигрицы во мне зашумели, зарычали. Я покачнулась, отшатнулась от вещественного доказательства, от запаха, от Мемфиса Хлопнулась задницей на пол, волчица бросилась в укрытие, а тигрицы ревели в голове. Когда-то это значило бы, что они попытаются захватить мое тело, разрывая меня изнутри, но сейчас я умела сделать их потише.

Кто-то взял меня за руку, я подняла глаза. Что это за пластиковый человек? За лицевым щитком — да, действительно человек, мягкий, и все его образование, решительность и умение ни черта не стоят против когтя и клыка.

Со второй попытки мне удалось сказать:

— Место! Дайте мне место!

Он отпустил, но присел на пол чуть сзади. Я посмотрела на него, на еще двоих. Патрисия была испугана, и мои тигрицы закружились у меня внутри, котятки веселые. Страх — это еда.

Я с усилием поднялась на ноги, заковыляла к двери. Надо от них уйти. Нельзя было это пробовать без Эдуарда, который... который удержал бы все под контролем.

— Мне нужен свежий воздух. Не трогайте меня.

Я дошла до двери и вывалилась наружу. Рухнула коленями на пол, прислонилась к стене, попыталась загнать тигриц в зону безопасности. Они не хотели. Они унюхали тигра, и это их возбудило.

Очень близко раздался голос Эдуарда:

— Как ты, Анита?

Я мотнула головой, выставила ладонь ему навстречу — «не подходи». Он не подошел.

— Ответь мне, — сказал он.

Я сумела сказать, хоть и с придыханием:

— Я вызвала немножко мохнатой энергии, чтобы получить зацепку.

— Что случилось?

— Не знаю, кто убил остальных, но здесь мы ищем тигра-оборотня ростом, вероятно, ниже шести футов, либо с непропорционально маленькими руками. Достаточно мощный, чтобы отрастить только клыки и когти, без меха и других внешних изменений.

Я ощутила приближение Олафа и Бернардо еще до того, как подняла глаза и их увидела. Эдуард держал их на расстонии, что было, наверное, хорошо.

— Это умеют только самые сильные, — сказал он.

— Ага, — подтвердила я.

— Ты это все узнала по запаху? — спросил Бернардо.

Я подняла на него взгляд — весьма недружелюбный, судя по его реакции.

— Нет. Большую часть я поняла из осмотра тела, но тигра определила по запаху — Я посмотрела ему за спину, где стоял Олаф, уже без защитного костюма, в черной одежде наемного убийцы. И ткнула в него пальцем. — Я не могла думать, пока ты там был со мной. Даже понятия не имела, насколько ты сделал меня бесполезной.

— Я не намеревался снижать эффективность твоей работы.

— Знаешь, я тебе верю. Но дальше ты будешь работать с кем-нибудь другим. На этом деле мы с тобой наедине оставаться не будем.

— Почему пребывание наедине со мной так тебя отвлекает? — спросил он с совершенно нейтральным лицом.

— Потому что ты меня пугаешь.

Тут он улыбнулся — слегка искривил губы, но глаза пещерного человека сверкнули удовлетворением.

Я встала, и Эдуард сообразил, что помогать мне не надо.

— Знаешь, верзила, любой мужчина, который действительно хочет завести с женщиной роман, не захочет, чтобы она его боялась.

Его улыбка чуть скукожилась, но не сильно. На миг он был озадачен, потом он улыбнулся еще шире и довольнее.

— Я не любой мужчина.

Я издала звук, который можно было бы счесть смехом, не будь он таким резким.

— Вот что, блин, правда, то правда.

Я стала стягивать с себя защитную одежду

— Куда теперь? — спросил Эдуард.

— Навестим тигров-оборотней.

— А они случайно не звери зова мастера вампиров Вегаса?

— Именно, — подтвердила я.

— То есть мы идем с визитом к мастеру города и его жене?

Я кивнула

— Ага. К Максу и его жене, королеве тигров Лас-Вегаса. Хотя на самом деле ее титул — Чанг в сочетании с именем. В данном случае — Чанг-Вивиана.

— Погоди, — сказал Бернардо. — Мы туда придем и обвиним одного из их тигров в убийстве полицейского и соучастии в убийстве еще троих?

Я посмотрела на Эдуарда, он на меня.

— Вроде того, — ответила я.

У Бернардо сделался несчастный вид.

— Ты можешь не доводить до моего убийства прежде, чем я схожу на свидание с помощницей шерифа Лоренцо?

Я улыбнулась:

— Приложу все усилия.

— Чтобы нас убили, — закончил он.

— И неправда, — возразила я. — Я всегда изо всех сил стараюсь сохранить всем жизнь.

— Сперва подставив всех под опасность, — буркнул Бернардо.

— Ты скулишь как младенец, — бросил Олаф.

— Я буду скулить так, как мне, блин, захочется.

— Как вы себя чувствуете, маршал? — прервал эту сцену Мемфис.

— Нормально, спасибо.

— Какое животное вы определили?

Соврать или сказать правду?

— Тигра.

— Нашему мастеру города это не понравится.

— Да. Но правда есть правда.

— Чтобы войти к ним в дом, вам нужен ордер.

— Мы уже про это говорили, Мемфис. Позвоним, и нам пришлют по факсу, но сперва я попытаюсь просто договориться о визите.

— Вы думаете, он вот так разрешит вам обвинить его подданных в убийстве?

— Я думаю, что Макс предложил шерифу Шоу меня пригласить на игру, чтобы я разобралась, что к чему.

У Мемфиса глаза на лоб полезли:

— Он это сделал?

— Так мне было сказано.

— Не похоже на нашего мастера.

— Очень непохоже, — согласилась я, — но раз он меня пригласил, почему бы ему не захотеть мне помочь разобраться?

— Вы не войдете без ордера. Мастер Вегаса — мафиози старой школы. Он очень осторожен.

— Мы попросим несколько, — сказал Эдуард.

Мемфис обернулся к нему:

— Что вы имеете в виду?

— У нас есть подтвержденный случай нападения ликантропа со смертельным исходом. В Неваде все еще действуют законы о вредных животных. Мы сможем получить ордер на ликвидацию виновного ликантропа.

— Но вы же не знаете имени этого ликантропа, — возразил Мемфис.

Эдуард улыбнулся, Бернардо улыбнулся, и даже я улыбнулась. А у Олафа просто был зловеще веселый вид.

— Вы знаете, что имя нам не нужно. Ордер будет написан несколько туманно. Я в западных штатах начала было забывать про законы о вредных животных. Из-за них получить ордер на оборотня проще, чем на вампира.

— Я все равно считаю, что это легальный предлог для убийства, — заявил Мемфис.

Я подошла к доктору вплотную — он не отступил.

— Рэндолл Шерман был вашим другом, не моим. Вы хотите, чтобы убийца был пойман?

— Да, но я хочу быть уверенным, что это тот тигр, а не первый попавшийся, который вам не понравился.

Я улыбнулась ему, но почувствовала, что скорее это был оскал, как при рычании. Тигрицы еще не ушли далеко.

— Если вам не нравится мой образ действий при выполнении порученной мне работы, подайте жалобу. Но в темноте, когда на вас нападают большие злые монстры, вы всегда зовете нас. Вы видите, что мы здесь стоим. Вы знаете, кто мы и что делаем, и это заставляет вас чувствовать себя нецивилизованными. И даже когда ваш друг лежит на каталке в морге, вы все еще кочевряжитесь. А мы — нет, доктор. Мы делаем то, что вы все боитесь делать. — Я наклонилась поближе и прошептала: — Мы будем вашими мстителями, док, чтобы вам свои лилейные ручки не испачкать.

Он отшатнулся назад, как от удара.

— Это несправедливо.

— Можете посмотреть мне в глаза и сказать, что не хотите мстить за то, что сделали с вашими людьми? Смотрите мне в глаза и скажите, что вас совершенно не привлекает момент, когда вы положите на весы печенку этого убийцы.

У него веки задрожали за очками, он открыл рот, закрыл, облизал губы.

— Вы крутая женщина, Блейк, — сказал он наконец.

Я покачала головой:

— Не бывает крутых женщин, Мемфис. Бывают слабаки мужчины.

С этими словами я повернулась, остальные пошли за мной. Мы направились к дверям, к телефону, к судье, который даст нам ордера.

— Чем этот доктор так тебя разозлил? — спросил меня Эдуард.

— Ничем. Абсолютно ничем.

— Зачем же было строить из себя злую стерву? — удивился Бернардо.

Я засмеялась.

— А кто строил, Бернардо? Кто строил, блин?

Тигрицы еще клубились во мне, радуясь, что я злая, ожидая еще больше злости, больше эмоций. Они хотели наружу. Ох, как хотели.

Глава двадцатая

Я вышла в удушающую жару, и Эдуард, поймав меня за руку, развернул к себе лицом. Я уставилась на него в упор.

— Анита, что с тобой?

Хотела я сказать «ничего», но Эдуард зря не спросит.

Я выразительно посмотрела на его руку, держащую меня за локоть. Он ее убрал.

— Ничего.

Он покачал головой:

— Что-то не так.

Я хотела поспорить, но заставила себя промолчать и сделала несколько глубоких вдохов. Попыталась подумать, подавив нетерпение и гнев. Да, я разозлилась. Почему? Мемфис ничего не сделал, чтобы меня так из себя вывести. Да, он либерал, не одобряющий Акта, и что? Достаточно распространенный образ мыслей. Чего же я ему-то в волосья вцепилась?

Отчего я разозлилась? Ладно, снимем вопрос: я почти всегда злюсь. Гнев для меня как горючее. Он всегда побулькивает в глубине, и это, возможно, одна из причин, почему я могу питаться чужой злостью. Это мой любимый напиток. Значит, вопрос ставится так: отчего я напустилась на того, кто этого не заслужил? На меня не похоже.

Мне предстояло пойти на встречу с тиграми-оборотнями, и их будет много. Тигрица во мне очень этому радовалась, и была излишне нетерпелива — чуть-чуть. То, что я никогда не перекидывалась по-настоящему, еще не значит, что этого не случится. Единственный кроме меня носитель нескольких видов ликантропии был способен перекидываться в любую из соответствующих форм. Еще он был псих, но это могло быть вызвано иными причинами.

И что случится, если сейчас, когда мои тигрицы так близко к поверхности, я окажусь в окружении целой кучи тигров-оборотней? Непонятно. И это уже хорошая причина несколько сбавить обороты.

— Спасибо, Эду... Тед. Мне это было нужно

— Ты немного успокоилась.

Я кивнула:

— Ты заставил меня подумать. Первым делом я сейчас вернусь обратно и извинюсь перед доктором Мемфисом. После этого я спрошу, не знает ли он, где можно найти верховную жрицу ковена, где состоял полисмен Рэндолл Шерман

—Зачем? — спросил он.

Я ему рассказала про пентаграмму и про свою догадку, что Шерман пытался произнести заклинание, когда тигр его убил.

—Заклинания на оборотней не действуют, — сказал Бернардо.

—Не действуют, — согласилась я.

—Практикующий колдун не мог об этом не знать, — напомнил Эдуард.

—Не мог.

—Это значит, что в том складе было еще что-то, помимо вампиров и оборотней, — сказал он.

—Моя мысль.

—Если Мемфис не знает верховную жрицу Шермана?

—Найдем кого-нибудь, кто знает. Ты позвони в Вашингтон, запусти процесс выдачи ордеров. Один на оборотня, убившего Шермана, второй — на обыск жилых и рабочих помещений, принадлежащих мастеру Лас-Вегаса.

—Второй добыть может быть непросто. У Макса отличные связи, и он один из главных финансистов провампирского лобби в Вашингтоне.

Этого я не знала.

—Тогда он охотно должен сотрудничать с полицией.

Эдуард улыбнулся мне своей фирменной улыбкой:

—Анита, он вампир. Им всегда есть, что скрывать.

—Как и всем нам, — улыбнулась я в ответ.

На это он отвечать не стал — достал мобильник и начал дозваниваться насчет ордеров. А я пошла обратно к двери.

Олаф пошел за мной, я его остановила:

—Ты останешься с Эдуардом... то есть с Тедом.

—Тебе угрожает вампир Витторио. Ты не должна быть одна — учитывая, что на его стороне есть оборотни.

С этой логикой я не могла спорить.

—Бернардо! — позвала я. — Пошли со мной.

Бернардо посмотрел на Олафа задумчиво, но подошел ко мне.

—Как скажешь, маленькая леди.

— Чтоб больше я от тебя этого не слышала, — ответила я и потянулась к двери.

— Почему он, а не я? — спросил Олаф.

Я оглянулась на него — высокого, одетого в черное. Он снова был в темных очках, стоял, как голливудское воплощение отрицательного героя.

— Потому что ты нагоняешь на меня жуть, а он нет.

— Я лучше в бою, чем он.

— Когда-нибудь вы это обсудите, а сейчас мне нужно пойти извиниться.

— Ты и правда собираешься принести доктору извинения?

— Да.

— Извинение — признак слабости.

— Не тогда, когда ты был неправ — вот как я сейчас.

— Ты была резка, но неправа не была.

Я наконец обернулась к гиганту:

— Отто, к чему вся эта болтовня? Боишься, что без меня скучать будешь?

Это произвело эффект — он отвернулся и пошел прочь. Бернардо встал рядом со мной темной, высокой и красивой тенью. Я нажала кнопку — сообщить кому-то там, что мы хотим войти.

— Отто не лучше меня в бою. Со взрывчаткой он работает лучше, в допросах я вообще против него ноль, но в бою он не лучше.

— Я не говорила, что он лучше.

— Просто хотел, чтобы ты знала.

Я глянула на него, на эту идеальную форму лица, от которой сердце замирает. Длинные темные волосы заплетены в косу. При такой жаре я начинала подумывать, не заплести ли косу и мне.

— Я знаю, что ты умеешь драться, Бернардо. Иначе Эдуард не стал бы водить с тобой компанию.

Пришлось еще раз нажать кнопку и ждать, чтобы нас впустили.

— А почему же я тогда тебе не нравлюсь?

Я глянула на него, нахмурившись:

— Я не говорила, что ты мне не нравишься.

— Но и что нравлюсь, тоже сказать не можешь.

Дверь открылась — это был Дейл, с короткими каштановыми волосами, в очках. Впустил нас с не самым довольным видом.

— Вы что-то забыли?

— Да, извиниться перед доктором Мемфисом. Это дело меня потрясло сильнее, чем я думала.

Лицо Дейла смягчилось.

— Оно всех нас потрясло.

Он пропустил нас и сказал, где найти Мемфиса.

Я обернулась к Бернардо:

— Ты мне не не нравишься. Не знаю, насколько это грамматически правильно, но по смыслу так.

— О'кей, то есть я тебе безразличен. Знаешь, странно.

— Почему странно?

Он остановился, чтобы развести руками — дескать, вот так. Я поняла, что он изливает душу.

— Бывали женщины, которым я не нравился, потому что слишком экзотичен. Другим не нравилось, чем я занимаюсь. Есть девчонки, которые ненавидят войну и насилие. Но это же не ты. Тебе и то, и другое, и третье без разницы.

— Ты спрашиваешь, почему я не нахожу тебя неотразимым? — улыбнулась я.

— Не стоит надо мной смеяться.

Я встряхнула головой и постаралась больше не улыбаться.

— Я не смеюсь, но просто как-то странно думать на эти темы в разгаре расследования убийства.

— Понимаю, дело прежде всего. И я вел бы себя прилично, если ты с этим здоровилой не начала нагнетать сексуальное напряжение.

— Я на Отто не реагирую.

Он поднял руки, будто сдаваясь:

— Я никого не хотел обидеть.

— Мне он не нравится в этом смысле.

—Я не сказал, что он тебе нравится. Я сказал, что ты на него реагируешь.

—А в чем разница между «нравится» и «реагируешь»?

—Тед тебе нравится, но на него ты не реагируешь. Я вижу, что вы воркуете, но это только для того, чтобы Отто отстал.

Я посмотрела на него колючим взглядом.

—Да ладно, я вас не продам. Я согласен: это жуть, когда Отто к тебе вот так неровно дышит. Я не буду даже спорить с тем, что говорили вы с Тедом на месте убийства.

—Так на что ты взъелся?

Мимо прошли две женщины в рабочих халатах. Одна уставилась, не скрываясь, другая смотрела украдкой. Меня тут вообще могло не быть. Бернардо потратил на обеих одну улыбку и снова повернулся ко мне как ни в чем не бывало.

До меня дошло.

—Ты привык, что женщины на тебя реагируют, а я этого не делаю. Тебе это неприятно.

—Ну, да. Сам понимаю, что это мелочно, но выходит, будто ты меня в упор не видишь, Анита. Я к такому не привык.

—У меня примерно шестеро мужчин, с которыми романы или отношения, Бернардо.

Он поднял брови.

—Просто их у меня под завязку, понимаешь? Ничего личного.

—Да я не хочу заводить с тобой роман, Анита, просто я хотел, чтобы ты на меня реагировала. — Он улыбнулся, и улыбка мне понравилась. — Нет, секс — это было бы классно, но я думаю, Тед меня убил бы, а такая перспектива резко снижает для меня его привлекательность.

—Ты и правда думаешь, что он тебя убил бы если бы ты спал со мной?

—Он мог бы, а от него «мог бы» мне достаточно.

—Так что если я тебе скажу, как ты красив, можем вернуться к работе?

—Если скажешь серьезно, — ответил он, и был, судя по всему, обижен.

—Знаешь, обычно такие проблемы у девушек.

— А я тщеславен, так что пойди мне навстречу.

Я вздохнула, и теперь была моя очередь поднять руки.

Сделав глубокий вдох, я заставила себя всмотреться в Бернардо, начав с лица. Глаза — темно-карего цвета, почти черные, темнее даже моих. Волосы блестящие, черные, и я знала, что при правильном освещении они поблескивают синевой. Кожа того ровного темного цвета, который может дать только наследственность. Но главное — это были лепные совершенные скулы, линия носа, которая бывает только у кинозвезд, вышедших из-под скальпеля пластических хирургов после того, как бешеные деньги перейдут из рук в руки. Это губы, говорящие о поцелуях, широкие и полные. Длинная и гладкая шея, и на ней бьется жилка, зовущая к себе целующие губы. Широкие плечи под белой рубашкой, грудь, которую можно заработать только в гимнастическом зале, бицепсы такие же. Глаза скользнули по изящному стану, к бедрам. Я разрешила себе здесь задержаться и должна была отметить, что очень отвлекает взгляд выпуклость на штанах. Я знала, что она на самом деле больше, потому что однажды видела его голым. Он так хорошо оснащен, что даже мне это могло бы показаться слегка избыточным, а я мало о ком из мужчин могу такое сказать.

Я заставила себя опустить глаза ниже, к мускулистым ногам, обтянутым джинсами, к ботинкам. И подняла глаза навстречу его взгляду.

— Ты покраснела, — сказал он, улыбаясь.

— Я просто вспомнила тот случай в баре.

Он усмехнулся шире, явно польщенный.

— Подумала, что видела меня голым.

Схлынувшая было краска вернулась приливом. Я кивнула и пошла дальше:

— Теперь доволен?

— Очень, — ответил он голосом, который это подтвердил.

Он плавно скользил рядом со мной, привлекая взоры всех встречных женщин и некоторых мужчин. Я бы подумала, что они смотрят на меня, но Бернардо был конфеткой для всех.

Я вообще-то привыкла быть бесцветной мымрой по сравнению с мужчинами моей жизни. Если бы мне было важно, чтобы мужчина не был красивее меня, в моей жизни не было бы Жан-Клода... Ашера... Мики... Ричарда, Натэниела...

Рядом с Бернардо я чувствовала себя привычно.

Глава двадцать первая

Я извинилась перед доктором Мемфисом и узнала имя верховной жрицы Шермана. Ее можно было найти в телефонной книге. Мы вышли на удушающую жару, и темные очки опустились нам на глаза, как щиты в научно-фантастическом фильме. Жест стал почти автоматическим, а я еще и дня здесь не пробыла.

Слышалась музыка, и я не сразу сообразила, что это мой телефон. Игралось «Я не влюблен» группы «10сс», но это не был выбранный мною рингтон. Надо мне наконец научиться самой себе рингтоны ставить. А то чувство юмора Натэниела мне иногда действует на нервы.

Я нажала кнопку:

— Натэниел, что за выбор мелодий?

— Это не твой котик, ma petite.

Вот так. Я стою на певадской жаре и беседую с мастером города Сент-Луиса, он же мой главный возлюбленный. Он никогда мне не звонит во время работы с полицией, разве что случилось что-то очень серьезное.

— Что случилось? — спросила я, чувствуя, как вдруг заколотился пульс в горле.

Бернардо посмотрел на меня, я махнула ему рукой, мотнула головой и пошла туда, где стояли возле машины Эдуард и Олаф.

— Почему ты решила, будто что-то случилось, ma petite?

Но в голосе слышалась злость, чего обычно не бывает. Пусть он говорит, что ничего не случилось, но голос этого не подтверждал. А так как он умеет говорить голосом безэмоциональным, как пустая стена, то либо он хочет дать мне понять, что злится, либо настолько выведен из себя, что не может сдержаться. Ему больше четырехсот лет, и за такое время можно научиться скрывать любые чувства. Значит, что я такого сделала, что он из себя вышел? Или что сделал кто-то другой?

Вдруг мне захотелось провести этот разговор без свидетелей. Поэтому я села в машину, а остальные остались снаружи, на жаре. Я предложила поступить наоборот, но Эдуард настоял, а когда он на чем-то настаивает, для этого обычно есть причина. Я научилась в таких случаях с ним не спорить — дольше проживем.

Я включила кондиционер и устроилась поудобнее, а трое мужчин снаружи разговаривали тихо, но оживленно. Хм.

— Ma petite, я проснулся, а ты оказалась где-то далеко.

— Меня это тоже не радует.

Я подумала о нем, и этого было достаточно, чтобы увидеть, как он лежит в нашей кровати, небрежно набросив на себя простыню, длинная нога из-под нее высовывается. Одной рукой держит телефон, другая лениво гладит спину Ашера. Тот еще несколько часов будет мертв для мира, но Жан-Клод спокойно может трогать другого вампира, пока он «мертв». Мне от этого было не по себе. Может быть, я слишком много бывала на осмотрах места преступления.

Он посмотрел прямо перед собой, будто ощутив, что я смотрю.

— Хочешь увидеть больше?

Я заставила себя вернуться мыслью и вниманием в машину, окруженную вегасской жарой.

— Боюсь, это меня отвлечет.

— Есть многие, готовые отдать все свое имущество за то, чтобы я их так отвлек.

— Ты на меня сердишься.

— Мы с таким трудом убедили вампирскую общественность, что ты действительно мне слуга, а не хозяин, и ты вдруг делаешь такое.

— Что делаю? Свою работу?

Он вздохнул, и этот звук разошелся из телефона по моей коже как дрожь предвкушения.

— Уезжаешь без моего разрешения, — сказал он, но последнее слово прозвучало так двусмысленно, будто бы просить разрешения могло быть очень и очень интересно.

—Прекрати, пожалуйста. Я работаю — или хотя бы пытаюсь это сделать.

—Я также обнаружил, что ты не взяла с собой еды.

—Утром сегодня поела.

—Но ведь придет и завтра, ma petite.

—Есть Криспин.

—А, да. Твой маленький тигр.

Он не пытался скрыть в голосе сарказм. Я сделала вид, что не услышала.

—Ты мне позвонил в разгаре расследования убийства.

—Очень рад, что сумел вызвать у тебя эмоциональную реакцию.

Слишком мелочное замечание для Жан-Клода, но вот оно — его голос, его звонок. Что за чертовщина?

Но что хорошо в отношениях с Жан-Клодом — я не должна скрывать от него ужасы моей работы. Он видел худшее или близкое к тому за долгие века своей жизни. Поэтому я сказала правду:

—Я только что была в морге и видела то, что осталось от одного из лучших полицейских Вегаса. Меньше всего мне нужно на этом фоне с тобой ругаться.

Он вздохнул — и звук прошел через мой разум, огладил кожу, будто Жан-Клод был совсем рядом, шепча на ухо, касаясь.

Я вскинула на место метафизические щиты, хотя закрыться от своего мастера непросто. У него есть ключи от моих щитов, на случай, если ему будет очень нужно. Но сегодня он позволил мне закрыться щитами — и моей собственной злостью.

—Какого хрена ты это затеял, Жан-Клод? Я пытаюсь раскрыть случай массового убийства, и мне совершенно не нужны твои... ментальные игры.

— Прими мои извинения, ma petite. Наверное, задеты мои чувства.

— Это почему еще? — спросила я все еще сердитым голосом, хотя, в общем, успокоилась. Вот не помню, чтобы он хоть раз сказал, что его чувства задеты.

— Это потому, ma petite, что я думал, будто мы в наших отношениях достигли некоторого прогресса, и вдруг завоеванная нами территория оказывается совсем не так надежно защищена, как я думал.

Я снова ответила правду:

— Ни хрена не поняла, что ты сейчас сказал. То есть я все слышала, и все слова английские, но я не могу понять, о чем ты говоришь. — Я прислонилась лбом к рулю, закрыла глаза и попыталась вдохнуть прохладу кондиционера. — Но у меня смутное чувство, что все равно я должна принести извинения.

Он рассмеялся своим чудесным смехом. Тем, на который когда-то мое тело реагировало так, будто он трогает меня за очень интимные места и одновременно кладет мне в рот конфету. Смех его не только сексуальный; он так приятен, что должен вызывать ожирение.

Я вздохнула — но всего лишь вздохнула. Его голосовые номера я повторять не умею.

— Пожалуйста, Жан-Клод, не надо. Я же не могу так работать.

Он засмеялся более ординарно.

— Кажется, мне нужно было услышать, что ты по мне скучаешь.

— Откуда у *тебя* такая неуверенность? Это же *моя* роль.

— Только от тебя у меня бывает неуверенность, ma petite. Только от тебя.

На это я не знала, что сказать, но попыталась:

— Мне очень жаль.

— Я знаю, что это правда. И от этого легче.

Как же мне закончить разговор, не ранив снова его чувства? Понятия не имею, блин. И это совсем на него не похоже —

звонить, когда я работаю с полицией. Оставалось только надеяться, что это не станет привычкой.

Я заметила, что сгорбилась над рулем и заставила себя сесть прямо. В сторону Эдуарда я старалась не смотреть.

Когда снова зазвучал голос Жан-Клода, интонация была почти нейтральной.

— Проснувшись и узнав, что ты уехала, я не бездельничал. В Лас-Вегасе есть лебедь-оборотень, и лебединый король Донован Рис уже предложил ему быть в твоем распоряжении, если возникнет нужда в питании.

— Спасибо Доновану от моего имени, и я очень ценю твою готовность разделить меня с еще одним мужчиной. Я помню, мы говорили о недобавлении новых.

— Дело тут не в питании, ma petite, а в том, что ты неспособна к сексу без эмоций. Если бы ты могла трахаться и насыщаться, у меня бы не было проблем, будь их хоть сто. Поесть и больше никогда их не видеть — другое дело, но ты мужчин коллекционируешь, ma petite. Трахаться можно с дюжиной, но романтические отношения с ними со всеми не получится иметь.

— Я как-то вроде об этом догадываюсь.

— Правда?

И снова в его голосе был оттенок злости.

— Ну, не получается у меня случайный секс, прости.

— Да, не получается.

И злость стала чуть слышнее.

Я не знала, что мне с этим делать — с этой злостью или с этой перебранкой, и решила игнорировать. Иногда мужчины позволяют партнеру по отношениям это делать — в отличие от женщин.

— Мне может понадобиться что-то не из семейства кошачьих, которых я в себе ношу. Лебедя во мне нет.

— Я тебе говорю, что устал делить тебя с другими мужчинами, что ты их собираешь, а ты мне отвечаешь, что хочешь еще других?

Он все-таки ведет себя как женщина, блин. Только этого не хватало.

— Я тебе обещаю, что когда вернусь в Сент-Луис, мы на эту тему доругаемся. Клянусь. Но сейчас помоги мне выйти из этого дела живой.

— Что я могу для этого сделать?

— Иногда тигров бывает слишком много — из-за того, что во мне есть разные их породы. — Напал на меня один тигр, но внутри меня их пять метафизических видов. Как это получилось — никто не берется объяснить. — Ты не нашел каких-нибудь волков, которых я могла бы одолжить, пока я здесь?

— Волков нет. Местная стая боится твоего разрушающего влияния, ma petite.

— Что имеется в виду?

— Дошли известия, что секс с тобой может быть как укус вампира. Один раз попробовал — и он уже твой.

— Это неправда! — возмутилась я, но пульс у меня зачастил.

— Ты обманываешь сама себя, ma petite.

— Перестань меня так называть.

— Уже много лет ты не просила меня оставить это твое ласкательное прозвище.

— Дело в том, как ты его произносишь. Так, будто на меня сердишься и не хочешь этого показать.

— Сержусь, потому что боюсь за тебя. Витторио свирепствовал в Сент-Луисе — и по всем новостным программам прошло, что погибло трое человек из СВАТ. А их нелегко убить.

Что я могла на это сказать? Он был прав.

— Я прошу прощения, что мне пришлось уехать, не поговорив с тобой.

— В этой фразе я слышу искреннее сожаление. Что бы ты ответила мне, если бы я сказал, что ехать слишком опасно? Что бы ты сделала, если бы я сказал: не езжай?

Я подумала и ответила:

— Я бы все равно поехала.

— Видишь? Ты не слуга мне. Ты вообще слугой быть не можешь.

— Я думала, что наша цель — заставить сообщество вампиров *думать*, будто я — хороший и послушный человек-слуга. Я не знала, что ты все еще думал, будто я буду для тебя брать под козырек.

Снова в моих словах появился некоторый жар, струйка гнева согревала меня. Хотя здесь и без того было настолько жарко, что согревающий гнев был лишним.

— Я хотел сказать не это.

— Ты сказал именно это.

Он издал тихий безнадежный звук:

— Наверное, я все еще такой дурак, что верю, что ты станешь моей по-настоящему.

— А это что еще значит?

Он так долго молчал, что я занервничала. Вампирам в телефон дышать не надо, и только годы опыта мне подсказывали, что он еще здесь. Я ждала, и наконец он заговорил:

— Нужно, чтобы там с тобой был кто-нибудь из наших. Твой леопард, твой волк или твой лев.

— Льва у меня своего пока нет.

— Наш местный Рекс станет им, как только ты позволишь.

— Ага, и его Регина откроет на меня охоту, чтобы убить. Я ее видела. Она злится, что я с ним сплю. Если я сделаю его львом своего зова, она в этом увидит вызов. Я умею драться, Жан-Клод, но не настолько, чтобы выиграть честный бой у львицы-оборотня ее силы.

— Тогда не следует биться честно.

— Если я смошенничаю, то по закону львов остальные могут напасть на меня всей бандой и убить. Я это узнала после того, как познакомилась с новой Региной клана Сент-Луиса. Поверь мне, Жан-Клод, я об этом думала.

— Ты вправду думаешь, что она убила бы тебя, если бы ты заявила более сильные претензии на ее короля?

— Ага. Потому что она мне сказала, что не будет его делить. Что я могу быть его госпожой, но не женой — это место занято ею.

— Ты мне об этом не говорила.

— Это львы, не волки. Мой зверь, а не твой.

Он вздохнул, и не дразнящим своим вздохом, а просто усталым.

— Ma petite, ma petite! Когда же ты наконец поймешь, что все твое — мое. И о любой опасности, грозящей тебе, я должен знать.

— Я тебе расскажу все свои секреты, как только ты расскажешь свои.

— Туше, ma petite. Глубокий и тонкий порез.

Он снова начинал злиться.

— Отчего ты на меня сердишься? — спросила я.

— Ты права, ma petite, это ребячество, но я не знаю, как мне тебе помочь. Не знаю, как тебя защитить в Вегасе. Понимаешь, ma petite? Я не знаю, как тебя защитить от Макса и Вивианы. За несколько сот миль я не в состоянии тебе помочь. Послать нашу охрану я не могу, потому что на тебе значок, а полиция не пустит наших тебя охранять. Что же мне сделать, ma petite? Какого дьявола я могу сделать?

Он перешел на крик. А Жан-Клод практически никогда не срывается на крик. И то, что он сорвался, помогло мне взять себя в руки. Никогда раньше не слышала, чтобы он чертыхался. То, что он потерял самообладание, показало, как он за меня боится. И это меня испугало.

— Ничего, Жан-Клод, я что-нибудь придумаю. Мне очень жаль.

— Чего именно жаль, Анита?

Он назвал меня по имени. Это очень плохой признак.

— Того, что заставила тебя за меня бояться. Что вызвала у тебя чувство беспомощности. Что я оказалась здесь. И ты прав, я не могу быть и маршалом, и твоим слугой одновременно. Мне приходится выбирать, и раз здесь полиция, значит, я выбираю значок. Что как раз, быть может, полностью соответствует планам Витторио. Мне жаль, что Эдуард может быть прав, и это — капкан, на меня расставленный.

— Ma petite, я не собирался срываться, но тебе следует опасаться не только Витторио.

— Я знаю, что пребывание в обществе тигров-оборотней будет испытанием для моего умения сдерживать своих зверей.

— Боюсь, что так.

— Есть что-нибудь, чего ты не говорил мне о Максе и его тиграх?

— Мне сделать невинный вид и сказать, что ты все знаешь?

— Лучше бы правду.

— Недавно Макс хотел, чтобы ты посетила его город и переспала еще с кем-нибудь из его тигров. Они очень хотят знать: та паранормальная сила, что получили от тебя при питании ardeur'а Криспин и рыжий тигр Алекс — это случайность, или же может быть распространено на других тигров их клана?

— Я вообще не уверена, что это была моя сила. Я пару дней была одержима Королевой Всей Тьмы, Марми Нуар. С помощью своей внутренней волчицы я сумела не дать ей меня поглотить, но все равно думаю, что дополнительные силы тигров получены от нее, а не от меня.

— Вполне возможно, но Макс и его королева хотели бы проверить теорию.

— Я думала, они боятся, чтобы я не захватила любого тигра, от которого питаюсь, и что Макса очень раздражает преданность мне Криспина.

— Все это правда. Но последний примерно месяц Максимилиан просил либо твоего визита, либо разрешения прислать тигров тебя питать.

— И когда же ты собирался мне все это сказать?

— Ma petite, мне приходится тебя делить с восемью другими мужчинами — или их девять? У тебя достаточно еды в Сент-Луисе, больше тебе не нужно. Я не хотел бы увеличивать число твоих любовников.

У меня от этих слов возникло ощущение, как от звука гвоздем по стеклу.

— Мне снова извиниться?

— Нет, потому что в тебе мой ardeur. Я не могу поставить тебе в вину, что ты переняла мой голод.

— Почему, как ты думаешь, Макс передумал насчет дать мне еще своих тигров?

— Я думал, дело в его жене, Вивиане. Кстати, ma petite, зная твое чувство юмора, предупреждаю тебя, что только Макс зовет ее Виви. Она Вивиана или Чанг-Виви.

— Ты мне это уже внушал при последнем визите Макса. Чанг в некотором произношении — имя богини луны. В лицо я ей этого не скажу, но меня пугает встреча с ней, поскольку я знаю, что ей недостаточно быть королевой. Ее титул должен означать богиню.

— Это традиционный титул, ma petite, его не выбирают.

— Если ты так говоришь.

— Говорю.

— О'кей, я изо всех сил постараюсь не называть ее тем прозвищем, которым зовет ее муж, раз это такое оскорбление.

— Такое. Она очень сильная тигрица и хочет наращивать силу. Если у нее появятся другие тигры с теми же способностями, которые обрел Криспин, то для ее клана это будет хорошо.

— Он умеет вызывать статическое электричество, Жан-Клод. Это неожиданно, это поражает, но это не оружие. Лучше всего действует, когда он касается металла, так что если металла вокруг нет, эта способность не работает.

— Криспин — один из самых слабых ее тигров. Те, которых она предлагает нам последнее время, далеко не так слабы.

— Она полагает, что если оборотни будут более мощные, то сила производить что-то вроде молний у них будет выше?

— Voui.

— И что ты хочешь, чтобы я по этому поводу сделала?

— Не понял, ma petite.

— Мне избегать питания от тигров, пока я здесь?

— От чего ты тогда станешь питаться?

— У меня есть лебедь, твоей милостью, а еще умею сейчас питаться гневом.

— Если ты сможешь избежать питания от всех, кроме Криспина, я думаю, это будет разумно.

— Постараюсь изо всех сил.

— В этом я, ma petite, не сомневаюсь.

— Спасибо.

— Это правда. Пусть я не всегда радуюсь твоему выбору, и он уж точно не мой, но ты всегда изо всех сил стараешься сделать все, что можешь. Это я понимаю, ma petite.

—Мне жаль, что ты не одобряешь мой выбор, но спасибо, что заметил мои старания.

—Всегда пожалуйста.

—Но если мне действительно нужно будет питаться от тигров, тебе это как? В смысле, не нарушит ли это равновесие между кланами тигров, если вдруг белый клан обретет супер-версию силы Криспина?

—Весьма мудрый вопрос, ma petite, но у меня есть вопрос получше.

—Выкладывай.

—Ты действительно стала бы спать с незнакомцами?

—Не знаю, я еще этих незнакомцев не видела.

Он засмеялся, и в этом смехе была первая струйка ласка-ющей энергии.

—До ужаса твоим было последнее замечание, ma petite.

—Ну, оно соответствует истине. Если я буду питаться от нескольких его тигров, и Макс с женой начнут нас с тобой больше любить, то это не та судьба, которая хуже, чем... что-нибудь другое.

—Ты всегда была практична до беспощадности в приме-нении силы, но впервые я вижу, что ты и в спальне можешь быть практичной.

—Тебя здесь нет, чтобы меня защитить, так что мне при-ходится пользоваться тем, чему ты меня научил.

—И чему я научил тебя, ma petite?

—Что секс — это всего лишь одно средство из арсенала.

—И ты в это веришь? — спросил он.

—Нет, но веришь ты.

—С тобой, ma petite, — никогда.

—Неправда. Когда мы только познакомились, ты пытался меня соблазнить.

—Любой мужчина попытается соблазнить женщину, ко-торую он хочет.

—Может быть. Но ты меня учил, что капелька секса — это не та участь, которая хуже смерти.

—Весьма разумно, ma petite.

— Но, Жан-Клод, давай будем видеть и хорошую сторону. Если тигры замешаны в убийстве, то Макс и его королева входят в группу, убившую полисмена. И если я докажу их вину, то я их убью — легально; не как твой слуга, а как маршал США.

— Мы убили мастера города Чарльстона и поставили на его место своего вампира. Если мы убьем еще одного мастера города, совет вампиров может воспользоваться этим как поводом применить против нас санкции.

— Санкции?

— У нас, как ты знаешь, в совете есть враги.

— Я помню.

— Кроме того, смерть Макса и Вивианы оставила бы огромный вакуум власти в Вегасе.

— Это наша проблема?

— Нет, если у тебя не будет выбора и они действительно убили всех этих полисменов. Но если бы мы могли избежать подобного вакуума власти, это было бы лучше.

— Я это буду иметь в виду.

— Но действуй без колебаний, ma petite, если придется. Сделай все, что ты должна, чтобы вернуться ко мне.

— Не сомневайся.

— Я не сомневаюсь. Ты собираешься, как это у вас говорят, подставить Макса и его королеву?

— Нет, но, быть может, подтасовать слегка придется.

— Что означает в этом контексте «подтасовать»?

— Это значит, что у нас могут оказаться достаточные доказательства для ликвидации, а потом выяснится, что мы ошиблись. Но я при этом остаюсь полностью в правовом поле.

— Действительно? — спросил он.

— Да.

— Твои ордера на ликвидацию бывают очень страшными документами, ma petite.

— Один адвокат называет их «лицензии на убийство».

— Я верю, что ты будешь настолько практична, насколько будет необходимо. И найду еще других, чтобы послать в Вегас, по другим делам.

— Какого рода делам?

— Всегда есть какие-нибудь, ma petite

— Например?

— Макс просил нескольких наших звезд выступить у него гастролерами

— Имей в виду что у Витторио могут быть соглядатаи в Сент-Луисе. Он может знать кто мне дорог, так что постарайся не дать ему заложников Посылай тех, кто сумеет справиться с ситуацией.

— Я буду выбирать аккуратно ma petite.

— Когда они здесь будут?

— Не позже, чем завтра.

— О'кей, но я буду требовать от тигров разговора до наступления ночи. Они живут в многоэтажном здании, так что у Макса нет подвала, где он мог бы просыпаться раньше, как ты. Я попытаюсь допросить тигров, пока будет присутствовать только королева. Она — зверь его зова, а это значит, что, когда они разделены его дневным сном, она не так сильна.

— Не забывай про шахматы, ma petite. Королева может быть куда опаснее для твоего войска, чем король.

Моя была очередь засмеяться.

— Я никогда не забываю, что женщина может быть опасной, Жан-Клод.

— Иногда ты забываешь, что ты не самая опасная женщина в коллективе.

— Ты хочешь сказать, что я самоуверенна?

— Я хочу сказать только правду. Je t'aime, ma petite.

— И я тебя люблю.

Он повесил трубку а я подумала что он прав. Мы закончили разговор, но у меня осталось ощущение, что он прошел плохо, или что Жан-Клод не все сказал, что должен был сказать. Я люблю Жан-Клода, люблю Ашера, но скучаю по своему дому. И еще мне не хватает времени, когда мы с Жан-Клодом наедине. С нами всегда Ашер или еще кто-нибудь, потому что мы в конце концов поняли, что среди нас есть шпион. А может быть, я слишком сурова: есть сплетня. Вампиры любят сплетничать. Можно подумать, что такая долгая жизнь превращает их в философов или мыслителей, и с немногими именно это и происходит, но в основной массе это обычные люди, только очень долго живущие, и они обожают слухи и сплетни. И мы постарались подкинуть на мельницу слухов весть, будто Жан-Клод много времени проводит со своими мужчинами. Но это значило, что теперь я редко оставалась наедине с кем бы то ни было. Я люблю их всех, или симпатизирую по крайней мере, но хотелось бы хоть немного времени проводить с ними наедине. Но как, черт побери, крутить роман с таким количеством мужчин и при этом иметь капельку уединения? Понятия не имею. И забудьте то время, когда я еще могла остаться наедине с собой: этого тоже уже не бывало. Дошло до того, что одна я бываю только в машине, по дороге на какую-нибудь работу или обратно. Это надо поменять, но как — я не знала.

Но сегодня у меня была одна проблема: найти серийного убийцу. Я знала, что мне нужно повидать викканскую жрицу и королеву всех тигров Вегаса... то есть прошу прощения, Чанг всех тигров. И с тиграми надо разобраться, пока еще не слишком темно. Итак, есть четкие цели и ограничения по времени. Если расследование такого жуткого убийства проще, чем моя личная жизнь, значит, что-то очень сильно не так. Проблема в том, как исправить это самое «не так», да и что именно не так? Я только знала, что не слишком счастлива, как и некоторые из мужчин. Сейчас я начинала понимать, что в число недовольных может входить и Жан-Клод. А это уже нехорошо.

Я вышла из машины. Трое мужчин направились ко мне, и по лицам было видно, что сейчас они тоже спорили. Класс. Будем вместе мрачно ворчать.

Глава двадцать вторая

В основном Эдуард объяснял Олафу, чтобы держался от меня подальше. Олаф ему отвечал, что если я с Эдуардом не трахаюсь, тогда это не его собачье дело. Странно. Если бы Эдуард меня имел, Олаф бы тогда решил, что я неприкосновенна. Очевидно, Эдуарду вообще не приходило в голову на

эту тему соврать Я была этому рада потому что вряд ли сумела бы притвориться Не говоря уже о том, что если бы эти слухи дошли до Донны они бы ей разбили сердце, а их сын —
приемный сын Эдуарда — Питер не простил бы ни его ни
меня Какая-то фрейдистская жуть как по-моему

Хорошая новость состояла в том, что вскоре должны были
прийти ордера. Эдуард знал номер факса местной полиции.

- Ты и вправду здесь уже работал, — сказала я

Он кивнул.

До меня дошла одна вещь, и я обругала себя дурой, что
раньше не поняла.

— Ты местного истребителя знал?

— Да.

В стиле Эдуарда Ответ точно на вопрос.

Я смотрела ему в лицо. Вряд ли в глазах можно было что-то
прочесть, даже если бы не было черных очков, но.. но спросить
надо было.

— И как он?

— Приемлемо

— Не то чтобы особенно хорошо?

— У него было больше правил, чем у тебя или у меня. Они
его ограничивали.

Совершенно бесстрастный голос, без тени эмоций.

— Значит, ты и погибших оперативников знал?

Он покачал головой:

— Только Колдуна.

— Колдуна?

— Рэнди Шермана.

Я посмотрела ему в лицо:

— Ты видел в морге человека, которого знал, с которым
работал, и это тебя не... — я повела руками, будто пытаясь вытащить нужное слово из воздуха, — не тронуло?

Вопрос был неадекватный, но слишком глупо было бы спрашивать Эдуарда, что он при этом чувствовал.

— Такой вопрос только женщина может задать, — сказал
Олаф.

Я кивнула:

—Ты абсолютно прав, но я — женщина, то есть я должна была спросить. Меня бы больше взволновало, если бы пришлось осматривать труп человека, которого я знала. Даже с незнакомцем это было тяжело. Я все время вспоминала ребят из СВАТ, с которыми познакомилась чуть раньше, и знала, что все вот эти убитые были такие же высокие, профессиональные, полные жизни — и вот их нет.

—У тебя было бы больше чувств, — сказал Эдуард, — но они не помешали бы тебе делать свою работу. Иногда от горя работаешь лучше.

—Мне сказать спасибо за комплимент?

—Моя реакция тебе не нравится, Анита, но я видал очень много погибших, которых знал при жизни. Через какое-то время начинаешь с этим справляться или переходишь на кабинетную работу. Второе меня не устраивает.

Мне хотелось на него сорваться. Но я знала, что он любит Донну и детей, я даже была уверена, что и я ему не безразлична, но отсутствие эмоций по поводу людей в морге напомнило мне, что Эдуард для меня все еще загадка. Может быть, неразрешимая.

—Не задумывайся слишком сильно, — сказал Бернардо.

Я обернулась, готовая сорваться, потому что сорваться на него — куда проще, чем орать на Эдуарда.

—Это как понимать?

—Понимать так, что ведешь себя сейчас по-девичьи, когда как раз надо быть тем мужиком, которым ты умеешь быть, а не вывихивать себе мозги по поводу Теда. Сейчас нужно ему доверять, а не сомневаться в нем.

—Я доверяю.

—Тогда оставь тему, Анита.

Я открыла рот, закрыла, повернулась к Эдуарду.

—Мне этого не понять?

—Не понять, — ответил он.

Я сделала отметающий жест:

—Ну, ладно. Давайте тогда займемся чем-нибудь полезным.

—Когда будем выполнять ордер, с нами по настоянию полиции будет СВАТ. В Вегасе к этому относятся очень серьезно.

Голос у Эдуарда был совершенно пустой. Будто эмоции вообще его не касались.

— Мы за ними не охотимся — мы только собираем информацию. Оба мы с тобой более чем уверены, что Макс слишком держится в струе, чтобы одобрить убийство полисмена.

— Во-первых, в Вегасе, если у нас на руках ордер, СВАТ идет с нами. Они всерьез, шуток не понимают. Во-вторых, у Макса отличные связи, Анита, и потому местные копы не захотят, чтобы мы ввалились к его жене и родным с ордером на ликвидацию, и никто при этом за нами не присматривал.

— Они действительно думают, что мы ворвемся и начнем стрельбу? — спросила я. Эдуард посмотрел на меня — наиболее выразительным взглядом за последние несколько минут. — У меня такая плохая репутация? — добавила я обескураженно.

— Почти вся полиция считает нас вольными охотниками, которым выдали значки, — сказал Бернардо. — А вольных охотников копы не любят.

— Будут вопросы, которые я не смогу поднимать перед Граймсом и его людьми.

— Лейтенант вряд ли будет присутствовать лично, — сказал Эдуард.

— Ты меня понял, Эдуард.

— Посмотрим, удастся ли нам их от тебя отвлечь, — ответил он.

— Мне не разрешено их трогать, — сказал Олаф. — Поэтому отвлечь их я вряд ли смогу.

— Откровенно говоришь, — сказала я.

Бернардо усмехнулся:

— Я сделаю, что смогу, но я куда лучше отвлекаю дам.

— Я посмотрю, смогу ли обеспечить тебе некоторую конфиденциальность, — сказал Эдуард, поморщившись в адрес своих коллег.

— Ну, — заметил Бернардо, — я просто старался быть честным. Но я думаю, что СВАТ к Аните просто приклеится.

— Почему так?

—Помощница шерифа Лоренцо дружит с одной женщиной, которая работает в офисе СВАТ. Ты и правда одной рукой рванула двести шестьдесят фунтов?

Я посмотрела ему прямо в глаза:

—Нет.

—Так что же ты сделала?

—Двумя руками рванула.

Тут уже и Олаф с Эдуардом на меня посмотрели.

—Зачем же ты привлекла к себе столько внимания? — спросил Эдуард.

—Ты их видел, Эдуард. Если бы ты не знал меня, ты мне разрешил бы выполнять ордер с ними?

—Ты — маршал США, Анита. Это наш ордер. А они — наш резерв.

Я покачала головой:

—Мне нужно было им доказать, что я что-то могу. Штанга была прямо там. Это был самый быстрый способ уладить дело.

—И как ты объяснила, что можешь рвануть почти утроенный собственный вес, не упав и ничего себе не вывихнув?

Он не скрывал своего неодобрения.

—Кончай меня шпынять, Эдуард, Тед или как тебе больше нравится. Ты не знаешь, что такое быть девчонкой. Все время доказывать, что ты тоже человек. В конце концов надоедает.

—Что ты им сказала?

—Правду.

Он снял очки, протер глаза:

—Что это значит?

—Что я — носитель различных штаммов ликантропии. Граймс читал мое дело, Эдуард, там это сказано. Полиция Филадельфии обнаружила, когда я выжила и выздоровела после перелома черепа.

—У тебя нет шрама.

—Нет, точно так же, как не осталось шрама после нападения тигра-оборотня в Сент-Луисе. Он же мне живот вспорол, помнишь? — Я вытащила кофту из джинсов, показала гладкую нетронутую кожу. — Я уже не могу притворяться человеком, Эдуард.

Глава двадцать третья

Бернардо и Олаф слегка отодвинулись, будто слишком силен был для них накал эмоций. Или они предоставили Эдуарду разбираться с истеричкой. Он по многим причинам был у них неофициальным лидером. Когда делаешь трудные вещи, кто-то должен командовать.

Он минуту посмотрел на меня, потом спросил:

— Ты хорошо себя чувствуешь?

Вопрос был настолько дикий, что я даже не разозлилась — опешила.

— Какого черта ты спрашиваешь?

— Чтобы знать. Если судить по виду, ты на грани срыва.

— Наверное, хорошо. Мне серийный убийца присылает по почте кусок расчлененки. Лейтенант Граймс фактически в упор меня спрашивает, являюсь ли я слугой Жан-Клода. За один только анализ крови у меня можно отбирать значок, но никто со мной на эту тему не приходит говорить. Я уже несколько месяцев живу в цирке с Жан-Клодом и ребятами и скучаю по своему дому. По своим вещам. По уединению с Микой и Натэниелом. С кем бы то ни было вообще. Слишком, черт побери, много мужчин в моей жизни, и я понятия не имею, что мне с этим делать.

— Мой совет по организации твоей романтической жизни тебе не нужен, Анита.

— Пожалуй, нет, — улыбнулась я.

— Но ты не единственный маршал противоестественного отдела, подвергшийся нападению на работе. Я думаю, что если ты не перекинешься реально и нельзя будет доказать в суде, что ты опасна, никто цепляться не будет. Никто же не захочет, чтобы на него подавали в суд за незаконное увольнение или что-нибудь в этом роде. И уж точно никто не захочет, чтобы первой из нас, кто будет отстаивать свой значок в суде, была ты.

— Почему? — спросила я.

— Ты женщина. Ты красивая. Ты миниатюрная. Просто плакатная деточка, которую обижает большое, грубое, злое правительство.

Я посмотрела на него, нахмурив брови:

— Эдуард, я никому не жертва.

— Я это знаю, и ты знаешь, а пресса не знает.

— Ты хочешь сказать, что будь я мужчиной, меня бы уже попросили сдать значок?

— Не обязательно. Но то, что ты девушка, здесь работает в твою пользу, и не надо ворчать.

Я покачала головой:

— Ну, ладно, хрен с ним. Ты думаешь, СВАТ и вправду настоит на том, чтобы идти с нами?

— Если мы выполняем ордер, то да.

— Тогда поездка к тиграм почти бессмысленна. Я в их присутствии не смогу говорить свободно.

— Можем сперва поехать к жрице, но уйти от Граймса и его людей тебе не удастся.

— Вот черт!

— Иметь за спиной столько огневой мощи и техники — почти всегда хорошо. Но тебе, мне или Отто она мешает делать или говорить вещи, которые СВАТ лучше бы не видеть или не слышать. У тебя — из-за секретов, у нас — из-за практических действий.

— Я тоже не теоретик, Эдуард.

— *Тед*, Анита. Постарайся запомнить и называть правильное имя.

— Хорошо, *Тед*. Свою долю практической работы я тоже делаю. — Я сделала глубокий вдох и выдохнула очень медленно. — Можем съездить к жрице, пока ждем ордеров. Это даст мне иллюзию, будто мы делаем что-то полезное.

Бернардо и Олаф пододвинулись и оказались рядом. Я и не заметила, что они в пределах слышимости — этот факт достаточно красноречиво говорит, что я отвлеклась больше, нежели позволительно на моей работе.

— Ты какая-то пришибленная, детка, — сказал Бернардо. — Твой неживой бойфренд тебя достал?

— Не называй меня деткой, равно как и другими ласкательными прозвищами. Это ясно?

Бернардо развел руками, будто говоря: да ради бога!

— Твой любовник-вампир тебя расстроил?

Бернардо просто дразнился, а у Олафа прозвучало весьма серьезно.

— Мои отношения с Жан-Клодом никого из вас не касаются.

Он смотрел молча, и даже через темные очки было видно, каким тяжелым и неприятным взглядом.

— Что такое? — спросила я.

Между нами встал Эдуард, в буквальном смысле загородив меня от него.

— Анита, брось. Мы едем к жрице Шермана, тем временем придут ордера. С полицейским сопровождением разберемся в свое время.

Я поняла, что Эдуарду нужно сообщить о некоторых возможных проблемах с тиграми. Но не хотелось, чтобы пришлось что-то объяснять двум другим.

— Есть разговор, Эдуард.

— Говори.

— Наедине.

— Ну только что ты обсуждала наедине, — сказал Бернардо.

— Нет. Это я вышла из себя, а вы оба отошли подальше от истерички, предоставив Э... Теду разбираться. А сейчас у меня действительно с ним личный разговор.

— Мы — твой резерв. Мы не должны знать, что происходит?

— Я расскажу... Теду, и если он решит, что вам нужно знать, расскажу и вам.

Им это не понравилось, но когда они сели в кондиционированную машину на жаре, Бернардо заметил некоторые плюсы. Олаф отошел, потому что выбора не было, но ему просто не нравилось.

И когда мы остались вдвоем на гулкой и яркой жаре невадской пустыни, я рассказала Эдуарду. Рассказала про Макса и его королеву, которые хотят, чтобы я спала с их тиграми. Рассказала, как случайно дала силу Криспину.

Эдуард снял шляпу, потер рукой ленту и надел снова.

— У тебя всегда чертовски интересные проблемы.

— Это жалоба?

— Всего лишь наблюдение.

— Ты теперь знаешь все, что знаю я. Тем двоим тоже нужно сказать?

— Частично.

— Тогда ты им скажи сам, сколько сочтешь нужным.

— А если я им расскажу все?

— Если ты считаешь это правильным, я доверяю твоему суждению.

Он кивнул и двинулся к машине.

— Давай уберемся с солнца, и я им расскажу что-то, пока будем ехать к колдунье.

— Она — верховная жрица викканцев. Не все викканцы любят, когда их называют колдунами или ведьмами.

— Запомню.

— Ты это и так знал.

Он улыбнулся:

— А знаешь, если бы мы и вправду спали друг с другом, Олаф бы отвалил.

Я посмотрела на него тем взглядом, которого эта фраза заслужила.

— Ты же не всерьез?

— Насчет сделать это реально — нет. Донна ни тебя, ни меня не простила бы, а Питер был бы убит. Ну, и вообще это было бы... — он неопределенно повел рукой в воздухе, — неправильно.

— Как с родственником, — подсказала я.

Он кивнул:

— Вроде того. Это в наши отношения не вписывается.

— И что же ты предлагаешь?

— Насколько ты близка с этим тигром Криспином?

— Библейски, — ответила я. Он улыбнулся и покачал головой:

— Он доминантный или слабый?

— Слабый.

— Это не заставит Олафа отступить. Должен быть кто-то, кого Олаф может уважать.

— Ничем не могу помочь. А погоди, он же знает, что я сплю с Жан-Клодом, Микой и Натэниелом. И ты хочешь сказать, что никто из них под его мерки не подходит, а ты подходишь?

— Он не будет уважать никого, кого может посчитать геем, Анита.

— Ну, да. Отто — набитый предрассудками ретроград. Но все они спят со мной, независимо от того, с кем еще спят. Все равно они девчонки?

— Отто — как многие. Бисексуал все равно гей, если спит с мужиками. — Он вдруг просиял улыбкой, и это был чистейший Тед Форрестер. — Ну, а девушка с девушкой — это просто на одного мужика меньше, чем им фантазируется.

— Неужто и ты так думаешь?

Улыбка Теда стала чуть менее ослепительной, и слегка проглянул настоящий Эдуард, даже в темных очках.

— Анита, здесь я должен быть Тедом. Слишком много вокруг копов, чтобы мне быть самим собой. — Улыбка вернулась на место — широкая улыбка простого хорошего парня. — А Тед знает, что лесбиянки просто не встретили в жизни правильного мужика.

— Хотела бы я познакомить Теда со своей подругой Сильвией и ее партнершей. Можешь мне поверить, ни та, ни другая не думают, что им в жизни нужен мужчина. Ну ни в каком смысле.

— У нас, простых хороших парней, есть свои иллюзии, Анита.

Мы уже почти дошли до машины. Я понизила голос:

— Из тебя такой же простой хороший парень, как из меня... Тед.

— Мне придется быть Тедом, когда с нами будет СВАТ, Анита.

Я уставилась на него:

— Блин.

Он кивнул:

— Не только тебе приходится быть осторожной в присутствии публики.

— Если из-за того, что рядом с нами полиция, нам приходится врать, Эдуард, может, мы не хорошие парни? Не положительные герои?

Он открыл мне пассажирскую дверцу, чего никогда не делал. Я не стала ему мешать, чтобы Олаф видел, но мне было неприятно. Эдуард наклонился ко мне, чтобы Олаф думал, будто он шепчет пустые нежности, но на самом деле он сказал:

— Мы не хорошие парни, Анита. Мы необходимые парни.

Я села, оставив Олафа и Бернардо гадать, что сказал мне Эдуард. А сама я не могла держать на лице улыбку, как он. Не могла подыграть и сделать вид, будто он мне что-то этакое шаловливое шепнул на ушко. Могла только сидеть и прятать глаза за очками, чтобы лучше соврать людям, которые взялись мне помогать.

Я лгу полиции, лгу своим помощникам, только Эдуарду не лгу. Странно, что так всегда выходит, когда мы вместе работаем.

Он объяснил, что королева тигров может попытаться связать меня с кем-нибудь из своих подданных в попытке теснее приблизиться к источнику власти Жан-Клода. Что ж, в общем, правда. Я смотрела прямо перед собой, не снимая очков.

Эдуард повернулся на сиденье, чтобы видеть обоих своих помощников сразу. Начал с объяснения всем нам:

— Я договорился, что ордер будет доставлен сюда, на парковку возле офиса коронера. Пока ждем, можем поболтать.

— Поболтать? — подозрительно переспросил Олаф.

Эдуард начал без предисловий, прямо к делу.

— У Аниты есть любовник среди тигров. Вероятно, он отнесется к ней дружелюбно, так что пусть его.

— Насколько дружелюбно? — спросил Бернардо.

Я засмеялась, не могла сдержаться:

— Ну, скажем... Криспин рвется к общению.

— Насколько сильно рвется? — спросил Олаф, явно весьма недовольный.

Я обернулась так, чтобы видеть их обоих.

— Ребята, вы знаете, что мне нужно кормить ardeur. Ну, вот, Криспин скорее всего сегодня или завтра послужит для меня пищей.

— Как именно кормить? — спросил Олаф.

— Секс, Олаф. Я питаюсь во время секса.

— То есть слухи верны, и ты действительно суккуб? — спросил Бернардо.

— Да, наверное.

— Для питания не обязательно прибегать к монстрам, — сказал Олаф.

— Я уже питалась от Криспина, и он знает, чего ожидать.

— Я был бы рад помочь, — заявил Бернардо.

— Нет, — сказал Олаф. — Если на ком-то из нас она будет кормиться, то это буду я.

Я покачала головой:

— Я знаю, каково у тебя представление о сексе, Олаф. Вряд ли я достаточно долго проживу, чтобы кормиться.

— Для тебя я бы попробовал.

Я уставилась на его очки — своими очками. Попыталась проникнуть взглядом глубже этой бесстрастной маски. Я поняла, что он мне предлагает секс без насилия, и для него это было просто неслыханно. Колоссальный положительный сдвиг для Олафа, но я не хотела быть этим сдвигом В поисках помощи я обернулась к Эдуарду.

— Ты действительно просто занялся бы с Анитой сексом, не стал бы ни связывать, ни резать?

Олаф кивнул:

— Я бы попробовал.

Эдуард облизал губы, будто нервничая. Впрочем, на такой жаре этому признаку не стоило доверять

— Я не знал, что ты можешь представить себе секс без насилия.

— Для нее я бы попробовал.

— Эдуард, — сказала я. — Помоги мне отсюда выбраться.

— Это для него огромный шаг. Ты представить себе не можешь, какой огромный.

— Отчасти представляю, но...

Эдуард опустил очки, чтобы я увидела его глаза, и эти глаза мне кое-что сказали. Сказали чтобы я была осторожна, чтобы не испортила. Секунда у меня ушла, пока я поняла, что он прав. Куда как лучше, что Олаф хочет «нормального» секса, а не полезть на меня как серийный убийца. Это было меньшее зло, и я постаралась найти слова, которые не разрушили бы его попытку стать лучше.

— Не знаю, что тебе на это сказать, Олаф. Мне это... лестно, и все равно жутко в то же время.

Если честно, то было просто жутко, но я не хотела, чтобы он думал, будто я отвергаю его идею о том, что секс может иметь какой-то иной смысл, кроме смерти. В том смысле, что если он так подумал обо мне, может найтись еще кто-нибудь, с кем он реально построит отношения. Для меня вообще совершенно дикой была мысль, что Олаф еще может исправиться. Но кого, черт побери, доверила бы я ему затащить в свою постель? Кем, черт возьми, готова была бы рискнуть, учитывая, что он вдруг может на эту женщину наброситься как людоед? Хороших ответов не было, только какие-то странные. Такое чувство, будто я падаю в кроличью нору, только в книжке про Алису никогда не было серийных убийц... хотя можно вспомнить Королеву Червей. Отрубить им головы!

Глава двадцать четвертая

Я постаралась заполнить неловкое молчание, расспрашивая Эдуарда о его прошлом приезде в Вегас и о том, что ему известно про полицейских местного СВАТ. И всего через несколько минут на парковку заехал большой внедорожник. Я увидела зеленые мундиры на широких плечах прежде, чем поняла, что за лица к этим плечам прилагаются.

— В Вегасе разве не патрульные доставляют ордера, как всюду? — спросила я.

— Я тебе не говорил, что в прошлый раз, когда здесь был, от них смылся? — ответил Эдуард.

— Значит, твоя вина, не моя, — поглядела я на него сердито.

— Я думаю, мы ее разделим.

Обычно ордер доставляет тот, кого не жалко сейчас послать. Но на этот раз его привез сам сержант Хупер с одним из практиционеров. Как только я их увидела, так и поняла, что Эдуард был прав: нам не позволят выполнить ордер собственными силами. Неприятно.

Хупер был предельно серьезен, сопровождающий его практиционер держался более свободно. Это был тот парень с каштановыми волосами, такими кудрявыми, что даже короткая стрижка этого не скрывала. Как же его звали? А, Паук. Если Санта точно знал, кто шалил, а кто хорошо себя вел, Каннибал мог тебя съесть, то что умел Паук? Я как-то не была уверена, что мне хочется узнать.

Все мы вышли из машин и пошли друг другу навстречу. Они оба были в зеленых мундирах, в черных ботинках, без малейших уступок погоде. Вот интересно, что должно произойти в Вегасе, чтобы они убрали или добавили что-то к своей одежде?

— Привет, сержант! — сказал Эдуард голосом Теда, вложив в одну фразу куда больше положительных эмоций, чем бывает в целом разговоре. И пошел вперед, улыбаясь и протягивая руку.

— Привет, Тед! — ответил Хупер, принимая руку и тоже улыбаясь.

Эдуард повернулся к другому оперативнику:

— Паук, привет!

— Привет, Тед.

Эдуард представил Олафа и Бернардо. Перекрестные рукопожатия. Я безмолвно присоединилась к ритуалу, хотя Паук и Хупер сказали «Привет, Анита!» пожимая мне руку. Эдуард объяснил, что у них у всех есть клички, иногда это просто имя, как у Санчеса, которого и правда звали Аррио.

Я не спросила у Эдуарда, в чем талант Паука, но решила спросить, когда будем одни. Если мы вообще теперь когда-нибудь будем одни в Вегасе. Я начала беспокоиться, что Бернардо был прав, и что парни из СВАТ отныне станут нашими неразлучными друзьями.

— Мы решили, что лучше сами ордера привезем, Тед, — сказал Хупер. А потом улыбнулся: — Во избежание новых недоразумений.

Тед пожал плечами, будто хотел сказать: да ерунда.

— Я ж первый раз тогда приехал в Вегас. Извини, перепутал место встречи, но когда вампир вылез, уже не было времени вас звать.

— Ну, понятно, — сказал Хупер, но с таким видом, будто ни одному слову не верит.

— У вас все маршалы в департаменте имеют репутацию Одинокого Рейнджера, — сказал Паук.

— Он был техасский рейнджер, а не маршал США, — уточнила я.

— Как? — нахмурился Паук.

— Одинокий Рейнджер был техасским рейнджером, а не маршалом.

Паук улыбнулся и покачал головой:

— О'кей, постараюсь быть точнее.

Самое оно, Анита. Поправить мужчину в разговоре — лучший способ его завоевать.

Я не могла извиниться: во-первых, я ни в чем не была виновата. Во-вторых, извинение привлекло бы внимание к тому факту, что совершила неловкость. В стране мужчин чем меньше говоришь, тем лучше. Если бы Паук был женщиной, я должна была бы сказать что-нибудь заглаживающее, но плюс работы с мужчинами в том, что этого от тебя не ждут и не хотят. Я уже давно куда больше работаю с мужчинами, чем с женщинами, и немножко уже у меня девичьи разговоры заржавели. Несколько клиенток жаловались на мою рубленую речь.

Тед читал ордер. Потом передал мне, и я поняла, что ему там что-то не понравилось. Все ордера сейчас были федеральные и выписывались согласно Акту, который наши друзья называли Актом о противоестественных преступлениях, а не совсем друзья — противоестественным актом. Не надо было обхаживать разных судей и потеть над формулировками, но все же... их по-прежнему выдавали разные люди.

Я стояла на жаре между двумя автомобилями и читала ордер. Эдуард читал у меня из-за плеча, ожидая, пока я дойду до слов, на которые он среагировал. Олаф и Бернардо ждали, будто им этот ордер читать не надо.

Документ был сформулирован расплывчато, как обычно, но наконец я дошла до слов, которые мне не понравились.

«Данный ордер подразумевает любого ликантропа, замешанного в убийствах указанных оперативников, но не относится к оборотням-тиграм».

Я обернулась к Хуперу и Пауку:

— Никогда не видела федерального ордера, который учитывал бы местную политику. У вашего мастера города в Вашингтоне серьезные завязки.

Лицо Хупера было непроницаемо. Лицо Паука по-прежнему нейтрально-приветливо, и я поняла, что это его вариант пустой коповской физиономии.

— Очевидно, — ответил Хупер. — Но в этом ордере указываются ранения, нанесенные Колдуну. Это смерть виновного, если есть доказательства. Вы хотели включить сюда тигров, потому что унюхали тигриный запах на теле. Никто не даст вам ордер на жену мастера города Вегаса или его сыновей только потому, что вы — по вашим словам — почуяли тигра.

— О'кей, — кивнула я. — Вполне справедливо. Будь я даже полностью превратившимся оборотнем, мое обоняние в суде не стали бы учитывать. Но совсем иное дело — исключить тигров из ордера на обыск.

Я сложила ордер, и Эдуард положил его в карман синей ветровки с надписью «Маршал США». Я свою ветровку оставила дома. В Вегасе так жарко, что любая одежда лишняя, но только пока не стемнеет. В пустыне ночью холодно — странно, но факт.

— Ордера по Акту формулируются широко, Анита. Я думаю, они боятся того, что мы с этим ордером могли бы сделать.

Репутация у тебя, у всех у вас такая, что счет убитых очень высок, а у нас потеря трех своих. Нам доверили быть вашим резервом и, быть может, подавать цивилизующий пример. — Он сделал глубокий вдох, так что вся грудь приподнялась, и выдохнул, распушив усы. — Я думаю, что власти испугались, как бы мы в данной ситуации не оказались недостаточно цивилизованными.

— Вы отлично держите себя в руках все время, сколько я здесь. Там, наверху, должны были бы вам доверять.

— Самообладание — основа нашей профессии, Анита. Но можешь мне поверить, на этот раз оно нам дается нелегко.

— Всегда тяжело терять товарищей, — ответил Тед.

И все мы молча вспоминали. Не одни и те же потери, не одних и тех же погибших друзей, но у всех остались в прошлом имена, лица, голоса тех, кто никогда уже не войдет в дверь. Минута молчания о мертвых — когда их за плечами уже много, — возникает автоматически.

— Ты нормально это восприняла, Анита, — сказал Паук.

— Ты так говоришь, будто ожидал иного.

— Ожидал.

— Почему?

— Говорят, что у тебя вспыльчивый характер, особенно когда что-то выходит не по-твоему.

— Вспыльчивый, но не по таким поводам. Если бы вы получили ордер на тигров из-за того запаха, он бы потом мог не быть утвержден в суде. Нехорошо ведь убивать честных оборотней Вегаса по недобросовестному ордеру?

— Нехорошо, — согласился он.

Я снова вздохнула:

— Но сейчас вы меня поставили в неловкое положение. У меня есть значок, но ордера на тигров нет, и они имеют право меня не пустить, хоть десять значков у меня будь.

— Верно, — кивнул он.

И тут у меня возникла мысль. Отличная мысль, почти радостная мысль.

— Выполнение этого ордера не позволит нам навестить тигров

— Нет, — согласился Хупер.

— Это значит, что мне придется добиваться своего обаянием, а не размахивать значком. То есть я туда пойду *не как маршал США*.

— Что это значит? — спросил Паук.

— Значит, что как подруга мастера города Сент-Луиса, я могу попросить аудиенции у жены Макса и, вероятно, ее получить.

— На каком основании? — спросил Хупер.

— На том основании, что жена Макса, Вивиана, будет ожидать моего визита до отъезда из города. Долг вежливости, пренебрежение которым было бы смертельным оскорблением. Хочу ли я оскорблять Чанг местного клана тигров?

— Я думаю, нет, — сказал Хупер, внимательно глядя мне в лицо.

— Без ордера ты можешь задавать вопросы, но не охотиться, — напомнил Паук.

— Ребята, не сомневайтесь, я отнюдь не хочу бросать перчатку Максу и его команде. Я думаю, если это кто-то из их тигров, они будут рады нам помочь раскрыть дело — они монстры современные. Убивать копов — это очень вредно для бизнеса.

Хупер уже доставал сотовый телефон:

— Сейчас всех подгоним к дому Макса, — сказал он.

— Хупер, если мы не можем этого сделать как маршалы США и мне приходится забегать на чашку кофе как подруге мастера чужого города, то уж точно я не могу тащить с собой тактическую штурмовую группу. Без ордера вас там на порог не пустят. Блин, да я буду рада, если туда пропустят меня с Тедом.

— И со мной, — добавил Олаф.

— И меня, и меня! — тянул руку Бернардо. И посмотрел на меня таким несчастным взглядом, что я задумалась, где же я что не так сделала. Но сейчас мне было не до того. Потом подумаю. Или не стану.

— Тед? — сказала я с вопросительной интонацией.

— Мне было бы спокойнее, если бы все маршалы могли войти, но я не знаю, как к этому отнесутся тигры.

— Честно говоря, я не знаю, как бы себя чувствовала, если бы шла одна.

Сказала и тут же пожалела. Во-первых, прозвучало как слабость, во-вторых, непонятно, как объяснить мои истинные причины нервозности возле тигров в присутствии Шоу.

Оперативники повернулись ко мне с серьезными лицами.

— Мы слыхали о нападении тигров в Сент-Луисе, — сказал Хупер.

Я поняла: он это воспринял как причину моего качания головой. Я ухватилась за подвернувшуюся возможность.

— Ага. Когда какой-то зверь тебя порежет, в присутствии этой породы начинаешь жаться.

— Мы пойдем с тобой, Анита.

— Ни в коем случае охрана Макса не даст мне взять вас с собой внутрь дома в обычном светском визите. Извините, ребята, но в вас слишком много СВАТовского.

Я даже не очень поняла, был ли в моих словах смысл, но они выслушали и вроде бы поняли.

— Я все равно поеду вперед. Мы подождем вас на парковке. Дайте сигнал, если будете в опасности — тогда мы имеем право войти и спасти вашу шкуру.

— Хупер, ты стандартные пункты ордера прочел?

Губы Хупера сложились в тонкую неприятную улыбку — вроде той, что бывает у меня и у Теда. Не очень приятно, когда на тебя направят такой взгляд, но он и не направил его на меня. Он думал о тех, кто убил его друга.

— Сонни меня зовут, Анита. Прочел. Вы, то есть маршалы, имеете право использовать любую силу вплоть до смертоносной включительно, если вы сочтете, что вы или какие-либо гражданские лица подверглись неминуемой смертельной опасности. Далее, любым сотрудникам полиции, сопровождающим вас или находящимся в резерве, разрешается использовать любую силу, чтобы защитить жизнь вашу или вышеуказанных гражданских лиц.

Я кивнула.

— Последнее добавили, когда погибли двое охотников на вампиров Полицейские, их сопровождавшие, спасли себя и людей-заложников, но попали под суд. Их оправдали, но шум был.

— Это одна из причин, по которым приняли Акт, — кивнул Хупер, то есть Сонни.

— Да, и если на нас нападут, то мы вполне чисты перед законом, потому что тогда мы укажем связь погибшего ликантропа с дикарем из нашего ордена. Сонни, черт побери, это же Невада! У вас до сих пор есть закон об опасных животных.

— Я бы не хотел цитировать закон об опасных животных, если нам придется перестрелять всю семью Макса.

— Я тоже, но если они нападут первыми, мы тогда не нарушим ни одного закона.

— А правда, что ты никогда даже не попадала на слушания, когда тебе случалось кого-нибудь застрелить? — спросил Паук.

— Бумаг стало больше теперь, когда мы — федеральные сотрудники, но нет. Ни юристов, ни слушаний, ничего не было. Потому что если нас по рукам и ногам свяжут законами, монстров кто убивать будет?

— Так что на самом деле, — сказал он, — исключение тигров из списка не гарантирует им безопасности, если они начнут с вами драку?

— Реально — нет, — ответила я.

— Если они начнут драку, мы поможем ее закончить, — сказал Сонни, — но только, ребята, чтобы наверняка начали они. Потому что вы с вашими федеральными значками из тюрьмы выйдете, а нам здесь жить.

— Даю тебе слово: если полыхнет, это будет значить, что начали не мы.

Он посмотрел мне в лицо — оба они, а потом Сонни кивнул, будто что-то решил. И протянул мне руку. Я ее взяла.

— Заметано.

Мы пожали друг другу руки, и Сонни достаточно старый и достаточно мужик, чтобы это рукопожатие значило больше, чем могло бы для, скажем, Паука или Бернардо. А может, весь вегасский СВАТ такой. Твое слово что-то значит, и ты все равно можешь вверить свою жизнь чьему-то решению простым рукопожатием. Осталось с тех времен, как слова «верность» и «честь» еще что-то значили. То, что они еще для меня сейчас что-то значат, это просто класс.

Глава двадцать пятая

Пока Эдуард вез нас от офиса коронера через безликий промышленно-деловой район, где неясно, в каком ты городе США, я сделала два телефонных звонка. Один — к Чанг-Виви, по персональной линии, которую Макс выделил для Жан-Клода. Сразу же после первого звонка ответил культурный женский голос.

— Чагн-Виви, это Анита Блейк...

— Мы рады вашему звонку, Анита Блейк, но я не Чанг-Виви. Меня зовут Ава, я помощница Чанг-Виви.

— Прошу прощения, я думала, это личный номер.

— Да, но, — она тихо засмеялась, — королевы сами к телефону не подходят.

Ага.

— Да, конечно, моя ошибка, — сказала я. — Сейчас я в Вегасе, и я хотела бы говорить с Вивианой.

— Нам известно о трагическом несчастье, постигшем нашу полицию. Вы звоните как официальный представитель полиции, маршал Блейк?

— Да, я бы хотела поговорить об этих убийствах с вами со всеми.

— Как официальный представитель полиции, маршал Блейк? — спросила она снова чуть менее любезно.

— Да, я в Вегасе как официальный представитель полиции.

— Есть у вас ордер, предписывающий нам впустить вас в наши жилые или рабочие помещения?

Очень неприятно мне было это говорить, но...

— Нет, у меня нет ордера.

— Так это светский визит? — куда более радостно спросила она.

— Да, от... подруги одного мастера подруге другого.

— В таком случае Чанг-Виви будет рада вас принять.

— Но мне нужно будет говорить с ней об убийствах. В неофициальном качестве.

— Вы оказываете нам любезность беседовать без протокола?

— Я стараюсь это сделать.

— Я объясню все это Чанг-Виви.

Сказано было так, будто Вивиана может не сразу понять эту концепцию.

— Благодарю вас, Ава.

— Не за что, Анита. Чанг-Виви приготовит вам встречу. Мы надеялись, что вы посетите нас, если выкроите время в вашей борьбе с преступностью.

— Какого рода встречу она приготовит? — спросила я, не до конца сумев скрыть подозрительность в голосе. Годы тесного общения с оборотнями научили меня, что в их сообществе бывают интересные идеи приветствия гостей.

Ава снова рассмеялась:

— Ну, не надо. Не просите меня испортить сюрприз.

— Я вообще-то не люблю сюрпризов, — сказала я.

— Но Чанг-Виви их любит, а вы приходите к ней в дом и просите ее помощи.

— Может быть, я ей хочу предложить помощь.

— Правда?

— Я могла бы прийти с ордером, но я прихожу без него.

— Вам не дали бы ордер на том основании, что вы учуяли тигра-оборотня, Анита.

В голосе совсем не осталось дружелюбия.

— У вас крот в департаменте, или шпион поближе к федеральным властям? — спросила я.

— Есть свои источники.

— Ладно, ордера мне не получить, но с тиграми мне все равно нужно поговорить.

— Наш клан этого не делал.

— Конечно, нет.

— Вы не верите в нашу невиновность.

— Я верю, что каждый в чем-нибудь да виновен. Экономит время.

Она снова рассмеялась:

— Я пойду помогу готовить прием. Полагаю, что вы придете одна, так как это светский визит подруги одного мастера к подруге другого.

В голосе отчетливо определялась слегка насмешливая интонация. Девушка веселилась на мой счет.

— На самом деле со мной будут несколько маршалов США.

— А вот это, Анита, не слишком дружественно.

— Мне при посещении мастера города разрешается иметь свиту. А отказ моей свите в доступе — это смертельное оскорбление.

— Хорошо, — одобрительно сказала Ава. — Вы умеете играть в эту игру. Некоторые из молодых жен, из людей, не понимают старых правил.

Я не стала корректировать насчет «жен». Если меня воспринимают как жену, то у меня статус повыше, и это не то чтобы я могла когда-нибудь «развестись» с Жан-Клодом. Вампирские метки связывают мастера и слугу куда как сильнее любого документа.

— Жан-Клод постарался, чтобы я могла вести себя с честью, если буду наносить визит Чанг-Вивиане.

— У скольких представителей вашей свиты есть значки и пистолеты?

— По правилам гостеприимства мне дозволена охрана.

— Не более двоих охранников в случае неожиданного визита. Если их больше, значит, у них другое назначение. С вами более двух телохранителей?

И снова я услышала смех в ее голосе. Но надо мной смеялись куда более крутые личности. И куда более страшные.

— Жан-Клод принадлежит к линии Белль Морт, так что мне дозволена с собой еда.

— Чанг-Виви с радостью предоставит вам все, что вам будет необходимо.

То ли мне показалось, то ли в самом деле она по этому поводу слегка злилась? Хм.

— Я благодарна за гостеприимство, и обязательно предоставлю себя щедрости Чанг еще до отъезда, но так как я не думала, что у меня посреди расследования убийства появится время сегодня вас посетить, я привезла с собой перекусить.

— Итак, у вас два охранника и один pomme de sang?

— Не pomme de sang, просто любовник.

— Говорят, что pomme de sang у вас вампир. Это правда?

Она имела в виду Лондона, который действительно вампир и принадлежит к ориентированной на секс линии Белль, но главный его талант — быть потрясающей закуской для носителя ardeur'а, вроде меня или Жан-Клода. Единственная хорошая сторона в этом была та, что Лондон от кормежки набирал силу, и она его не изматывала. Жаль, что он не слишком мне нравится. Хороший любовник и никакой бойфренд — если вы меня понимаете.

— Я еще никому официально не присвоила этот титул.

— Мы слышали, что присвоили, но сейчас, кажется, выяснилось, что это — леопард вашего зова. Натэниел, если я правильно помню?

Я не могла сдержать бьющийся пульс. Известно, что все мастера шпионят друг за другом, — да черт возьми, у Жан-Клода тоже своя сеть, но все равно: как-то это нервирует.

— Да.

Я надеялась, что не выдаю государственные тайны. В смысле, это же все хорошо известно? Ладно, черт с ним

— И у вас теперь сколько зверей зова, Анита?

Мне не нравилось направление, в котором свернул разговор. Не знаю, что тут общеизвестно, что выяснили их шпионы, или что действительно не следует им сообщать. Надо было вешать трубку.

— Я готова играть в двадцать вопросов с Чанг-Вивианой, но не с ее помощницей.

Грубо, но оказалось действенно.

— Сделайте милость, Анита. Приезжайте, поговорите с нашей королевой. Не сомневаюсь, что ее вопросы будут гораздо интереснее моих.

Она повесила трубку. Да, разозлилась здорово.

Я не могла извиниться — но, кажется, мы обе это переживем. Надеюсь, что не пожалею после о том, что вывела ее из себя.

Оторвавшись от телефона, я заметила, что мы уже больше не в Канзасе... или вот сейчас там окажемся.

Первым намеком на это были венчальные церкви, расположенные бок о бок с более обычными магазинами. Вид у них был усталый и скорее тоскливый, нежели романтичный. Впрочем, быть может, только я так восприняла. Я вообще от свадеб не в восторге.

Потом «Бонанза» — самый большой магазин подарков в мире. Здание, занимающее большую часть квартала. В такое место заезжаешь во время семейного отдыха. Большой пустырь и знак, на котором было написано «аница». Я так поняла, что это разрушили Границу. И большого ковбоя, которого во всех кино показывают, больше не было. Через дорогу высилась стройка здания «Вегас Хилтон» на другом пустыре.

— Вегас не сохраняет истории, — сказал Эдуард. — Он ее сносит и строит на развалинах.

— Сколько раз ты здесь бывал? — спросила я.

— Как маршал — только однажды.

— А по другим делам?

— А это не твое дело.

Я знала, что иной информации по данному вопросу не будет, и потому не стала дальше спрашивать.

«Цирк» возвышался справа, и выглядел на ярком солнце несколько усталым, как затянувшийся карнавал. Через улицу от него стояла «Ривьера», потом еще пустырь, где уже что-то снесли. Рядом висела вывеска «Анкор», но самого заведения пока не было. Нечто с названием «Винн», слишком высокое и современное для Вегаса, хотя перед ним стоял здоровенный биллборд, где анимационный человечек выталкивал на экран слова. Рекламировался этот самый «Винн». Вдруг стали возникать сверкающие биллборды на каждом шагу — или так казалось. Они и днем привлекали взгляд, интересно, как это будет ночью. Странный набор фигур на той стороне улицы оказался витриной показа мод. Само здание было уродливым — я бы поостереглась устраивать в нем такое заведение. В изобилии встречались казино: слева «Палаццо» венецианской элегантности, справа через улицу «Остров сокровищ» с большим пиратским кораблем на вывеске, «Казино Ройяль», «Харраз», напротив них «Мираж» и «Дворец Цезаря». Большой «Цезарь» смотрелся как имение. «Белладжио» тоже выглядел изящно, когда мы его проезжали, напротив него «Париж», снабженный уменьшенным вариантом Эйфелевой башни и большим фальшивым монгольфьером, который все же был карликом по сравнению с башней, хотя она и меньше настоящей. Большое строение с вывеской «Сити-Центр», дальше «Монте-Карло», несколько полинявшее, потом «Нью-Йорк, Нью-Йорк» с миниатюрной линией манхэттеновского горизонта, поднимающегося над маленькими магазинами и ресторанами. Через улицу — «МГМ Гранд», тоже несколько потрепанного вида. Рядом с ним «Тропикана», чуть дальше «Эскалибур». Эдуарду пришлось притормозить у светофора, и я успела прочесть, что в «Эскалибуре» идут три программы: «Рыцарский турнир» с латами и поединками, комическое представление Лу Андерсона и «Гром из преисподней» — мужской стриптиз. Очевидно, дети шли смотреть рыцарей, папы — комедию, а мамочкам доставалось вкусненькое. Весьма разумная организация, в отличие от ориентированных на девиц программ, принятых в большинстве заведений. Хотя было много и юмористических представлений, и «Цирк дю солей» выступал в большем количестве программ и на большем количестве площадок, чем кто бы то ни было другой. Дальше стоял «Луксор» с большой пирамидой и Сфинксом, через улицу — липовый Египет и не менее липовая Индия. «Новый Тадж», принадлежащий Максу, был отелем, казино и курортом. Здание было построено в подобие Тадж-Махала, но в роскошном ландшафте, имитирующем джунгли, имелись белые каменные скульптуры зверей. Обезьяны и слоны, птицы, которых я в белом цвете не узнала, но среди прочих было множество лежащих и гуляющих тигров. Статуи их были настолько живыми, что настораживали. Я так понимаю, что их делали с живых моделей.

По билборду перед «Таджем» бежали слова и картинки, обещающие магическое зрелище с живыми зверями и два ревю. Одно — мясистые мужики, и одно лицо я узнала, хотя, слава богу, остальные его части были скрыты за чужими фигурами. А второе шоу — сплошь девушки. Макс тоже старался охватить максимальную аудиторию.

Эдуард не стал заезжать на круговую дорожку, а проехал мимо, на дорогу поменьше и не столь пейзажную. Я увидела знаки, обещавшие закрытую парковку. Очевидно, нас встретят и поставят.

— При первой встрече этот город либо оттолкнет тебя кричащей пошлостью, либо покорит своей прелестью, — сказал Эдуард. — Серединки на половинку почти не бывает.

Я поняла, что он до сих пор молчал, не мешая мне любоваться.

— Как сумасшедший Диснейленд для взрослых, — кивнула я.

— Вряд ли ты его возненавидишь, — сказал Эдуард.

— Не зря его зовут Городом Греха, — добавил Бернардо.

Я повернулась к нему. Эдуард заезжал под крышу закрытой парковки.

— Ты здесь тоже бывал?

— Да, но не по делам.

Я подумала, стоит ли его спрашивать зачем и понравится ли мне ответ, но меня опередил Эдуард:

— Судя по всему, тебе уже случалось представлять Жан-Клода.

— Впервые я это делаю с такой малой поддержкой из дома.

В парковочных гаражах мне всегда потолок кажется низким, когда я сижу во внедорожнике.

— Кто будет изображать твоего любовника? — спросил Олаф.

Надо было знать, что он задаст этот вопрос.

—Ты недостаточно хорошо вел себя в офисе коронера. Я не верю, что ты сможешь сыграть эту роль так, как мне нужно.

—Скажи, что тебе нужно, — ответил он.

Я посмотрела на Эдуарда, но у него глаза были закрыты солнечными очками, и он в мою сторону не смотрел. Хотела я обозвать его трусом, но дело было тут не в том. Скорее всего он тоже не понимал, что делать в этой ситуации с Олафом. Когда у Эдуарда не хватает вариантов взаимодействия с товарищами по играм — серийными убийцами, хорошего в этом мало.

—Потом обсудим, — сказала я и набрала второй из двух номеров в Вегасе, которые вбила в свой телефон. Лицо мужчины, которого я узнала на билборде.

Глава двадцать шестая

Криспин ответил со второго звонка. Голос у него был слегка заспанный, но счастливый. Работает он по ночам, и график сна и бодрствования у него похож на мой.

—Анита!

Это слово прозвучало куда счастливее, чем следовало бы.

—А как ты узнал, что это я?

—Я на тебя рингтоном поставил песню, так что узнал сразу.

Слышен был шорох простыней — это он повернулся.

Неужели только я не умею программировать этот проклятый телефон?

—Я сейчас заезжаю на парковку в «Новом Тадже»

Простыни зашуршали сильнее.

—Прямо вот сейчас?

—Да, надо было позвонить тебе раньше, прости Меня красивые огонечки отвлекли.

—Вот блин.

Из телефона послышались еще какие-то звуки

—Ты встревожен, — сказала я. — В чем дело?

—Чанг-Виви — моя королева, но я — тигр твоего зова.

—Мне опять за это извиниться?

Снова шумы — я сообразила, что это он одевается.

—Нет, я бы предпочел, чтобы ты мне разрешила переехать к тебе, или хотя бы в Сент-Луис. Но об этом как-нибудь в другой раз.

—Ты какой-то встрепанный, Криспин. Что случилось?

Эдуард заехал на стоянку, и мимо нас, ища место, проехал Хупер.

—Скажем так: есть гости, с которыми Чанг-Виви хочет тебя познакомить, и тебе может захотеться, чтобы я был под рукой.

—Криспин, не заставляй меня задавать вопросы.

—Другие тигры нашего клана, Анита. Они хотят знать, не можешь ли ты пробудить силу и в них.

—Я приехала не ardeur кормить, Криспин, а поговорить насчет убийств.

—Если бы Макс был на ногах, то об этом бы и шел разговор. Для него дело прежде всего. А Чанг-Виви сперва может думать о тиграх, потом уже о деле.

—Ты хочешь сказать, что она и вправду желает... уложить меня с кем-нибудь из тигров, и только потом говорить о деле?

Телефон упал, обо что-то ударился — я отвела свой от уха. Криспин вернулся:

—Извини, Анита, телефон уронил. Встречу тебя в казино внизу до того, как ты с кем-нибудь увидишься.

—В этом случае не усомнится ли Вивиана в твоей лояльности?

—Может быть. Но я не хочу, чтобы ты знакомилась с новыми тиграми в мое отсутствие.

—Ревнуешь? — спросила я, хотя это могло быть лишним.

—Да, — ответил он.

Криспин — он такой. В игры не играет. Если что-то чувствует, то говорит прямо. Поэтому с ним иногда бывает очень неудобно.

— Мне опять извиняться? — спросила я далеко не любезным голосом.

— Не хочешь знать правду — не спрашивай, — ответил он, и тоже не слишком довольным тоном.

Когда мы встретились впервые, мне показалось, что Криспин — душа простая: секс да еда. Теперь я знаю, что это не так. Похоже, мне не привлечь к себе мужчину, с которым не было бы в чем-то трудно.

— Ты прав: не хотела слышать правду — не надо было спрашивать. Извини.

Несколько секунд он помолчал, потом ответил:

— Извинения приняты.

— Анита, закругляйся. Надо поговорить перед входом туда, — сказал Эдуард.

Он выключил мотор, и мы сидели, слушая шум затихающего кондиционера.

— Извини, Криспин, мне пора, — сказала я в телефон.

— Увидимся внизу у казино.

— Тебе не устроят потом разборку в клане?

— Наплевать, — ответил он и повесил трубку.

Ему еле-еле исполнился двадцать один год, а выглядит он обычно еще моложе. Вот как сейчас, например. Я знаю, что могут устроить оборотни члену своей группы, если он не слушается приказов. Сейчас Криспину наплевать, но тигры могут ему слюны поубавить. Так, что вообще плевать больше не придется.

— Криспин встретит нас в казино у лестницы. Он говорит, что Чанг-Виви может попытаться меня связать с новыми тиграми до того, как согласится говорить про убийства.

— Связать — это означает секс? — спросил Бернардо с заднего сиденья.

— Напитать от них ardeur, — ответила я.

— Это означает секс с ними, — сказал Олаф, будто снимая все неясности.

— Я умею питаться без сношения, — буркнула я недовольным, очень недовольным голосом.

— Приятно знать, — отозвался Эдуард куда более довольным голосом, чем у меня.

— Ты нам говорила, что тигры могут захотеть, чтобы ты от
них питалась, но не говорила, что это будет до разговора с нами, — сказал Бернардо.

— Сама не знала.

— Это значит, что нам придется смотреть, как ты с кем-
нибудь из тигров занимаешься сексом? — спросил Олаф.

Я попыталась не передернуться.

— Нет, если мне удастся от этого отвертеться. Тигры при-
дают большое значение верности, браку и так далее. Я надеюсь,
что если кто-то из вас сыграет роль моего любовника, то Вивиана согласится, что занятие этим делом с одним из ее тигров
можно будет считать изменой. Поэтому мне нужно, чтобы
туда со мной вы пошли все трое. Двое как охранники, один —
как пища.

Послышался звук — и вдруг Олаф навис сзади над моим
сиденьем. Меня ростом не напугаешь, но эти руки по бокам
сиденья, будто готовые меня прижать.

— Олаф, сядь. Без рук.

— Если я должен изображать любовника, то прикасаться
придется.

— Именно поэтому ты и не будешь.

— Не понял.

— Охотно верю. Кстати, это тоже причина, по которой ты
будешь охраной, а не пищей.

— Я опять тебя напугал? — спросил он

— Заставил нервничать.

— Что ты любишь делать на свидании?

Я развернулась на сиденье к нему лицом

— Че-го?

— Что ты любишь делать на свидании? — повторил он,
глядя мне в глаза с совершенно непроницаемым лицом.

По крайней мере сейчас он полностью владел своим лицом, если не сказать, что фактор непривычности для меня не
уменьшился Можно даже сказать, наблюдался некоторый
его рост

— Ответь на вопрос, Анита, — сказал Эдуард спокойным голосом.

— Не знаю. Кино посмотреть, поужинать, поговорить.

— Что ты делаешь с... Эдуардом?

— Охотимся на злодеев и убиваем чудовищ.

— И это все?

— Ходим стрелять. Он мне показывает оружие помощнее и пострашнее.

— И?

Я нахмурилась.

— Что ты хочешь от меня услышать... Отто?

— Что ты делаешь с Тедом на свидании?

— У нас не бывает свиданий с Тедом. — Про себя я подумала: «Это было бы как свидание с родным братом», но мы надеялись, что мысль, будто Эдуард относится ко мне не столь братски, заставит Олафа сдать назад. Так что же мне сказать? — Он с Донной, у них дети, а я с занятыми мужчинами романы не кручу. Это против правил.

— Весьма достойное поведение для женщины, — сказал он.

— Это еще что значит? Я полно знаю мужчин, которые тоже этого правила не придерживаются. Сволочи бывают обоих полов.

Он посмотрел на меня долгим взглядом, наконец моргнул и отвернулся. Кивнул.

— Вот у Бернардо таких правил нет.

— Я догадалась.

— Я вообще-то здесь сижу, — напомнил Бернардо.

— Его беспокоит, что ты его не предпочла, — сказал Олаф.

— Мы с Бернардо этот вопрос обсудили и утрясли.

— А что значит это? — спросил он.

— Значит, что Анита признала меня привлекательным, и мое самолюбие не пострадало.

Олаф посмотрел на него, потом на меня, нахмурясь:

— Не понял.

— У нас на это времени нет, — со вздохом сказал Эдуард. — Кто какую роль играть будет?

—Кого бы я ни выбрала в любовники, он должен будет только держаться со мной за ручки. Это чтобы убедить Вивиану: предлагать мне ее тигров — бестактно.

—Значит, не Олаф, — заключил Эдуард.

—И не ты, — ответила я.

—Я тебя пугаю, понятно, — сказал Олаф. — А Тед почему не годится?

—Хорошая игра заставляет вживаться в роль, и у меня было бы ненужное чувство, когда я навестила бы его семью

Вот это была правда.

Бернардо, улыбаясь, наклонился вперед:

—Значит, счастье выпадает мне?

Я посмотрела на него хмуро:

—Я тебе даю второй шанс сыграть моего бойфренда Не заставь меня об этом пожалеть.

—Ладно, в прошлый раз не тебе пришлось раздеваться под дулом пистолета.

Это он сказал совершенно серьезно не чтобы меня подразнить.

—Кому и зачем надо было, чтобы ты разделся? — спросил Олаф.

—Они задали хитрый вопрос чтобы проверить, действительно ли он мой любовник.

—Какой вопрос?

—Спросили, обрезан я или нет, — ответил Бернардо и сейчас некая игривость в его голосе имелась. — Потом проверяли ее ответ.

—И как? — спросил Эдуард.

—Ответила правильно.

—Откуда ты знала? — спросил Олаф, и с неподдельной возмущенной интонацией.

Я расстегнула привязной ремень.

—Слушай, перестань сейчас же. Ты еще не заработал право на ревность или обиду

Олаф глянул на меня неприветливо

—Сонни и Паук видят, как мы спорим, — напомнил Олаф

Я забыла про двух полисменов, что ехали за нами. Это даже не небрежность, для этого нет названия.

— Ладно, хорошо, только я всерьез говорю, Олаф. Польщена, что ты пытаешься за мной ухаживать, как нормальный мужик, только нормальный мужик не станет ревновать еще даже до первого поцелуя.

— Неправда, — сказали в один голос Эдуард и Бернардо.

— Как? — переспросила я.

Они переглянулись, потом Эдуард сказал:

— Я втрескался когда-то в одну девицу, всерьез и впервые. Никогда ее не целовал, даже не держал за руку, но ревновал ко всем, кто оказывался рядом.

Я попыталась себе представить молодого робкого Эдуарда — и не смогла. Но приятно было знать, что когда-то и он был мальчишкой а то иногда казалось, что Эдуард вышел какой есть из головы какого-то гневного божества, Палладой зла.

— Мне случалось ревновать женщин, у которых были романы с моими друзьями. На территории друзей не браконьерствуешь, но иногда завидно смотреть, как им хорошо вместе, — вставил Бернардо.

— Мы с Анитой думали, что ты готов браконьерствовать, — сказал Олаф.

— Ну, если я люблю женщин, это еще не значит, что у меня принципов нет. Серьезных подруг моих друзей я не трогаю. И жен тех, кто мне нравится.

— Приятно слышать, что у тебя есть принципы.

Я постаралась вложить в эту фразу побольше язвительности, и мне удалось.

— Не помнишь, — спросил Бернардо, — что там за поговорка насчет стеклянного дома?

— Я чужих мужей не трогаю.

— А я вампирш, — ответил он.

Очко в его пользу. Но вслух я сказала:

— Ты даже не знаешь, чего лишаешься.

— Я не хотел бы спать с женщиной, которая меня может заворожить взглядом. Надо все время помнить, чтобы в глаза не глядеть

—Так что дело не в смертности, а в практичности?

—Да, и проблема с влажностью.

—Ты о чем?

—О том, что они мертвы, Анита, а у мертвых смазка не выделяется.

—Стоп. Прекратили, а то я сейчас себе это представлю. — И добавила, не успев подумать: — Для тех вампирш, кого я знаю, это не так.

Сведения у меня были из воспоминаний Жан-Клода и Ашера, которыми они со мной поделились метафизически. И от Белль, которая сама приходила в мои сны.

—А откуда ты знаешь, что твоим знакомым вампиршам не была нужна смазка? — спросил он.

Я попыталась найти ответ, который не вызовет дополнительных вопросов, и не смогла.

—Краснеешь.

Олаф это сказал не слишком довольным голосом.

—Ой. Это значит, картинки, которые мне представились, верны? — А вот у Бернардо голос был просто счастливый. И сам он улыбался от уха до уха.

Эдуард внимательно посмотрел на меня поверх приспущенных очков.

—До меня не доходили слухи о тебе и о вампиршах.

—Давайте вы все подождете снаружи, а я одна с тиграми поговорю.

Я вышла из машины в полумрак парковочного гаража.

Сонни и Паук вышли из своей машины, но с меня уже хватило разговоров с мужчинами. Я захлопнула дверь и пошла к табличке с надписью «Лифт», услышав звуки открывающихся и закрывающихся дверей. Если дойду туда первой, то в казино поднимусь без них. Пусть это и глупо, но мысль о том, как двери закроются перед носом у Эдуарда, доставила мне мелочное удовлетворение. Может быть, он понял, что хватит уже меня дразнить, потому что прибавил шагу и догнал меня перед лифтом.

—Подниматься туда одной — это надо быть дурой. Ты не дура.

Слышно было, что он разозлился.

— Мне надоело все время объясняться и оправдываться.

— Я послал Бернардо и Олафа поговорить с ребятами из СВАТ, так что можешь говорить только со мной. Есть еще что-нибудь, что я должен знать?

— Нет.

— Врешь.

Я посмотрела на него недобро:

— Я думала, это только Тед фантазировал насчет лесбиянок.

— Ты — слуга Жан-Клода, Анита. Насколько тесно связаны вы метафизически?

Вот так. Он угадал, что именно я не хотела им рассказывать.

— Никогда я не был в Сент-Луисе, — сказал Бернардо прямо у нас за спиной. — Что там за вампирши у Жан-Клода?

— Они не настолько любят Аниту, чтобы с ней спать, — ответил ему Олаф.

Двери открылись. Я сказала:

— Еще одно слово на эту тему — и я еду в лифте одна.

— Нежные какие, — ответил Бернардо.

— Прекратите, — велел Эдуард. — Оба.

Они прекратили, и мы все вошли в лифт. Бернардо про себя улыбался, Олаф открыто хмурился. Лицо Эдуарда было непроницаемо. Я прислонилась к стенке и постаралась найти выражение лица, которое бы не ухудшило ситуацию. Что мне лучше: чтобы они думали, будто я сплю с женщинами, или чтобы знали, что переживаю воспоминания вампиров? Первое, конечно. И еще лучше было бы, если бы и Эдуард в это поверил.

Глава двадцать седьмая

Олаф хотел надеть сверху свою кожанку, но Эдуард раздал всем нам темные ветровки с надписью «Маршал США».

— Если это частный визит, не поймут ли нас неправильно? — спросил Бернардо.

— Новый закон почти не оставляет нам возможностей сойти за гражданских, — ответил Эдуард. — Мы не можем войти в казино с таким количеством оружия, не показав значка. Иначе, когда нас увидят на мониторах охраны, очень забеспокоятся.

С этим мы не могли спорить. За несколько минут мы сумели натянуть ветровки поверх одежды так, что оружия было почти не видно. Я твердо решила больше никогда свою голубую шикарную ветровку уже не забывать. Про оружие и значок я помню, а все остальное забываю то и дело. Олаф в своей кожаной куртке сумел спрятать все.

— Под этой курткой ничего не видно.

— Не любишь ходить со значком, здоровый мужик? — спросил Бернардо, накидывая ветровку на все свои стволы.

— В этом есть хорошие стороны, но сама куртка мне не нравится.

Мне пришлось снять рюкзак, сдвинуть «МП-5» на перевязи так, чтобы он оказался под курткой, и надеть рюкзак снова. А то «МП-5» мог бы сильно переполошить обычных посетителей и охрану казино.

Эдуард сменил свой собственный «МП-5 Хеклер и Кох» на новый «ФН П-90». Вид у этой штуки был очень научно-фантастический, но Эдуард божился, что стоит мне из него выстрелить, я тут же сменю на него свой старый «МП-5». То же самое он говорил про «мини-узи», который был моим рабочим стволом до «МП-5», так что я не спорю. Эдуард про огнестрельное оружие знает больше, чем я буду знать, сколько бы ни прожила.

Мы вышли из лифта в казино. Ярко убранный зал, но странно элегантный в своей кричащей роскоши. Продолжалась индийская тема, статуй животных и нарисованных растений на стенах стало больше, под лампами полного спектра грелись растения настоящие, и создавалась иллюзия солнечного света, пробивающегося сквозь листву джунглей. Стояли игральные автоматы — шеренга за шеренгой, за ними столы для блэкджека, дальше катались кости, и повсюду народ. Шума меньше, чем можно было бы ожидать, но все равно зал был полон движения, энергии людей, вырвавшихся в отпуск и старающихся использовать каждую его минуту, будто чтобы возместить себе долгий год работы.

Эдуард покачал головой, нагнувшись ко мне, чтобы я его расслышала за шумом:

— Слишком открыто, и при этом одновременно — слишком много мест, где можно спрятаться. Для работы телохранителя казино — очень неудобное место.

Я оглядела толпу народа, игральные автоматы, отметила шум, игру цветов. Так много было на что смотреть, что трудно было что-то по-настоящему «увидеть».

Бернардо и Олаф будто приняли от Эдуарда какой-то сигнал — вдруг включились в режим повышенного внимания. Я подумала, глядя на нас, что любой полисмен или грамотный охранник в мгновение ока отличит нас от туристов. Дело не в стволах и не в надписи на куртке «Маршал США». Дело в той странной метаморфозе, на которую способны копы. Вот только что он с тобой зубоскалил, а в следующую секунду щелкнул тумблер — и перед тобой коп, настороженный и бдительный, и никакие гражданские шмотки этого не скроют. Вот это и произошло с нами со всеми. Прячь оружие или не прячь, а если бы я командовала охраной, она бы сейчас вся устремилась к нам.

Я не видела, чего тут можно испугаться. Что насторожило Эдуарда?

Чуть сдвинувшись, я заглянула в его светло-голубые глаза. Внимательно всмотрелась в лицо. Оно было серьезно. Таким серьезным я его еще не видела.

Я подалась к нему, он чуть нагнулся, потому что иначе мне до его уха было бы не достать.

— Никогда тебя таким не видела, Эдуард. Только когда в нас стреляли.

— Просто в таких местах затруднена работа телохранителя.

Я положила руку ему на рукав, чтобы удержать равновесие — мы сдвинулись слишком близко. Он обнял меня одной рукой, что с виду казалось интимнее, чем было. Мне это напомнило, что мы еще пока не решили, что делать с Олафом. Ох, еще одна проблема.

—Я тебе не тело, которое надо хранить, Тед. Я такой же охотник на вампиров, как и ты.

Я смотрела ему в глаза, и они были слишком близко. На расстоянии поцелуя, но в его лице, в его глазах никаких намеков на поцелуй и близко не было. А было нечто, отчего я испугалась.

—Слишком многое может случиться, Анита, а в таком месте очень трудно кого-то защищать.

С этим я не могла спорить и просто кивнула.

Он положил ладонь мне на затылок и поцеловал в лоб. Сделал он это для Олафа, но именно за этим занятием нас застали вошедшие тигры.

Лучше не придумаешь.

Глава двадцать восьмая

Я их ощутила как ветер по коже — покалывающее дыхание энергии, от которого мурашки побежали, и я вздрогнула в руках Эдуарда. Любой другой мужчина отнес бы эту дрожь на свой счет, но Эдуард осмотрелся. Он понял, что я что-то учуяла.

От его реакции встрепенулись Олаф и Бернардо. Рука Олафа застыла у края куртки, едва прикрывающей один из пистолетов. Мы все переключились в тот самый коповский режим.

Мы с Эдуардом отодвинулись друг от друга — дали себе место, чтобы достать оружие, если надо будет. И чтобы друг другу не мешать. Точно так же поступили Бернардо и Олаф. Без единого слова, даже не переглянувшись, мы взяли на себя каждый свой сектор обзора. С моей позиции были видны идущие к нам тигры, но работать мы все умели. Пусть у меня сложности с Олафом или даже с Бернардо, но приятно работать с людьми, знающими, что и как делать. Мы поделили между собой зал уже не как копы, а как солдаты. И даже не так: как люди, привыкшие стрелять первыми. Потому что мы не настоящие копы. Те спасают жизнь — мы ее отнимаем. Четыре истребителя — с ними лучше не оказаться случайно в одном помещении.

Следом за группой шли двое вооруженных охранников в форме, но я не особенно их разглядывала. Не пистолеты меня волновали — здесь я полагалась на Эдуарда. Впереди шла женщина с рыжими волосами и, как полагается при них, бледной кожей. Поближе стала видна россыпь веснушек под тоновым гримом. Глаза у нее были карие и с виду человеческие. Вообще она просто излучала человечность и добрую волю. А двое мужчин по бокам от нее даже сил не тратили, чтобы сойти за людей.

Оба высокие, около шести футов. Тот, что слева, на дюйм или два повыше другого, белые волосы, очень коротко остриженные. Глаза ледяные, синие, не человеческие. У белых тигров глаза голубые, и у мужчины передо мной смотрели с человеческого лица те глаза, которые у него бывают в животной форме. У оборотня любого другого вида это было бы наказание — слишком долгое и слишком частое пребывание в образе зверя, но у тигров это показывает чистоту крови. С такими глазами они рождаются.

Мужчина справа был чуть пониже шести футов, волосы вьющиеся, кудри частью белые, частью черные. Глаза — сверкающе оранжевые, будто он таращится на огонь.

Женщина протянула руку:

— Я — Ава, а вы, как я понимаю, Анита?

Она улыбнулась, как будто просто встречает группу бизнесменов, прибывшую с деловым визитом. Я автоматически взяла ее руку.

Между нами электрической искрой проскочила энергия. У женщины округлились глаза, рот тоже приоткрылся в удивлении. Я убрала руку, подавив желание вытереть ее об штаны, чтобы унять ощущение бегающих по ладони насекомых. Нельзя, чтобы видели, как ты дрогнешь. Пусть у нас светский визит, но вопрос силы и власти это не снимает. Это была более опасная версия того, что было с практиционерами СВАТ. Там самое худшее, что могло быть — напугали бы, но физического вреда не причинили бы. Здесь я не была так уверена.

Ава свою руку о платье вытерла.

— Я не предполагала, что в меня начнут впихивать силу просто для проверки возможности, — сказала я тихо.

— Я выполняю приказ, Анита, — ответила она.

— И в чем же именно состоит приказ? — спросила я.

Она будто не слышала вопроса и ответила на совсем другой:

— Это Домино, а это Родрик.

Домино — наверное, за цвет волос так назвали. Он мне кивнул, я кивнула в ответ. Блондин улыбнулся:

— Рик. Лучше просто Рик.

Я кивнула и ответила улыбкой, только поменьше. За выбор имени я ему пенять не могла.

— Пусть будет Рик.

И тут я почувствовала что-то еще, что-то большее. Это был Криспин, и он был на взводе. Мне стоило труда не отвести взгляд от тигров-охранников, потому что именно ими и были тигры, сопровождавшие Аву. Может, не профессионалами, но вид у них был как у ребят, с которыми драться не хочется. Разве что очень надо. Я уже много лет подряд в любом конфликте — самая хилая, и потому умею оценивать потенциал. У этих он был, и не только к хорошему. Но сейчас стоило усилий не отводить взгляда от опасной зоны, реальных усилий — не искать в толпе Криспина. Он — тигр моего зова, а это значит, что иногда я могу ощущать его эмоции. Он был расстроен, разозлен, испуган и нервозен — в общем, просто не в себе.

Но как я ощущала его заведенность, так же точно чувствовала его приближение. Я очень старалась не выпускать из виду стоящих передо мной тигров, но они поняли по языку моих жестов, может быть, даже запах у меня изменился. И я не могла не подобраться, потому что, как ни старалась сохранять спокойствие, все же заразилась волнением Криспина. А оборотни, особенно обученные, они как суперкопы. От них мало чего можно скрыть.

— Что случилось? — тихо спросил Эдуард.

— У них спроси, — ответила я.

Рик уже не улыбался, и даже Ава перестала сиять. Но вслух сказал Домино:

— Ему было велено подняться наверх и ждать нас там.

— У него небольшой конфликт интересов, — заметила я.

— Нельзя служить двум мастерам, — сказала Ава, стараясь изобразить успокаивающую интонацию, но напряжение ощущалось, будто эмоции Криспина проникали не только в меня, но и в них.

— У кого там конфликт? — спросил Бернардо.

— У Криспина, — ответила я, и он, будто имя его вызвало, появился перед нами. Пробираясь через толпу людей слишком быстрыми, слишком ловкими движениями, будто он — вода, а толпа — камни, по которым он переливается и скользит, но слово «скользит» подразумевает изящество и небрежность — а в его движениях небрежности и близко не было. Быстро, почти как в танце, но слишком резко для грациозности. Что с ним?

Тигры тоже его почуяли, потому что Домино к нему повернулся. Запах они уловили — или эмоции? Рик не сводил глаз с нас, но плечи у него напряглись, вся его поза кричала, что он хочет обернуться к Криспину. Рик считал, что оборотень — большая опасность, чем люди. В обычных условиях это было бы правдой.

Криспин был одет в футболку такую же светло-голубую, как его глаза. Еще на нем были джинсы и не было туфель — он такой мелочью не стал заморачиваться. Оборотень, дай ему волю, вообще предпочел бы ходить без одежды.

Он протянул ко мне руку. Я шагнула вперед, сама не собираясь этого делать, и между нами встал Домино. У меня из глотки вырвался звук, которого я тоже не собиралась издавать: я зарычала. Рык заклокотал в горле, поднялся вверх, вырвался из зубов и губ, задрожал на языке, как ощущение вкуса. В себе я увидела белых тигриц, и мы смотрели на Криспина, и он был наш. А между нами и нашим лучше не становиться.

Я почувствовала, как шевельнулись по бокам от меня Бернардо и Олаф, будто не очень понимали, что делать. А Эдуард — это Эдуард, он не пошевелился. Я знала, что он поддержит мою игру, в чем бы она ни состояла.

Домино на меня посмотрел оранжевыми злыми глазами:

— Ты мне не королева. Пока что.

— Отойди с дороги, — сказала я, и в голосе слышалось рычание, свойственное оборотням. С виду я вполне была человеком, но звук из глотки доносился далеко не человеческий.

Ава положила Домино руку на плечо:

— От нее пахнет тигром.

Он стряхнул с себя ее руку:

— И ты мне тоже не королева.

— Не устраивай сцен, — сказал ему Рик. — Вивиана об этом говорила ясно.

— Она не имеет права мной командовать.

Я не поняла, про меня это или про Аву.

Криспин попытался еще раз обойти их, Домино потянулся его схватить, но Криспина уже там не было, куда он тянулся. Пусть он не профессиональный боец, но реакция у него как у кота. И кота, который побыстрее Домино.

Тот шагнул было вперед с радостной энергией предвкушения драки, но Рик схватил его за плечи, а Ава заступила ему дорогу. Криспин подошел к моей протянутой левой руке, и я поставила его за собой, чтобы обе руки были свободны, а он под защитой. Он был быстр, и драться мог, если бы пришлось, но шансов на победу в этой драке у него бы не было. В черно-белом тигре чувствовалась затаившаяся и ждущая смерть. Я это с такой уверенностью чувствовала, что рука потянулась к пистолету.

— Ты должен был подняться наверх, как тебе велела наша королева.

— Я был нужен Аните, — сказал он, возвышаясь надо мной шестифутовой фигурой. Казалось неправильным, что такая высокая, спортивная грация прячется за моей куда более короткой, менее спортивной и далеко не столь грациозной личностью.

— Ты за ней прячешься! — рыкнул Домино. Бледные руки Рика видимым образом напряглись у него на плечах. Оба они должны были смотреть на Криспина снизу вверх, что не могло бы не портить маску крутых парней. А вот — не портило, потому что это была не маска.

— Ей не нужна моя помощь в применении силы, — ответил он.

— Мы собираем публику, — заметил Эдуард.

И он был прав. Туристы уже наслаждались спектаклем — или ожидали его. Мы оттянули на себя публику от игральных автоматов, а это в Вегасе непросто сделать. Хотя вряд ли мы пока что показали что-то интересное. Конечно, у троих из нас были ветровки с надписью «Маршал США», соответствующие значки и не слишком скрываемое оружие. Этого тоже могло хватить. И Олаф в любом случае выглядел устрашающе в кожаном и в черном.

— Давайте продолжим наверху, — предложила Ава и показала в глубину помещения, в направлении лифтов.

Я посмотрела на разозленного Домино, которого все еще держал Рик. Разумно ли садиться в лифт? Наверное, нет, но пока что еще ничего не случилось страшного, чтобы мне захотелось отступить.

— Хорошо, — согласилась я. — Веди.

Глава двадцать девятая

Домино достаточно взял себя в руки, чтобы стоять спокойно рядом с Авой и Риком в просторной лифтовой кабине. Лифт был с табличкой «частный» и шел только на определенный этаж. Я так понимаю, что в пентхауз.

— Мы не имеем права оставлять оружие в автомобиле. Новые правила, — пояснила я. — Как только ордер вступает в силу, мы должны быть готовы в любую минуту его выполнить, и нам не разрешено оставлять оружие там, где им могут завладеть гражданские

— Врешь, — ответил Домино.

Во мне заревели черно-белые тигрицы — это был достаточно прозрачный намек. Тигрицы не любят, когда самцы ставят их на место.

Я шагнула к Домино, и между нами возникла Ава. Рик снова взял напарника за плечо — машинально отработанным жестом.

— Домино, если ты по запаху не чуешь, что я говорю правду, то твое место на иерархической лестнице не дает тебе права столько выступать.

Он зарычал на меня низко, рокочуще, как близкий гром.

— Я не стану отвечать на твой зов, маленькая королева.

— Я тебя никуда не звала.

— Звала. Ты звала нас всех.

Рик обхватил его сзади за грудь, придерживая крепче.

— Звали, миз Блейк. Несколько месяцев назад вы нас позвали.

Я вздохнула, и мой гнев начал таять, и наконец тигрицы стали лапами бить изнутри, рвясь наружу. Я вздрогнула, не в силах сдержаться. Даже уже отчасти привыкнув к ощущению режущих изнутри когтей, я не могу на него не реагировать. Реального вреда от этого нет, боль метафизическая. Кровь не идет. В какой-то момент меня даже подвергли медицинскому обследованию, чтобы это проверить, — нет, действительно, только боль. Я даже могла не обращать на нее внимания — в определенной степени. Но когда тигрицы вот так злятся, приходится какое-то внимание обращать, чтобы не стало хуже.

Открылись двери лифта — я думала, он скоростной, но он оказался обыкновенным. Снаружи стояли еще двое охранников в форме — вместо тех, которые остались внизу. Из тигров никто в двери не вышел — все они смотрели на меня.

— Я не собиралась каждому выкладывать ковровую дорожку, но извиняться за зов тоже не буду. — Тигрицы во мне подползли ближе. Я сказала то, что они, по моему мнению, хотели от меня услышать. — Если я была достаточно королевой, чтобы тебя позвать, то не тебе выбирать, будешь ли ты отвечать на зов.

Ава и Рик успели зажать между собой Домино, который дернулся вперед.

— Ах ты стерва!

Снова шлепок лапой, будто белая и черная тигрицы решили сыграть в баскетбол моим позвоночником. Больно же, блин.

Криспин коснулся моего плеча, и это помогло. Белая тигрица сдала назад. Криспин — не такой доминант, как ей нужен, но он принадлежит ей. А черная тигрица — она и правда черная, как пантера, и полосы видны лишь при ярком свете, пошла вперед, рыча и шипя, сверкая огромными клыками.

— Ради бога, скажите мне, что Домино — не единственный у вас черный тигр.

— Черный клан почти вымер, — ответила Ава.

Я потянула Криспина за руку, провела его ладонью по своему лицу, чтобы ощутить теплый запах кожи. Белая тигрица подобралась ближе к поверхности, оттолкнув черную вниз. Были еще и другие тигриные цвета у меня внутри, радуга целая, черт бы ее побрал, невозможные цвета, которых не бывает ни в одном зоопарке, хотя мне довелось узнать, что каждый существующий во мне тигр жил когда-то реально. Некоторые подвиды — всего несколько тысяч лет назад. Сейчас они ушли в легенду.

— Может быть, имеет смысл выйти из лифта туда, где просторнее, — предложил Эдуард.

— Ты тут нами не командуй, человек! — огрызнулся Домино.

— У него есть значок, а у тебя нету, — сказала я, все еще в приятной близости к руке Криспина. Очень трудно быть тверже гвоздя, когда целуешь чью-то ладонь, но иногда иначе не получается.

— Маршал прав, давайте выйдем.

Голос Рика прозвучал слегка напряженно — он держал своего друга крепче, чем могло показаться. И это было нехорошо.

— Что будет делать твой друг там, где не будет камер наблюдения? — спросила я сквозь запах кожи Криспина.

— То, что ему приказывает Чанг-Виви, — ответила Ава

—И что?

—Что — что? — спросила она в ответ.

—Что она ему приказывает делать? Он явно не в восторге от этого, что бы оно ни было.

—Тебя, — ответил мне Криспин.

—Криспин! — одёрнула его Ава.

—Что? — спросила я.

—Тебя, — повторил он у меня из-за спины. — Наша королева хочет, чтобы они оба тебя обработали.

—Криспин! — повторила Ава с лицом не то что уже недружелюбным, а просто злым.

Наклонившийся к нам Бернардо сказал:

—Я бы предпочёл больше места для драки, чем здесь, в лифте.

Я шагнула наружу, все пошли за мной. Я знала, почему меня ждали Криспин и маршалы, а остальные тигры, как до меня сейчас дошло, рассматривали меня как сказал Домино — считая маленькой королевой. Они это делали не нарочно — готова ручаться. Это было подсознательно. Факт этот и был полезен, и несколько пугал.

Коридор оказался белый с кремовым, и был куда элегантнее, чем зал казино или лифт. Я ждала, пока все выйдут в прохладный и широкий коридор.

—Послушай, Домино, я этого не знала. Предлагаю тебе договориться: ты сбавишь тон, а я тебе обещаю, что тебя из меню для секса исключат.

Про себя я добавила: *А в качестве пищи для гнева, может быть, пригодишься.*

Он нахмурился. Криспин попытался помочь:

—Она говорит, что не будет тебя использовать, если ты её не хочешь.

—Ты не имеешь права ни за кого говорить, — сказала ему Ава.

Охранники смотрели на нас, держа руки на рукоятках пистолетов. Значки они видели, но они видели и оружие, и заметили, что мы с тиграми не ладим. Интересно было бы увидеть, куда склонится их лояльность.

Вклинился Эдуард:

— Или мы уходим, или идем с ними. Тебе решать.

Я вздохнула. Уйти — это было бы так заманчиво. Но тела в морге так и останутся мертвыми. Голова, присланная мне по почте, все еще ждет возвращения к телу для похорон. А на теле Колдуна держался запах тигра. Я не ошиблась, и чтобы получить информацию о тиграх-оборотнях, нужно было прийти сюда.

— Анита! — тихо поторопил меня Эдуард.

— С ними. Идем с ними.

— А оружие их куда девать? — спросил Домино.

— У нас есть оружейная. Может, там часть под замком оставить? — предложил Рик.

— Оружие не отдадим, — сказал Олаф.

— Ваш ордер нас исключает, других полицейских с вами нет. К нашей королеве вы с автоматическим оружием не пройдете.

Рик сказал это без нажима, просто констатируя факт.

— Ты бы пропустила к своему мастеру города кого-нибудь, так вооруженного? — спросила Ава.

Я подумала и покачала головой:

— Нет, наверное.

— Дайте нам посовещаться, и мы решим, что делать с оружием, — предложил Эдуард.

Он оглядел коридор, поверху, возле потолка, и нашел камеры наблюдения. Это в Вегасе закон их требует, что ли?

— Да, конечно.

Я крепче сжала руку Криспина, он ответил пожатием. Обратившись к Домино, я сказала:

— Изнасилование — не мой жанр. Если ты меня не хочешь, ладно. Я тоже от тебя не без ума.

Он чуть не взревел, и Рик вдруг обхватил его сзади двумя руками.

— Я должен повиноваться королеве, — прорычал Домино.

Из него перла энергия его зверя. Я собралась, готовясь встретить ее удар, как встречают прямой в почки с близкой дистанции, но это было совсем другое. Без насилия, без электрической дрожи — как будто тебя омывает ванна дорогих и теплых духов. Только не запах поразил ноздри, а будто нечто, обладающее запахом, воздействовало прямо на мозг, минуя обонятельные луковицы. Как будто «запах духов» сразу оказался где-то в глубине моего существа. Белая тигрица и черная расхаживали близко к поверхности, разевая пасти в гримасе-рычании, чтобы ощутить этот запах вершинами ртов, органом Якобсона. Хорошо от него пахло, хорошо.

Я отступила, обняла Криспина за талию. Он остановился, коснувшись рукой «МП-5» на перевязи, потом двинулся рукой дальше, прижав меня потеснее, и мы соприкоснулись боками снизу доверху. От прикосновения Криспина в голове прояснилось, но тигрицы на меня рычали. Им теперь больше нравился Домино.

А Домино затих в руках Рика, и глаза оранжевого огня смотрели теперь иначе.

— От тебя запах... родной какой-то запах.

Уже не гнев, а недоумение звучало в его голосе.

Надо было уйти. Неудачная была мысль — показываться там, где есть тигры. Но... но вроде бы я рискую только своей добродетелью, а она вряд ли стоит жизни еще хоть одного копа. Если я получу нить, которая позволит спасти хоть одну жизнь, разве дело не будет того стоить? Еще бы, черт возьми. А хочу ли я добавить себе в меню еще одного мужчину? Нет, черт возьми. Но иногда девушка должна поступать, как настоящий мужчина — что-то в этом роде.

Сейчас я злилась. Злилась, потому что эта метафизика, может быть, и позволит раскрыть преступление, но меня при этом снова поимели. Может быть, в буквальном смысле.

Глава тридцатая

В приемной был белый кафель и белые стены, так что можно было запутаться, где кончается одно и начинается другое. Единственное, что как-то помогало — это что на стенах было больше обоев, а на них — тисненые узоры из золота и серебра. Будто стоишь в середине тонко сделанного елочного украшения. Было так элегантно, что почти неуютно, и ощущение — будто даже дуновением можно что-нибудь сломать. И кресла на паучьих ножках, рассчитанные на весьма миниатюрных сидящих — если вообще предназначенные для этого. И даже если поместишься, все равно сидеть будет неуютно.

Мы вошли через большую дверь из коридора, и еще была двустворчатая дверь в противоположной стене. За ней, куда ушли Ава и Домино, находилась Вивиана и ее ближний круг. Ава хотела поговорить с Вивианой, а Домино, наверное, взяла с собой, не доверяя ему рядом со мной при наличии оружия. Рик же был тверд, как скала: мы не предстанем перед его королевой, вооруженные до зубов.

Криспин сидел, ожидая, пока закончится наш спор. Казалось, что он очень спокоен, будто ему было все равно, что мы решим. Если тоненькое кресло и было неудобно, по его позе это трудно было бы заметить. Он был куда менее напряжен, чем в казино.

— Ордер не включает тигров-оборотней, поэтому вы можете нас не пускать во внутренние помещения. Но заставить нас разоружиться вы не можете.

— Тогда вы не войдете, — сказал Рик. — Но я, честно говоря, думал, что хотя бы один из вас будет без оружия. Ава сказала, что один из этих ребят — пища. Мы свою пищу не вооружаем.

— Мне лично угрожает серийный убийца, находящийся в вашем городе. Мне казалось разумным взять с собой пищу, которая может за себя постоять.

Он состроил гримасу, говорящую «с этим не поспоришь», и сказал:

— Вполне понятно. И все-таки со всем этим железом вы туда не войдете.

В двойных дверях стояли еще двое охранников в форме. Те, что встречали нас из лифта, остались снаружи в коридоре. Четверо вооруженных охранников — класс. Но все, что интересно, — люди. Если бы охранников выбирала я, то для охраны тигров выбрала бы тигров. Интересное решение — выбрать обычных людей, как в любом казино. Охраны было больше нормального, но вполне обычно для мастера города.

— Тогда мы зашли в тупик, — сказала я. — Вы нас не пускаете с оружием, а мы его не оставим.

— Тогда вы уходите, — пожал плечами Рик. — Мне очень жаль.

— Что, если двое из нас снимут с себя почти все оружие, а остальные двое оставят оружие при себе и встанут у этой двери? — предложил Эдуард.

Я обернулась на него.

— Ты сказала, что нам сюда нужно, Анита. Насколько тебе нужна эта беседа?

Я посмотрела ему в глаза — холодные, синие, практичные.

— Очень. И нужна до темноты, пока вампиры еще не вышли на охоту.

— Боевые подразделения иногда так делают, когда вынуждены вести переговоры, — сказал он.

Я хотела напомнить: «У тебя было нехорошее чувство там, внизу», — но не могла этого сказать перед охранниками.

Я вздохнула:

— О'кей. — Сняла с себя ветровку, через голову перетащила лямку от «МП-5». — Кто подержит?

Эдуард протянул руку. Я посмотрела на него вытаращенными глазами:

— Нет, только не ты. Ты со мной пойдешь.

— Нет, — ответил он. — Я останусь здесь со всем оружием, так что, если ты позовешь на помощь, я ворвусь как кавалерия.

Целую минуту мы смотрели друг на друга. Я подумала над его словами, стараясь быть логичной, а не обращать внимания на вдруг участившийся пульс. Протянула ему «МП-5»

— Спасибо.

Я поняла, что он благодарит не за автомат, а за ту степень доверия, которую означал этот жест.

— Всегда пожалуйста, но как ты услышишь, если я заору?

— У меня наушники и радио.

Можно было не сомневаться. Эдуард всегда приносит на игровую площадку самые лучшие игрушки. А я, снимая с себя прочее оружие, вдруг остановилась:

— Постой, а кто пойдет со мной, если ты останешься здесь?

— Блин, — высказался Бернардо, вложив в это слово неподдельное чувство, и начал снимать куртку.

— Погоди, — сказал ему Эдуард и обернулся к Рику: — Насколько они должны быть чистыми?

— Могут оставить себе ножи и по одному пистолету.

— За пистолет спасибо, — сказала я.

Рик осклабился:

— Да все равно же у тебя тайник будет. А так я буду знать, где пистолет.

— Ты мог бы просто нас обыскать.

— Я ждал, чтобы ты вышла из лифта. Ждали все мы. Не думаю, чтобы мне хотелось до тебя дотронуться, маленькая королева. Откровенно говоря, чем меньше будет физического контакта, тем лучше.

— Ты в запланированную пищу не включен?

— Включен, но попрошу об отмене назначения.

— Вот не знаю: мне оскорбиться?

— Нет, это комплимент. Будь ты просто хорошим сексуальным партнером — проблем бы не было. Я это люблю. Но ты больше, чем хороший партнер — ты сила. Ты — такое, для чего я даже не знаю названия. Но одну вещь я знаю очень хорошо: ты опасна. И не стволами и не значком ты опасна для нас с Домино и даже для Криспина. — Он кивком показал туда, где терпеливо сидел Криспин в неудобном кресле. — Он тебя провожает глазами, как преданный пес.

Я посмотрела на Криспина — он повернул ко мне безмятежное лицо, будто это замечание его никак не волнует.

— Я не нарочно.

Больше мне ничего в голову не пришло.

— Она набирает силу, как прирожденный тигр, — сказал с кресла Криспин.

Рик кивнул:

— Я заметил. А теперь — те, кто идут внутрь, снимайте оружие.

Я начала снимать с себя оружие и отдавать его Эдуарду, Бернардо делал то же самое, передавая оружие Олафу.

Эдуард раздал рации с наушниками всем четверым. Рик не возразил — снова сделал не то, чего я от него ожидала.

— Я поставил на непрерывную передачу, чтобы мы с Отто слышали все, что там происходит.

У меня возникла мысль:

— Какая тут дистанция? Не хотелось бы, чтобы любой мог подслушать.

Эдуард улыбнулся:

— Я бы предпочел не говорить в присутствии нашего хозяина.

— Не обращайте на меня внимания, — сказал Рик.

— Но настолько мала, что, если бы наши местные друзья захотели послушать, им пришлось бы находиться здесь с нами.

— О'кей.

Я поняла, что он не хочет говорить Рику и тем самым всем тиграм, на какое расстояние надо отвести нас с Бернардо, чтобы наш призыв не услышали, но... Конечно, я бы предпочла знать дистанцию, но Эдуарду я доверяла. Доверяла свою жизнь и смерть. Не знаю большей похвалы для любого истребителя.

Мне пришлось перетянуть лямки кобуры, чтобы ничего не было на пути пистолетов, и привесить рацию. Регулируемая кобура — чудесная вещь. Бернардо точно так же подгонял свои ножи и пистолеты.

— Как ты понял, что Эдуард тебя выберет меня сопровождать? — спросила я, проверяя последний нож.

Он посмотрел на меня — не слишком довольным взглядом. Я бы даже сказала, что эти темные глаза смотрели угрюмо. Он выпрямился, последний раз автоматически проверил, что оружие закреплено надежно и удобно.

— Потому что если тебе нужна будет кавалерия, то ударная сила должна остаться здесь. А я не настолько ударная.

Я не знала, что на это сказать, но меня выручил Эдуард.

— Если бы я не верил в тебя, Бернардо, не послал бы ее туда с одним только тобой.

Мы с Бернардо переглянулись, потом он кивнул.

— Ладно. Но мы оба знаем, что ты послал бы Олафа, не думай ты, что он ее сожрет.

— Я думал, только мы тут каннибализмом балуемся, — сказал Рик, держась за ручку двери.

Я бросила на тигра взгляд, которого это примечание заслуживало. Он в ответ улыбнулся.

Криспин придвинулся ко мне, ожидая, когда мы закончим возиться с оружием. Очевидно, он готов был следовать за мной со спокойной душой куда угодно. За то, что он уже натворил, в любом сообществе оборотней ему бы выдали по первое число. Среди мохнатых нарушения субординации не терпят.

Рик тронул его за руку.

— Ты должен либо ждать здесь с прочими ее друзьями, либо идти один.

— Я хочу с Анитой.

— Ты уже отказался выполнять один прямой приказ твоей королевы и твоего мастера. Не повторяй этого, Криспин. — На лице Рика выразилось сочувствие. — Прошу тебя, или оставайся здесь, или иди вперед.

Я не стала спорить, чтобы Криспин остался со мной, потому что Рик был прав. Криспин уже добыл себе громов на голову, я не хотела усугублять.

Он обернулся ко мне:

— Что мне делать?

Я заморгала. Что я по-настоящему хотела, чтобы он сделал — это не спрашивал меня. Чтобы принимал решение сам и принимал его последствия. Но ты либо доминант, либо нет.

Хреново.

Если он останется, то будет вне опасности. Если пойдет вперед, его могут наказать, но я смогу, если что, подозвать его к себе, и он поможет мне сдерживать тигриц.

— Если он пойдет один, что с ним будет?

— Он заработал взыскание, но так как он — тигр твоего зова, то подпадает под вампирские правила.

— Вы не можете его наказать физически, поскольку он мой?

Рик кивнул.

— Пока ты в Вегасе — не можем.

Мы посмотрели друг на друга. Я не так хорошо знала Рика, чтобы понять этот взгляд, но все же поняла. Взгляд говорил, что, если я оставлю Криспина в Лас-Вегасе, с ним может быть очень плохо. Жан-Клоду вряд ли понравится, если я приеду с обозом, но оставить его здесь на растерзание я не могу. Ну ведь не могу же?

— Иди, Криспин. Мы сразу за тобой.

Криспин посмотрел на Рика, на меня, и потом кивнул, прошел через дальние двери. Нас стало на одного меньше.

Наконец заговорил Олаф:

— Тебя интересует, почему я не возражал, чтобы с тобой пошел Бернардо?

Я обернулась, посмотрела на него. На его лице застыла прежняя маска злости, надменности и еще чего-то, чего я читать не умею.

— Да, я думала, ты станешь спорить.

— Если ты — женщина Теда, то ему выбирать, кто с тобой пойдет. Защищать тебя — его работа, а не моя.

Я оставила в стороне слова «женщина Теда» и ответила на то, что мне было понятно:

— Мне не нужна ничья защита, Отто. Я отлично справляюсь сама.

— Защита нужна любой женщине, Анита.

Бернардо тронул меня за руку.

— Анита, у нас нет времени на твою победу в этом споре.

Я глубоко вдохнула, медленно выдохнула, потом отвернулась от здоровенного Олафа.

— Спроси Эдуарда, кому из нас троих он бы доверил прикрывать себе спину.

Я кивнула Рику — он распахнул дверь. Бернардо покосился на меня, я шагнула вперед, он за мной. Или, быть может, просто не хотел входить в эту дверь первым.

Глава тридцать первая

Из приемной мы вошли в бокс. Ну, можно его назвать комнатой, но места в нем было меньше, чем в лифте, на котором мы приехали, а стены — однотонно серые. Было видно, что они металлические, и что-то ощущалось неправильное. Когда двери стали закрываться, я сказала:

— Сейчас ты на несколько минут сигнал потеряешь.

— Почему?

— Похоже, здесь глухое помещение. — Двери закрылись, у меня в ухе затрещали помехи. Я все равно попыталась: — Эдуард, Эдуард! Если слышишь, скажи что-нибудь.

— Не может, — ответил Бернардо с видимым недовольством. И посмотрел на Рика: — Вот почему ты не возражал против раций. Знал, что толку нам от них будет ноль.

Рик пожал плечами, улыбнулся, будто ему было приятно наше ощущение дискомфорта.

— Рации заработают, как только мы выйдем отсюда. Обещаю.

Он даже отдал бойскаутский салют.

— Ты и правда был бойскаутом? — спросила я.

Он даже глаза раскрыл пошире, потом кивнул:

— Макс хотел, чтобы мы были как все американцы, поэтому организовал для нас специальный отряд, чтобы мы людей не пугали.

Я попыталась представить себе целый отряд маленьких тигрят-оборотней. Это было умилительно и страшновато.

— И этот отряд до сих пор действует?

— Перед тобой его теперешний вожатый.

— По вечерам — боец мафии, днем — скаутский вожатый, — сказал Бернардо. — Кто вы, Кларк Кент?

Рик улыбнулся и спросил:

— А что еще не так в этой комнате?

— Это тест, да? — поинтересовалась я в ответ.

— Какой тест? — спросил Бернардо.

— Стены — из усиленного металла какого-то рода. Готова ручаться, что они выдержат атаку вампира или оборотня, то есть никто силой внутрь не прорвется.

— Очень хорошо, — улыбнулся довольный Рик и кивнул. Следующую реплику сказал Бернардо:

— Вот почему вы не дали нам пронести тяжелую артиллерию. Так мы могли бы прорваться в ту дверь.

— Еще очко в вашу пользу.

— А по результатам теста нам поставят оценку? — спросила я.

Он снова кивнул, но улыбка исчезла.

— Да, оценку вы получите.

— Но учитель — не ты?

— Нет, — ответил он уже совсем серьезно.

— Так мы прошли проверку? — спросил Бернардо.

— Мне как-то неприятно думать, как там наш резерв начнет нервничать в условиях радиомолчания, — сказала я.

— Резонно, — ответил Рик. — А что вы еще здесь ощущаете, маршал Блейк?

— Мы в металлическом боксе. Защищенном от электронных средств наблюдения. Достаточно прочном, чтобы остановить почти любое противоестественное существо или замедлить его продвижение.

— Еще что?

Я посмотрела недовольно:

— Чего ты от меня хочешь?

— Той энергии, которая заставила нас всех ждать, пока ты выйдешь из лифта.

— Хочешь, чтобы я с помощью внутренних тигров что-то ощутила?

— Да, если можно.

— И поэтому ты не хотел, чтобы со мной был Криспин. Я как вампир могла бы воспользоваться способностью зверя моего зова, и ты не знал бы, насколько это была бы я, а насколько Криспин.

— Совершенно верно.

Я вздохнула. Мне не хотелось вызывать тигриную энергию перед тем, как войти в комнату, полную тигров, но не могла об этом сказать. Хотя во мне есть и другие сущности — я обратилась внутрь себя и вызвала волчицу.

Она вышла из темноты, ступая мягкими лапами, через рощу, которую я мысленно выстроила в себе, где живут в ожидании мои звери. Не то чтобы они на самом деле ожидают внутри меня, но человеческому разуму нужно что-то конкретное, на что их поставить, вот так и возникла роща. Волчица была кремово-белая с черными пятнами, большая и красивая, и я при виде ее всегда вспоминала, от кого пошли хаски, маламуты и еще десяток других пород. Все это можно было в ней заметить, но как только глянешь глубже красоты меха и посмотришь в глаза, сходство с собакой пропадало. Зверь с такими дикими глазами никогда не свернется в меховой шарик у твоего очага.

— От тебя пахнет волком, — сказал Рик и скривился, то ли принюхиваясь, то ли недовольный запахом. Тигр разбирал, анализировал запах, а человек кривился от отвращения. Выглядел он человеком, но не узнать, насколько по-тигриному мыслит он в этом облике.

Я подошла поближе к стенам, но мне не надо было их обнюхивать. Когда волчица была так близко к поверхности, опускались щиты, которые я обычно держу машинально. Для меня некоторые из метафизических щитов стали как бронежилет для большинства копов. Его надеваешь каждый день перед выходом, настолько машинально, что забываешь иногда, когда его снять надо. Сейчас я умею закрываться так плотно, что магия, которую я легко ощущаю, через них не проходит. Зайдя сюда, я слишком сильно закрывалась и потому ничего не почувствовала. Это показывает, насколько меня нервирует окружение такого количества тигров, когда у меня в резерве нет ни одного другого оборотня.

Магия стен поползла по коже. Я прервала ее поток, ощущая мурашки.

— Что за фигня? — спросила я.

— Можешь определить?

Я покачала головой и сказала наудачу:

— Магия для недопущения магии.

— Очень хорошо.

— А теперь серьезно, — сказал Бернардо. — Если мы еще долго продержим радиомолчание, вы узнаете, насколько хорошо эти двери выдерживают тяжелую артиллерию.

— Вы угрожаете? — спросил Рик, снова становясь очень серьезным.

— Не я, — ответил Бернардо, широко разведя руками. — Но я знаю моих друзей. Они не из терпеливых.

Рик глянул на меня. Я пожала плечами и кивнула:

— Тед заинтересуется, что с нами случилось.

— Не с нами, а с тобой, — поправил меня Бернардо.

— Ты тоже из его команды.

— Да, но я не его «женщина».

Он показал в воздухе пальцами кавычки вокруг этого слова. Неужто Бернардо начал верить в ложь, которую мы скормили Олафу?

Не зная, что на это сказать, я промолчала. Когда сомневаешься — держи язык за зубами.

Рик посмотрел на нас по очереди — слишком задумчивое было у него выражение для простого бойца. Но я и не верила, что он просто боец. В противном случае вряд ли королева включила бы его в список.

— Мы прошли ваши тесты? — спросила я.

— Последний вопрос.

— Давай.

— Почему от тебя пахнет волком?

Я сообразила, что волчица все еще близко к поверхности. Я вызвала ее энергию, но обратно в ящик не уложила. Она была довольна и, хотя была бы рада проявиться сильнее, но напирать не стала бы. И меня охватил порыв чистого счастья. Уж сколько сил я потратила на этих зверей во мне, чтобы уметь с ними работать, а не драться.

Волчица посмотрела на меня, будто стоя передо мной. Секунду я смотрела в ее темно-янтарные глаза, а потом я захотела, чтобы она ушла — и она исчезла. Мне не надо было даже напрягаться. Секунду я думала, что она ушла совсем, но потом заметила в далеком и не слишком реальном лесу светлое пятно. Она была там, и я могла ее вызвать, практически без шума.

Я попыталась сдержать эмоции и не так радоваться — или хотя бы этого не показывать. Бернардо слишком наблюдателен, и оборотни тоже.

— От тебя перестало пахнуть волком, — сказал Рик. — Как у тебя получается — пахнуть то тигром, то волком?

— Ответ на этот вопрос знает твой мастер города. Если он решил тебе не говорить — это не моя проблема.

Он кивнул, будто вполне удовлетворился объяснением.

Я не слышала, чтобы Эдуард ломился в дверь — я ощутила ее вибрацию. Рик посмотрел на двери, потом прижал ладонь к панели, перед которой стоял — это был сканер. И двери в пентхауз с шорохом отворились.

Глава тридцать вторая

В уши ударил голос Эдуарда:

— Анита, Бернардо! Черт возьми!

— Мы здесь, — ответила я.

— Все путем, — сказал Бернардо.

— Что произошло? — спросил Эдуард.

— Первая комната — бокс, звуконепроницаемый и экранированный. Перед тем, как нас пропустили, пришлось сыграть в двадцать вопросов.

Говоря с Эдуардом, я оглядывалась вокруг. Это была гостиная, просто себе гостиная. Белая, элегантная, с окнами, откуда открывался захватывающий дух вид на Стрип. Большие белые диваны, серебряные пуфы. Даже немножко золота в маленьких пуфах. Журнальный столик между диванами, стекло и серебро. Если бы гостиная у Жан-Клода была побольше, выглядела бы примерно так. Но ощущения, что я дома, не возникло — скорее жутью пробрало.

— Отвечайте, люди! — сказал в ухе Эдуард.

— Мы в гостиной, — ответила я.

— Отличный вид на Стрип, — сообщил Бернардо.

— Спасибо, — сказал Рик.

Он направился к другой стороне комнаты, выходящей в коридор, но не успел дойти, как оттуда вошла Ава. Они тихо заговорили между собой, потом она вошла в комнату, а Рик вышел и исчез за поворотом короткого коридора. Похоже было на смену караула.

Я спросила то ли у нее, то ли ему вслед:

— Где Криспин?

— Ему ничего не грозит, уверяю, — ответила Ава. — Просто мы хотим еще немного с тобой поговорить без него.

— Опять проверки? — спросил Бернардо.

— Не совсем.

— Ава, — обратилась я к ней, отчасти еще, чтобы Эдуард знал о ее присутствии, — когда мы будем говорить с Чанг-Вивианой?

— Рик передаст ей то, что вы сказали в той внешней комнате. После этого либо она выйдет к вам, либо мы проведем вас к ней.

— От чего зависит, кто и куда пойдет?

— От Чанг-Виви.

— Когда к нам выйдет Криспин?

— Когда Чанг-Виви пожелает.

— Она — королева, — сказала я, пытаясь скрыть язвительность тона. Наверное, не получилось.

— Да, она королева, — ответила Ава. — Не хотите ли присесть?

Мы с Бернардо переглянулись, он пожал плечами.

— С удовольствием, — ответила я.

Мы сели в противоположных углах дивана — так никто из нас не оказался спиной к двери, и у нас был максимальный обзор. Сели мы так не сговариваясь. Бернардо посмотрел на меня, я на него. Он слегка улыбнулся — не своей игривой улыбкой, а просто как мы ловко комнату между собой разделили.

—Кофе, чаю, воды? — спросила Ава.

—Кофе — это будет очень хорошо, — сказала я.

—Мне воды, если из бутылок.

—Разумеется.

Она оставила нас одних в светлой большой комнате, куда через почти сплошной ряд окон било жаркое солнце Вегаса. Даже при включенных на полную мощь кондиционерах ощущалось давление жары на комнату, будто кто-то почти живой и злой пытался проникнуть внутрь.

—А почему из бутылок? — спросила я.

—Потому что когда на новое место приедешь, чаще всего заболеваешь от местной воды. Пей из бутылок, а есть можно почти все.

—Разумно.

Бернардо начал описывать комнату в микрофон. Расположение окон, дверей, выходов.

—Хочешь что-нибудь добавить, Анита? — спросил Эдуард у меня в ухе.

—Не-а. Он все описал, что я вижу.

—Спасибо, — сказал Бернардо.

—Не за что.

В наушнике послышался неодобрительный звук.

—Жаль, тебя с нами нет, большой, — сказал Бернардо.

—Да, — только и ответил низкий голос, но меня пробрало дрожью. И не от счастья.

—Какие чувства у тебя вызывает Отто? — спросил вдруг Бернардо.

Я посмотрела на него очень недовольно:

—Самое время. Сейчас я буду обсуждать личные чувства к членам группы на открытой волне.

Он усмехнулся, глядя на меня:

—Я должен был попытаться.

—Зачем?

Каким бы ни был его ответ, услышать мне его не удалось, потому что из коридора вернулась Ава. С ней был Рик, и Домино тоже. Мы с Бернардо оба встали.

Чистым звонким голосом Ава объявила:

— Чанг-Виви клана Белого Тигра!

Двери за спиной тигров в конце короткого коридора распахнулись, и вышла Чанг-Виви под руку с Криспином. Она была выше меня, потому что голова ее находилась прямо над его плечом, а потом я изменила свою оценку, увидев ее каблуки. Четырехдюймовые шпильки, и рост остался неопределенным. Но остальное все было очень определенное.

Волосы до талии идеальными волнами. Грим, подчеркивающий светлую голубизну тигриных глаз на человеческом лице. Глаза чуть раскосые, и что-то такое в костной структуре лица, какая-то генетическая связь с давними китайскими предками. Но, как я узнала пару месяцев тому назад, тигров-оборотней заставили бежать из Китая много сотен лет назад, во времена императора Цинь Ши-Хуанди. Он все противоестественные расы считал угрозой своей власти и представителей их убивал на месте. Тигры-оборотни сбежали в другие страны и были вынуждены заключать браки вне своего вида, поэтому большинство их выглядели как жители тех стран, куда они сбежали.

В облике Вивианы было нечто весьма экзотическое, и Криспин на ее фоне, хотя волосы и глаза были такие же, выглядел более ординарно. Если бы его глаза заменить на человеческие — вполне смотрелся бы в любом баре или клубе в субботу вечером. А Чанг-Виви выделялась бы где угодно — эту ауру отличия никак было не скрыть.

Она была одета в белое платье с длинными шелковыми рукавами, клиновидным вырезом на шее, приоткрывающий пышный бюст. Пояс подчеркивал тонкость талии, округлости тела. Она была родом из времен, когда слишком худые не были в моде, и выглядела обильно. Единственное слово, которое пришло мне в голову — обильно.

Кто-то тронул меня за рукав, и это был Бернардо. Я оглянулась на него, встрепенувшись.

— Все нормально? — спросил он.

Я кивнула, но мне пришлось перевести задрожавшее дыхание. Блин, она меня заворожила, как вампир какой-то, причем не глазами. Как будто само ее существо меня к себе манило. Блин и еще раз блин!

Я опять вызвала волчицу, но перед ней выросла белая тигрица и зарычала. Не хотелось бы, чтобы звери во мне дрались. Во-первых, это больно, и очень. Во-вторых — нечего оборотням знать, что я своих зверей не вполне контролирую.

И я разрешила волчице убраться назад. Внутри расхаживала белая тигрица, и против очарования белой королевы она ничем не могла мне помочь.

— Я — Вивиана, жена Максимилиана, мастера-вампира, мастера города Лас-Вегаса в штате Невада.

Бернардо снова коснулся моей руки, и я кивнула:

— Я — Анита Блейк... — Я запнулась. — Подруга Жан-Клода, мастера-вампира, мастера города Сент-Луиса в штате Миссисипи, и маршал США.

— Ава говорила, что ты пришла со светским визитом.

— Да, но я буду задавать вопросы о преступлении, ради расследования которого мы оказались здесь. Раскрытие его будет на пользу и твоему народу, и людям.

— Ты пришла ко мне в гости, Анита, или допросить меня в качества маршала?

Я облизала вдруг пересохшие губы. Почему так трудно сосредоточиться? Что она со мной делает? Никогда мне не было так трудно с оборотнем, если он не был одним из моих мужчин.

— Я...

Почему так трудно думать?

Бернардо снова дотронулся до моей руки, и это мне помогло. Я подвинулась, чтобы взять его за правую руку своей левой. Таким образом, стрелковая рука у каждого из нас осталась свободной. Он приподнял брови — но руку не убрал. Я радовалась, что это именно Бернардо — любой другой из нашей команды должен был бы использовать стрелковую руку.

Когда его рука — теплая, настоящая, оказалась в моей ладони, мне сразу стало легче думать. Интересно. Даже не пришлось вызывать ardeur — просто коснуться руки другого человека, и очарование Чанг-Виви слегка уменьшилось.

— Для меня честь, что ты согласилась видеть меня, но не окажешь ли ты мне и другую честь, ответив на несколько вопросов, более относящихся к моей работе, нежели к социальной роли? Я прошу снисхождения, но это преступление... очень страшное.

— Весьма печально, что наши добрые полисмены так злодейски убиты.

На ее лице выразилось горе, она обняла руку Криспина чуть сильнее, прижав к себе. Первой двинулась она, он сопроводил ее к дивану напротив нас. Королева села, огладив платье.

Криспин шагнул ко мне. Я отпустила Бернардо и протянула руку Криспину.

— Криспин, — позвала она. — Сядь со мной.

Он несколько погрустнел, но сделал так, как ему было сказано. Сел рядом с ней, и как только она положила руку ему на бедро, я снова оказалась зачарована. Почти ощущала вес ее ладони у меня на ляжке.

— Блин! — прошептала я и снова взяла за руку Бернардо. Прикосновение помогло мне опомниться, но я стала понимать, в чем тут дело.

— Что происходит? — спросил Бернардо.

— Я думаю, она с помощью Криспина хочет подчинить меня.

— Правильно, Анита. Я — его королева, и хотя он — тигр твоего зова, я все равно его королева. Благодаря твоей с ним связи я теперь и твоя королева, похоже.

Я покачала головой:

— Мне нужна твоя помощь для раскрытия этих преступлений. Твой муж, Макс, сказал полиции, что я помогу разобраться.

— Макс хотел, чтобы ты приехала. Я тоже этого хотела. — Она стала пальцем рисовать кружочки у Криспина на бедре. А я чувствовала движение ее пальца. Блин, твою мать. Мать. Мать.

— Она не будет нам помогать, — сказала я и повернулась к выходной двери, не выпуская руку Бернардо.

— Я всей душой намерена тебе помочь, Анита.

Я обернулась, перехватив руку Бернардо чуть выше. Реальность его мускулистого тепла помогала думать. Не знаю почему, но такое впечатление, будто мне помогало все, что не было тигром. Я подумала: это любой тигр или именно белый тигр?

— Тогда прекрати путать мне мысли.

— Мне нужно было знать, не более ли Криспин теперь твой, нежели мой. Но он не только не способен устоять против моего прикосновения, но и является моей дверью в тебя. Очень хорошо.

— Зачем тебе дверь в меня? — спросила я.

— Потому что она есть, — ответила она, и я, глядя ей в лицо, поняла, что говорить не с кем. Человеческое лицо, но от взгляда на него у меня возникало чувство, будто передо мной дикое животное. То же безразличие. Вивиана не хотела делать мне больно, но и не делать больно тоже не хотела. Ее это ни так, ни сяк не трогало. Не совсем то же, что быть социопатом, но близко к тому. Это значило, что как человек она думать не может — только как тигр с человеческим мозгом. И это все меняло в нашей беседе. Это значило, что я не могла с ней рассуждать разумно, как с Максом. Может быть, с ней вообще невозможно рассуждать.

— Что там у вас, Анита? — спросил Эдуард у меня в ухе.

— Если твои друзья хотят присоединиться к нам, пригласи их, ради бога. Переговорные устройства так безличны, — сказала она.

Я облизала губы и попыталась успокоить забившийся пульс.

— Те маршалы держат наше оружие. Рик не хотел нас пропускать с целым арсеналом.

Она оглянулась на Рика:

— Они столь опасны?

— Да, Чанг-Виви. Я думаю, что именно так.

Она кивнула и обернулась снова к нам:

— Я в таких вещах полагаюсь на Родрика.

Она коснулась ладони Криспина — и меня пронзило энергией, как электрическим разрядом.

Бернардо тоже вздрогнул:

— Что это?

— Сила, — ответила я. — Ее сила.

— Она через этого пацана тебе ее посылает?

Я не стала спорить с называнием Криспина «этот пацан». Не только возраст — ощущение от него было такое.

— Ага, — сказала я и обратилась к ней: — Ты можешь прекратить эти игры и ответить на несколько вопросов?

— Я это сделаю, но сперва сделай ты одну вещь.

Я понимала, что ничего хорошего не будет, но...

— Что ты хочешь, чтобы я сделала?

— Подзови к себе Криспина. Если ты его от меня отзовешь, то я отвечу на твои вопросы, прекратив все игры.

Она улыбнулась, и это была улыбка тигра в зоопарке. Когда понятно, что он улыбается не от расположения к тебе.

Стиснув руку Бернардо, я отпустила ее. Он наклонился ко мне и прошептал:

— Ты думаешь, это удачная мысль?

— Уверена, что нет, — ответила я.

— Зачем тогда?

— Потому что она сдержит слово. Если я отзову Криспина от нее к себе, она ответит на вопросы.

— Все равно это неудачное решение.

Я кивнула, вынула «браунинг» из кобуры и отдала Бернардо.

— Вивиана меня зачаровывает как мастер-вампир — своего рода. Просто на случай, если она захочет проверить границы своей власти надо мной, я предпочитаю, чтобы пистолеты были у тебя.

— Ты думаешь, она настолько перемешает тебе мозги?

— Я думаю, она попробует.

Эдуард в ухе сказал:

— Анита, давай оттуда. Это все мы в другом месте где-нибудь узнаем.

— Извините, — сказала я хозяевам и повернулась говорить с Эдуардом, громко.

— Скоро наступит ночь, Эдуард. Тот, кто убил копов, был смертоносен при солнечном свете. Когда добавятся еще и мастера-вампиры, то станет намного серьезнее. За тиграми-оборотнями в Вегасе больше идти некуда.

— Она тебя может полностью загипнотизировать?

— Не знаю.

— Бернардо! — позвал Эдуард.

— Да, начальник?

— Если она поплывет, не строй из себя героя. Зови нас.

— Не волнуйся, Тед, я никак не герой.

— Отлично, будем слушать. Будь осторожна, Анита.

— Как девственница в брачную ночь.

Неопределенный звук — кажется, Олаф. Может быть, я его развеселила, или он счел меня дурой.

В этом случае он, быть может, и прав.

Глава тридцать третья

Обычно я не пытаюсь вызывать зверей, связанных со мной метафизически. Это само собой происходит. Моя наставница в паранормальных делах Марианна мне говорила, что у меня очень сильны природные способности, поэтому я очень многое могу делать, не успев подумать. Это может быть хорошо или плохо, силой или слабостью. Но я усердно училась, чтобы стать взрослым экстрасенсом, и теперь делаю такие вещи намеренно. Различие — как ехать быстро на обычной улице или же ехать быстро на треке с профессионалами. Первое — для детей, второе — для взрослых.

Я начала с простого:

— Криспин, иди ко мне.

И протянула руку.

Он встал. Рука Вивианы упала с него. Он даже сделал шаг ко мне, и тут ее сила дохнула по всей комнате. У меня перехватило дыхание в горле, пульс забился прямо на языке. Лицо

Криспина почти исказилось от боли. Глаза горели жаждой, стремлением ко мне, но он не двигался с места.

Зато задвигалась во мне белая тигрица. Она начала возбужденно бегать по хорошо протоптанной во мне дорожке. Рысью, и я поняла, что раз она так разбежалась, то, когда она ударится о «поверхность» тела, это будет как прорывающийся изнутри грузовик. Этого уже несколько месяцев не было, и остановить это я должна была за секунды — если это удастся.

Попыталась вызвать волчицу — но тигрица была слишком близко. Она летела наружу белой размытой полосой, прямо ко мне.

— Блин! — сказала я.

Рик и Домино придвинулись ближе, будто против воли. Только Ава могла устоять, но она же не того... не того цвета.

Я позвала черную тигрицу, позвала воплем и ревом внутри, в голове. И черное пятно влетело в белое у меня внутри, и бросило меня, вертящуюся, через всю комнату. Я оказалась на полу у окон, и две тигрицы во мне рычали друг на друга, пытаясь разорвать друг друга на части, но полем битвы было мое тело.

Я крикнула — не могла сдержаться.

— Анита! — завопил Криспин.

Рядом со мной присел Бернардо, склонился надо мной. В ухе орал Эдуард:

— Анита, ответь. Иначе мы войдем.

— Нет... не входите.

В голосе слышалась боль, которую я испытывала. И ничего я не могла с этим сделать.

Криспин был на полпути через комнату, но королева оказалась рядом с ним. И я не могла его заставить подойти к себе, когда она была рядом. Ко мне шел Домино, нахмурив физиономию, и черная с белой тигрицы остановились в битве. Им он обеим нравился.

— Домино, подойди ко мне, — велела я.

Он покачал головой, но черная тигрица вырвалась из драки, и белая ее отпустила. Черная стала подбираться ближе. Я вложила эту энергию в мужчину, стоящего передо мной, позвала его образами темного меха и горящими огнями глаз в ночи.

Он пошел ко мне так, будто каждый шаг давался с болью. С лицом как у Криспина, которого не пускала ко мне Вивиана. Но у меня не было времени все продумывать — мне нужно было удовлетворить тигриц, или рисковать тем, что я сама тоже превращусь в тигрицу реально. Это была опасность моего состояния: что я в конце концов могу вызвать зверя, который не будет слушать зов Жан-Клода. В этом случая я могу оказаться под чужой властью — например, Вивианы и ее Макса. И чтобы этого не случилось, я должна замылить мозги Домино. Зло ли это — вот так понимать это все до конца и все же это делать? Может, и зло. Сделаю ли я это, чтобы королева мне мозги не замылила? Еще как.

Глава тридцать четвертая

Вивиана попыталась воззвать к его белой стороне, но черная тигрица была невероятно голодна, изо всех сил рвалась найти чей-нибудь черный бок, чтобы об него потереться. Одинокая, ужасно одинокая. Она не пыталась вырваться наружу, как белая по побуждению Вивианы. Она нюхала воздух и издавала призывные звуки, глядя, как идет к нам Домино.

Он упал рядом со мной на колени, будто марионетка с обрезанными нитями. Просто упал на колени на белые плиты пола. И лицо его было маской гнева, страха и желания.

Он сказал задушенным голосом:

— Ты — черная королева. Настоящая черная королева.

Я протянула ему руку, он потянулся ко мне.

— Родрик, не пускай его! — завопила Вивиана.

Но было поздно. Наши пальцы соприкоснулись, черная тигрица издала звук, вырвавшийся из моего горла. Домино позволил мне притянуть себя поближе, глядел на меня, и огненного цвета глаза все еще боялись, все еще злились, но за этим ощущалось что-то намного лучшее.

— У тебя родной запах, — шепнул он, опустив лицо — не поцеловать, но потереться щекой, ртом, носом. Он втягивал в себя запах черной тигрицы, живущей во мне, как кот, валяющийся по кошачьей мяте. Только этой мятой была я, мое тело.

Я чувствовала, как хочет взять его черная тигрица. В этом желании был секс, но еще и необходимость заставить его принять форму тигра, и черная тигрица была довольна, даже счастлива просто его близостью. Я думаю, я бы могла все это утихомирить, и все было бы хорошо, но тут по залу дохнуло мощью белой королевы, как ветром от распахнутой двери в ад. Энергия Вивианы ударила нас обоих, белая тигрица во мне зарычала и поползла вперед.

— Нет!

Это я заорала. И белая тигрица застыла в нерешительности. Я посмотрела прямо в лицо Домино.

— Дай мне дозволение питаться от тебя.

— Что? — спросил он.

Белая тигрица прыгнула на черную, и они обе снова стали рвать меня на части. Я извивалась, стараясь не крикнуть, в руках Домино. Потому что если бы я крикнула, в двери ворвались бы Эдуард и Олаф.

— Моя королева, — ответил Домино. — Если может тебя напитать моя плоть или мое семя, возьми их.

Я не совсем поняла, что он сказал, но тигрицы перестали драться. Они, тяжело дыша, смотрели на него из моих глаз. Черная тигрица зарычала тихо и низко, и рычание пролилось у меня изо рта.

Несколько секунд у меня было, чтобы понять: среди тигров слово «напитать» подразумевает мясо или секс. Или то и другое. Домино дал мне разрешение отнять его жизнь. Черная тигрица это поняла, но мы с ней были согласны. Так давно мы никого не видели из наших, и она не хотела его съедать — хотела спасти. Оставить при себе.

Вивиана послала на нас еще волну силы, но мы с черной были готовы на этот раз и обе злились на белую королеву. Как она смеет вмешиваться! Права не имеет, он наш. Наш!

Злость перешла в ярость, ярость стала моим зверем, но для злости теперь было другое применение — у меня она не вызывала превращение. Я вызвала в себе то, что было вампирской силой, то, чем был ardeur, и был момент, когда он мог вылиться в секс, но не секса хотела я. Злая, рассерженная, я хотела напитать гнев. Злость Домино я ощутила на вкус там, в казино, и знала, что она близко. Мне только достаточно было бросить в него свой гнев.

И я выпустила, вылила в него ярость.

Он вскрикнул, закинул голову, и такой сильной, такой длинной была в нем ярость, что зверь его вышел этой ярости навстречу. Я притянула его к себе в поцелуе, стала питаться прикосновением его рта, судорогами его тела, прижатого ко мне. Я обнимала его, вдыхала его ярость через губы, кожу, из всего его тела. Вдыхала его злость и вливала ее в накопившуюся во мне ярость.

Я впитывала его гнев, и с гневом приходило знание. Мелькнули картины того, что вызывало в нем такую ярость. Я увидела его в детстве, одного в приемной семье, плачущего. Видела, как другие дети смеются над его волосами и цветом глаз. Видела, его, уже спасенного Вивианой, но все равно недостаточно белого. Своего — и не своего. Такого, как все — и не такого. И всегда он был не совсем своим.

Он перестал отбиваться, и все кончилось — он плакал у меня в руках. Я обнимала его, и черная тигрица притиснулась ближе — мы его обнимали вдвоем.

Надо мной неуверенно склонился Бернардо, будто хотел проверить, все ли со мной в порядке. Увидев эту неуверенность в его лице, я сказала:

— Бернардо, все в порядке.

— Глаза, — ответил он. — У тебя они горят карим и черным, как у вампира.

Я поцеловала Домино в лоб и проверила истинность его слов. Я ощущала пульс тигра, как леденец на языке. Подмывало всадить зубы в эту кожу и посмотреть, как леденец окрасится кровью. Живых вампиров не бывает, но иногда я себя чувствую чем-то вроде.

Но я не стала пробовать пищу и кровь, я чувствовала других тигров — не только того, что лежал у меня в объятиях. Ощущала я их всех. Повернула голову — и Вивиана, увидев мои глаза, испугалась, и ее страх пробудил во мне и вампира, и зверя. Страх — пища. Если кто-то тебя боится, им можно управлять — или его убить.

Я позвала к себе Криспина — не тигриной силой, а как вампир зовет своего зверя.

— Криспин, иди ко мне.

Вивиана попыталась удержать его за руку.

— Отпусти его, или я проверю, сколько мне тигров удастся сегодня призвать.

— Ты не посмеешь красть зверей у другого мастера-вампира.

— Ты хочешь сказать, как ты не посмела бы красть человека-слугу?

Я села, и Домино обвился вокруг меня, совершенно пассивный, полностью удовлетворенный.

Она его не отпустила, и я потянулась к ней, как мог бы вампир. Вампир, умеющий призывать тигров. Она отпустила Криспина так быстро, будто кожа его обожгла ей руку.

И сила Вивианы хлестнула наружу, но не к нам. К ее руке подошел Рик, открылась дальняя дверь, и появились другие белые тигры, встали рядом со своей королевой. Мне было все равно. Криспин взял меня за руку, и я сидела, держась за него, и Домино обвился вокруг талии, и это было почти идеально — как после трудного дня работы завернуться дома в любимое одеяло. Я знала, что ardeur может подразумевать и дружбу, а не только романтические чувства. В этот момент ardeur нес даже больше, чем дружбу — ощущение родственности, родного дома.

А потом я ощутила иную энергию в этом море тигриной силы. Ниточку чего-то нового, неповторимого. Я не знала, что это было, пока не вышла из тени во мне синяя тигрица, не пошла вперед.

Она была по-настоящему синяя, с черными полосами, темно-кобальтовый цвет, почти черный, но все же не полной черноты. Воистину синяя, и пахло от нее чем-то своим.

Он вышел из группы прочих, на юном лице застыло недоумение. На юном, потому что он был юн. Настолько юн, что я опомнилась, стала всплывать из глубины своего метафизического леса в душе. Настолько юн, что я поняла: то, что сделала я с Домино, его может убить.

Я уставилась на короткие синие волосы — точно как у тигрицы внутри меня. Посмотрела в его глаза, на пару оттенков синее, будто кто-то скрестил глаза Криспина с глазами Жан-Клода, и я знала, что этот зверь откликнется на мой зов.

— Сколько тебе лет? — спросила я.

— Шестнадцать, — ответил он.

— Блин, — сказала я.

Глава тридцать пятая

В ухе прозвучал голос Эдуарда:

— Здесь сын Макса Виктор с охраной. Мы его пропустим, но охранников задержим.

— А у нас тут еще полдюжины тигров. Вышли из дальних комнат, — ответил Бернардо.

— Все лучше и лучше, — отозвался Эдуард.

Сарказм в наушнике слышался отчетливо.

Синяя тигрица во мне пододвинулась ближе к поверхности. Мелькнул образ ее морды напротив моего лица, пытающейся еще ближе подобраться и понюхать воздух.

Открылись двери. Вошел высокий широкоплечий мужчина в дорогом костюме, сшитом на заказ. Подстрижен очень коротко, но так тщательно, будто белесые волосы стригли по одному. На лице — бледно-желтые солнечные очки. Слишком светлые, чтобы хоть как-то противостоять адскому солнцу Вегаса. Он пытается сойти за человека? Если так, то ему следовало бы приглушить кипящую вокруг него энергию.

Нахлынувшая волна этой энергии заставила синюю тигрицу зарычать на него. Я бы упала лицом вперед, не подхвати меня Домино и Криспин.

— Ты сейчас вызовешь ее зверя, мама, — сказал он, продолжая приближаться к нам, и это приближение синей тигрице не понравилось, зато белой — вполне. Черная обнималась с Домино и ни на что не обращала внимания. Синяя пыталась повернуть меня к мальчику, белой нравился Виктор, черная и без того была довольна. Как будто внутри меня жили три соседки в одной комнате, и каждой нравились разные парни.

— У тебя нет права вмешиваться, — ответила ему Вивиана.

— Отец предупреждал тебя, что это нельзя делать, — возразил он, опускаясь на пол рядом с нами.

Он был в темном костюме, глаза спрятаны за очками, но никакое цветное стекло не могло бы скрыть рвущуюся из него силу. Ее было достаточно, чтобы белая тигрица знала, как выглядят за очками эти глаза.

Я встала на колени, Криспину пришлось отпустить мою руку, но он держал меня за плечо. Домино сполз по мне ниже, как не желающая сниматься одежда. А мои руки потянулись к очкам.

Виктор перехватил их, уставился мне в лицо, будто пытаясь увидеть то, что у меня за спиной. Потом поднес мои руки к лицу, понюхал.

— Не может быть.

— Я тебе говорила, Виктор, в ней есть они все, — сказала ему Вивиана.

Он поднял голову — я отчетливо увидела его глаза, но светлые линзы скрывали то, что мне нужно было видеть. Сама не узнавая собственного голоса, будто кто-то чужой заговорил у меня в голове, я сказала:

— Сними их.

— Что? — заморгал он.

— Сними их, — повторила я.

— Зачем? — спросил он и отпустил мои руки.

Я покачала головой, не зная сама ответа, и потом он нашелся:

— Мне нужно видеть твои глаза.

— Зачем? — снова спросил он.

Я потянулась вверх, и на этот раз он меня не остановил. Взявшись за очки в тонкой металлической оправе, я осторожно потянула их вниз, пока не показались светлые глаза тигра. Они были синие, но темнее, чем у Криспина, но все равно того же цвета и формы, которые за человеческие не примешь — разве что очень не хочешь видеть того, что есть на самом деле.

Я стояла перед ним на коленях, держа в руках его очки, и глядела в глаза. Но не только глаза: они были лишь признаком того, что нужно моей тигрице. А было это — сила, которая в нем. Только теперь я поняла, как, в сущности, слаб был каждый тигр, к которому я прикасалась до этого.

Виктор смотрел на меня, вот этими идеальными глазами. Потом сглотнул слюну так, что даже слышно было, и спросил дрогнувшим голосом:

— Значит, ты и вправду тоже королева?

Я подалась к нему — нет, не для поцелуя, а так, будто его сила — гравитация, которая притянула меня.

Он встал, чуть пошатнувшись. Я потянулась к нему, и назад меня потянул Криспин. Они с Домино удержали меня объятиями, но у меня было ощущение, будто я услышала в голове музыку, ранее незнакомую совсем. Их прикосновения тонули в силе Виктора.

Он снова надел очки и обернулся к матери.

— Отец открыто запретил тебе вызывать ее силу, пока он с ней не увидится.

— Здесь я Чанг, а не ты.

— Ты правишь кланом белого тигра, и я никогда не оспаривал твою власть. Но во всем остальном отец велел мне править его владениями. Когда ставишь силу тигров выше блага города и его граждан, ты нарушаешь правила, установленные твоим господином, моим отцом.

— Ты лишишь Домино и Криспина единственной королевы их клана, которую им довелось в жизни встретить?

— Я никогда не стану на дороге судьбы другого клана, мать. Но скормить ей Синрика ты не имеешь права. Посмотри, что она уже сделала с Криспином и Домино.

Что-то в его интонациях заставило меня посмотреть на двух оборотней, оставшихся около меня. Криспин и раньше смотрел на меня с этой преданностью, но увидеть ее в глазах Домино — это было неправильно. Очень неуместная щенячья преданность на гневном и надменном лице, просто сердце щемило ее видеть. Не то чтобы я была к Домино неравнодушна — я вообще впервые его видела, но потому что не должен ни один взрослый так смотреть. Я этот взгляд видала раньше — на лицах вампиров. Я — истинный некромант, и взываю к мертвым любого вида, но звать так оборотней — мне не положено. Так — нет.

— Господи! — сказала я попыталась встать. Домино за меня цеплялся, и я подавила в себе желание в панике хлестнуть его по морде. — Я питалась твоим гневом, черт побери, гневом! Не должен ты на меня так смотреть!

Он обратил ко мне спокойные глаза.

— Твою мать, — сказала я беспомощно.

— Анита, Бернардо, отвечайте! Что там происходит? — спросил Эдуард.

— Эдуард, подожди, потом. — Я обернулась к Виктору. — Ты можешь это исправить?

— У Аниты все под контролем, — ответил Эдуарду Бернардо.

Выражение его лица не соответствовало уверенности тона, но он решил сомнения в мою пользу.

Виктор посмотрел, куда я показываю, — на Домино.

— Ты имеешь в виду — освободить его от твоей власти?

— Да.

— Ты — королева, — вмешалась Вивиана. — Никогда не проси о такой помощи ни одного самца.

— Хорошо, ты это можешь сделать?

Виктор еще какое-то время всматривался в меня.

— Ты сказала, что питалась его гневом. Я думал, ardeur связан только с сексом.

— Я могу питаться и гневом. У меня была мысль, что если я не стану питаться похотью или любовью от ваших поддан-

·ных, то не привяжу их к себе. Черт побери, хватит с меня мужчин тех, что есть!

— Жан-Клод умеет питаться гневом? — спросил Виктор.

Это было слишком близко к одной из тех истин, которые мы никому не хотели бы открывать: что у меня есть силы, которых нет у моего мастера. Я попыталась успокоиться, но пульс зачастил, а тигры-оборотни — они как живые детекторы лжи. Они ощущают, чуют по запаху все эти невольные телесные проявления.

— Кто-нибудь из вас может сделать так, чтобы он не был... — я махнула рукой в сторону Домино, — вот такой, как сейчас?

— Может само пройти, — ответил Виктор.

— Ты уверен?

Он улыбнулся:

— Нет, но то, что ты сделала, похоже на сочетание мощи вампира и силы Чанг. Ты подчинила его мозг. Если оставить его в покое, может оправиться. Если эта штука больше вампирская, чем ликантропская, тогда, как ты знаешь, сможешь снова им завладеть в любой момент, когда захочешь.

Я облизала губы и сказала единственную правду, которая у меня нашлась:

— Я никем не хочу владеть.

— Я ощутил твою силу. Ощутил, как ты направила ее в мою мать. Ощутил, какой толчок это был.

— Не слишком по-ребячески будет сказать, что она первая начала?

Он улыбнулся:

— По-ребячески, но я знаю собственную мать.

— Виктор! — одернула его Вивиана.

— Мама, ведь это ты пыталась пробудить в ней тигров. Ты знаешь, что ты спровоцировала ее силу. Не надо отрицать.

— Я не стану отрицать.

— Чанг-Вивиана пообещала, что если маршал Блейк сможет отозвать от нее Криспина, она ответит на наши вопросы.

Вивиана старалась ни на кого не смотреть.

— Ты пообещала это маршалам, мама?

Она кивнула, все так же ни на кого не глядя.

— Тогда отвечай, как обещала.

Я изо всех сил старалась не смотреть на синего мальчика.

— Мне кажется, нужна была бы некоторая конфиденциальность — мы же будем обсуждать ведущееся расследование.

— Не хочу уходить, — сказал мальчик.

Ава потянула его за руку:

— Синрик, пошли.

— Нет, — ответил он, высвобождая руку. — Ты не чиста. Ты не знаешь, как это хорошо — когда у тебя есть клан.

— Синрик! — окликнула его Вивиана, как кнутом хлестнув злостью. — Ты должен оказывать Аве уважение, которого она заслуживает. На нее напал наш собрат, нарушив самое святое правило клана. Не она искала этой жизни.

На миг он надулся, потом сделал виноватый вид:

— Ава, прости меня. Я не хотел тебя обидеть.

Она улыбнулась, но до глаз улыбка не дошла.

— Все хорошо, Синрик. Но выйди, чтобы маршалы могли поговорить с Вивианой и Виктором.

Он дал вывести себя в двери, но оглянулся на пороге, и самое тревожное — что я ответила на его взгляд.

Бернардо тронул меня за руку, и я обернулась к нему.

— Все нормально? — спросил он.

Отличный вопрос. Только отличного ответа не хватало. Я сказала единственное, что пришло в голову:

— У нас есть работа, маршал Конь-В-Яблоках.

Он посмотрел на меня, приподняв бровь, потом ответил:

— Да, конечно, маршал Блейк.

— Задавайте вопросы и уматывайте оттуда, — сказал Эдуард. — Не хочется мне, чтобы Анита была там, когда придет Макс.

Эдуард был абсолютно прав. Вивиана чуть не подчинила мой разум, когда была одна, без своего мастера.

Очень много было причин выяснить все вопросы до того, как вампиры встанут ночью.

Но факт, что не было в этом богоспасаемом мире никаких способов раскрыть это преступление до темноты, не только разочаровывал, но с каждой минутой становился все опаснее и опаснее.

Глава тридцать шестая

Вперед вышла белая тигрица с волосами цвета светлой пахты и с глазами как весеннее небо, подошла и увела Домино вглубь пентхауза. Оставлять меня он не хотел, но между мной и Виктором деваться ему было некуда — он сделал так, как мы хотели. Если он, избавившись от моего присутствия, сбросит с себя и чары, то я могу вполне оставить его здесь. А если никуда эти чары не денутся, придется мне его брать с собой. Куда его девать после этого — ну понятия не имею. Кто подбирает бродячих собак, а я вот мужчин подбираю, черт.

Все остальные расселись на мягких диванах. Мы с Бернардо сели достаточно далеко друг от друга на нашем диване, чтобы не мешать друг другу, если не дай бог что. Криспин сидел ко мне близко, как бойфренд какой-нибудь, рука, закинутая на спинку дивана, касается моих плеч, другую он положил мне на ногу. Я могла бы ему сказать, чтобы убрался и не мешал работать, но это бы его обидело, а я достаточно хорошо знаю нравы ликантропов и понимаю, что касание — это всего лишь касание.

Вивиана сидела напротив со своим сыном и с Риком. Никто ее особо не трогал. Может быть, тигры отличаются от других групп оборотней, мне знакомых? Надо будет потом спросить.

— Что вы знаете о том, что случилось здесь с полицейскими? — спросила я.

— Только то, что передавали в новостях, — ответил Виктор.

Вивиана только посмотрела на меня раскосыми синими глазами. Эта молчаливая внимательность могла бы нервировать, но после морга, Олафа и того, что было сейчас с моими внутренними тигрицами, ее взгляд не так уж сильно на меня давил.

Будь это обычный допрос, были бы правила и методы. Мне бы пришлось самой немножко приоткрывать информацию и повторять одни и те же вопросы. Но у нас догорал день, а когда вампиры встанут из гробов и Витторио добавит свою силу к силе своих дневных слуг... Я даже думать не хотела, что они тогда сделают. Перебить подразделение СВАТ и послать мне голову по почте — это значило бросить тяжелую перчатку. Я подумала, что если это Витторио, а не кто-то его подставляет, то после наступления темноты ад с цепи сорвется. Нет у нас времени для многочасовых допросов.

Криспин стал поглаживать мне бедро небольшими кругами: воспринял мое напряжение и пытается успокоить. Это не помогало, но я была благодарна за намерение.

— Анита? — обратился ко мне Бернардо с вопросительной интонацией.

Он попытался посмотреть на меня с непроницаемым лицом, но не смог скрыть тревоги в прищуренных глазах. За последний час ему пришлось увидеть много очень, очень странных вещей. И он, надо сказать, отлично все это выдержал. Интересно, не должна ли я ему... ну, цветы, скажем? Чем вознаградить партнера по работе за то, что вот так нагрузила его метафизикой? Открытку благодарственную? На «Холлмарке», интересно, делают подходящие?

Криспин наклонился надо мной, теплом дыхания обдал мои волосы.

— Анита, все хорошо?

— Анита? — напомнил о себе Бернардо, и на этот раз не старался скрыть озабоченности.

— Бернардо, что там с Анитой? — спросил у меня в ухе Эдуард.

— Да все в порядке, — ответила я. — Просто я думаю. — Я обернулась к тиграм на втором диване. — Кончается светлое время, так что я буду говорить с тобой как подруга мастера — с подругой мастера.

— Это честь для меня, — царственно кивнула Вивиана.

— Во-первых, я хочу, чтобы ты прислушалась к Виктору и Максу и не лезла к моим внутренним тигрицам, когда расследование закончится.

— Можешь просто сказать ей, чтобы она их не трогала, — ответил Виктор, улыбаясь, но глаза его были едва видимы за очками. Отчасти мне очень хотелось содрать с него эти очки, но я старалась быть человеком, совершенно без всякой тигриности, так что пусть себе сидит в очках.

Чтобы быть еще чуть больше человеком, я отодвинулась слегка от Криспина, села на самый край дивана. Достаточно было отклониться назад — и вот он, Криспин, но мне надо было подумать. Когда мужчина, с которым у тебя был секс, рисует пальцем кружочки у тебя на бедре, это мыслей не проясняет.

— Я пытаюсь договариваться честно. Я не собираюсь с самого начала просить Вивиану обещать то, чего она не выполнит. Не совсем понимаю, что она хочет от моих зверей, но слышала ее слова, что я, быть может, единственная королева клана, которую в жизни своей встретят Домино и этот синий мальчик, Синрик. Вивиана не собирается выпускать меня из Вегаса, не попытавшись еще раз это проверить. Я правильно понимаю? — взглянула я на нее.

Она улыбнулась, мотнула головой, очень скромно.

— Правильно.

— Хорошо, что не отрицаешь — мне это нравится. Второе: согласны ли мы все, что эти убийства очень вредны сообществу как вампиров, так и ликантропов?

Все согласились.

— Тогда я должна знать, честно, знаете ли вы что-нибудь о звере, который помогал вампиру убивать полицейских.

— Ты говоришь — «зверь», но пришла ты к нам, — сказал Виктор.

— Ты думаешь, что это кто-то из наших тигров, — сказала Вивиана. И что-то в ее интонации подсказало мне ответную реплику:

— Ты тоже так думаешь.

— Я этого не говорила, — возразила она.

Я снова облизала губы, но теперь не от сухости.

— Это ощущается на грани лжи.

— Что это значит? — спросил Олаф у меня в ухе.

— Не мешай ей работать, — ответил ему Эдуард.

Вивиана мне улыбнулась — почти интригующей улыбкой.

— Я не лгу.

И я улыбнулась в ответ:

— О'кей, тогда ответь: подозреваешь ли ты, что кто-либо из твоих тигров каким-то образом замешан в этом убийстве?

Она на этот раз не стала на меня смотреть — сосредоточилась на собственных маленьких, ухоженных руках, сцепив пальцы на коленях очень благовоспитанным жестом, сидя нога на ногу. Такая приличная и светская, но я знала, что это ложь. Она из тех, в которых ничего нет приличного, даже когда они на все пуговицы застегнуты. Женщины чаще излучают это ощущение, чем мужчины, но я и у мужчин такое видала. Некоторые даже не знают, как они много скрывают за маской цивилизованности, но Вивиана знала. Она знала, что вся эта человеческая показуха — совсем не то, что на самом деле представляет собой Чанг-Виви.

— Ты хочешь, чтобы на этот вопрос ответил я, мать?

Она посмотрела на него так свирепо, так злобно, что хорошенькое личико стало страшным. Так спадают маски.

— Я все еще королева. Следует ли напомнить тебе об этом настоятельнее?

— Отец сказал нам, что на вопросы маршала Блейк мы должны отвечать правдиво и полно.

— Пока он не встанет ночью, здесь правлю я, — ответила она.

Я подавила желание оглянуться на Криспина. Он не очень умеет прятать лицо. Поэтому я посмотрела на Рика и увидела, что ему явно не по себе. У меня возникло впечатление, что эта неловкость общая и что она усиливается. О сообществе тигров я знаю достаточно, чтобы знать: управляют ими королевы — одна из немногих групп оборотней, где власть полностью принадлежит самкам. (Бывают и у других оборотней группы, где самый крутой мен — как раз женщина, но это не правило, а исключение.) И поэтому Виктор при всей его мощи кланом Белого Тигра править не может. Но он, судя по его поведению, этого хотел бы.

— Бернардо напомнил тебе твое обещание, Чанг-Вивиана. Сейчас я напоминаю тебе снова, что я отозвала от тебя Криспина. Ты сказала, что, если у меня это получится, ты ответишь на мои вопросы. Так можно ли полагаться на слово Чанг клана Белого Тигра, или нет больше чести в Вегасе?

Диван шевельнулся — Криспин положил руку мне на спину. Это было осторожное движение, не слишком сексуальное — скорее безмолвный призыв быть осторожнее. Я им не пренебрегла. Криспина я с собой не беру в Сент-Луис; и выходит, что я могу нагадить в суп, который ему расхлебывать.

Вивиана обернулась разозленным лицом ко мне. Сила ее потекла в мою сторону почти видимым облаком жара. Виктор встал, встал между этой силой и мной, принял ее удар на себя, и это было хорошо. Он вздрогнул, закрыв глаза, и сказал:

— Твой мастер города дал тебе прямой приказ — не вызывать ее зверей. Я повинуюсь его приказам, даже если не повинуешься ты.

Она чуть слышно зарычала, Криспин подобрался чуть ближе ко мне, будто от испуга. Или он испугался того, что я сейчас сделаю? Я постаралась не напрягаться слишком сильно, не выглядеть нервозной. Изо всех сил постаралась изобразить безмятежное спокойствие, которого совсем не испытывала.

Бернардо тоже подался вперед к краю дивана. Рик пока что сидел, откинувшись на спинку дивана, но все его мышцы подобрались.

— Ты — слепое орудие своего отца, и ничего больше.

— Я — инструмент своего отца в дневное время. Я его правая рука, и я его не предам.

— Искать силы для своего клана и своего народа — не предательство.

Она мне не была видна — Виктор ее закрывал.

— Можешь искать силы после того, как маршалы убьют предателя и его хозяина.

— Какого предателя? — спросила я.

Виктор обернулся, встав к матери спиной. Не знаю, решилась ли бы я на такое, но мне она не мама.

— Первые жертвы были стриптизерами, как у вас в городе. Но у последних — следы когтей и укусы вампиров.

Я обругала про себя полицейских Вегаса, что мне не сказали. Неплохо было бы знать, что на последних жертвах найдены следы когтей. И это новое по сравнению со всеми другими городами, где охотился Витторио. Это доказывало, что кто-то в полиции Вегаса мне не доверяет. Поэтому раскрытие преступления — любого преступления — здесь пойдет труднее.

Криспин снова уловил мое беспокойство, начал водить рукой по спине, успокаивая.

— Что заставляет тебя думать, будто это — тигр-оборотень? — спросила я.

— Мать, — обратился к ней Виктор и отошел в сторону, чтобы мы с ней друг друга видели.

Она посмотрела на него не так чтобы довольным взглядом, но ответила:

— Я чувствовала, как кто-то притягивает к себе моих тигров. Как ты сегодня пыталась призвать меня к себе, и призвала нескольких моих детей, так и этот вампир искал того же. Я думала, что помешала ему, но теперь подозреваю, что кого-то он украл. Может быть, из другого клана, но тигра. Потому что звал он тигра.

— Ты уверена, что это вампир, а не вампирша?

Она кивнула:

— Энергия мужская.

— Спроси у нее, почему она так уверена, — попросил голос Эдуарда у меня в ухе.

Я протянула руку в сторону тигров, сама отодвинулась от руки Криспина. Он понял намек и убрал руку.

— Прошу прощения. Маршал Форрестер, она знает, что это был самец, потому что энергия имела мужской вкус или запах.

— Вы умеете по энергии отличать вампира от вампирши? — спросил Бернардо.

—Иногда, — кивнула я.

Вивиана мне улыбнулась, будто я сделала что-то очень умное.

—Да, это ощущалось как мужчина, но...

Она нахмурилась?

—Но? — подсказала я.

—Ты из линии Белль Морт?

—Жан-Клод из этой линии.

Она отмахнулась, будто я пыталась вилять.

—Вампиры почти всех линий — твари холодные, а ее линии — нет. Вы как-то ближе к теплоте оборотней, мне кажется. Ты чувствуешь на расстоянии чужую сексуальную энергию?

Я подумала.

—Иногда — да.

И снова она улыбнулась, будто услышав правильный ответ.

—В энергии этого вампира что-то было не так. Что-то искаженное или искривленное каким-то образом. Как будто у него секс перешел в ярость.

—Ты когда-нибудь что-нибудь подобное от кого-нибудь ощущала? — спросила я.

—К нам когда-то пришел один тигр. Мы его пытались дисциплинировать, спасти, но пришлось его в конце концов уничтожить для общего блага.

Виктор добавил к объяснению матери:

—Он был серийный насильник. И нападения стали более грубыми.

—Тот, кто нападал на Аву? — спросила я.

Он посмотрел удивленно:

—Ты смотрела ее дело?

Я покачала головой:

—Просто угадала.

—Это была не догадка, — возразила Вивиана. — Ты прочла язык жестов. Язык запаха.

Я пожала плечами, потому что не хотела спорить, и не уверена была, что могу.

—И ты говоришь, что энергия у этого вампира была как у того серийного насильника?

—Да, но...

Она поежилась, и на этот раз я почувствовала ее страх.

—Он тебя испугал.

Она кивнула.

—А мою мать напугать нелегко, — сказал Виктор.

—У меня тоже создалось такое впечатление.

Он улыбнулся:

—Мы ответили на твои вопросы. Не ответишь ли ты теперь на один наш?

—Простите, но еще один: вы знаете, кто предатель?

Они переглянулись.

—Клянусь, что нет. Если этот вампир увел кого-то из наших, то сделал это настолько полно, что я ничего не подозревала, пока на телах не стали появляться следы когтей.

—Если я смогу сузить круг поиска, могли бы вы собрать их для меня и разрешить допросить в полицейском участке?

Они снова переглянулись, втроем с Риком. Наконец Виктор кивнул, и Вивиана ответила:

—Могли бы.

—Как ты сможешь сузить круг? — спросил Виктор. — Ты намекаешь, что ты — более мощный оборотень, чем мы?

—Нет, отнюдь. Но я видела тела.

В наушнике раздался голос Олафа:

—Не следует их информировать.

Я не отреагировала.

—Я знаю, что тот, кого мы ищем — в человеческом облике ниже шести футов, либо имеет слишком маленькие руки для своего роста.

—Анита! — сказал Олаф.

—Она знает, что делает, Отто, — ответил ему Эдуард.

—Ты измерила следы когтей, — сказал Виктор.

Я кивнула.

—Я этим тиграм не доверяю, — произнес Олаф.

—Не мешай ей работать, — сказал ему Эдуард.

Я изо всех сил старалась не обращать на все это внимания. А Виктор сказал:

— Это несколько сужает круг.

— Вот что его всерьез сузит, — сказала я. — Этот тигр умеет превращаться ровно настолько, чтобы на руках вырастали когти, а во рту клыки, но даже полузвериной формы при этом не принимает.

Это их потрясло — всех. Они не вампиры, поэтому даже не пытались скрыть потрясения.

— Это все объясняет, — произнес Виктор.

— Что объясняет?

— Почему ни моя мать, ни я не могли узнать от предателя правды. Если он так силен, что способен на такое, то вполне у него могло достать сил нам соврать.

— Это же чертовски большая сила, — сказала я.

— Да.

Я посмотрела на него, потом на пораженное лицо Вивианы.

— Вы думаете, что знаете его.

— Нет, но список для выбора очень короткий. И в нем есть некоторые из наших самых доверенных, — сказал Виктор.

Вивиана посмотрела на меня страдающими глазами:

— Кто бы это ни был, но клану нанесен огромный вред. Подорван наш авторитет, и нам придется сильно подтягивать наш народ.

— Ты имеешь в виду, если узнают, что вы просмотрели этого типа на самом виду, некоторые бросят вызов твоему правлению?

— Попробуют, — ответила она, и что-то было в ней такое спокойное, такое уверенное, такое надежное. Я бы не хотела быть ее врагом, а уж выступать против нее и Виктора одновременно — это надо быть очень в себе уверенным. Или полным психом.

И тут мне пришла в голову мысль — неприятная.

— Если у Витторио зверь его зова — тигр, и он достаточно мастер, чтобы все это проделать, то он достаточно мастер и для того, чтобы бросить вызов Максу за власть над городом.

— Совет вампиров запретил мастерам городов воевать друг с другом в Америке, — напомнила Вивиана.

— Да, и когда серийные убийцы режут копов пачками, совет тоже морщится. Вряд ли Витторио слишком уважает правила.

— Ты думаешь, он совершит покушение на моего отца? — спросил Виктор.

— Я не исключала бы такой возможности. И приняла бы дополнительные меры предосторожности, пока мы его не возьмем.

— Прослежу, чтобы это было сделано.

— У него в дневное время на побегушках больше одного тигра, — сказала я.

— Еще что?

— Я не могу быть уверена, но на твоем месте я бы усилила охрану прямо сейчас. Потому что я бы загрызла себя, если бы выяснилось, что я всего на пару минут опоздала.

Мы с Виктором переглянулись понимающе, он тут же достал из кармана сотовый и начал вызывать резерв. При этом он отошел к дальней стене комнаты, чтобы я не слышала. Его право.

Вивиана смотрела на меня.

— Ты первая истинная королева, не имеющая клана, которую мы нашли после того, как Виктор показал, что достоин.

— Чего достоин? — спросила я.

— Права начать собственный клан. У нас уже много веков не было настоящего короля среди тигров. Маленькие королевы вырастают и покидают нас, но только потому, что мы не хотим убивать собственных дочерей. А не потому, что у нас есть силы на создание нового клана. У Виктора такая сила есть, но ему нужна королева.

Я уставилась на нее:

— Ты намекаешь, будто хочешь, чтобы я... что сделала? Стала у твоего сына королевой?

— Я говорю, что, если бы ты не была выдана за Жан-Клода, я бы тебя просила выйти за моего сына.

Я вытаращила глаза:

— Ты знаешь, Вивиана, прямо не знаю, что сказать.

Виктор вернулся из угла, откуда разговаривал, закрывая телефон и засовывая в карман.

— Я поставил бойцов вокруг отца и усилил охрану в клубах — на всякий случай. — Он посмотрел на меня, на мать, нахмурился: — Я что-то пропустил?

Бернардо засмеялся.

— Чанг-Виви предложила тебя Аните в мужья.

— Мама!

— Ты можешь не встретить другой королевы ее силы, Виктор.

— Она принадлежит другому мастеру-вампиру. Вмешиваться в чужие отношения — это против всех правил.

— Я твоя мать и твоя королева. Вмешиваться — моя работа.

— Оставь маршала Блейк в покое, мама.

Вивиана улыбнулась нам обоим, и это была улыбка, которую на лице ничьей матери видеть не пожелаешь. Она значила, что ты глазом не успеешь моргнуть, как войдешь в семью — если только ее сын пойдет ей навстречу.

Меня спас Бернардо.

— Когда мы сможем отвезти этих тигров в участок для допроса?

— Это нужно делать осторожно. — Виктор посмотрел на нас. — Есть одна вещь, которую я сейчас скажу, но публично стал бы отрицать: будет лучше, если полиция в полном боевом облачении проедется с нами от тигра к тигру. Тому, кто может соврать мне и не попасться, я не смогу наврать о цели нашей поездки.

— Я поговорю с полицией Вегаса.

Но я подумала, не слишком ли будет трудно им удержать пальцы на спуске при охоте на тигра-оборотня, который убил их товарища? Все были очень спокойны на эту тему, я бы даже сказала, необычно спокойны. И очень это напоминало затишье перед бурей.

—Ты встревожена, — сказал мне Виктор.

—Сколько там тигров в списке?

—Пять, — ответил он.

—Шесть, — сказала она.

—Мама...

—Ты не включил бы эту женщину. Но она сильна, и ростом меньше шести футов.

Он кивнул:

—Ты права, я бы ее не включил. Готовьте вашу группу, я попробую их всех собрать вместе. Так хорошо соврать, чтобы отвезти их в участок, я не смогу, но что-нибудь организую.

—Может быть, лучше навестить их по домам? — предложила я.

—Навестить — ты имеешь в виду убить?

—Нет, мне точно этот парень — или эта девушка — нужны живыми. Их нужно допросить насчет Витторио, выяснить, где его дневная лежка. Если мы возьмем этого тигра и заставим говорить, то успеем ликвидировать Витторио до захода солнца.

—Мы дадим тебе адреса. Но если ты хочешь их допрашивать, то должны присутствовать я или Виктор.

—Почему? — спросил Бернардо.

—Потому что мы можем заставить их говорить теми способами, которыми не можете вы.

—Это ведь незаконно...

—Он убил или помог убить полицейских. Наверняка можно, чтобы все отвернулись на несколько минут? Случайно?

Я посмотрела на Виктора, увидела его глаза за очками в золотой оправе. Конечно, я бы хотела высказаться в защиту своих коллег-полисменов, но, честно говоря, если грубое обращение с этим типом поможет найти Витторио до темноты, я лично выведу из строя камеры в допросной. Такое за собой признавать — плохо? Ничего страшного, лишь бы не под запись.

Еще одна причина, по которой я больше ликвидатор, нежели коп.

Глава тридцать седьмая

Мы стояли на парковке начальной школы. Учеников там сейчас не было, и никто не выглядывал из окон поглазеть на разворачивающийся спектакль. «Мы» — это СВАТ Лас-Вегаса, Эдуард, Олаф, Бернардо, помощник шерифа Шоу, несколько детективов из убойного и сколько-то постовых, которым предстояло в нужный момент перекрыть улицу от посторонних. Виктор сидел в машине, потому что Шоу чуть не с пеной у рта потребовал, чтобы во время планирования его не было. А власти предержащие настояли, чтобы он был рядом на случай, если придется уговаривать тигра — как зовут к телефону жену поговорить с мужем, захватившим заложников. И Виктор теперь сидел в машине с кондиционером, не то что мы.

Но не только актеры этого спектакля могли бы привлечь к себе внимание, а и декорации. Потрясающе смотрелись джипы СВАТ на стоянке: огромный рекреационный автомобиль, где разместился командный пункт, грозный черный броневик, который я назвала бы огромным, если бы не эта дача на колесах, младший братец этого броневика рядом.

Сержант Хупер разложил на капоте своей машины столько клейких бумажек для заметок, сколько я в жизни не видела. В них были собраны сведения, полученные из всех источников. Их выдавал маленький лэптоп, подключенный непосредственно к большому белому РА, где сидел лейтенант Граймс, сводя воедино информацию, которую его людям удалось накопать на Грегори Миннса, первого тигра-оборотня из нашего списка.

В этот блок информации входил и план его дома. В Сент-Луисе пришлось бы проникать в сам этот дом, но в Вегасе, где полно типовых построек, два оперативника нашли соответствующий проект и обследовали аналогичный дом за несколько кварталов от нужного. Получили информацию и не всполошили тигров, что куда легче сказать, чем сделать.

— Мы знаем, что оборотни улавливают наш запах, почему их и интересует направление преобладающего ветра, — сказал Хупер.

— Ты хочешь сказать, что вы скрадываете дом, как если бы дело было в джунглях, а Грегори Миннс — крупной дичью?

Хупер задумался и кивнул.

— Не в традиционном смысле слова, потому что подозреваемый нам нужен живым, но в этом роде.

Я обернулась к Эдуарду. Он сказал:

— Анита, у них есть опыт такой работы.

— Прошу прощения, сержант. Просто не привыкла, чтобы столько народу сразу понимали простую вещь: ликантропы — не люди, хотя имеют те же самые права.

— Мы свое дело знаем, — ответил Хупер.

— Понимаю, сержант. Уже заткнулась.

Он почти улыбнулся и снова возвратился к своим заметкам.

— А как вы обойдете тот факт, что они ваше сердцебиение слышат за несколько ярдов? — спросил Эдуард, и я по его тону поняла, что он действительно интересуется, есть ли у них решение.

Когда Эдуард задает кому-то вопрос такого рода, это наивысшая похвала.

— Никто не умеет быть таким тихим, чтобы сердце не слышалось, — ответил ему Хупер.

Вампиры умеют, подумала я, но вслух этого не сказала — толку от этого был бы ноль. Ни один контингент полиции в США не принял бы в свои ряды вампира. Если ты коп и «выжил» после нападения вампира, тебя увольняют. У меня в Сент-Луисе есть друг, Дэйв, который был копом, пока не стал вампиром прямо на боевом посту, но вместо роскошных коповских похорон получил пинка под зад. Полиция чтит своих мертвых, но только если они не шляются по улицам.

— За много ярдов они сердцебиения не услышат, — сказал Бернардо, — и в человеческом образе они слышат хуже, чем в зверином.

Я посмотрела на него, не в силах скрыть изумления на лице. Он усмехнулся:

— Ты удивлена; значит, я почти наверняка прав.

Я кивнула:

—Извини. Твой идиотский флирт заставляет меня забывать, что у тебя на плечах есть неплохая голова.

Он пожал широкими плечами, но видно было, что ему приятно.

Гарри, помощник командира группы (ПКГ), был моложе Хупера, но старше большинства других. СВАТ — это игра молодых, и тот факт, что в группе столько народу старше сорока, впечатлял, потому что я знала: тут либо держи форму, либо вылетай. Он сказал:

—Последний раз объект видели в человеческом облике, поэтому его слух, обоняние и так далее если выше нормального человеческого, то ненамного, а когда мы окажемся с ним в одной комнате — пусть уже нюхает и слышит что хочет, мы его скрутим.

—Что у вас предусмотрено на случай, если он перекинется? — спросила я.

Ответил Хупер, ни на кого не глядя:

—Когда есть действующий ордер на ликвидацию, то в случае перемены — убить.

Все мы кивнули.

—Их легче убивать в человеческом облике, — сказал Олаф.

Оперативники обернулись к нему, и только он один был таков, что всем пришлось поднять глаза, пусть хоть на дюйм.

—Мы надеемся узнать место дневной лежки серийного убийцы, Джеффрис. Это значит, что Миннс нужен нам живым.

Приятно, когда есть кто-то главный, который может прочесть Олафу нотацию. Мне пришлось отвернуться, чтобы скрыть довольное выражение лица и не встретиться глазами с Эдуардом или Бернардо — я боялась, что в этом случае улыбки перейдут в смешки. Напряжение росло, нетерпение и адреналин насытили уже самый воздух. Я поняла, что это ликантропы тоже могут учуять, но опять же: что они могут сделать? Если бы они были действительно животными, мы могли бы чем-нибудь замаскировать свой запах, но если бы от нас пахло чем-то странным, они бы поняли, что им готовится западня. Потому что они разумны, как люди, и чутки, как звери. Поэтому их так трудно убить, потому так опасна на них охота. Я посмотрела в небо — солнце неумолимо двигалось к горизонту.

— Мы хотим это сделать до темноты, Блейк, — сказал Гарри.

— Извините. Когда большую часть своей жизни проводишь в охоте на вампиров, очень четко ощущаешь положение солнца на небе.

Он очень серьезно ответил:

— Я бы не хотел заниматься вашей работой, Блейк.

Я улыбнулась, не уверенная, что это была шутка.

— Иногда мне тоже не хочется.

Помощник шерифа придвинулся ближе — я надеялась, что лишь для наблюдения.

— Вы о местных тиграх знаете больше, чем говорите, Блейк.

— Вы всех нас допрашивали порознь несколько часов, Шоу. Мы могли бы уже давно этим заняться и, быть может — только быть может, — закончить до темноты. Теперь уже никак не получится. Мы лезем вон из кожи, а темнота догоняет, и дальше будет только хуже.

— Я слышал, вы вышли от Макса с новым другом? Рука об руку с одним оборотнем-тигром. У вас и правда слабость к стриптизерам?

Из этого я поняла, что я под наблюдением. Или Макс под наблюдением. Более того, Эдуард тоже этого не заметил. Значит, наблюдатель свое дело знает, кто бы он ни был.

Я опустила очки, чтобы посмотреть ему в глаза.

— Ваш чрезмерный интерес к моей личной жизни меня беспокоит, Шоу.

Он даже покраснел слегка. Интересно. И не только я это заметила, потому что Хупер сказал:

— Шериф, вы бы лучше переоделись.

— Что?

— Вы же идете с нами?

— Сам знаешь, что нет.

— А маршал Блейк с нами идет. Пожалуйста, не нервируйте ее.

— Ты ее защищаешь, Хупер? — Он глянул на меня сердито. — Я думал, вы с копами не заводите шашней, Блейк.

— И что это должно значить?

— Это значит, что вы приходите в СВАТ на пару часов, и вдруг они доверяют вам прикрывать себе спину и пререкаются со старшими. Наверное, вы и правда так хороши, как говорят.

Не часто удается увидеть мужчин вот так огорошенных, как сейчас. Все застыли с открытыми ртами, как бывает, когда не можешь поверить своим ушам. Шевельнулись, создавая ощущение стаи, стягивающейся вокруг кого-то, кто ей не нравится.

Тихо, но явственно, без крика, но с отчетливо выраженными эмоциями Хупер сказал:

— Эта женщина пойдет с нами плечом к плечу в этот дом, а вы останетесь здесь, в холодке отсиживаться.

— У меня сейчас нет подготовки, — ответил Шоу. Его лицо будто не могло решить про себя, краснеть ему или бледнеть.

— Когда-то была. И вы отлично знаете, что нельзя вот так морочить бойцам голову перед самой операцией.

А Каннибал проник сквозь толпу зеленых мундиров и сказал тихо и тоже отчетливо:

— Оттого, что вы будете хамить Аните, ваша жена не вернется к вам.

— А это не ваше дело!

— Вы сделали это нашим делом, когда намекнули, будто мы не делаем свою работу, а трахаемся с федеральным маршалом.

Лейтенант Граймс стал протискиваться к нам, но он не успел предотвратить следующие несколько мгновений:

— Рокко, не лезь ко мне, — предупредил Шоу.

— Да, я знаю, экстрасенсов вы тоже боитесь, но не так ненавидите, как оборотней, потому что не с кем-то из нас сбежала ваша жена.

Вот оно что. Вот почему Шоу возненавидел меня еще до первого взгляда. Каннибал не должен был такое говорить начальнику своего начальника, но... я не могла не быть благодарной за защиту моей чести, даже если это он свою защищал. Так или этак, а приятно было, что я не одинока.

Глава тридцать восьмая

По профессии Грегори Миннс был вышибалой в баре, но Виктор открытым текстом нам объяснил, что он у них в клане выполняет силовые функции. И намекнул, что участвует в некоторых не слишком легальных операциях его отца. Почти все крысолюды, что охраняют Жан-Клода, если и не имеют трений с полицией, то лишь потому, что ни разу не попались, — так что не мне придираться.

Я последнее время, когда нет повода придираться, не придираюсь. Взрослею, наверное.

Вел нас человек с металлическим щитом, в котором было небольшое окошко. Еще был у нас один с тараном, а остальные в полном снаряжении, с оружием наготове. Каждый из нас — Олаф, Эдуард, Бернардо и я — были приданы какому-нибудь из членов группы: нам полагалось идти туда, куда они пойдут, и делать то, что они будут делать. В пригороде тяжело найти точку для снайпера, но они у нас были — в соседних с Миннсом домах, откуда вывели жильцов. Он не мог не знать, что мы здесь, но при таком количестве народу и при таких сложных процедурах это было лучшее, что мы могли сделать. Однако в таком многолюдье есть свой плюс: дом все время был у нас под надзором, и мы знали, что Миннс не сбежал. Никто не видел, чтобы он уходил, — значит, он на месте. Вот расставить всех по местам — это требовало времени, какового у нас был наибольший дефицит, и мне трудно было на эту тему сохранять спокойствие. Не то чтобы меня тянуло злобствовать, но хотелось начать нетерпеливо расхаживать, а этого я не могла себе позволить. Один из тех моментов, когда начинаешь с интересом рассматривать вопрос о курении, или вообще чем-нибудь, что можно делать, пока ждешь. Солнце на моих глазах опускалось все ниже и ниже, а я старалась держать под контролем собственный пульс. Не хотелось мне брать Витторио и его пособников в полной темноте. Я признала про себя, пусть даже не вслух, что ощущение у меня под ложечкой — это и есть страх. Надо же. Какой-то серийный убийца присылает мне по почте голову — и я уже боюсь. Можете себе представить?

А мы ждали, пока кто-то из членов группы займет свое место где-то вдали, и я попыталась еще раз объяснить, как нам дорого время. Меня приставили к Хуперу, то есть я оказалась в первых рядах. Не знаю, как они решали, кого куда.

— Хупер, они ваших людей убили средь бела дня. Когда наступит ночь, им станут помогать вампиры, и это будет хуже. Намного хуже.

— Насколько? — спросил он.

— Если будем и дальше дурака валять, то узнаем.

— Я не могу нарушать приказ, Блейк.

Я кивнула:

— Знаю, что это не твоя вина, но это на тебя и на твоих людей падает риск.

— На моих и на твоих, — ответил он.

Я кивнула.

— Не знаю, мои ли они, но, ты прав. На вас и на нас.

— Я слыхал, что у маршалов противоестественного отдела нет четкой командной структуры.

Я засмеялась:

— Можно и так сформулировать.

В ответ я заработала улыбку:

— Как же вы тогда решаете, кто что делает?

— Тед у нас самый опытный, и я ему почти всегда доверяю командовать. Иногда он доверяет это мне. С Отто и Бернардо я тоже работала, поэтому мы примерно знаем взаимные сильные и слабые стороны. — Я пожала плечами. — В основном мы работаем сами по себе. Иногда нас суют в какую-нибудь командную структуру в полиции, тогда мы работаем с нею, но как правило, мы действуем в одиночку.

— Как Одинокий Рейнджер, — сказал он и сам поднял руку: — Я помню, ты говорила Пауку, что Одинокий Рейнджер был техасским рейнджером.

Я улыбнулась.

— Да, но в противоестественном отделе очень распространена ментальность одинокого стрелка. Мы так давно и долго работаем одиночками, что не очень хорошо сыгрываемся с другими.

Мальчик, который выглядел слишком молодо для этой работы, даже по-моему, с большими голубыми глазами и волосами, полностью скрытыми шлемом, будто надеялся, что короткая стрижка придаст ему полицейский вид, сказал:

— А ходят слухи, что вы лично хорошо сыгрываетесь с кем угодно.

— Джорджи! — сказал Хупер. Вид у него был смущенный.

— Так это не у одного Шоу такие тараканы? — спросила я.

Хупер под всем своим снаряжением сумел пожать плечами.

Наверное, меня достало напряжение ожидания плюс сознание, что, когда это напряжение кончится, тут же навалится следующее.

— И что именно ты слышал, Джорджи? — спросила я.

Он как-то неловко замялся. Одно дело — намекать, другое дело –- высказаться открыто, прямо мне в лицо.

— Ну, Джорджи-Порджи? Если есть тебе что сказать, говори. А нет — заткнись на фиг.

Остальные слушали и смотрели, ожидая, что будет дальше. Каннибал был в оцеплении и не мог защитить мою честь, а Хупер, очевидно, готов был защищать ее только от чужих. Эдуард стоял молча, предоставляя мне воевать за себя самой. Он знал, что я большая девочка.

У Джорджи лицо закаменело, и я поняла, что сейчас он скажет. Наверное, не надо было смеяться над его именем. А, ладно.

— Я слыхал, что ты трахаешься со своим мастером города.

— И?

Злое лицо попыталось нахмуриться, оставаясь злым.

— Что — и? — спросил он.

— И — что? — ответила я.

Ему пояснил Бернардо:

— Джорджи, она говорит, что да, трахается с мастером города. И что с того?

— Я слыхал, что и тебя она тоже оприходовала, — ответил Джорджи.

Бернардо засмеялся:

— Друг, я с того самого первого раза, как мы с ней работали, пытаюсь залезть ей в штаны.

Я только могла покачать головой. Олаф посмотрел на него неодобрительно. Эдуард попытался сделать безучастное лицо, и у него получилось. Но все мужики смотрели теперь на Бернардо.

Общий вопрос задал Санчес:

— И как?

— Спроси у нее, вот она.

Они посмотрели на меня — я улыбнулась, хотя мне не очень было смешно.

— Никак.

— Никак! — произнес Бернардо голосом трагика. — Сказала «нет» и повторяет снова и снова. Я уже два года пытаюсь, и — нет. — Он развел руками, будто говоря: «Вот так вот, ребята». — И если у меня не получается, как вы думаете, сколько сволочей из тех, что говорят, будто было дело, на самом деле что-то получили?

— Гадайте без меня, — сказала я.

Бернардо сделал жест в мою сторону:

— Сами видите. С ней нелегко — ни в каком смысле.

Они засмеялись, а Бернардо был как никогда в жизни близок к получению от меня поцелуя. Но как ни странно, за его защиту я даже спасибо не могла сказать. Только покрутила с отвращением головой и обозвала его кобелем.

Затрещала рация, и Хупер ответил:

— Мы готовы.

Все подобрали снаряжение и встали по местам. Хупер глянул на меня:

— Анита, ты со мной.

Чувствовалось, как горячее жара растет напряжение.

—Не пристрели случайно кого-нибудь из нас, Анита, — попросил Санчес. Мое имя он произнес, не добавляя к нему лишних слогов — только те, что должны были быть.

—Если я тебя пристрелю, Санчес, это будет не случайно.

Остальные хмыканьем и мычанием выразили свое одобрение или неодобрение. Потом пришла вторая команда, и некогда уже было дразниться. Мне было сказано, что я должна войти за Хупером, поскольку из четырех маршалов только я не прошла официального боевого обучения.

Я сделала, как было сказано: положила левую руку на спину Хупера, чтобы, когда он двинется вперед, двинуться за ним. Вторую руку я держала на лямке «МП-5», чтобы он случайно не оказался направлен на кого-нибудь, и мы пошли.

Глава тридцать девятая

В прошлый раз, когда я работала со СВАТ, мы входили в дверь под светошумовые гранаты и с приказом стрелять во все, что шевелится — кроме заложницы, которую пытались спасти. А на этот раз мы постучались.

Сержант Хупер крикнул из-за спины парня со щитом (его фамилия, оказывается, Хитч), у которого ширина плеч почти как у меня рост:

—Полиция Вегаса, ордер на обыск! Открывайте!

Голос у него был хороший, как у сержанта на плацу. Я была готова, но все равно не могла не вздрогнуть.

Этот призыв сержант повторил еще дважды.

Сквозь жар дня нас обдало сзади энергией Виктора. Поскольку он был слишком далеко, чтобы орать, он ограничился посылкой вперед своей энергии. Голос можно подделать, но никто не может имитировать такую лавину силы. В некоторых смыслах она ничем не лучше голоса. Голос бы не передавил мне горло, подобно руке, стремящейся внутрь. Мне пришлось поднять метафизические щиты, чтобы в достаточной степени отбить эту энергию, не ощущать ее вкуса во рту. Оттолкнуть от себя эту силу — похоже было на выжимание очень большого веса. Никогда не чувствовала ничего подобного ни у одного ликантропа.

Грегори Миннс не мог не ощутить такой энергии, исходящей от «короля» его клана. Если он не преступник — он откроет дверь. Иначе — будет убегать или драться.

Я крепче взялась за жилет Хупера, стараясь успокоить бьющийся пульс. Почти физически ощущался повышенный уровень адреналина у всех вокруг, у меня самой — очень многое могло случиться непредусмотренного. И от силы Виктора сейчас мне стало только хуже. Может быть, если бы я не оттолкнула ее, она бы меня успокоила, но я не могла себе позволить ее принять — живущим во мне тигрицам она слишком нравилась. У меня за глазами мелькнули картинки, как они задирают головы и ревут коротким, кашляющим тигриным ревом. От него вибрировало мое тело, и я только и могла сдерживать пульс и дышать медленно, потому что пока я держу тело под контролем, мои звери не могут причинить мне вред. Серьезный вред.

Вот уж и правда лучше, если бы Виктору позволили говорить через дверь.

— Что это за чертовщина? — спросил Санчес. — Тигр там, внутри?

— Тихо, — ответил ему Хупер.

Санчес ощущал энергию Виктора, может быть, и моих тигров тоже. Надо было мне помнить, что он эту энергию чувствует. Это может изменить мои действия, когда окажемся внутри.

— Открывайте, Миннс! — рявкнул снова Хупер.

Я ощутила, как внутри дома перемещается энергия, будто инфракрасная картинка. Только это было ощущение, а не видение. Я едва не сказала: «Он у двери», но точно я знала только одно: это тигр-оборотень. Вполне это мог быть не Миннс. И я как раз обдумывала, должна ли я сказать, что «чувствую» с той стороны тигра, как оборотень отозвался:

— Открываю дверь. Не стреляйте в меня, открываю. О'кей?

Дверь стала открываться, но ребята из СВАТ не стали ждать завершения процесса — они рванули внутрь, и я вместе с ними, держась за Хупера. Послышался ор: «На колени! Руки за голову!»

Миннс так и поступил, оказавшись в окружении полицейских и направленного на него оружия. Вид у него было довольно спокойный. Спокойнее, чем должно было быть в центре такого круга. Вот это спокойствие мне не нравилось.

Волосы у него были светло-соломенные, не белые. Мелькнули глаза — где-то за ногами и торсами сватовцев. Светло-голубые, идеально тигриные, и не было у него, казалось, иной цели, кроме как посмотреть на меня. Это мне тоже не понравилось.

Зато понравилось белой тигрице, и она подобралась поближе к поверхности. Я продолжала считать собственный пульс, контролировать дыхание, но чувствовала силу Миннса. И снова, как у Виктора, она была в чем-то больше обычной силы, чем-то отличалась. Нечто в доминантах этого клана было, придающее им какой-то... смак, будто эту силу можно жевать, хрустеть ею, как леденцом или вафлей. Жевать, глотать, и оно сладкое, и хочется откусить еще.

Он смотрел на меня, пока на него надевали наручники и ножные кандалы тоже — никто не хотел рисковать. Он не мешал делать с собой все, что им хочется, но смотрел на меня, и я будто не могла двинуться под тяжестью взгляда.

— Я бы открыл тебе дверь, маленькая королева, тебе стоит только попросить, — сказал он, и голос его тоже давил, как вес, и слишком был напорист.

— Он обращается к тебе, Анита? — спросил Хупер.

Я кивнула.

Эдуард тронул меня за руку, и это помогло, но оторваться от этих светлых глаз я не могла. Бернардо встал между мной и Миннсом, на пути взгляда, и тогда я смогла отступить на шаг. Что за фигня со мной такая?

Отойдя от Миннса и ребят из СВАТ, я встала возле двери.

— Что с тобой? — спросил Эдуард.

Я покачала головой:

—Не знаю точно.

—Ты так себя вела, будто у него взгляд вампира, и он тебя зачаровал.

—Знаю.

Я попыталась затолкнуть тигриц в себя поглубже, но энергия Виктора перекатывалась надо мной и вокруг меня, будто сам воздух ожил. И тигрицы не хотели уходить от поверхности, черт бы их побрал.

К нам подошел Хупер:

—Что там случилось между тобой и Миннсом?

Терпеть не могу объяснять метафизику людям без паранормальных способностей. Как объяснять выросшему в пещере, что такое день? Ты знаешь, что огонь — это свет, но как объяснить, что огонь, на котором ты варишь еда, бывает так ярок, что занимает все небо? Не получится. Но попробовать можно.

— Я думаю, я ему понравилась.

Хупер посмотрел на меня каменным взглядом, и у него получилось. Серые глаза стали холодны, как бывает у Эдуарда — ну, почти.

—Так быстро невозможно подружиться, Блейк. Он знает тебя, а ты его.

—Клянусь, что впервые его вижу.

— Он назвал тебя ласкательным прозвищем, Блейк. «Маленькая королева». Очень нежно. Незнакомых ласкательными именами не называют.

Я задумалась, как много попытаться объяснить Хуперу, когда почувствовала приближение Виктора. Он шел к дому. Черт.

Я покачала головой:

—Мне надо, чтобы Виктор снизил уровень энергии, иначе я утону.

—Что?

—Тигр, который снаружи, заливает дом своей энергией, будто рекой какой-то. Я знаю, что она успокоила того тигра на полу, но у меня от нее по коже мурашки, Сонни.

Хупер переводил взгляд с меня на него и обратно. Видимым усилием он смог унять свою злость.

— Значит, ты и Санчес принимаете энергию Виктора?

— Да, — ответила я.

— Ладно, это объясняет, почему ты побледнела. Но не объясняет, почему у Миннса, которого ты никогда не видела, нашлось для тебя ласкательное прозвище, и что он сказал, что открыл бы дверь, если бы ты только попросила. Прости, но такие слова говорят только подруге, с которой очень серьезные отношения.

— Или с которой очень классно трахаться, — вставил Бернардо.

Мы все посмотрели на него сердито — он поднял руки вверх, будто извиняясь:

— Я только сказал, что некоторые женщины так на мужчин действуют.

— Не надо меня выручать, — сказала я.

Он усмехнулся и отошел неспешно к середине комнаты, где ожидал «подозреваемый». Хупер посмотрел на меня тем же холодным взглядом.

— И все же он прав.

— «Маленькая королева» — это прозвище, которым называют меня тигры.

— Почему? И почему это знал Миннс, хотя ты сегодня только приехала в город?

Мы с Санчесом посмотрели на дверь, не сговариваясь, потому что почувствовали, как сейчас в дверь войдет источник всей этой силы. Санчес даже поднял «М4», но наводить не стал. Я с трудом удержалась, чтобы не коснуться оружия. Виктор вошел в дверь — так, как мы ожидали. Санчес сказал:

— Сержант, не скажете этому почтенному гражданину, чтобы снизил уровень энергии? Иначе у меня голова разболится.

— Скажи сам, Санчес. Мы с маршалом еще не закончили разговор.

Санчес посмотрел на меня почти с сочувствием, потом пошел к двери к Виктору с его полицейским эскортом. Хупер снова обернулся ко мне. Эдуард встал рядом со мной, будто даже защищая. Неспешно вошел Олаф, но смотрел в основном на арестованного тигра. Приятно видеть, что его интерес ко мне не мешает работе. И непонятно было, подошел ко мне Эдуард, чтобы защитить от Хупера — или же по случаю присутствия Олафа.

—Шоу сказал, что ты знаешь больше, чем говоришь, но мне хотелось думать, будто это личные тараканы заставляют его быть необъективным. — Хупер покачал головой. — Но вот этот друг тебя выдал. Сколько времени ты с ним знакома?

Воздух вдруг перестал давить так сильно. Оказывается, я дышала с трудом, но только сейчас это заметила. Посмотрев в сторону двери, я увидела, что Виктор уже в комнате, а Санчес показывает мне большой палец. Я ответила тем же жестом. Приятно быть не единственным, кого достает эта паранормальная фигня. Уродцы любят общество себе подобных.

—С Грегори Миннсом я познакомилась пять минут назад. Представление ты видел.

—Ты врешь, — сказал Хупер.

—Она не врет, — ответил Эдуард.

—Ее бойфренда я не спрашивал.

—Если я скажу, что он мне не бойфренд, это улучшит ситуацию?

—Нет, — сказал Хупер. — Как только этот тигр назвал тебя ласкательным именем, ты потеряла мое доверие, Блейк.

—Прошу прощения, что моя попытка успокоить Грегори задела вас и присутствующего здесь Санчеса, маршал Блейк. — Виктор подошел к нам, и сила его была натянута туже барабана. Я слышала ее реверберации, но и только. Он хорошо ее запер.

—Поскольку это было не нарочно, мы не в обиде.

—Вы видели, на что способна моя мать. Поверьте мне, нарочно было бы хуже.

Я кивнула. Я ему поверила.

—Когда вы познакомились с маршалом Блейк, мистер Белиси?

—Сегодня днем, — ответил он.

—Когда с ней познакомился Грегори Миннс?

Виктор наморщил лоб:

—Я не думаю, чтобы они были знакомы.

—Он ее назвал своей маленькой королевой. Слишком личное обращение для незнакомцев.

Виктор улыбнулся, но попытался улыбку убрать.

—«Маленькая королева» — так у нас прозвали маршала Блейк.

—Вы с ней познакомились только сегодня — и уже у нее есть прозвище. Хорошо. А Миннс, который познакомился с ней только что, это прозвище знает и использует. Не морочьте мне голову. Кто-то из вас лжет — или все вы.

—Я клянусь, что мы только сейчас познакомились с маршалом Блейк. Ее весьма необычайные паранормальные способности высветили ее у тигров на радаре как маленькую королеву. Это не персональное прозвище, это скорее ранг.

—И чем она этот ранг заработала?

—Исходящей от нее психоэнергией.

—Санчес! — позвал Хупер.

—Она очень мощный экстрасенс, сержант.

—Я знаю, что говорил Каннибал. Мне нужно знать, действительно ли ее сила делает то, что говорит Виктор, или же они все врут.

—Она отлично закрывается щитами. Мне нужно было бы прочесть ее намеренно, чтобы ответить на этот вопрос, а по протоколу это можно делать лишь с разрешения читаемого экстрасенса либо в экстремальной ситуации, когда создается опасность для жизни.

—Звучит так, будто ты цитируешь правила, — сказала я.

—Так и есть, — кивнул он.

—Каннибал там снаружи, с доктором. Он может прочесть тебя еще раз, — предложил Хупер.

Я покачала головой:

—Я не дам ему разрешения снова оказаться у меня в голове.

— Тогда я хочу, чтобы тебя прочитал Санчес. Я хочу знать, действительно ли ты так сильна, чтобы укрощать таким образом тигров-оборотней.

— Для него это может быть не так мощно, потому что он — человек, — сказал Виктор.

— Он мой практиционер, и я хочу, чтобы он ее прочитал. А вы, черт вас побери, не лезьте в работу моей группы!

Я вздохнула и повернулась к Санчесу:

— Что тебе нужно от меня, чтобы получилось?

— Убери щиты, — сказал он.

Я покачала головой:

— Не могу убрать все.

— Тогда опусти слегка.

— А не мог бы Виктор быть еще дальше?

— Зачем? — спросил Хупер.

— У меня некоторые трудности, похоже, в защите от его клана. Не знаю почему, но их сила мне мутит мозги.

— Джорджи, проводи мистера Белиси из этого помещения.

Джорджи подошел и выполнил приказ без единого вопроса. Вот это все копы умеют намного лучше нас, маршалов противоестественного отдела: выполнять приказы без пререканий.

Виктор не возражал. Остальные подались назад, будто бы мы попросили, хотя этого не было. Мы с Санчесом остались стоять посреди гостиной Миннса с темно-коричневым ковром и стандартной мебелью. Почему-то считается, что у противоестественных созданий дома должны быть необычными, но на самом деле они совершенно рядовые. Если раз в месяц покрываешься шерстью, это еще не значит, что вкусы у тебя нестандартные.

Санчес снял каску. Черные волосы намокли от пота.

— Готова?

Я сделала глубокий вдох и опустила щиты. Так далеко от Жан-Клода и от всех своих я не стала убирать их полностью. Это было как приопустить стекло в машине, чтобы слегка проветрить.

Санчес снял перчатку и поднес ко мне руку, будто ощущая жар.

— Господи, у тебя аура потрескивает энергией. Как будто если уберешь все щиты, то загоришься. — Потом он закатил глаза под лоб, под трепещущие веки. — Но загорится она черным, будто вспыхнет ночь и пожрет мир.

Он споткнулся, я машинально протянула к нему руку, его рука судорожно сомкнулась на ней, и вдруг упали мои щиты. Мы оба рухнули на колени, как от удара. Паранормальный молот поразил нас обоих, и ничего мы не могли сделать, только уноситься на волне силы. Я не подумала, что у них может быть еще один практиционер, который меня напугает. Я привыкла думать, что я самый страшный бука в любом коллективе, и до меня не дошло, что Санчес тоже может оказаться таким. Но слишком поздно, и теперь нас обоих сожрут.

Глава сороковая

Санчес попытался заглянуть за мои частично приподнятые щиты и оказался слишком силен, — или получилось как в тот раз, когда мы пожимали друг другу руки и он единственный из всех практиционеров меня уколол. Мне полностью перемешали мысли второй раз за один день. Рекорд.

Я чувствовала его мощь, но это было как смотреть в спокойную воду. Не всегда видишь под поверхностью скалы, которые вырвут тебе днище и утопят.

Минуту мы были спокойны — в следующую он содрал с меня щиты, как корку с раны. И в эту рану хлынула его сила, но что-то еще ждало этого момента и пошло теперь на хвосте его энергии, как грабитель, дожидавшийся в засаде, когда откроют входную дверь.

Прежде всего я почувствовала вампира, но только вампира — он дышал в затылок Санчесу. Сопротивляться я не стала, думая, что это Витторио. Силу этого вампира я попробовала на вкус, как пробуют вино, держа его во рту, согревая, пока не почувствуешь букет ртом, носом, чувством. И если это он, я хотела, чтобы его запах остался со мной, потому что, быть может, я выслежу его по его собственной силе, если только чуть больше он мне ее даст.

— Что там? — спросил Санчес.

— Враг, — ответила я. Почувствовала, как он тоже пытается толкнуть эту силу. — Не помогай мне.

— Я умею.

— Не надо...

Но я не успела договорить — нас нашла другая сущность. Марми Нуар, Королева Всех Вампиров. Я знала, кто она, и все же не была готова к волне живой тьмы, которая накатила на нас обоих. Она затопила, вымыла тонкую энергию дневной силы Витторио, если та вообще здесь была. Затопила все вообще.

Я осталась стоять коленями на холодном камне, в пещере, освещенной факелами. Санчес стоял на коленях рядом со мной, так и не выпустив мою руку.

— Что это? — спросил он.

Я знала, что наши тела остались в том доме в Вегасе, но про разумы этого нельзя было сказать.

Что-то шевельнулось в тени между факелами. Она была окутана тьмой, и непонятно было, то ли это черный плащ, то ли она соткала себя из тьмы и лишь сверху эта тьма выглядит как одежда. Выступила на свет точеная ножка, сверкнул в лучах факелов мелкий жемчуг, перемежаемый блестящим черным гагатом. Я эти туфельки видела однажды — перед тем, как она чуть не материализовалась в Сент-Луисе.

Ее тело должно было находиться далеко наверху, в комнате, где она скрывается уже больше тысячи лет, но вот она. Это сон? Или она проснулась по-настоящему?

Она ответила сама:

— Мое тело спит, но я уже не скована плотью.

— Кто она? — спросил Санчес.

— Покажем ему, некромантка?

— Нет

— Давай посмотрим, уцелеет ли его рассудок.

—НЕТ! — крикнула я и попыталась вытащить нас, но она распахнула руки, и плащ ее оказался тьмой, которая ширилась дальше и дальше, выше и выше, и наконец перед нами раскинулась полная чернота беззвездной ночи. Меня душил запах жасмина, забивая все иные ощущения.

—Анита, Анита, что с тобой? — Санчес сжимал мне руку.

Я не могла сказать ни слова, ни звука, не могла вздохнуть. Цеплялась за Санчеса, потому что больше не за что было, но царица ночи вливала себя мне в глотку. Когда-то я думала, что она меня так убить хочет, но теперь я слишком ясно видела ее мысли. Она не убить меня хотела, а подчинить, завладеть. Слишком долго лежало ее тело там, наверху, без применения, и его она не могла починить — ей нужно было новое. Нужна была я.

Вдруг в темноте возник свет — яркой раскаленной звездой. Свет пришел, как восход солнца, и она вскрикнула, отшатываясь и исчезая. Я очнулась в гостиной, в руках Санчеса и Эдуарда. И полно было крестов, горящих яркими звездами, у каждого в руках светился крест. А я пыталась вздохнуть. Эдуард перевернул меня, чтобы я могла откашляться на ковер, и из меня вылилось что-то слишком густое для воды, прозрачное. Оно пахло цветами.

Эдуард держал меня, пока меня не перестал трясти кашель, и я была так слаба, что не могла шевельнуться.

—Это был наш убийца? — спросил наконец Хупер. — Наш вампир?

—Это был вампир, — подтвердил Санчес, — но не думаю, что он здесь, в Вегасе.

Я кивнула, соглашаясь. И голос у меня был хриплый:

—К Вегасу она не имеет отношения.

—Эта Тьма хочет сожрать тебя, — сказал Санчес.

—Ага. Я не зря ставлю щиты, Санчес. Больше их не трогай.

—Извини, — сказал он. — Кто она?

Я мотнула головой:

—Кошмар.

—Блин.

—Санчес, докладывай, — велел Хупер.

— Маршал Блейк обладает серьезной силой, сержант. Настолько серьезной, если заглянуть за щиты, что эти самые тигры, блин, могли бы ее назвать Энни Оукли*, если бы у них был такой титул.

— Что ты *видел*, Санчес? — спросил Хупер.

Он посмотрел на меня, и мы переглянулись понимающе.

— Кошмары, сержант. Она воюет с кошмарами, и они отбиваются.

— Что за бред? Что это значит?

Санчес мотнул головой, вцепился в руку сержанта, который помог ему встать.

— Это значит, что я хочу вылезти на солнце и ощутить его лицом. И что я никогда больше не захочу заставлять Блейк опустить щиты. Кстати, маршал, прошу прощения — я не собирался этого делать.

Я попыталась сесть. Это оказалось возможным, хотя рука Эдуарда, на которую можно было опереться, очень не помешала.

— Я могла бы сказать: «ничего страшного», но это не так. Ты чуть не подставил меня под удар, Санчес. Под серьезный удар.

— Я знаю, — ответил он. Санчес как-то коротко и неуместно рассмеялся. — Я видел то, что напало на тебя, Блейк. Лучше бы не видел. Как ты, блин, ночью спишь?

Эдуард помог мне встать, и я чуть не упала. Под вторую руку меня подхватил Олаф, и я стояла недостаточно уверенно, чтобы высвободить руку. Сейчас я не возражала против его помощи.

— Нормально сплю.

— Ну, тогда ты просто стальное чучело с железной волей.

Он направился к двери, но его так трясло, что Хупер велел другому бойцу ему помочь.

Когда Санчес вышел, Хупер обратился ко мне:

— Санчес — мужик крепкий. Что он такое видел, что его так потрясло?

---

*Американская цирковая артистка, знаменитая невероятной меткостью стрельбы.

— Лучше тебе не знать, — ответила я.

— Освященные предметы горели, как иллюминация на Четвертое июля. Что за вампир должен быть, чтобы так действовать с расстояния?

— Молись, чтобы не пришлось тебе этого узнать, сержант. — Я сделала глубокий вдох и отпустила обе руки. Когда Эдуард меня выпустил, Олаф последовал его примеру.

Хупер перевел взгляд с меня на Эдуарда:

— Ты знаешь, что это, Форрестер?

— Да, — ответил Эдуард.

— Что?

— Последний вампир, — ответил Эдуард.

— Что это значит?

— Она королева их всех, — сказала я, — и мощнее любого, кого я видела. Находится где-то в Европе. Молись, чтобы никогда не приехала в Америку.

— И все это она устроила из Европы? — усомнился Хупер.

Я посмотрела на него недобро:

— Да, устроила. Твой человек сорвал мои щиты — это было как сорвать с тебя бронежилет перед выстрелом в упор. Ты видел, что со мной было.

— Я не хотел, чтобы Санчес тебя выводил из строя, Блейк.

— Еще бы.

Он нахмурился:

— Меня вся эта паранормальная фигня из себя выводит, но я не собирался так тебя подставлять.

Он повернулся и направился к двери.

Эдуард наклонился ко мне:

— Ты как?

Я неопределенно пожала плечами, но ответила:

— Нормально.

— Врешь, — заметил Бернардо.

Но я отметила про себя, что он стоит чуть дальше Олафа и Эдуарда. Не зря все-таки я на него не полагаюсь.

— Сейчас как дам! — пообещала я.

— Только этого и прошу, — осклабился он.

Я демонстративно закатила глаза, но это помогло мне понять ситуацию. Мать Всей Тьмы затаилась около моих щитов и ждет, когда представится шанс меня сожрать.

И меня от страха прошиб холодный пот, захотелось выйди в жар пустыни. Там согреться. Там все будет хорошо.

Я старалась в это верить, но глядела вниз, где меня вывернуло на ковер.

— Что это за фигня такая? — спросила я.

Эдуард сказал слова, которые я очень не люблю от него слышать.

— Не знаю.

Когда Эдуард не знает ответа — мы в глубокой яме.

Глава сорок первая

Жан-Клоду я позвонила из машины, которую вел Эдуард, и плевать мне было уже, что услышат Олаф и Бернардо. Мать Всей Тьмы подкарауливает меня возле щитов, чтобы сожрать. Я до сих пор ощущала какие-то ее эмоции. И основная из них — страх. Ей-то какого хрена бояться?

Жан-Клод ответил слегка запыхавшимся голосом:

— Ma petite, я почувствовал, как что-то к тебе потянулось, что-то темное и страшное. Если это Витторио, ты должна покинуть Лас-Вегас немедленно, до темноты.

— Это был не он, — сказала я.

— Кто тогда?

Я вцепилась в телефон, в звук его голоса, как в спасательный круг. Меня еще трясло от страха так, что вкус металла не уходил с языка.

— Марми Нуар.

— То, что я почувствовал, отличалось от того, что было раньше. Меньше масштаба, более... — он поискал слово, — человеческое.

Я кивнула, хотя он меня и не видел.

— Она была маленькая, как в церкви в Сент-Луисе. И эти чертовы маленькие туфельки на ней были, жемчугом расшитые.

— Наверное, они у нее на ногах в той комнате, где находится ее реальное тело.

— Она не в той комнате была, Жан-Клод. Ты должен позвонить Белль Морт или кому там еще, и сказать, что она разгуливает по нижнему помещению той пещеры. Той, на которую выходят ее окна. Вот там она.

Он длинно и замысловато выругался по-французски. А по-английски сказал:

— Я сообщу всем. И перезвоню тебе, как только смогу. Тебе бы я посоветовал спрятаться в церкви, окружив себя крестами, пока все это не кончится.

— Я должна поймать убийцу.

— Прошу тебя, ma petite.

— Я подумаю. Хорошо?

— Это уже что-то. Анита, я люблю тебя. Не дай ей себя у меня забрать.

— Я тебя тоже люблю, и этого не будет. Закрываюсь щитами изо всех сил. Чтобы она ко мне проникла, мне надо было сбросить щит.

— Ma petite, Анита... Merde, я тебе перезвоню, как только свяжусь с кем-нибудь в Европе.

Он еще раз выругался по-французски, так быстро, что я не разобрала, и повесил трубку.

Мы свернули за угол, несколько поспешней, чем надо, стараясь не отстать от полицейской машины. Ребята не включали сирен и мигалок, но несколько раз превысили скорость. Очевидно, не только нас напугало случившееся в доме. Интересно, что Санчес им сказал. И что будут рассказывать копы, которые все это видели? Как Жан-Клод отнесут все это за счет Витторио? Пришпорит это их, чтобы закончить дело до того, как вампиры Вегаса поднимутся ночью?

— Что сказал граф Дракула? — спросил Эдуард.

— Не надо его так называть, Эдуард.

— Прости. Так что он сказал?

— Будет связываться с некоторыми вампирами в Европе.

Олаф с заднего сиденья спросил:

— Я правильно тебя понял, что та Королева Всех Вампиров, дух которой мы ощущали в Сент-Луисе, где-то расхаживает во плоти?

— Я видела ее в видении. Может быть, это было всего лишь видение, но мне она являлась в видениях и раньше, и всегда была в той комнате, где она заперта. Никогда не видела ее снаружи.

— Твою мать, — сказал Эдуард.

Я уставилась на него, потому что он редко ругается — обычно это моя работа.

— Чего это ты? — спросила я.

— На меня выходили с предложением заключить на нее контракт.

Я обернулась на сиденье, уставилась на него. Всматривалась в лицо — но на нем было обычное его непроницаемое выражение плюс солнечные очки, хоть смотри, хоть не смотри. А у меня самой челюсть отвисла и лицо стало удивленной маской.

— То есть кто-то к тебе обратился с предложением ликвидировать Мать Всех Вампиров?

Он кивнул.

Олаф и Бернардо подались вперед — значит, они не пристегнулись ремнями, но мне, как ни странно, на этот раз не захотелось им сказать, чтобы это сделали.

— У тебя контракт на ликвидацию Марми Нуар, и ты даже словом мне не обмолвился?

— Я сказал, что мне предложили контракт. Я не говорил, что его заключил.

Тут уж я повернулась всем телом, насколько ремень позволял.

— Ты отказался? Денег мало?

— Деньги там хорошие, — ответил он — руки на руле, внимание на дорогу, лицо непроницаемо и спокойно. По виду не подумать, что тема разговора его вообще хоть как-то интересует. Зато интерес проявили мы, все остальные.

— Почему же ты тогда не принял предложение? — спросила я.

Он едва глянул на меня, резко, чуть ли не на двух колесах обходя в этот момент грузовик. Нам пришлось хвататься кому за что, хотя Олафу и Бернардо хуже пришлось без ремней, но мы не отстали от других полицейских автомобилей. Те уже включили мигалки, но сирены пока молчали.

— Ты сама знаешь, — ответил он.

Я хотела сказать, что не знаю, но запнулась. Крепче взялась за приборную доску и за сиденье, задумалась. И наконец сказала:

— Ты побоялся, что Марми Нуар убьет тебя. Побоялся, что эта задача наконец-то может оказаться не по плечу.

Он ничего не сказал, и я поняла, что других подтверждений не будет.

— Но уж сколько лет я тебя знаю, Эдуард, — сказал Олаф, — ты все время рвешься в бой против самых мощных и страшных монстров. Ты ищешь себе испытаний. Это испытание было бы непревзойденным по суровости.

— Вероятно, — согласился Эдуард тихим и тщательно контролируемым голосом.

— Никогда бы не подумал, что доживу до такого, — сказал Бернардо. — Великому Эдуарду все-таки изменило бесстрашие.

Мы с Олафом оба на него посмотрели неодобрительно, но ответил ему Олаф:

— Ему не изменяло бесстрашие.

— А что тогда? — спросил Бернардо.

— Не хотел рисковать горем Донны и детей, — ответила я.

— Чего? — не понял Бернардо.

— Это заставляет жить с опаской, — тихо объяснил Олаф.

— Так я же и сказал, что ему изменило бесстрашие, а вы на меня напустились, — возмутился Бернардо.

Олаф посмотрел на него в упор — всей тяжестью пустых и темных глаз. Бернардо чуть заерзал на сиденье, сопротивляясь желанию отползти подальше от этого взгляда, но не отполз. Очко в его пользу.

— Бесстрашие Эдуарду не изменяло. Но опасаться может и бесстрашный.

Бернардо посмотрел на меня:

— Ты понимаешь, что он сказал?

Я подумала, повертела мысль в голове.

— Да, в общем, понимаю.

— Объясни тогда мне?

— Если Марми Нуар придет сюда и нападет, Эдуард будет с ней драться, он не убежит. Не сдастся. Будет драться, даже если это означает смерть. Но по своей воле он не станет охотиться на самых сильных и страшных, потому что они могут его убить, а он не хочет оставлять жену вдовой и детей сиротами. Он перестал дразнить смерть, но если она придет за ним, он будет драться.

— Если ты ничего не боишься, — сказал Олаф, — то это не значит, что ты смелый. Это значит, что ты глупый.

Мы с Бернардо посмотрели на гиганта, и даже Эдуард выбрал минутку оглянуться на него.

— А тебя что пугает, великан?

Олаф покачал головой:

— Страхом не делятся. Страх преодолевают.

Отчасти мне даже хотелось узнать, что может устрашить самого страшного человека из всех, кого я в этой жизни знала. Но при этом мне совершенно не хотелось даже знать этого — сочувствия Олафу я себе никак не могла позволить. Жалость внушает колебания, а наступит день, когда мне надо будет обойтись с ним без колебаний. У многих серийных убийц было тяжелое детство, страшные истории, где они были жертвами — и почти все они даже правдивы. Но это все не имеет значения. Без разницы, какое у них было страшное детство и были ли жертвами они сами. Без разницы, потому что когда ты у них в руках, одно имеет значение, общее для них для всех: к своим жертвам они не знают жалости.

Забудешь — убьют.

Глава сорок вторая

Эдуард подрулил к линии мигающих полицейских машин, но оказалось, что представление уже почти закончено. Тигрица-оборотень стояла во дворе на коленях под направленными дулами, а Хупер с его людьми толпились рядом. Я увидела мелькнувшие белокурые волосы, коротко подстриженные, вспышку тигриных голубых глаз, а потом ее запихнули в фургон.

— Вы начали без нас? — обратился к Хуперу Эдуард добрым голосом старины Теда. Приятно, что у него нашелся добрый голос — я готова была на людей бросаться.

Хупер ответил, глядя в закрывающиеся дверцы:

— Она стояла во дворе на коленях и ждала нас.

— Блин! — выругалась я.

Он посмотрел на меня:

— Что так? Все было быстро и легко.

— Они знают, Хупер. Другие тигры в курсе.

У него на лице появилось понимание:

— И наш злодей мог сбежать.

Я кивнула.

— Оповестите наблюдение, — сказал Эдуард.

— Какое еще наблюдение? — удивилась я.

Эдуард и Хупер переглянулись, и Хупер взялся за рацию. Эдуард объяснил:

— Как только мы положили их имена в шляпу, тут же всех взяли под наблюдение. Стандартная процедура.

— Твою мать. Понятно теперь, почему они знают.

Он пожал плечами:

— Способ за ними проследить, если пустятся бежать.

— Способ их спугнуть и заставить бежать. И мне об этом никто не сказал — почему?

— Хупер либо не хотел, чтобы ты знала, либо полагал, что ты знаешь об этой стандартной процедуре.

Я как можно глубже вдохнула и выдохнула очень медленно.

— Хрен с ней, с процедурой. Весь смысл был во внезапности.

Возразил мне подошедший Шоу:

— Мы не все передаем в ваши руки, маршал. Если опасный подозреваемый сбежит, мы хотим знать куда.

— До вас так и не дошло, — ответила я. — Эти ребята слышат, как бежит кровь в ваших жилах. Они вас чуют по запаху, хотя у тигров обоняние куда хуже чем, скажем, у волков, но что возле дома появились копы, они знают.

— Мои люди знают свое дело, Блейк.

— Да не в умении суть, Шоу. Суть в том, что люди охотятся за не людьми. До вас никак не дойдет?

— Они сделают свою работу, — сказал он, глядя на меня настойчиво недружелюбными глазами.

— В этом я не сомневаюсь. Надеюсь только, что это не приведет к их гибели.

Не знаю, что ответил бы на это Шоу, потому что вернулся Хупер.

— С тремя другими домами мы установили связь, но один не отвечает.

— Блин, — сказал Шоу.

Я сумела промолчать. Фраза «Я же говорила» вряд ли была бы встречена восторгом.

Шоу посмотрел на меня сердито, будто услышал мои интенсивные мысли.

— Бывает, что рации ломаются, Блейк. Не обязательно самый худший вариант.

Эдуард слегка коснулся моей руки, и я поняла его, сумев сохранить голос ровным:

— Шоу, вы же коп и знаете, что предполагать нужно худшее. Если не сбудется — отлично. Но если да, у вас будет план.

— Мои люди уже идут туда проверить, — сказал он.

— Возьмите нас туда, Хупер, — сказала я.

— Я думаю, что мои люди сумеют сами справиться.

— Случай по противоестественному ведомству, — возразила я. — Нам не нужно ваше разрешение, чтобы там оказаться.

Бойцы вышли из окружавшей нас толпы, будто Шоу их уже выделил для этой работы. Вероятно, так оно и было. Почти все были в форме, кроме Эда Моргана. Он мне кивнул, улыбаясь, и возле глаз, ставших веселыми и приятными, легли морщинки. Интересно, глаза за очками и правда улыбаются, или просто лицо меняет выражение?

— Морган здесь главный детектив в убойном, — сказал Бернардо, тоже улыбаясь, и лицо у него было такое же приветливое, как секунду назад — у Моргана. Обнародование его истинного звания заставило улыбку детектива чуть потускнеть. Интересно, как Бернардо выяснил его истинную должность. Потом спрошу, когда это никого не разозлит.

— То, что я главный детектив, не препятствует нам быть друзьями, — сказал оправившийся от неожиданности Морган.

Подошел Хупер:

— Доложили по рации. Машина пуста. Кровь, но тел нет.

— Блин, — сказал Шоу.

— Давайте мы вам поможем, — предложил Эдуард.

— У Миннса от вас не было помощи. Более того, вы задержали выполнение операции.

Эдуард посмотрел на Хупера:

— Вы так видите события, сержант?

— Нет, но он мой начальник.

— Приятно слышать, что вы это еще помните, — отозвался Шоу.

— Какой из тигров оказался диким? — спросила я.

— Мартин Бендез, — ответил Хупер.

— Сержант! — одернул его Шоу. — Нам больше нет нужды делиться с маршалами информацией.

— Его преследует ваша группа? — спросила я Хупера.

— Задача поставлена группе Хендерсона.

— Сержант Хупер! — рявкнул Шоу. — Я дал вам прямой приказ не сообщать маршалам информацию.

— Вот теперь это прямой приказ, — ответил Хупер и пошел собирать своих людей и снаряжение для ухода. Он не оглянулся, но я знала: он не говорил Шоу и прочим своим начальникам, будто мы его затормозили. Да, но доложить о моем странном поведении он был обязан. Пусть они нанимают на службу экстрасенсов, но я не из их практиционеров. Пусть они не зашорены, но их практиционеры не поняли, что случилось, и этот факт работал против меня. У меня возникла мысль.

— Другие маршалы могут проследовать к тому месту преступления?

— Я уже сказал вам: вы нас задерживаете.

— Вы хотите сказать, что я устроила на месте проведения операции метафизику и всех перепугала до жути. Ладно, наказывайте меня, отстраняйте от дела, но никто не умеет выслеживать этих ребят лучше маршала Форрестера. Пусть другие маршалы пойдут на место преступления, я посижу здесь.

Эдуард смотрел на меня. Ничего не говорил, только смотрел на меня.

— Нет, — ответил Шоу.

— А почему, шериф? — вмешался Морган. — Служба маршалов не будет иметь на нас зуб, а об этих троих я ничего, кроме хорошего, не слышал.

Шоу посмотрел на него, и снова у меня возникло чувство, что у Моргана веса больше, чем ему положено. Даже как главному детективу.

Помощник шерифа подошел ко мне, навис угрожающе. Испугаешь меня, как же.

— А зачем вам, чтобы все они туда пошли?

— Потому что не хочу видеть в Вегасе еще одну такую сцену, как в том складе.

— Вы думаете, мы сами не справимся?

Шоу начинал злиться.

— Я думаю, что доверила бы Теду завести меня в ад и провести насквозь. Маршалы Конь-В-Яблоках и Джеффрис оба хороши в бою. Если дойдет до драки, нельзя действовать лучше. Дайте им вам помочь, и я отойду в сторонку, Шоу.

— Вреда ведь не будет, — убедительно сказал Морган.

— Ладно, — ответил Шоу с такой неохотой, что слово прозвучало как ругательство.

Эдуард наклонился ко мне, заговорил тихо и быстро:

— Мне не улыбается оставлять тебя одну.

— Я в кругу полицейских, так что не одна.

Полученный мною взгляд был понятен даже через темные очки.

— Если я помогу местным, а Витторио тем временем найдет способ до тебя добраться, никому из нас приятно не будет.

— Хорошо сформулировано, но сейчас день, и если я буду держать щиты на месте, то от вампиров я защищена.

— А когда стемнеет?

— Давай переживать катастрофы по мере их поступления. — Я слегка толкнула его в плечо. — Иди найди Мартина Бендеса. Если мы получим от него информацию — отлично. Но главное — сохрани наших полицейских друзей живыми.

— Зачем? — шепнул он.

Я поняла, что он всерьез. Иногда я забываю, что Эдуард пугал меня когда-то почти как Олаф, а потом он что-нибудь такое скажет — и я вспоминаю, что он на самом деле хищник. Он мой друг и ко мне относится хорошо, но почти все прочие для него всего лишь объекты: орудия, которыми можно воспользоваться, либо препятствия, которые следует преодолеть.

— Если я скажу, что это будет правильно, ты надо мной станешь смеяться?

— Нет, — улыбнулся он.

— Вы идете, Форрестер, или для вас важнее ворковать с вашей подружкой? — окликнул его Шоу.

Мы оставили это замечание без ответа, и Эдуард ушел с бойцами, еще остававшимися на месте операции. Почти все остальные куда-то стремительно исчезли, как только по рации прозвучало «потери личного состава».

Бернардо бросился за Эдуардом, но Олаф остался на месте и сказал:

— Я останусь с тобой.

— Тед! — завопила я.

Эдуард обернулся, увидел гиганта и приказал:

— Джеффрис, догоняй.

Олаф заколебался, потом повернулся и стал догонять шагом-рысью. Тренировка есть тренировка, и на этот шаг он перешел без размышлений.

Я смотрела, как они садятся в машину. Эдуард не оглянулся. Я верила, что он сумеет себя уберечь, и жалела, что не могу быть с ними. Всегда оставалась мыслишка, что если я буду рядом, опасность для Эдуарда будет меньше, да и для всех. Комплекс Господа Бога, скажете? Ну нет. Паранойя? Возможно. Я только знала, что больше всего на свете не хочу объяснять Донне и детям, почему Эдуард никогда не вернется к ним.

Я осталась стоять с Морганом и еще несколькими сотрудниками. Постовой полисмен подвел к нам Виктора. Он в сшитом по мерке костюме намного элегантнее всех нас, но никакой роли это не играло. Как бы мы ни выглядели, полиция пометила нас как уродов каких-то, и игры с нами на сегодня закончились. Задача преследовать монстра и убить его будет решаться людьми. И тот факт, что я тут стою вместе с Виктором, ясно говорил, что в полиции Лас-Вегаса многие, если не все, считают меня монстром. А монстров на охоту за монстрами не берут. Почему? Потому что каждый в глубине души подозревает, что монстр всегда сочувствует другому монстру. А не людям.

В конечном счете не нам они не доверяли, а себе.

Глава сорок третья

Виктор подошел к Моргану:

— Детектив Морган! Без нас с маршалом Блейк нет никакой надежды взять Мартина живым.

— Мы потеряли двоих сотрудников, Виктор. Неизвестно пока, убиты они или ранены. Вопрос о взятии живым больше не ставится.

— Но в случае его гибели мы теряем шанс найти дневное логово Витторио, — возразил он.

Я покачала головой:

— Это уже не важно. Можем притворяться, что это не так, но твой тигр подписал себе приговор, когда тронул полицейских.

— Ты даже не попытаешься их уговорить взять его живым?

— Они мне больше не верят, Виктор. Я слишком зрелищный устроила метафизический спектакль.

— А твой друг Форрестер?

— Пока не найдут пропавших сотрудников, это все не имеет значения.

— А если убить Мартина — значит никогда не найти тела сотрудников?

Я обернулась к Моргану:

— Что скажете? Если Мартин Бендес знает, где ваши люди?

— Я передам по рации, но вы сами сказали, Блейк. Он тронул наших людей — нам теперь их не сдержать.

— Он очень мощный оборотень, — сказал Виктор. — Его нелегко будет убить.

— Это угроза? — спросил Морган.

— Нет, деталь. Если Мартин одичал, и вы не разрешаете применить метафизику, чтобы его сдержать, то единственная ваша надежда — убить его с дальней дистанции.

— То есть вы мне советуете велеть своим людям брать его живым и убивать с дальней дистанции. — Морган улыбнулся и покачал головой, но я теперь знала, что эта улыбка — его вариант непроницаемого лица. — И то и другое сразу не получится, Виктор.

— Я знаю, детектив. Я советую вам использовать меня, чтобы я вам его привел ради той информации, которая у него есть. Но без меня и маршала у вас даже надежды нет взять его живым. И если мы действительно отстранены, то вам следует поставить на точку снайпера с серебряными пулями и убрать оборотня.

— Я передам ваш совет моему начальству.

Морган продолжал улыбаться, но по тону было ясно, что он не станет делать то, что просил Виктор, а совет его просто позабавил.

Мне совет не показался забавным — показался честным. Морган отошел — может быть, даже сделать то, что предложил Виктор. Хотя вряд ли.

Я оглядела остальных сотрудников.

— Мне жаль, что вы пропускаете тигриную охоту, сидя при нас няньками, — сказала я.

— Моя жена не будет об этом жалеть, — ответил один из них.

На табличке у него была фамилия «Кокс». Он выглядел старше остальных, где-то лет под сорок.

— И мне жаль, — отозвался другой. — Настоящая охота на тигра-оборотня. Когда еще случай выпадет?

Я обернулась на него посмотреть. На табличке значилось «Шелби», был он жизнерадостен и рвался в дело. Я подавила желание понюхать воздух и объявить: «А, салага!»

— Послужишь на нашей работе с мое, — сказал Кокс, — так будешь знать: вернулся домой живым — это уже победа.

— Женитьба превращает человека в тряпку, — заявил Шелби.

Другие сотрудники присоединились к добродушному подкалыванию. Кокс его воспринимал как ветеран с десятилетним стажем (наверное, так оно и было), а я знала, что он имел в виду. За мной даже собственных десяти лет не было, но вернуться домой живой, к тем, кого я люблю — для меня стало важнее, чем поймать бандита. Вполне взрослое отношение, но иногда оно означает, что пора менять работу — или переходить за письменный стол.

Который я терпеть не могу.

Несколько меньшей тряпкой я себя чувствовала, зная, что Эдуард отказался от контракта на Марми Нуар. Когда сама Смерть — как его прозвали вампиры, — отказывается от охоты, чтобы вернуться домой к семье, мир меняется коренным образом. Или, быть может, мир остался тем же, но изменились мы с Эдуардом.

Рации взорвались одновременно: наручные, наплечные микрофоны, все сразу. Кто-то нажал на своей аварийную кнопку, и дальше донеслось только во всю мочь сообщение: «Потери личного состава!».

Все бросились по машинам. Я следом за Коксом, Шелби тоже — очевидно, они работают вместе.

— Возьми меня с собой, Кокс.

Он остановился у двери, колеблясь, а тем временем с визгом шин срывались с места полицейские автомобили в блеске мигалок и реве сирен.

— Приказано было тебе оставаться здесь.

— Форрестер — мой напарник.

— У вас не работают парами, — возразил он.

— Он мой рабби.

— Я слыхал, он твой Свенгали, — ответил Шелби.

— Заткнись, — бросил ему Кокс.

Шелби заткнулся.

Мы с Коксом обменялись долгим взглядом, потом он кивнул:

— Садись.

Виктор подплыл за мной следом.

— Без него.

Кокс открыл дверцу.

— Если один из моих тигров напал на полицию, я смогу его остановить.

Не уверена, что это было удачное решение, но...

— Возьми его с собой. Если оставить его здесь и что-нибудь с ним случится, мало нам не покажется.

Кокс тихо выругался.

— Я понимаю, — сказала я. — Иногда приходится выбирать, за что именно тебе надерут задницу.

— Вот уж не поспоришь.

Кокс сел в машину, Шелби рядом с ним. Так как он не сказал «нет», мы с Виктором влезли на заднее сиденье. Врубились сирены и мигалки, и мы бросились догонять уехавших. Я все еще ловила привязной ремень, когда на крутом повороте меня отбросило на Виктора. Он обнял меня за плечи, прижал, и я ощутила новую проблему: как заставить отпустить тебя мужчину, который в жиме поднимает небольшой грузовик? При условии, что это надо сделать без крови?

Ответ: никак.

Глава сорок четвертая

— Убери руки! — сказала я, перекрикивая сирену.

Он приблизил лицо и сказал мне в ухо:

— Времени мало, а есть вещи, которые ты должна знать.

Я усилием воли заставила мышцы не напрягаться и его не отталкивать. Попыталась прильнуть к нему, но получилось только кивнуть:

— Какие?

— В доме Грегори я чувствовал твою силу.

— Это была не моя, Санчес вмешался.

— Я не про то, когда энергия менялась и была не твоей. — Значит, он ощутил Марми Нуар. Интересно, знал ли он, что это было? — Была еще и твоя энергия, Анита. Вместе мы могли бы заставить Бендеса выйти из засады.

— Как?

Машину занесло на повороте, и только мертвая хватка Виктора на дверце удержала меня на месте. Интересно, если во что-нибудь врежемся, он меня удержит? Надо бы ремень застегнуть, но он продолжал шептать мне в ухо, крепко прижав к себе, и я не отодвигалась.

— Я его чувствую, а мы вдвоем, объединившись, заставили бы его выйти.

— Объединившись — как именно?

— Я читал твою статью в «Аниматоре» насчет объединения сил с двумя другими аниматорами, чтобы поднять больше мертвецов и более старых. Это не так уж сильно отличается.

Я хотела повернуться заглянуть ему в лицо, потому что он читал специальный журнал по моей профессии. Единственный смысл такого чтения — собрать на меня материал. Но повернуться — это значило подставить рот этим шепчущим губам, что не улучшило бы ситуацию. Машина мчалась миль сто в час, и Кокс вел ее как маньяк в строю маньяков. От скорости, от этой резкости пульс забился у меня в горле, но я все равно позволяла Виктору себя обнимать, не оттолкнула его, не взялась за ремень. Для меня пристегнуться в машине — почти религиозная заповедь, но сейчас я будто не могла шевельнуться, могла только слышать этот тихий, очень мужской голос прямо над ухом. Все это казалось так разумно, но в этот момент я уже не понимала, то ли это и правда разумно, то ли Виктор подчинил меня, как своего рода вампир. Не понимала. Но ведь это же нехорошо?

С визгом автомобиль остановился. Кокс открыл все дверцы, Виктор дал мне от себя отодвинуться, хотя рука его скользнула по моей. Но так это лучше. Когда он меня не обнимал, я могла думать.

Твою мать!..

Кокс положил руку на плечо Виктору, покачал головой:

— Вы штатский. Останьтесь в машине.

Я продолжала тянуть руку прочь из руки Виктора, он продолжал держать. Полисмен Кокс сказал ему:

— Отпустите маршала Блейк, мистер Белиси.

Пальцы Виктора соскользнули, я дернула руку, чтобы ускорить процесс. Когда он ко мне прикасается, что-то не так. И такого никогда не было ни с одним оборотнем, даже со зверями моего зова.

Как только Виктор перестал ко мне прикасаться, я будто задышала снова. Окруженная сиренами, полицейскими, мигалками, стволами, не зная еще, кто ранен, кто убит и в насколько глубокой яме мы сидим, я уже почувствовала себя лучше. Взяв в руки «МП-5» на ремне, я пошла следом за Коксом. Он был высокий и загораживал мне обзор, но ничего. Можно было идти с ним и в конце концов найти Эдуарда.

И тут что-то пролетело над нами. Мы инстинктивно пригнулись, и до мозгов не сразу дошло, что же увидели глаза. Кто-то бросил человека в мундире полиции Лас-Вегаса, и бросил с такой силой, что он пролетел над нами и рухнул на дальней стороне второй линии машин.

— Бля! — выдохнул Шелби.

Сама бы не могла сказать лучше.

Глава сорок пятая

А дальше была стрельба, много и часто. Но я это знала в тот момент, когда увидела летящего полисмена. Мартина Бендеса ждала смерть, и спасти его было никак невозможно. Информация, которой он обладал, пропала. Самое смешное — что если бы я находилась в первых рядах, мне пришлось бы помочь его убивать. Когда оборотень выходит за некоторые рамки, сразу отсекаются все варианты.

Кокс подался вперед, я за ним. Шелби прикрывал тыл. Похоже было, будто все оперативники Вегаса собрались здесь, скопились массой вокруг какой-то невидимой мне точки. Мне не хватало роста увидеть из-за спин Эдуарда и даже Олафа, но почему-то я знала, что по крайней мере Эдуард в первых рядах будет.

Он как противотанковый снаряд: направь его на врага, а сам постарайся встать в надежном месте.

Я не пыталась протолкнуться: за меня это делал Кокс. Он шел сквозь толпу, как сквозь воду, а я в кильватере. Шелби слегка от нас оторвало, но он больше занимал места, чем я, и его труднее было пропускать.

Иногда малый размер лучше.

Мы пробрались достаточно близко, чтобы мне стал виден возвышающийся над головами Олаф. Что Эдуард должен быть где-то рядом с ним, я знала. Оставив Кокса за спиной, я продолжала пробиваться к гиганту. Сперва я увидела Бернардо, потом Эдуарда — оба все еще держали под прицелом что-то, лежащее на земле. Остальные уже опустили пистолеты, некоторые даже спрятали в кобуру.

— Сдох.

Я узнала голос сержанта Хупера, хотя самого его не видела.

— Пока он не вернулся в человеческий облик, он жив, — сказал Эдуард.

— О чем это вы, маршал? — спросил кто-то.

Я еще придвинулась и оказалась у них за спиной. Между стоящими было видно лежавшее на земле черно-белое мохнатое тело.

—Пока он в шкуре, — сказала я, — он все еще жив. Они, когда умирают, возвращаются в исходную форму.

Эдуард едва не оглянулся на меня, но не отвел глаз и оружия от сваленного тигра.

—Лучше поздно, чем никогда, — сказал он.

Я протолкнулась между ним и Бернардо и тоже навела оружие.

—Жаль, что я все пропустила.

—Нет, ничего не пропустила.

Что-то в его тоне заставило меня задуматься, что же тут еще без меня произошло.

—Он не превращается, как тот тигр в Сент-Луисе, — сказал Олаф.

Я крепче сжала «МП-5», но не слишком крепко, и пригляделась к неподвижному телу. Не видно было ни малейшего шевеления, только окончательная неподвижность, но тот в Сент-Луисе тоже так делал. Тот, который едва не убил меня и Питера, пасынка Эдуарда. И убил одного из наших.

—Я знаю, — сказала я, и ощутила, как сама застываю, проваливаюсь в тишину, в которую успеваю уйти в бою, когда есть время. Очень подходящая тишина, чтобы из нее убивать. Там только помехи чуть потрескивают в голове.

Тело шевельнулось. Кто-то даже в него выстрелил, но движение было не того типа. Перед нами лежал на боку светлокожий голый мужчина. Непонятно даже, красивый или уродливый, потому что мало что осталось от его лица. Пятно дневного света, проникавшего в раны груди насквозь, не стало ни больше, ни меньше, но тело тигра было настолько больше и массивнее, что когда оно вернулось в человеческий облик, раны показались страшнее. Меньше масса — больше повреждений, будто после смерти ликантропия перестала защищать своего носителя.

Несколько секунд мне понадобилось, чтобы вернуться из той тишины. К тому времени, как я сбросила напряжение и опустила плечи, уже почти все, стоявшие в круге, опустили оружие.

Наконец-то оглянувшись, я увидела, что Олаф на меня смотрит.

— Что такое? — спросила я его, даже не пытаясь скрыть враждебность.

Глубокие пещеры глаз посмотрели на меня очень тяжелым взглядом, но ничего сексуального в нем не было. Его попытки за мной ухаживать вызывали у меня мурашки на коже, но в этом взгляде было нечто, почти столь же меня волнующее, хотя я и не могла бы сказать, что этот взгляд значит.

— Ты реагировала как Эду... как Тед или я.

— А я что, невидимый? — спросил Бернардо.

Я не знаю, что я сказала бы в ответ на замечание Олафа, потому что не поняла его, но к нам подошел сержант Хупер и нам было еще о чем поговорить — слава Богу.

— Я думаю, от этого нам уже не узнать местоположение вампирского логова, — сказал он.

Мы стояли на дикой жаре, на слепящем солнце и смотрели на тело.

— Да, пожалуй, — согласилась я.

Кто-то крикнул, зовя меня по имени.

— Блейк, какого хрена вы тут делаете?!

Это был Шоу, вышагивавший к нам, раздвигая толпу.

— Пропавших сотрудников вы нашли? — спросила я.

— Убитыми, — ответил Эдуард. Он уже смотрел не на тело, а в сторону, никуда конкретно. Как будто осматривал горизонт в ожидании новой беды. Я проследила за его взглядом, но увидела только узкую полоску домов и за ней — пустыню. Она тянулась и тянулась до самых коричневых гор, таких же сухих и безжизненных, как все за городской чертой. Пустыня есть пустыня, если не добавить к ней воду. Я попыталась представить себе ее под дождем, в цветах кактусов, радужными пятнами укрывшими горы, но не смогла. Я не видела красок, которые здесь могли быть, а видела лишь пустошь, и во мне сейчас действовал коп. Думаешь не о том, что может когда-нибудь быть, а оцениваешь ситуацию, как она есть, и действуешь соответственно. Цветочки подождут до дождичков, а мне надо ловить Витторио.

Гнев Шоу ощущался почти как плотная материя, и заставил меня отвернуться от руки раньше, чем я ее увидела. Он протянул ее ко мне, но я отодвинулась, даже не глядя.

Вот такое движение, похожее на магическое, заставило пульс забиться в глотке, и потому, когда я заговорила, голос получился хриплый и не совсем мой.

— Не трогать.

— Это всем прочим можно, только мне нельзя, — сказал он самым мерзким тоном, на который был способен.

— Вау! — воскликнул Бернардо. — Так это и есть ваша проблема с маршалом Блейк? Или вам просто не нравятся девушки, и потому жена вас оставила?

Он даже приспустил очки с носа, чтобы подмигнуть Шоу. Нарочно, чтобы отвести шерифа от меня. Если бы я не была уверена, что он неправильно меня поймет, я бы его обняла.

Эдуард чуть отодвинулся от Шоу, орущего на Бернардо. Олаф шел за нами гигантской тенью, Хупер поравнялся со мной и Эдуардом. Никто из нас не говорил ни слова. Мы все знали, куда сейчас пойдем и что увидим. По крайней мере трое из нас знали.

Первым трупом был полицейский из СВАТ, все еще в полном снаряжении. И даже в шлеме, так что тело было почти анонимным, если не считать общего роста. В телевизоре шлемы снимают, чтобы видны были красивые лица актеров и их игра, но в реальной жизни почти все спецназовцы закрываются с головы до ног. Поэтому мне были видны только раны, из которых натекла под телом лужа крови. Считается, что под броней с головы до ног — безопаснее. Человек, лежащий у наших ног, вряд ли продолжал так думать. Ну, впрочем, он вообще уже никак не думал — мертвец есть мертвец.

В тот момент, когда это подумала, тут же пожалела, что это случилось, потому что я ее почувствовала. Душа, сущность, называйте как хотите, парила в воздухе. Я не смотрела вверх, не хотела видеть невидимое, потому что даже мне там было бы не на что смотреть. Я знала, что она там плавает. Я даже могла бы проследить глазами ее очертания в воздухе, но по-настоящему видеть там печего. Души для меня не объект, воспринимаемый зрением. Призраки иногда видны, но не души. Как правило, я на месте преступления душ не вижу. Научилась закрываться от них щитами, потому что пользы от них нет. Они просто висят поблизости дня три или меньше, потом уходят. Почему одни души задерживаются дольше других, я не знаю. Как правило, чем более груба смерть, тем быстрее собирается душа, будто не хочет находиться поблизости из боязни новых травм. Странно, что от насильственных смертей получается призраков больше, а душ меньше. Я всегда находила это интересным, но пользы в этом был голый ноль, как сейчас, когда я разглядывала мертвого оперативника. Душа его смотрела на нас. Может быть, она даже проводит тело в морг, и только потом двинется дальше.

Этой информацией я с Хупером не поделилась. Для него она бесполезна — да и нежелательна.

Я стояла на жаре, обливаясь потом, и снаряжение чуть не дымилось на мне под палящим солнцем. Всегда спрашивают, почему духи являются только ночью, или в сумерках, или еще какую-нибудь фигню, но на самом деле духам наплевать. Они появляются в любое время, когда есть кому их видеть. Вот везет мне, блин.

— Не из ваших? — спросила я. Голос прозвучал нормально, будто я и не старалась не замечать парящую над нами чью-то душу.

— Нет, это Глик. Один из первых наших экстрасенсов.

— Это может быть объяснением, — сказала я.

— Объяснением чего? — спросил Хупер.

Эдуард чуть задел мне руку кончиками пальцев, будто предупреждая.

— Иногда у маршала Блейк бывают впечатления от мертвецов.

— Я не из тех экстрасенсов, которых вы приводите для раскрытия дела с помощью видений, — объяснила я, — но иногда я чувствую мертвецов. Любого вида.

— И сейчас чувствуешь Глика?

—Вроде того.

—Он говорит у тебя в мыслях?

—Нет, мертвые не говорят словами. Скорее это эмоции.

—И что за эмоции? Страх?

—Нет, — ответила я.

—А что тогда?

Я обругала себя за то, что вообще не удержалась от этого разговора. И сообщила часть правды:

—Недоумение, ошеломление. Он изумлен.

—Чем?

—Тем, что он мертв.

Хупер уставился на тело.

—То есть он вон там? И мыслит?

—Нет, ничего подобного.

Эдуард покачал головой:

—Расскажи ему. То, что он воображает, еще хуже.

—Пожалуйста, никому не говори, что я это умею. Но иногда я ощущаю души только что умерших.

—Души — в смысле призраки? — спросил Хупер.

—Нет, в смысле души. Призраки появляются позже и ощущаются совсем не так.

—Значит, душа Глика где-то здесь порхает в воздухе?

—Такое бывает. Он какое-то время здесь побудет, посмотрит, а потом двинется дальше.

—Ты имеешь в виду — на небо?

Я сказала единственное, что могла сказать:

—Да, я имею в виду именно это.

Олаф, который все время молчал, спросил:

—А в ад она не может пойти, душа?

А, чтоб тебя!..

Хупер глянул на Олафа, потом на меня:

—Так как, Блейк? Глик был иудей. Значит, он теперь горит?

—Хороший он был человек?

—Да. Любил жену и детей, и был хороший человек.

—Я верю, что хороший — значит, хороший. А потому — на небо.

Он показал рукой на чахлые кусты:

— Мэтчетт был сволочь. Жену обманывал, играл напропалую, вставал вопрос насчет вообще его из группы выкинуть. Он в аду?

Я хотела сказать: «Меня-то зачем спрашивать?» Почему это я должна вести философскую дискуссию над трупами?

— Я христианка, но если Бог действительно есть Бог любви, зачем ему личная камера пыток, где он держит людей, коих ему положено любить и прощать, и наказывает их вечным наказанием? Если ты и правда читал Библию, то идея такого ада, как в кино и почти во всех книгах, изобретена писателем. Дантов «Ад» был взят из книги церковью, чтобы показать людям, чего бояться. Чтобы буквально запугать их так, чтобы были христианами.

— Значит, в ад ты не веришь.

С философской точки зрения — нет. С другой стороны, бывших католиков не бывает. Но вслух я дала тот ответ, которого он ожидал, стоя над своим погибшим другом.

— Нет, не верю.

И не поразила меня молния.

Может, если врешь для благой цели, это может сойти с рук.

Глава сорок шестая

Двое полицейских, стоявших в наблюдении, валялись в кустах как поломанные куклы. Голова не сразу понимала, что видят глаза. Всегда плохо, когда мозг говорит: «Не-а, я тебе не разрешаю такое видеть». Последнее предупреждение разума: закрой глаза и не смотри, а то плохо потом будет. Но у меня значок, а это значит, что мне не положено закрывать глаза и надеяться, что кошмар сам собой развеется.

Все мы со значками, кто с каким, стояли вокруг и смотрели на то, что осталось от двух человек. Один был черноволосый, у другого голова так залита кровью, что не разберешь. Тела разорваны на части, будто кто-то огромный и сильный обошелся с ними как с куриной дужкой. С кровью перемешались внутренности, но трудно было распознать отдельные органы — их будто растолкли в пюре.

— Их сперва разорвали, — спросила я, — а потом прошлись по внутренностям?

— Это объяснило бы, — ответил Эдуард.

Бернардо подошел за нами, Шоу не было видно. Может быть, Бернардо его достаточно отвлек, и тот забыл, что не хотел моего присутствия, а может, дело было в свежеубитых полицейских. У Шоу было еще чем заниматься, кроме меня любимой.

Бернардо подошел к нам, стоящим возле тел, но сперва отвернулся, как обычно. Да, это было очко не в его пользу в моем гроссбухе, но сейчас, честно говоря, я его даже отчасти понимала.

— Я видал жертвы ликантропов, — сказал он, — но никогда такие. Ничего похожего.

— Да, но это был только один, — сказал Хупер. — Мы его обезвредили.

Слабый горячий ветерок пахнул порывом, принес запах кишок и желчи, слишком сильный. Съеденное за день попыталось найти дорогу к горлу, и мне пришлось отступить, чтобы в случае потери контроля над собой не загрязнить место преступления.

— Все нормально, Анита?

Это спросил Олаф. Эдуард понимал, что спрашивать не надо, а Бернардо не слишком обращал внимание. Хупер недостаточно хорошо меня знал, чтобы вообще отреагировать на мое движение.

— Все нормально, — ответила я.

Уже много лет меня на месте преступления не тошнило. В чем же дело?

— Вот этот Майкл, — показал Хупер, — судя по черным волосам, а это...

— Стоп! — остановила я его. — Не надо имен. Давайте я сперва посмотрю без эмоций.

—Ты и правда можешь на это смотреть, ничего не ощущая? — спросил он.

Пришла первая волна ярости, смывшая тошноту. Я посмотрела на Хупера недружелюбно, но была отчасти благодарна за отвлечение.

—Я стараюсь делать свою работу, Хупер, и для этого мне лучше думать о них просто как о телах. Это мертвецы, и они уже не люди. Это трупы, тела, без личных местоимений, без человеческих атрибутов. Потому в противном случае мне труднее функционировать. Испытывая эмоции, можно что-то упустить из виду. Может быть, ту нить, которая позволит предотвратить повторение такого вот.

—Мы убили зверя, который это сделал, — возразил Хупер, показывая туда, где лежал труп оборотня, скрытый сейчас за толпой сотрудников.

—Убили? Ты на сто процентов уверен?

—Да.

Эдуард смотрел на нас, будто мы разыгрывали представление. Олаф снова стал разглядывать трупы, Бернардо вообще отвернулся и от нас, и от них.

—Кто-нибудь видел, как тигр, которого мы только что убили, это сделал?

Что-то мелькнуло у него в глазах — может быть, удивление, — но он был слишком коп, чтобы его проявить.

—Свидетелей пока нет.

—Так думай тогда как коп, а не как друг погибших товарищей. Мы думаем, что убили единственного виновного тигра, но уверены быть не можем. — Я показала на тела. — Такие массивные повреждения от одного тигра за весьма ограниченное время. Кровь еще даже не свернулась толком и не высохла. На такой жаре это значит, что убиты они недавно.

—Я как раз думаю как коп, это ты усложняешь, Блейк. Когда убивают жену, обычно это муж. Когда пропадает ребенок, проверь родителей. Когда исчезает студентка по дороге в колледж, присмотрись к бойфренду или к преподавателю.

—Да, бритва Оккама в полицейской работе — очень важный инструмент.

— Ага. Простейшее решение и есть верное.

— Пока не имеешь дела с монстрами, — сказала я.

— Тот факт, что преступник оказался оборотнем, не меняет наших методов работы, Блейк.

— Ты не собираешься вступить в разговор, Тед?

Я не стала скрывать в голосе раздражения. В конце концов, он мог бы помочь активнее.

— Маршал Блейк хочет сказать, — начал он рассудительным голосом старины Форрестера, — что мы, быть может, ищем не одного оборотня, а нескольких. И если еще кто-то помог Бендесу так обойтись с вашими людьми, мы этого гада должны найти.

Я вздохнула. Прав был Хупер, я все усложняю. Показав большим пальцем через плечо на Эдуарда, я сказала:

— Вот он правильно сказал. А я прошу прощения за слишком подробные объяснения.

— Тебя потряс вид тел, — заметил Олаф.

— Ты это к чему?

— Когда ты нервничаешь или боишься, ты начинаешь объяснять слишком подробно. Один из немногих случаев, когда поступаешь по-женски.

На это я понятия не имела, что сказать, потому промолчала. Молчание в отношениях с мужчинами (кроме отношений романтических) никогда еще меня не подводило. С кавалерами сложнее — они согласны терпеть молчание в определенных пределах.

— Тела разорваны на части, Хупер. Либо это было что-то побольше тигра, которого я видела мертвым, либо он работал с кем-то вдвоем.

— Следов укусов на телах нет, — сказал Олаф.

— Я даже не уверен, что есть следы когтей, — отозвался Эдуард, делая то, чего мне не хотелось делать: приседая рядом с телами, на самой границе извилистой лужи крови.

Мне очень не хотелось подходить ближе, но все же я, неглубоко дыша, опустилась рядом. Когда работаешь с Эдуардом, всегда есть некоторый элемент состязания, кто кого достанет.

Он знал, что меня подташнивает, и потому, собака, заставил подойти ближе.

Я вгляделась в зрелище бойни и действительно попыталась обнаружить следы когтей. Я предположила, что они есть, будто разум их подставил в картину. Но были ли они на самом деле?

Олаф опустился рядом со мной, все равно возвышаясь как башня. Но не в этом было дело, а в том, что он придвинулся так близко, что наши ноги почти соприкасались. Я не могла отодвинуться, сперва не встав, чтобы не задеть край кровавого месива. А встать означало бы признать, что мне неловко. И тут мне пришла в голову мысль:

— Ты помнишь, как я сказала в морге, что не могу думать, когда ты так близко?

— Да, — ответил он своим низким голосом.

— Так вот, ты не мог бы пристроиться с той стороны от Теда, а не рядом со мной?

— Ты хочешь сказать, что я тебя отвлекаю?

— Да.

У него губы дернулись, но если это и была улыбка, то он встал и сумел ее скрыть, потом обошел Эдуарда с другой стороны. Когда он отошел, мне стало легче думать. Вообще-то не такое уж улучшение, как могло бы быть.

Я заставила себя по-настоящему всмотреться в рваные края тел.

— Черт, — сказала я и встала — не потому что хотела отодвинуться, а потому что колено у меня повреждено, и невозможно долго сидеть на корточках, чтобы оно не начало ныть. Так что я встала, но продолжала рассматривать тела. Больше меня не тошнило, страха тоже не было — я работала. Так всегда бывает: когда подавишь отвращение и эмоции, можно смотреть, думать и делать выводы.

— Я думаю, ты прав. Следов от когтей не вижу, похоже, их просто разорвали на части — будто какой-то гигант это сделал.

Эдуард плавным движением встал:

— Как мальчишка — крылья у мухи.

—Вы о чем? — спросил Хупер.

—Следов оружия не вижу, — сказал Олаф и тоже встал.

—Ликантропы не разрывают людей на части человеческими руками, — сказал Бернардо. — В человеческом облике они не настолько сильны. Я прав?

—Думаю, что прав, хотя вопрос спорный. Одна из причин, по которой ликантропы ведут судебные битвы за право быть профессиональными спортсменами. Если смогут доказать, что в человеческом облике ликантропия дает им лишь небольшое преимущество, может, и выиграют.

—Причина, по которой это неизвестно, состоит в том, что когда доходит до драки, они как все — пускают в ход все, что можно, — ответил Бернардо. — Если оборотень может вырастить когти на руке, он это сделает — по крайней мере чтобы убрать двух копов.

—Это логично.

—То, что это логично для нас, — сказал Эдуард, — еще не значит, что для того гада тоже имело смысл.

—И вы совершенно искренне заявляете, что у нас в Вегасе есть другой одичавший ликантроп? — спросил Хупер.

—Что-то у вас тут есть в Вегасе, помимо Бендеса, — ответила я.

—Насколько ты уверена?

—Пусть их осмотрит судмедэксперт, — сказал Эдуард. — Может, мы просто не видим следов. Может, когда тела отмоют... — Он пожал плечами.

—Вы в это не верите, — ответил ему Хупер.

Эдуард посмотрел на меня, я покачала головой:

—Не верим.

—Значит, непонятно, был Бендес нашим клиентом или спятил по иной причине? И тогда нам надо и других тигров допросить? И правда ли, что наша единственная ниточка, ведущая к главному гаду, оборвалась на Бендесе?

—Превосходные вопросы, — сказала я.

—Но превосходных ответов у тебя тоже нет, — заметил Хупер.

Я сделала глубокий вдох — и это была ошибка. Так близко от свежих трупов этого делать не стоит.

Еще раз победив взбунтовавшийся желудок, я спокойно ответила:

— Да, сержант Хупер. Ответов у меня нет.

Глава сорок седьмая

Я снова оказалась в одной из допросных Вегаса, но в этот раз по другую сторону стола, а на той стороне сидела Пола Чу — та самая тигрица, что так послушно встала на колени у себя во дворе, ожидая, чтобы полиция ее отвела в тюрьму. У нее, кстати, были серьезные отношения с Мартином Бендесом. Совпадение? Полиция в них не верит. Совпадение есть преступление, которое еще не раскрыто — кроме тех случаев, когда это не так. Если ты во что-то не веришь, это еще не значит, что это что-то — неправда.

Полу Чу была ненамного меня выше — пять футов пять или шесть дюймов. Белокурые волосы коротко подстрижены, но достаточно длинные, чтобы где-то закручивались локоны, и понятно, что если дать им расти, они будут волнистыми. Брови под цвет волос, а глаза самой светлой голубизны, которую мне приходилось видеть. Такие светлые, что почти белые. Косметика дополняла бледность кожи и подчеркивала глаза, выделяя их цвет. Она была так бледна, что с ненакрашенными глазами казалась бы незаконченной, как тесто, которое еще нужно испечь. А накрашенная — красива и хрупка, как первое дуновение весны.

Красивые глаза с приподнятыми уголками посмотрели на меня. И ничего в них не было хрупкого. Почему это она своего бойфренда не оплакивает? Очень просто: она не знает, что он убит. В эту комнату ее привели до фейерверка. Я сидела напротив и знала, что она любила убитого — и я ей не говорила. Берегла до момента, когда это будет полезно на допросе.

Сука я после этого? Возможно. Но после того, что я видела на месте преступления, это меня мало интересовало.

— Вы так и будете сидеть и меня разглядывать? — спросила она наконец, и ее голос сочился враждебностью.

— Мы ждем кое-кого, — ответила я, сумев даже улыбнуться, хотя не была готова дотаскивать улыбку до глаз.

Эдуард, опиравшийся на дальнюю стенку, улыбнулся ей очаровательно:

— Вы уж простите за неудобства, миз Чу, но знаете, как это бывает.

— Нет, — ответила она. — Я не знаю, как это бывает. Я знаю, что полиция взяла мой дом под наблюдение, потом явилась и увезла меня. Очевидно, меня подозревают в зверском убийстве наших местных полисменов и истребителя.

Я на это отреагировала, чуть напрягши плечи, но она почувствовала, увидела. И пульс у меня зачастил слегка.

— Кто вам такое сказал?

Она улыбнулась, и у нее улыбка тоже не дошла до глаз.

— Значит, именно поэтому я здесь.

— Мы вам этого не говорили, миз Чу, — возразил Эдуард очаровательным голосом Теда.

— А вам и не надо было, она вот среагировала.

И тигрица уставилась на меня всей тяжестью светлых глаз.

Глядя в тигриные глаза на человеческом лице, я почувствовала струйку страха — или это был адреналин? Она хотела меня напугать, но адреналин не слишком хорошо действует, когда у тебя внутри сидят звери, как мохнатые пассажиры, подобранные на дороге.

Я закрывалась щитами изо всех сил. Настолько плотно, чтобы она не углядела, что я не совсем человек. Интересно было бы знать, могу ли я закрыться настолько плотно, чтобы Пола Чу сочла меня добычей? Но этот легкий рывок адреналина — его хватило, чтобы белая тигрица вскочила на мохнатые лапы и уставилась куда-то далеко во внутреннем пейзаже.

Настала очередь Чу напрячься, а моя — заметить это и улыбнуться довольно. У нее даже голос чуть дрогнул.

— Не может быть, чтобы ты была из наших.

—Почему нет? — спросила я.

Она коснулась белесых волос:

—Ты не чистая.

—Я выжила после нападения.

Это была правда. Если она подумала, будто это значит, что я — настоящий тигр-оборотень, то не моя вина.

Тут же лицо ее стало презрительным.

—Тогда тебе не понять. Это не твоя вина, но тебе не понять.

—А ты мне помоги понять, — сказала я.

Она сузила глаза:

—Я думала, если ты становишься оборотнем, у тебя забирают значок.

—Я из противоестественного отдела службы маршалов. У нас правила чуть либеральнее.

Она продолжала смотреть так же подозрительно. Точеные ноздри раздулись, когда она втянула воздух.

—От тебя не просто тигром пахнет, а нашим кланом. Белым тигром. Это невозможно.

Я пожала плечами:

—Почему невозможно?

—От тебя должно пахнуть тигром, но обычным, оранжевым. Может, на тебя напал кто-то из наших и сделал тебя тигром, но ты все равно не попала бы в клан.

—Ты хочешь сказать, что я не превратилась бы в белого тигра, даже если бы напавший на меня тигр был белым?

Она кивнула, все так же недоумевая:

—Да, так.

Белая тигрица вскочила и побежала по длинной темной дорожке через несуществующий лес, туда, где только сны должны были быть реальны. Я сосредоточилась, заставила ее замедлить шаг, остановиться. Она стала ходить туда-сюда, как в клетке. Но вперед не шла, а это все, что мне нужно было.

Чу слегка подалась ко мне через стол.

—Чую белого тигра. От тебя пахнет кланом. Ты от нас скрываешься? Волосы перекрасила и контактные линзы надела? У тебя кожа достаточно белая, чтобы скрыться.

—Извини, все натуральное.

Мне хотелось глянуть на стоящего в углу Эдуарда, но я не решалась. Я знала, что он здесь, и он поможет мне, если будет нужно, но в основном он тут стоял на случай, если вдруг Пола Чу тигром на нас набросится. Нам сказано было тянуть время до прихода детектива Эда Моргана, а о преступлениях ее не допрашивать. Пока что мы этого правила держались. Просто профессиональный разговор двух оборотней.

Она приподнялась на стуле. Наручники не давали ей ни поднять руки, ни встать полностью, но все же Эдуард сказал:

—Сядьте, миз Чу. Так вам будет удобнее.

Она издала звук, который можно было бы счесть смехом, но куда более горький. Опустилась обратно на стул.

—Да, я думаю, так удобнее.

Она уставилась на меня, и первые струйки энергии потекли ко мне, как нашаривает в темноте рука другую руку.

—Не надо читать мою энергию своей, — сказала я и попыталась закрыть щиты так же плотно, как когда начинала беседу. Но белая тигрица все еще бегала по дорожке. Она не могла нарушить мой приказ — оставаться там, где находится, но и у меня не хватало власти заставить ее вообще замолчать. От осознания этой мысли у меня сердце забилось чуть быстрее, а тигрица у меня внутри снова двинулась по тропе, а Пола Чу шумно и обильно вдохнула воздух. Глаза у нее затрепетали, закрываясь, и она вздрогнула на стуле.

Белая тигрица у меня внутри поспешила вперед. Можно было либо держаться изо всех сил, либо выйти. В нормальной ситуации я выбрала бы первое, но я не могла себе позволить вдруг свалиться на пол и задергаться. У меня уже бывала почти-перемена, когда кровь хлестала из-под ногтей. Если я устрою это при полиции Вегаса, то отстранение от дела будет еще не худшим исходом.

Я встала. Тигрица уже бежала бегом, так что черные полосы сливались с белым мехом.

—Анита, тебе нехорошо? — спросил Эдуард, чуть отодвигаясь от стены.

Я покачала головой:

—Просто надо подышать.

Женщина с той стороны стола открыла глаза и сказала:

—Ты сильная, но ты новая. Еще не научилась собой владеть.

Я подошла к двери, ударила ее всем телом.

—Нажми звонок, — сказал мне Эдуард. Он придвинулся ближе ко мне и к подозреваемой.

Я стала нашаривать кнопку, услышала, как звонок загудел. И ничего не произошло. Кто-то должен был нас выпустить, и до сих пор я ничего против этого не имела. Я представила себе мысленно кирпичную стену поперек тигриной тропы у меня в голове — тигрица остановилась и зарычала на стену.

Пульс колотился у меня в глотке, но уже ощущалось облегчение сквозь удары. Я умею это делать, я месяцами отрабатывала контроль над моими зверями, чтобы выезжать из города без свиты оборотней, помогающих мне держать в узде внутреннюю борьбу. Что же такого в этих тигрицах, что с ними настолько труднее? Или просто я слишком далеко от Жан-Клода и ареала нашей власти? От этой мысли снова зачастил пульс. Что, если я не смогу сдержать свои силы просто потому, что слишком далеко от... своего мастера?

Вот не надо было об этом думать. Тигрица у меня в голове припала на задние лапы, до самой земли в этом несуществующем месте. Я ощутила, как напряглось ее тело для прыжка, и слишком поздно поняла свою ошибку. Тигры умеют прыгать вверх на восемнадцать-двадцать футов, и стену я построила слишком низкую. Одним мускулистым прыжком она перемахнула этот барьер и припустила по тропе. А в конце тропы со всей своей силой налетит на меня. Эффект — как от грузовика, въехавшего в тебя изнутри.

И Пола Чу сказала:

—Власть у тебя, а не у зверя. И так должно быть всегда.

—Это твоя энергия ко мне лезет, — огрызнулась я, возводя новую стену, металлическую и блестящую, выше деревьев. На эту она прыгать не станет.

—Я слишком слабо воздействую, чтобы вызвать такое беспокойство, даже у новонайденной.

Я покачала головой, все еще на нее не глядя.

— Не знаю я, что такое в вашем клане, но ваша энергия мне мутит мозги. Вот просто лезет — и все.

— Это может быть, только если ты рождена в нашем клане, потеряна и теперь найдена. Но если твои цвета настоящие, ты не можешь быть чистокровной.

Белая тигрица у меня в голове рявкнула и забегала вдоль стальной стены. Потом обнажила блестящие клыки и заревела на меня. Звук завибрировал в хребте, будто она из меня сделала огромный камертон.

— Я слышу твой зов, — сказала Пола, и голос у нее был сдавленный.

— Я никого не зову.

Снова я надавила на звонок, но теперь я знала: Шоу или кто там вместо него просто смотрит. Хочет увидеть, что со мной будет, если я пробуду здесь достаточно долго. Если я по-настоящему перекинусь, то со значком распрощаюсь. Единственное, что меня пока спасает — что в моей крови слишком много видов ликантропии, и никто не может доказать, что я — настоящий оборотень. Шоу был бы в восторге, если бы ему удалось. Меня бы не только от этого дела отстранили, а от всех вообще, навеки.

— Ты зовешь на помощь. Это сигнал бедствия, но только у нашей королевы он получается такой громкий.

Я попыталась приглушить рев в голове, но не получалось. Она продолжала реветь, зовя на помощь. Вот блин.

— Как мне это прекратить? — спросила я.

— Я могу тебе помочь успокоиться, но для этого мне придется тебя коснуться.

— Неудачная мысль, — сказал Эдуард, шагнув ко мне ближе.

Я замотала головой, глядя на него:

— Но если она мне поможет?

— А если она сделает хуже? — возразил он.

Мы переглянулись. И тут включился интерком:

— Блейк, какого хрена вы там делаете? Тут тигры с ума сходят.

— Выпустите меня, — сказала я, — и сразу станет тише.

—Ты не сможешь прекратить это своими силами, — сказала Пола.

—Да иди ты...

—Дай я тебя успокою. Так у нас, тигров, успокаивают молодых и неопытных.

Однажды это сделал Криспин, когда ситуация была куда хуже. Но... я ее не знаю, а она — главная подружка нашего главного преступника. Она мне поможет — или сделает еще хуже?

—Позвольте мне, маршал, помочь тебе. На тебя напал наш соплеменник, и весь наш клан за это у тебя в долгу.

—Это не был белый тигр. — Я отодвинулась от двери, приблизилась к столу.

—Анита! — Эдуард потянулся ко мне, но не коснулся, опустил руку. — Ты уверена, что это правильно?

—Нет, — ответила я, продолжая двигаться к ней.

—На тебя напал не белый тигр? — спросила она.

—Желтый, — сказала я, уже стоя возле нее, глядя в эти синие глаза. Уже от одного этого тигрица у меня внутри перестала орать — будто близость другого белого тигра успокоила зверя.

—Желтый тигр? — нахмурилась она.

Я кивнула.

—Желтый клан уже несколько веков как вымер. Их не существует.

—Эта тигрица была зверем зова очень старого вампира.

—Что с ней случилось? — спросила Пола.

—Она мертва.

—Тебе пришлось ее убить.

Я кивнула.

—Но на тебя напал желтый тигр.

—Ты так говоришь, будто это важно. Какая разница, что за цвет был у той кошки?

—Желтый клан, он же золотой, был выше всех прочих кланов. Желтые тигры правили землей и всеми ее энергиями, в том числе остальными кланами.

—Не знала.

Она пожала плечами, насколько позволяли цепи.

— Что толку рассказывать о том, чего больше нет? Но если на тебя напал желтый тигр, то понятно, откуда у тебя столько силы.

— Она была желтая. — Я обернулась к Эдуарду.

Он знал, чего я хочу, без слов.

— Тигрица была желтая, с полосами более темного цвета.

— Ты там был?

— Да, — ответил он.

— Кто-нибудь еще подвергся нападению? — Она обернулась ко мне.

— Да, но у него анализы не показали ликантропию. Повезло только мне.

От одного того, что она стояла рядом, уже стало легче дышать. Может быть, мысль путешествовать без своего пула оборотней была неудачной. Может быть, мне никогда уже не ездить одной. Блин, если это так, мне все равно придется — быть может — отдать федеральный значок. Что толку в истребителе, который не может выехать туда, где совершилось преступление?

Снова загудел интерком.

— Остальные тигры снова успокоились. Какого черта вы там делаете, Блейк?

Шоу, как я и предполагала. Мне искренне жаль, что его жена сбежала и трахается с оборотнем, но моей вины тут нету.

Эдуард подошел к интеркому и ответил:

— Мы снизили градус тигриной энергии, только и всего.

— Что там делает Блейк? — спросил Шоу.

— Свою работу, — ответил Эдуард и отпустил кнопку.

Я посмотрела в эти внушающие странное спокойствие тигриные глаза на женском лице.

— Ты знала, в чем был замешан Мартин?

Она заморгала. Лицо ее ничего не говорило, но губы приоткрылись, дыхание стало чаще. Это потому что она что-то знает, или просто от упоминания ее бойфренда? Или вообще оттого, что сидит в полиции, скованная по рукам и по ногам?

Это вызывает у некоторых нервозность, доходящую до неадекватных реакций. Одна из причин, по которым я предпочитаю вести допросы на дому или в более нейтральных местах. Но сегодня для этого сроки упущены. Для многого упущены сроки.

— Нет, — ответила она, а я смотрела в ее глаза и не верила.

Не знаю почему, но по этим голубым глазам котеночка я читала, что она врет. Это не была метафизика, просто внутреннее чувство, которое вырабатывается со временем у каждого копа — просто знаешь. Быть может, врала не для того, чтобы что-то скрыть. Может быть, от испуга, или просто потому, что имела возможность соврать. У вранья бывают самые глупые причины. Но сейчас она врала, скрывая. Скрывая ту информацию, что нам нужна. И это было полезно. Она дала нам какое-то направление, и есть кого допрашивать. Полезное для расследования всех новых смертей, что я видела сегодня. Если Пола Чу что-то знает, то тогда погибшие бойцы СВАТ, и те, что в больнице между жизнью и смертью... может, все это было не напрасно.

Глядя в ее лживые глаза, я поняла вдруг, что больше в это не верю. Даже если она что-то знает, какие-то клановые или семейные тайны, и все нам расскажет, то это без разницы. Родным убитых бойцов это без толку. Для того, кто уже никогда, быть может, не встанет на ноги, если вообще очнется, тоже разницы нет. Это мы врем себе, будто это важно, врем себе, чтобы действовать, а не грызть в бессильной злобе стволы.

Завершение — слово, придуманное психотерапевтами, чтобы ты верил, будто боль прекратится, что если наказать виновного или понять причину, к тебе придет душевный мир. И это — самая большая ложь.

— Анита! — окликнул меня Эдуард. — Что с тобой?

Он стоял ко мне ближе, чем был, на одной стороне стола со мной и с Полой. Я его перемещения не увидела и не услышала.

Я замотала головой.

— Не знаю.

А про себя я подумала: «Совсем нюх потеряла». Что же это со мной такое?

Эдуард взял меня под руку и отодвинул меня от допрашиваемой. Чем дальше, тем яснее становилось в голове, но тигрица внутри никуда не ушла, припала за металлической стенкой. Но лежала, и только черный кончик хвоста давал понять, что она мной недовольна.

Открылась дверь, и вошел, улыбаясь, главный детектив Морган. С широко раскрытыми карими глазами, с видом приветливым и открытым, пусть и насквозь фальшивым. И просто излучал обаяние. О да, мы как раз его ждали. Не предупредил ли нас Шоу, чтобы не задавали никаких относящихся к делу вопросов? Предупредил. Чтоб его черти взяли.

—Добрый день, Пола — можно мне вас так называть? А я — Эд.

Он положил папки между ними на стол, взял стул, на котором до того я сидела, и улыбнулся ей. Можно было подумать, что нас с Эдуардом здесь и нет.

—Я дальше сам справлюсь, маршалы. А вас хочет видеть помощник шериф Шоу. — Морган улыбнулся так широко, что ямочки появились, но в глубине карих глаз блеснула недружелюбная искорка. Я подумала, что сейчас на нас будут орать. Ну, класс.

Эдуард не отпускал мою руку, будто не доверял мне. Если бы было здесь зеркало, я бы посмотрела, какое у меня выражение лица, но тут были обычные стены. Этих допросных с двусторонними зеркальными окнами мало, и женщину посадили туда, где ее не будет видно снаружи. Камера наблюдения, но окно этой женщине решили не выделять. Она — единственная ниточка к убитому тигру, и ей не выделили лучшую допросную, хотя допросчика все-таки прислали самого лучшего. Какой-то это пахло офисной политикой.

Эдуард повел меня к оставшейся открытой двери. То, что он видел или ощущал от меня, заставляло его нервничать. А я ничего такого страшного не чувствовала, и вообще ничего особенного. И снова мелькнула та же мысль: что же со мной такое?

Он осторожно вывел меня в дверь. Я оглянулась и увидела, что Пола Чу смотрит мне вслед, и как только я увидела ее глаза, тигрица во мне встала, заревела снова, но на этот раз так, что задрожала металлическая стенка, будто рев ударил в нее как в гонг. Я покачнулась, и Эдуарду пришлось меня поддержать. Наклонившись вперед, он шепнул:

— Что происходит?

— Не знаю точно, но нужно убраться подальше от тигров.

— Закройте дверь, когда выходить будете, — сказал Морган. — Мы с Полой отлично договоримся, правда?

Он повернулся к ней, но я знала, что он зря тратит на нее свою сверкающую улыбку. Женщина даже не глянула на него — она не сводила глаз с меня.

Я рванулась прочь от двери, и только рука Эдуарда не дала мне броситься в бег. Дыхание стремилось участиться, пульс уже стучал. Я ощущала других тигров, сидящих по допросным. Ощущала, да, хотя вообще-то мне полагается ощущать лишь тех, с кем связана я или Жан-Клод. К белым тиграм Вегаса я не была близка ни в каком смысле, чтобы так остро их чувствовать. Что-то здесь не то.

Пальцы Эдуарда сжали мне бицепс так, что можно было бы возмутиться — от боли, но это помогло прочистить мозги. Способность мыслить стоит пары синяков, и как только боль помогла, я еще кое-что поняла.

— Мне кто-то лезет в мозги, — прошептала я ему.

— Вампир? — спросил он.

— Если белая королева не умеет делать того, что я видала только у вампиров, значит, это вампир.

— Вамп или тигр? — спросил он тихо.

Несколько любопытных взглядов мы заработали от полицейских, мимо которых проходили. Они видели эту вцепившуюся руку или слышали, что мы шепчемся? Или просто так слухи разошлись, что мы пробуждали любопытство?

Я сурово глянула на нескольких патрульных в форме, что на нас таращились:

— Ну и как, нравится?

—Анита, оставь. — Эдуард шел и вел меня, не давая остановиться. Он лишь слегка ослабил хватку, и тут же я ощутила сидящих по допросным тигров. Чуть ли не увидела, как они поднимают глаза, выискивая меня.

—Крепче жми, — шепнула я, наклонившись к нему.

—Что?

—Боль проясняет голову.

Он снова вцепился давящей хваткой, и мы пошли к дверям. Я видела, как давит на них горячее белое солнце.

—Если поможет солнечный свет... — прошептал Эдуард.

—То это вампир, — закончила я.

—А если нет...

—Тогда тигр.

Он даже не дал себе труда согласиться. Я не сводила глаз с желанных дверей, сосредоточилась на ощущении пальцев Эдуарда, сомкнувшихся на руке, на солнечном свете впереди. Эдуард бросил назад:

—Нам нужно на воздух.

Бернардо — и Олаф, если он тоже здесь, — поймут, что на воздух мы бы не рвались так быстро. Знакомых понимаешь с полуслова. Эдуарда они знали лучше, чем меня, но и по моему поведению тоже все поняли.

Они догнали нас в вестибюле. Виктор встал со стула, и как только его увидела, тигрица заревела снова, а металлический щит, который я поставила внутри, заколебался, как серебряная вода. Не лопнул, но прогнулся.

Эдуард даже не замедлил шага, но взмахом руки дал Виктору понять, чтобы не подходил. Бернардо забежал вперед и открыл дверь, будто почуял срочность. Олаф пошел сзади, не помогая, но и не задержав нас. И на том спасибо — я бы сейчас этого не выдержала.

Тигрица у меня внутри прыгала на покореженный металл, будто пыталась перелезть.

—Быстрее, — сказала я.

Эдуард вытащил меня наружу. Ударило жаром, перехватывая дыхание, будто я вошла в печь. Тигрица не отреагировала — она рвалась наружу.

Потом на меня обрушился свет, подобный горячему белому прожектору. Он полоснул темноту, которую я до того не могла увидеть, темноту, в которой была Она. И она завизжала на меня из тьмы, но свет солнца отрезал ее от меня, и мне осталось бороться только с тигрицей, которая смогла взобраться на щиты и бежала со всей мочи к поверхности. Не знаю, почему Марми Нуар так любит тигров, но что-то она сделала, ослабляющее мою защиту.

Я попыталась поставить новый щит — и не смогла. Марми Нуар сейчас уже не было, ее вышвырнуло солнцем, но то, что она сделала, еще оставалось и сковывало меня как кандалы.

Эдуард все еще слегка держал меня за руку.

— Как теперь, Анита?

— Вампирши нет, но она что-то внутри сделала. Во мне.

Тигрица бежала прочь, мелькая черным и белым. Если она дорвется до поверхности, то самое меньшее, что со мной случится — упаду на землю и почти перекинусь. В худшем случае то, что сделала Марми Нуар, превратит меня в тигра по-настоящему.

— Что произошло? — спросил Олаф.

— У меня вопрос получше: что происходит? — добавил Бернардо.

Если бы был у меня оборотень-вервольф или даже лев, я могла бы отвлечь тигрицу в себе, натравить зверей друг на друга, даже тигр другого цвета сгодился бы. Я стояла на жаре под слепящим солнцем, и нужно мне было то, что я не могла объяснить.

— Я могу успокоить твоего тигра, — прозвучал позади нас голос Виктора, вышедшего с нами на солнце.

— Не думаю, — сказал Эдуард.

— Нет, — возразила я. — То есть да.

Эдуард посмотрел на меня:

— Анита, он чуть не вызвал твоего зверя сегодня.

— Это было случайно, — ответил Виктор. — Но меня учили помогать самкам моего клана сохранять человеческий облик.

Эдуард притянул меня к себе поближе, но у нас уже не было времени: тигрица готова была вырваться на поверхность.

— Эдуард, пусть он попробует, иначе я рискую реально превратиться в тигра.

С этими словами я потянулась к Виктору, и Эдуард меня неохотно отпустил. Виктор взял в ладони мое лицо, как сделал Криспин при первой нашей встрече в Северной Каролине. Он сбросил темные очки, явив миру светлые голубые глаза, обнаженные, доступные свету. И я упала в эти глаза, и тигрица внутри меня пошла медленнее. Не остановилась, но замедлила шаг.

Виктор наклонился ко мне.

Я ощутила сбоку движение, уловила присутствие высокого темного Олафа. Эдуард не дал ему до нас дотронуться:

— Не мешай ему.

Виктор меня поцеловал. Прижался губами к губам. Когда так было с Криспином, я вбросила в него своего зверя, вызвала тигра в нем, но сейчас Виктор вдыхал свою силу в меня. Не зверя, но силу. Ту силу, от которой перехватывает дыхание, покалывает кожу, и ничего подобного я не ощущала ни от одного ликантропа, кроме его матери.

Тигрица во мне приостановилась, потом снова порысила вперед, так близко, почти рядом с выходом.

Виктор чуть отодвинулся, чтобы сказать:

— Ты должна принять мою силу добровольно. Слишком ты сильна, чтобы я мог утихомирить твоего зверя без твоего согласия.

Тигрица была у самой поверхности моего существа, будто глядела вверх со дна прудика, а этим прудиком была я. Раньше всегда зверь в меня ударялся, как в твердую преграду, а сегодня я была как вода, и тигрица замерла в нерешительности.

— Смотри на меня, Анита, не на своего зверя.

Он снова привлек мое внимание к себе, к своему лицу, к глазам.

Тигрица царапнула когтем поверхность воды, которой была я, и только руки Виктора не дали мне упасть. Раньше это всегда было больнее, но сегодня я знала, абсолютно и точно, что этот водянистый барьер зверя не удержит. Что бы ни сделала Марми Нуар, она хотела, чтобы я перекинулась. Чтобы я стала тигром. Я не знала, что происходит, но одно я знала: если она чего-то хочет, ей нельзя этого давать.

Тигрица еще раз махнула когтем, и убей меня бог, если моя кожа не поддалась под ним.

— Спаси меня! — шепнула я.

— Впусти меня, — ответил он также шепотом и еще раз прижался ко мне ртом.

Я не очень понимала, как это сделать, поэтому опустила щиты на дороге к моим зверям. Тигрица испустила триумфальный рев, и в тот же миг ее ударило силой Виктора. Она вскрикнула от этого прикосновения, но сила погнала ее назад. Она, сила, была как живой теплый ветер, который гнал зверя обратно, мягко, но неумолимо. И вдруг тигрица исчезла, я осталась в собственной коже одна. Одна, но все еще в объятиях Виктора.

Он отодвинулся, прервав поцелуй, но руки не расплел, будто не знал, смогу ли я сама стоять. Я тоже не знала.

— У тебя кровь, — заметил тихо Бернардо.

Я посмотрела, ничего не увидела под жилетом, но Виктор снизу был замазан кровью.

— Кажется, это не моя, — сказал Виктор.

Эдуард встал так, чтобы нас загородить:

— Надо отсюда убраться.

— Ты так быстро заводишь друзей, что это настораживает.

Рядом с нами стоял Хупер и еще кто-то из его группы.

— Стоять можешь? — спросил Виктор шепотом.

Я подумала и кивнула.

Он шагнул от меня прочь, став так, чтобы копы не видели крови на его одежде. А я сказала:

— Очень жаль, сержант, что вам не нравится, как я завожу друзей.

Сказано было без сарказма. Хупер мне нравился, и я хотела бы хорошо выглядеть в его глазах, но... куда важнее было сейчас убраться отсюда, чтобы копы не видели, насколько я ранена.

— Хотел бы я быть твоим другом.

Это сказал Джорджи.

— Извини, бальная карточка переполнена.

— Вот гад буду, не шучу.

Выражение лица у него было такое, какого не хочешь видеть у товарища по работе, никогда не бывшего твоим бойфрендом. И на слишком юном лице Джорджи оно казалось неуместным.

Но выражение лица Хупера мне еще меньше понравилось. Он прищурился, пытаясь рассмотреть, что же скрывают от него обступившие меня Виктор, Эдуард и прочие, и направился к нам. Эдуард повел нас прочь к машине, Виктор с нами. Мы изо всех сил старались не показать кровь. На моем черном она видна не была, но на светлой рубашке Виктора расплывалось алое пятно.

Хупер послал остальных внутрь, а сам шел за нами. Его догнал Санчес, заговорил с ним. Похоже, они ссорились, но это дало нам время добраться до автомобиля. Виктор сел на переднее пассажирское место, чтобы указать водителю, как быстрее проехать к врачу. Эдуард сел со мной на заднее сиденье, Олаф тоже. Мы пытались его посадить с водителем, но он просто не согласился. Хупер закончил разговор с Санчесом и снова шел к нам. Времени на споры не было.

— Езжай, — сказал Эдуард.

Бернардо поехал.

Глава сорок восьмая

— Анита, сними жилет. Надо посмотреть, не прижать ли рану.

Будь мы здесь вдвоем с Эдуардом, не было бы проблем, но рядом со мной навис темной глыбой Олаф. Я покосилась на его лицо — и ничего не было в этом лице, что вызвало бы у меня желание при нем раздеться.

—Перестань быть девчонкой, — сказал Эдуард. — Снимай жилет.

—Ты несправедлив, — возмутилась я.

—Да, я понимаю, почему ты не хочешь, но умереть от потери крови только потому, что ты не хочешь показываться Олафу окровавленной и полуголой, было бы глупо.

Ну, в такой формулировке...

—Ладно, — сказала я, вложив в это слово столько злости, сколько туда влезло.

Помогла Эдуарду снять с меня кобуры и оружие. Отдала их Эдуарду, как было и при входе в дом Вивианы, потому что кому же еще могла я все это доверить? Но тогда у Эдуарда руки оказались заняты, и Олафу пришлось меня расстегивать. Я думала, он будет зависать над каждым движением, как в морге, но он был до странности деловит — просто расстегнул липучки на боках и снял с меня жилет. На голубизне футболки виднелись красные мазки на уровне живота, где просочилась кровь. Плохо.

Вдруг у Олафа в руке оказался нож.

—Нет! — крикнула я. — Не надо срезать футболку!

Я стала вытаскивать ее из штанов. Признаю, что напряглась, готова была к тому, что она застрянет, что будет больно ранам. Да, срезать было бы практичнее, и все равно футболка пропала, но вид этого человека, наклонившегося надо мной с большим зазубренным ножом в руке... ни за что на свете не дам я ему предлога поднести нож к моей коже.

Наверное, я как-то невольно застонала от боли, потому что Эдуард, положив на пол мое оружие, достал собственный нож.

—Нам нужно посмотреть, Анита.

Я хотела возразить, но он оттянул футболку и уже резал. Я могла бы его остановить, но он был прав, а Эдуарда я не боюсь. Лезвием настолько острым, что оставался прямой, почти хирургический разрез, он вскрыл футболку посередине до самого воротника. Я могла бы возразить, что теперь я и вправду полуголая, но увидела собственный живот, и тот факт, что мой лифчик оказался на всеобщем обозрении, потерял актуальность.

— Блин! — выругалась я.

На животе остались кровавые следы когтей. У меня выступала кровь, когда я бывала близка к превращению, но только из-под ногтей. Такого, как сейчас, никогда не было.

Пальцы Олафа повисли над раной с рваными краями. Я хотела уже сказать: «Не трогай», как он сказал сам:

— Неправильные края у раны.

— Они изнутри наружу, а не наоборот, — ответил Эдуард.

Я посмотрела вниз, на раны, но угол оказался неудобным — или вообще трудно рассматривать собственное вскрытое тело и анализировать раны. Я постаралась мыслить позитивно:

— Хотя бы не так плохо, как предыдущая рана в живот.

— Верно, — согласился Эдуард.

— Да, на этот раз внутренности не висят наружу, — сказал Олаф, и сказал так спокойно, будто это и тогда не имело значения, и сейчас не имеет. Ну, что с социопата возьмешь?

Он положил большие пальцы поверх ран. Рука его едва заметно содрогнулась, и ему пришлось поднять ее, чтобы согнуть. Потом он снова положил руку на раны и повел вдоль них.

— Похоже, будто что-то вырывалось оттуда наружу, а не полоснуло издали.

Он расправил над ранами ладонь. Я начала было возражать, но сообразила, что его рука полностью накрывает рану — миниатюрная звериная лапа, если можно так назвать. Такая же миниатюрная, как та, что оставила следы на жертвах.

— Тот же размер, — сказал он и положил руку на раны.

Остро и резко ударила боль, и я знаю, что тихо застонала, потому что одновременно произошли две вещи: Эдуард сказал: «Олаф», — и в этом слове слышалось предупреждение, а сам Олаф испустил вздох, никак не гармонирующий с ранами и кровью. Ну, это если ты не серийный убийца.

— Прекрати меня трогать, — сказала я, подчеркивая каждое слово так твердо и отчетливо, как никогда в жизни. Не знаю почему, но впервые это его поведение меня не напугало, а только разозлило. Будем считать, что это была злость.

Он убрал руку и посмотрел на меня глазами-пещерами. Что бы ни увидел он у меня на лице, это его не обрадовало, потому что он сказал:

— Ты не боишься.

— Тебя — да, ты прав. Только что какая-то дрянь пыталась разорвать меня, чтобы выбраться — извини, но на шкале страхов мое внимание перешло на это. А теперь перестань дрочить на мою боль и помоги мне, черт возьми.

Он снял кожаную куртку, сложил ее и приложил мне к животу.

— Будет больно, но если приложить к ранам давление, ты не будешь терять столько крови.

— Давай, — сказала я.

Он надавил, и было больно, но иногда надо вытерпеть боль сейчас, чтобы не было намного больнее потом. Наверное, я попискивала, потому что Эдуард спросил:

— Он тебе делает больно?

— Не больше, чем нужно, — ответила я, гордясь, что голос прозвучал почти ровно. Пусть слышат, как разговаривает железная охотница на вампиров: ни здоровенный серийный убийца ее не смутит, ни таящиеся в ней самой звери. Блин!

— Виктор! — окликнула я.

Он повернулся на сиденье, посмотрел на меня. Очки, наверное, он оставил на тротуаре, потому что я смотрела в светло-голубые глаза его тигра. Нет, его самого. Потому что тиграми-оборотнями, такими как Виктор, рождаются, а не становятся.

— Да, маленькая королева?

— Во-первых, прекрати меня так называть. Во-вторых: эти следы когтей на мне — такой была бы по размеру моя тигрица, если бы выбралась наружу?

Он задумался на пару секунд. Бернардо вынужден был спросить:

— Повернул, куда ты сказал. Дальше куда?

Он снова сказал, куда ехать, потом повернулся ко мне.

— Ты какой-то... совсем особый случай. Но я думаю, что да. Именно такого размера была бы ты.

— Блин, — повторила я.

— У Мартина Мендеса руки были больше, чем у Аниты, даже в человеческом виде, — заметил Эдуард.

— Наш убийца — женщина, — сказала я.

— Нет, есть мужчины с такими же маленькими руками, как у тебя, — возразил Олаф.

— У кого-нибудь из ваших мужчин-тигров есть такие маленькие руки? — спросила я, подняв руку, чтобы Виктору было, с чем сравнить. Он протянул руку между сиденьями, приложил свою ладонь к моей.

— Только Пола Чу.

— Стоп, — сказал Бернардо. — Если Бендес не тот тигр, которого мы ищем, зачем он напал на полицейских?

— Хороший вопрос, — оценил Эдуард.

Ответ дал нам Виктор:

— Он был разведен с женой, которая обвинила его в побоях. Его нельзя назвать большой ценностью для нашей общины. Если бы обвинения были доказаны, он получил бы или пожизненное, или...

— Ордер на ликвидацию, — договорил за него Бернардо.

— Да. В других штатах могли бы предложить постоянное место в одном из правительственных заведений для оборотней, но в Неваде, как в большинстве западных штатов, действует закон об опасных животных. В этой части страны три нарушения означают для нас смерть. Как правило.

— Не лишним было бы для нас это знать с самого начала, — сказал Эдуард таким тоном, будто он не в восторге от старины Виктора.

Бернардо чуть резковато прошел поворот, и Олафу пришлось сохранять равновесие. При этом он сильнее меня прижал, я очень постаралась скрыть стон боли. Олаф уперся длинной ногой, чтобы не съехать с места.

— Боль была случайной, — сказал он.

До сих пор мне удавалось его игнорировать — учитывая его шесть футов шесть дюймов и то, что он надо мной нависал, втискивая кожаную куртку мне в раны, это было свидетельство либо шока, либо моей невероятной воли. Я думаю, все же дело было в шоке. Но сейчас я подняла на него глаза и его *увидела*. Увидела мерцание в самой глубине его запавших глаз. Увидела, как он на меня смотрит. Увидела, как он старается не показать на лице, что чувствует, но зря старается.

Он повернулся так, чтобы только мне было видно его лицо. Глядел на меня, большие руки вдавливали в меня кожаную куртку, губы приоткрылись, глаза обессмыслились. И сбоку на шее густо и тяжело билась жилка.

Я попыталась подумать, что сказать или сделать такого, что не ухудшит ситуацию, и решила сосредоточиться на работе.

— Мы бы все равно проверили, что за ним числится, — сказала я, глядя на Виктора, потому что на Олафа больше не могла смотреть. Хотелось, чтобы он отодвинулся, перестал ко мне прикасаться, но страх или даже отвращение — от этого ему было бы только приятно. Непонятно, какая реакция снизит ему удовольствие, разве что не обращать на него внимания.

— Но маршал Форрестер прав. Я должен был это сообщить.

— Следы когтей доказывают, что это кто-то другой. Скорее всего Пола Чу.

— Но мы не можем объяснить это полиции, не рассказывая о твоих ранах, — сказал Эдуард. — А тогда у тебя могут отобрать значок. Нам в нашем противоестественном отделе дают больше слабины, но если решат, что ты и вправду оборотень, тебя вышибут.

— Я знаю.

— Итак, — сказал Бернардо, — мы знаем нечто, что нужно знать им, но мы не сообщаем эту информацию.

— А если сообщим, нас поймут и нам поверят? — спросила я.

Все замолчали. Наконец Эдуард сказал:

— Санчес мог бы, остальные — не знаю. Если Анита лишится значка, то пусть хотя бы копы серьезно отнесутся к причине, а не отметут с порога.

— Они своего преступника уже определили, — сказал Бернардо. — И не захотят верить, что убили не того.

— Но если это Пола, то от нее мы могли бы узнать, где дневное логово, — напомнила я.

Олаф удивил почти всех нас, сказав:

— Тед, можешь перехватить у меня?

Эдуард не стал спорить — просто встал на колени, чтобы прижать раны. Но сделал большие глаза, будто хотел спросить: *Что за черт?* Я согласилась. Олаф, по своей воле упускающий возможность трогать мои кровавые раны, причиняя боль. В чем тут дело?

Олаф смотрел на свои руки — они были в крови.

— Анита, ты помнишь, как ты не могла работать в морге, когда я был рядом?

— Да.

Он облизал губы, закрыл глаза, и не стал сдерживаться, когда его пробрало дрожью с головы до сапог, до самых их кончиков. Открыв глаза, он выдохнул — прерывисто.

— Я тоже не могу работать, когда вот так тебя касаюсь. Ни о чем не могу думать, кроме тебя, крови и ран.

Он снова закрыл глаза, и я решила, что он считает про себя или как-то по-иному восстанавливает самообладание.

Все мы на него смотрели — кроме Бернардо, который вел машину.

— Вот сюда? — спросил он Виктора, и Виктор кивнул.

— Да.

Олаф открыл глаза:

— Кто-нибудь из нас должен вернуться и присмотреть за этой женщиной, Полой Чу.

— Верно, — ответили мы с Эдуардом в один голос.

— Можем вернуться мы с Бернардо, — предложил он.

— Спасибо, что вызвался, Отто.

— Всегда пожалуйста, — ответил Олаф так, будто не уловил сарказма.

Мы находились в каком-то месте, менее шикарном, чем Стрип, но помимо этого я мало что могла сказать, полулежа на сиденье.

Бернардо и Виктор вышли. Бернардо открыл дверь за спиной Эдуарда. Я попыталась сдвинуться вбок, но боль меня схватила будто жесткой рукой и остановила на месте.

— Дай я, Анита, — сказал Эдуард и начал меня вынимать из машины как можно бережней.

— За нами наблюдают, — сообщил Виктор, всматриваясь вдаль. — Может быть, снимают.

— Зачем было тогда сюда нас везти? — спросил Эдуард.

— Сюда было ближе, и вы вполне законно можете сказать, что вам надо было допросить товарок Полы Чу по работе. Но нужно, если это возможно, чтобы Анита шла самостоятельно.

— Идти можешь? — спросил Эдуард.

— Далеко?

— Десять ярдов.

Вот так, он уже знал расстояние до двери. Я бы никогда не смогла оценить так точно.

— Дай я повисну у кого-нибудь на руке, как девушке положено, и тогда я смогу.

Я выпрямилась, и кожаная куртка упала на пол. Олаф потянулся через сиденье и поднял ее, а Эдуард предложил мне руку и стал мне помогать выйти самостоятельно.

Олаф протянул руку и помог мне поправить футболку на ранах. Смесь синего и красного превратила футболку в пурпурную. Подол мы затолкали мне в штаны, чтобы скрыть разрез.

Я встала, хотя держалась за руку Эдуарда так, как никогда не держалась ни за одного из мужчин своей жизни. Даже стоять было больно, и я чувствовала, как текут по животу струйки крови. Плохо. И если стоять больно, то идти будет еще больнее.

Лучше не придумаешь.

Эдуард заткнул часть моего оружия за пояс и в карманы, но еще много осталось лежать на полу вместе с моим жилетом.

— Оружие, — сказала я чуть придушенным голосом.

— Оставь здесь, — посоветовал Виктор.

—Нет.

Олаф просто начал собирать оружие и затыкать за пояс то, что помещалось. Эдуард уже добавил к своей ноше мой рюкзак. И поднял кожаную куртку.

—Руки спрятать, — сказал он.

Я сообразила, что у него руки в моей крови. Видела ее пару секунд назад, но от ее вида, от стояния здесь на солнце пустыня поплыла вокруг.

—Внутрь, — сказала я. — Надо уйти побыстрее внутрь.

Эдуард не стал задавать вопросов, просто помог мне повернуться. При этом что-то болезненно натянулось в животе, угрожающе заворчало внутри. Я только молилась, чтобы меня не вывернуло, пока снаружи у меня живот распорот — это было бы очень больно. Неглубоко дыша через рот горячим недвижным воздухом, я сосредоточилась на каждом шаге. На том, чтобы двигаться как можно естественнее для наблюдающих камер, и не слишком быстро, чтобы не разорвать раны сильнее. Не могу припомнить, когда еще я ходила так тщательно. И так сосредоточилась, что даже не заметила здания, пока Виктор не открыл перед нами дверь. Тут я подняла голову, увидела вывеску «Триксиз»: неоновая полуголая женщина сидела на большом стакане «мартини». Вывески было бы достаточно, но хозяева сочли нужным добавить еще неона в окно у двери, где было написано просто: «Девушки, девушки, девушки — голые девушки круглые сутки!»

Я глянула на Виктора, проходя мимо, а он шепнул:

—Здесь есть врач, который тебя ждет, и здесь работает Пола Чу. Наверняка найдется зацепка, которую ты сможешь скормить полиции, чтобы Полу не отпустили. И так, чтобы не выдать свой секрет.

С этой логикой я не могла спорить, и манил прохладный воздух изнутри. Сейчас мне хотелось только лечь и оказаться под кондиционером, где — не важно. Сглатывая слюну, борясь с тошнотой, я дала Эдуарду себя ввести в сумеречную прохладу «Триксиз», все голые, все круглые как сутки.

Зато в аду хотя бы прохладно.

Глава сорок девятая

И была там музыка — громкая, но не так чтобы уши лопались, как включают иногда в клубах. Она звучала устало — или это я так ее восприняла. Глаза привыкли к полумраку, и я увидела столики, расставленные в неожиданно большом зале. Кроме главной сцены были и небольшие столы-сцены, обставленные креслами вокруг. Еще не было семи вечера, но в затемненном зале уже сидели мужчины, а женщины ползали-бродили вокруг по столам-сценам, голые, как обещала вывеска. Я отвела глаза, потому что есть вещи, которые только гинекологу или любовнику можно показывать.

Главная сцена была пуста, но вместительна. Имелась небольшая дорожка и круглая зона с сиденьями. Никогда не видела такой сцены ни в одном стрип-клубе, разве что в одном старом фильме.

Виктор повел нас между столов, и мы пошли, потому что если бы меня понесли на глазах клиентов, это не способствовало бы нашей легенде.

Эдуард не пытался меня подбадривать: он только уверенно и твердо держал руку, за которую я цеплялась двумя руками, и медленно шел. Олаф и Бернардо шли за нами. Виктор остановился у небольшой дверцы сбоку от главной сцены, и я еще долго до него добиралась. Боль уже перестала быть просто болью и переходила в головокружение. Перед глазами поплыли пятна, и это было нехорошо. Сколько я уже потеряла крови и сколько теряю сейчас?

Мир сузился до мысли о том, что надо переставлять ноги. Боль в животе стала далекой, зрение поплыло, вокруг заклубились темные полосы. Изо всех сил вцепившись в руку Эдуарда, я верила, что он меня убережет и я ни во что не врежусь.

Голос Эдуарда:

— Анита, все, мы пришли, дальше можно не идти.

Ему пришлось взять меня за плечо и повернуть к себе. Я уставилась на него, видела, но не понимала, почему здесь стало светлее.

Чья-то рука коснулась моего лба.

— У нее кожа холодная на ощупь, — сказал Олаф.

Эдуард подхватил меня на руки, и это тоже было больно, да так, что я вскрикнула, и мир завертелся яркими полосами. Я изо всех сил давила в себе тошноту, чтобы не вырвало, и это помогло мне вытерпеть боль. Потом мы оказались в комнате, где снова было полутемно, но не так, как в клубе. Меня положили на стол под лампой. Подо мной ощущалась какая-то материя, под ней — потрескивание пластика.

Кто-то возился у меня возле левой руки — незнакомый мужчина. Я сказала:

— Эдуард!

— Я здесь, — ответил он, вставая рядом со мной.

Голос Виктора:

— Это наш врач. Он на самом деле врач, и много нашего народу залатал. Зашивает так хорошо, что шрамов не остается.

— Сейчас немножко будет колоться, — предупредил доктор, вставил внутривенную иголку и начал что-то капать. Я была еще в шоке, и только помню темные волосы и темную кожу — внешность более экзотическая, чем у Бернардо или у меня. А остальное все как в тумане.

— Сколько она крови потеряла? — спросил он.

— В машине казалось, будто не очень много, — ответил Эдуард.

Какое-то движение началось около меня, я попыталась посмотреть — но Эдуард взял мое лицо в ладони.

— На меня смотри, Анита.

Так отец отвлекает ребенка, чтобы не смотрел, что делает большой страшный доктор.

— Ой, — сказала я. — Плохо дело.

Он улыбнулся:

— Тебе неинтересно? Могу позвать Бернардо, будешь смотреть на него. Он посимпатичнее.

— Ты меня дразнишь и зубы заговариваешь. Блин горелый, что он будет делать?

—Он тебе не дает обезболивающих — из-за потери крови и шока. Будь мы в оборудованной больнице, он бы рискнул, но так — не хочет.

Я проглотила слюну сухим ртом, и на этот раз не от тошноты, а от страха.

—Четыре пореза от когтей.

—Да.

Я закрыла глаза и постаралась замедлить пульс, борясь с порывом вскочить со стола и бежать со всех ног.

—Не хочу я этого.

—Я знаю, — ответил он, но держал руки у меня на лице. Не то чтобы держал меня, но обратил мой взгляд к себе.

Откуда-то справа заговорил Олаф:

—У Аниты заживали раны похуже этих. В Сент-Луисе швы не понадобились.

—Тогда раны очень быстро заживали, потому и не надо было, — ответил Эдуард.

—Почему она сейчас так не может?

Я тогда получила питание от лебединого короля, а через него — от каждого лебедя-оборотня Америки. Потрясающий был прилив силы. Достаточный, чтобы спасти мне жизнь, а заодно и Ричарду с Жан-Клодом. Мы все тогда были жутко израмены. Энергии я получила столько, что в следующий раз куда худшие раны зажили, не оставив шрамов — почти как у настоящего ликантропа. Но объяснять это при чужих мне не хотелось, и потому я сказала:

—Энергии сейчас у меня нет.

—Ей нужно питание в больших количествах, — пояснил Эдуард.

—А, — сказал Олаф. — Лебеди.

—Вы про ardeur? — спросил Виктор.

—Ага, — сказала я.

—А насколько большая доза питания нужна? — спросил он.

—Перед тем, как получить рану, она была сыта. Не думаю, что в этом состоянии секс доставит удовольствие.

Я от всей души согласилась.

Чьи-то руки задрали на мне футболку, открыв раны.

Я попыталась посмотреть, спросила:

— Что там? Что он делает?

Голос доктора:

— Я просто чищу рану, о'кей?

— Не о'кей, но ладно.

— Анита, ты просто смотри на меня.

Светло-синие глаза Эдуарда смотрели на меня сверху вниз. Я никогда не видела его лицо в таком ракурсе, но сейчас в нем было сочувствие — чего я от Эдуарда увидеть не ожидала.

Те же руки стали чистить рану чем-то холодным и колючим.

— Блин, — выругалась я.

— Мне было сказано, что не должно остаться шрамов. Если она будет так дергаться, я не могу этого обещать.

— Кто тебя заставил это обещать? — спросил Виктор.

— Вы сами знаете, — ответил он, и в его голосе было достаточно страха, чтобы я его уловила.

Эдуард чуть сильнее прижал мое лицо ладонями:

— Анита, надо лежать тихо.

— Я знаю.

— Ты можешь? — спросил он.

— Кто? — еще раз спросил Виктор у врача.

— Вивиана.

— Надо спешить, — сказал Виктор, — моя мать в курсе. Кто-то ей сказал. Я бы не хотел, чтобы Анита была здесь, когда она приедет.

— Лежи тихо, — сказал Эдуард.

Врач взял чуть слишком глубоко, и я снова дернулась, пальцы сжались в кулаки.

— Не могу не шевелиться, — признала я.

— Бернардо, Олаф! — позвал он.

— Блин.

Я не хотела, чтобы меня держали, но... даже сопротивляться не стала бы. Не смогла бы.

Забавно, как никто не стал спорить с заявлением, что не надо нам здесь быть, когда появится Вивиана. Она едва не подчинила меня своей власти, когда я была здорова, сейчас, раненая и ослабевшая... не знаю, смогла бы я ее не впустить себе в голову.

Бернардо взял меня за правую руку и прижал к столу в двух местах. Виктор взял другую, в которой была игла капельницы. И когда я почувствовала руки у себя на бедрах, по одной на каждом, я знала, чьи они. Олаф.

— Вот блин!

— Анита, ты на меня смотри и со мной говори.

— Сам говори.

Я почувствовала руки у себя на животе.

— Что вы там делаете?

Самой было противно, какой у меня оказался испуганный высокий голос.

— Начинаю шить. Заранее прошу прощения, что будет больно.

И я ощутила укол первого прохода иглы, но это должен был быть не последний. Чтобы не было шрамов, использовали более тонкую иглу и более тонкую нить. Получается дольше, и больше нужно швов. Вот не уверена, что моя суетность стоит таких жертв.

Эдуард отвлекал меня разговором, пока остальные старались удержать неподвижно. Он рассказывал про Донну и детей. Шептал о той работе в Южной Америке, куда я с ним не ездила, рассказывал, как пришлось убивать тварей, которых я только в книжке видела. Он столько сообщал личных подробностей, сколько никогда в жизни я от него не слышала. Пока я готова лежать тихо, он мне будет шептать свои тайны.

Я ждала, чтобы боль притупилась, но бывает такая боль, которая не притупляется. Эта вот была острой и тошнотворной, и ощущение стягиваемых разрезов кожи было таким, что мой желудок не выдерживал.

— Стошнит сейчас, — сумела я сказать.

—Сейчас ее стошнит, — повторил Эдуард, и державшие меня руки убрались. Я слишком быстро попыталась перевернуться набок и отдала всю еду, которую сумела удержать на месте убийства. Вегас действительно оказывался для меня городом развлечений.

Свежая боль в животе прорезалась иногда и в середине рвоты. Доктор вытер мне рот, потом снова положил на спину.

—Она вытянула несколько швов.

—Простите, — сумела я сказать.

Голос у врача стал сердитый:

—Мне надо, чтобы ее держали. Она все равно дёргается, и если у нее будет рвота от боли, швы могут не выдержать.

—Что мы должны делать? — спросил Виктор.

А я была счастлива, что он сейчас меня не зашивает. Пусть говорят хоть целую вечность, лишь бы снова не начали. Я поняла, что тут не только боль, а еще и ощущение.

—Держите ее, — велел доктор.

Растворы в капельнице помогли прояснить мысли и зрение, и я теперь его четко видела. Он был афроамериканец, стриженый почти наголо, среднего сложения, с маленькими уверенными руками. На нем был зеленый хирургический халат поверх одежды и латексные перчатки.

Эдуард убрал руки от моего лица, чтобы прижать плечи к столу. Виктор взял ноги, предоставляя Олафу руку, которую до того держал. Когда гигант начал возражать, Виктор ответил:

—Я оборотень. И ни один человек, как бы ни был силен, со мной не сравнится.

Олафу это не понравилось, но он взял меня за руку выше локтя, а Виктор залез на стол — прижать нижнюю часть тела. Он был силен. Все они сильны, но я тоже, благодаря вампирским меткам Жан-Клода.

Эдуард надавил как следует, прижимая мне плечи, но я не смогла не дернуться, когда игла снова пошла через кожу.

—Кричи, — сказал Эдуард.

—Что?

— Кричи, Анита. Боль надо выпустить так или этак. Если будешь кричать, может быть, сумеешь не шевелиться.

— Если начну орать, я не смогу прекратить.

— Мы никому не расскажем, — сказал Бернардо поверх руки, которую прижимал к столу почти отчаянно.

Игла воткнулась в кожу, потянула. Я открыла рот и завопила. Весь свой страх, все желание драться или бежать вложила я в этот крик. Орала со всей скоростью, с которой успевала втягивать в себя воздух. Орала, рыдала, ругалась, но перестала дергаться.

Когда врач закончил шить, меня трясло в испарине, тошнило, глаза не видели, саднило горло, но дело было сделано.

Опустевший пакет прозрачной жидкости врач заменил на новый.

— Она опять в шоке, мне это не нравится.

Кто-то принес одеяло, меня накрыли. Я сумела сказать хрипло, сама не узнавая своего голоса:

— Надо уходить. Сюда придет Виви, да и за Полой Чу надо присмотреть.

— Вы никуда не пойдете, пока еще один пакет раствора не прокапаем, — отрезал доктор.

Эдуард снова держал мне голову, поглаживая край волос, где прилип к лицу мокрый локон.

— Он прав. В таком виде ты никуда ехать не можешь.

— Мы поедем и проследим, чтобы Пола Чу не ушла, — сказал Олаф.

— Да, — подтвердил Бернардо. — Это мы можем.

Они уехали, а мне принесли еще одеяло, потому что зубы начали стучать. Эдуард снова прикоснулся к моему лицу.

— Отдыхай, я тут буду.

Я не собиралась спать, но как только меня перестало трясти, трудно стало держать глаза открытыми. Сюда ехала Вивиана, но тут мне ни черта не сделать, и я это понимала, а потому погрузилась в сон, давая телу начать заживление. Последнее, что я видела, — как Эдуард подтягивает стул, чтобы оказаться рядом со мной и при этом видеть все двери. Я не могла не улыбнуться и ушла в теплоту одеял и усталость тела.

Глава пятидесятая

Мне снился сон, и в этом сне я шла по белому коридору с дверями по обе стороны. За этими дверями что-то было, но что — я не знала. Вдруг у одной двери задребезжала ручка, и это меня испугало. Я пошла быстрее и заметила, что я одета в длинное белое платье — тяжелое, стесняющее движения. Никогда у меня такого платья не было. Между дверями поблескивали зеркала, и я краем глаза увидела свое отражение. Бледный овал лица, черные волосы, уложенные на макушке, искусно рассыпанные по плечам кудри. И в волосах перо, а вокруг шеи — драгоценности. Не мой это был сон.

В следующем зеркале я увидела рядом с собой другую женщину. Она была одета в красное, цвет жатого бархата и розовых лепестков. Когда она двигалась, сверкало золото. Она одела меня в белое и серебристое, в сверкание бриллиантов, сама была одета в золото и рубины.

Я заставила себя остановиться в беге по коридору, который никак не укорачивался, повернулась к зеркалу, и увидела, что она смотрит на меня, стоя прямо за плечом моего отражения.

— Белль Морт! — прошептала я, и сразу, будто звук ее имени заставил ее материализоваться, ее рука обняла меня за плечи, притянула спиной к груди. Она была чуть-чуть пониже меня, но на каблуках — выше. И волосы у нас были примерно одного оттенка черного, но у меня глаза самого темного карего цвета, а у нее — почти янтарные.

— Ты очень занята последнее время, ma petite, — прошептала она, приникая алыми губами к белизне моей шеи.

— Нет, — сказала я.

Она всего лишь оставила совершенный отпечаток помады у меня на коже, улыбнулась мне из-за плеча, придвинула лицо к моему лицу.

— Тебе разве не понравилось в прошлый раз, ma petite?

Я хотела сказать «нет», но у нее самолюбие было слишком огромное и странно ранимое, чтобы я могла сказать правду —

если это была правда. Она пришла ко мне, когда я была без сознания, почти при смерти, и у нас с ней был секс. Она напитала меня достаточной энергией, чтобы я пришла в себя и стала питаться в реальном мире, чтобы спасти себя, Жан-Клода и Ричарда, хотя не знаю, какие у нее были чувства к нашему царю волков. Но спасти Жан-Клода и меня она хотела. Я так и не знаю точно до сих пор, зачем она это сделала. Белль никогда ничего не делает без выгоды для себя.

Ее рука скользнула по белой груди моего платья, пальцы ушли за корсаж. Я схватила ее за руку, не пуская дальше.

—Если бы ты хотела секса, мы бы лежали сейчас в постели. Что за этими дверями?

Она надула губки — мягкие, изогнутые луком, обиженные. Хотя в воспоминаниях, которые помню я, Жан-Клод любил эту гримаску. Я помню его мысль, что нет в мире лучших губ для поцелуя.

—Открой дверь и посмотри.

—Я боюсь.

—Это все — какие-то части твоей личности, Анита. Зачем их бояться?

Это были мои звери.

—Меня только что зашили после одного из них. Предпочитаю не повторять.

Она обняла меня за талию. Хотя бы не лапает.

—Ты знаешь, почему ты не можешь это залечить?

—У меня нет достаточно энергии.

—Ты последнее время ardeur едва кормила. Настолько, чтобы насытить, но не так, чтобы он стал сильнее.

—Я не хочу, чтобы он был сильнее.

—Но я хочу, ma petite.

—Я тебе не ma petite.

—Ты мне то, что я скажу, — ответила она, и глаза ее утонули в янтарном огне.

Я зажмурилась, как ребенок, спасающийся от чудовища под одеялом, хотя от взгляда вампира можно уклониться, если просто не глядеть.

Голос ее шептал у меня в ухе:

— Мать Всей Тьмы пытается сделать тебя своим орудием, пробуждая в тебе тигров. Я не знаю, почему это для нее так важно, но я чувствую, что она с тобой делает. Ты должна принять ardeur, потому что эта способность ей недоступна. Ты должна стать сильной в том, что унаследовано по моей линии, ma petite, иначе Тьма отвоюет тебя у меня и у Жан-Клода.

— Какая тебе разница?

— Разница та, что она хочет использовать твое тело как сосуд для себя. Я хочу, чтобы она погибла окончательно, а не удрала в тебя. Она должна умереть здесь, и тебе необходима сила, чтобы не впустить ее в себя. Восприми ardeur, Анита, и ты обретешь силу, о которой и не мечтала никогда. Я помогу тебе.

— Я не хочу...

Она выдохнула мне в ухо:

— Я слышу, что ты думаешь. Ты не хочешь питаться от своего друга. Я этого не понимаю — он достаточно красив. И, думаю, искусен.

От этой мысли я широко распахнула глаза.

— Нет! — полыхнул из меня гнев, и это ощущалось приятно. — Он мне родня, а с родней не делают этого.

— Излишняя щепетильность, но пусть так. Тигры подойдут вполне.

— Нет, — ответила я, глядя прямо в ее сверкающие глаза, потому что гнев помог мне оттолкнуть эту мягкую назойливую мощь.

— А ты и правда можешь питаться гневом. Как интересно! Это не по моей линии крови пришло.

Тихий порыв страха задул гнев сразу же. Мы не хотели, чтобы это стало известно кому-нибудь, кроме нас.

— Сейчас темно, и вампиры поднимаются, когда твое тело спит, ma petite.

— Перестань меня так звать.

— Королеву тигров не пустили к тебе твой друг и ее сын, но сейчас поднимаются вампиры, и могут оказаться шаловливыми. Если они будут настолько шаловливы, насколько я думаю, то я тебе дам возможность от них отбиваться.

— Что ты хочешь сделать? — спросила я, и страх был настоящим. Надо было вырваться из сна, пока она не сделала того, что задумала. Что бы это ни было.

— Тебе не выскользнуть, пока я не разрешу, Анита, пожалуйста, не пытайся. Ты сильна, но у тебя не было даже одной жизни, чтобы отточить свои умения. Тебе меня не победить, а без моей помощи тебе не выстоять против Матери Всех Вампиров.

— Что ты хочешь сделать? — повторила я.

— Ты мне не доверяешь, — сказала она.

— Не доверяю.

— После того, как я спасла тебя и моего Жан-Клода, ты все еще во мне сомневаешься?

— Я тебя боюсь.

Вдруг она оказалась передо мной, прижимаясь ко мне близко, склоняясь в поцелуе.

— Вот это хорошо. Я бы предпочла, чтобы ты меня любила, но если нет любви, сойдет и страх.

— Макиавелли, — сказала я.

Она засмеялась:

— А откуда, ты думаешь, он это взял? — И она прижалась ко мне в поцелуе. Ее голос звучал у меня в голове или же просто отдавался эхом в коридоре? — Если они на тебя не нападут, мой дар не проснется. Уж ничего более честного я предложить не могу, ma petite.

Это был поцелуй, но это был еще и жар. Вампирам полагается быть холодными, но она холодной не была. Она горела всей той жизнью, которую поглотила за много веков, и этот огонь она втолкнула мне в рот, в тело. Вот только что я целовалась с Белль Морт, и вот я очнулась, хватая ртом воздух и глядя в потолок, незнакомый потолок, и чья-то рука обнимает меня за плечи. На миг встретились сон и явь, я увидела мускулы — рука мужская. Что за хрень, это не Белль?

Надо мной и над обладателем руки стоял Эдуард.

— Ты стала впадать в шок, и врачи сказали, что близость ауры другого оборотня, подобного тебе, должна помочь.

Я повернула голову — Виктор моргал мне в лицо, будто он тоже проснулся. Судя по ощущениям, непонятно было, есть ли на мне вообще одежда.

— И это решение тебе показалось удачным, Э... Тед?

— Оно помогло, Анита. В тот момент, когда он до тебя вот так дотронулся, стало лучше.

— Видишь ли, Анита, ты одна из нас.

Голос Вивианы.

Эдуард перед тем, как снять с меня одеяло, отдал мне «браунинг», из чего я заключила, что не так все хорошо. Виктор туго обвился вокруг меня, и внезапное напряжение его тела сказало мне, что он тоже мог не знать о приходе мамочки. Одно дело я, погруженная в сон лекарством, а Виктор-то почему все проспал?

Эдуард помог мне сесть.

— Как себя чувствуем?

Я прислушалась к ощущениям, ожидая боли.

— Неплохо. — На самом деле было даже хорошо. — Который сейчас час? Давно я так?

— Четыре часа прошло.

Рука Виктора обнимала меня за талию, и надо было признать, что ощущалась она твердой, настоящей и вполне приятной. Но когда я служу каналом для своих зверей, прикосновение всегда приятно.

Я начинала лучше воспринимать окружающее. Вивиана сидела на диванчике у стены — сейчас я в первый раз могла толком рассмотреть помещение. Небольшая жилая комната с круглой кроватью, которая была бы вполне уместна в борделе, убранном красным бархатом. Точно такой же красный бархат диванчика. Кресла, подушки, небольшая кухонька. Лежала я на обеденном столе, резные стулья отодвинуты к стене, чтобы не мешать доктору и его помощникам.

И доктор был еще здесь — он вышел меня посмотреть, и Эдуард не мешал ему посчитать мне пульс. Я была без футболки, так что проверить швы было просто. Чтобы сдвинуть повязку, ему пришлось убрать руку Виктора.

—Почти зажили. — Он посмотрел на меня. — Я видел, что следы когтей направлены изнутри наружу, будто что-то пробивалось из вас. Вы же не человек?

—Я поделился с ней своей энергией, — ответил Виктор. Он сидел на краю стола, завернувши свою наготу в одеяло.

—Но если бы в ней не было белого тигра, не с кем было бы делиться, — сказала Вивиана.

—Мне без разницы, — сказала я, и Эдуард помог мне встать. Я могу стоять, ура!

Эдуард посмотрел на меня и убрал руку. Я стояла сама.

—Отлично, тогда пошли отсюда.

Он надел на плечо мой рюкзак— мое оружие он собрал заранее. И мы двинулись к двери.

И тут я почувствовала *это* — как холодный ветер вдоль позвоночника.

—Вампир, — сказала я.

Эдуард схватил меня за локоть и потащил к двери, где стояли, загораживая путь, Рик и еще несколько белых тигров. Оружие мы на них нацелили в унисон.

—Скажем, что они на нас набросились, — предложила я. — После стольких убитых полицейских в это легко поверят.

—Анита Блейк! Как приятно, что ты решила навестить мое скромное семейство!

Я даже не обернулась:

—Привет, Макс, спасибо за гостеприимство. — И рявкнула на загораживающих дверь парней: — Убрались, быстро, или кровь будет!

—Освободить дорогу маршалам! — скомандовал голос Макса. — Она федеральный коп, а с федералами не залупаются. Очень вредно для бизнеса.

Тигры в дверях смотрели в другой угол комнаты — на Вивиану.

—Я мастер этого города, и я велел вам убраться с дороги к чертовой матери!

Голос дрожал от ярости.

Тигры чуть подвинулись.

— Дальше, — сказала я, и мы подождали, пока они отошли от двери. А я тем временем двигалась вместе с ними, чтобы держаться спиной к Эдуарду и свободной рукой касаться его спины — так я ощущала его движения и могла держать комнату под наблюдением. Эдуард сам увидит, что там в дверях и в помещении за ними.

Он с четко слышимым щелчком открыл дверь, и мы проникли за нее. Я отвернулась от тигров и успела рассмотреть, что Макс стоит в дверях по другую сторону большой кровати. Одет он был с гангстерским шиком сороковых годов, с лысиной почти на всю голову, приземистый, но плотный. Кто не очень понимает, мог бы назвать его «жирным», но на самом деле это стальные мышцы.

Вивиана смотрела на него злым взглядом.

— Спасибо, Макс, — сказала я.

— Передай Жан-Клоду, что я знаю правила.

— Я передам.

И Эдуард вышел в дверь. Я следом, держась за него рукой. Осталось только дверь за собой закрыть. Но Вивиане нужно было оставить последнее слово за собой:

— Ты спала с моим сыном. Скажи, что тебе снилось?

Вопрос был настолько неожиданным, что я споткнулась в дверях.

— Анита? — сказал Эдуард.

— Все в порядке, — ответила я, сосредоточившись мысленно на сжатом в руке пистолете и оглядывая комнату. Дверь я захлопнула ногой, и вдруг мы оказались в гуле и полумраке клуба.

Эдуард встал рядом со мной, обнял меня одной рукой за талию, а другой надавил на руку с пистолетом, заставляя ее опустить. Наклонившись, он прошептал мне на ухо:

— Остынь.

Клуб был полон — в основном мужчины за столами и на помостах. Женщины — только официантки и танцовщицы.

Эдуард повел меня через толпу. В образ полупьяного бойфренда, который привел девушку в стрип-клуб, он вошел сразу, будто выключателем щелкнул. Такой отличный рубаха-парень, пришедший отлично повеселиться. Лучшее, на что я была способна — скрывать, что мне тут не слишком уютно, и стараться, чтобы никто не налетел на пистолет у меня в руке. Хотя никто и не заметил пистолетов после того, как мы вышли из дверей, или все делали вид, что не замечают. Но черный пистолет на фоне черных джинсов в темном клубе действительно не очень выделяется.

Я все еще старалась держать дверь в поле периферийного зрения, хотя наверняка знала, что ни Макс, ни Вивиана в самом клубе разборку не устроят. Они грязное белье на людях не ворошат.

Что это она спрашивала о моих снах?

Я отодвинула это мысль подальше, попыталась заодно избавиться от ощущения зуда между лопатками. Мне хотелось броситься к дальней двери, но мы играли спектакль, и я делала вид, что помогаю своему набравшемуся бойфренду пробираться через толпу. Хотя я знала, что Эдуард держит все под наблюдением, и эту игру прервет в мгновение ока.

Из ниоткуда высунулась рука, захотела полапать меня за грудь. Я перехватила ее и вывернула, не успев подумать.

— Эй! — сказал ее владелец, и на лице его было расслабленное недоумение очень пьяного человека.

Эдуард наклонился надо мной, пьяно осклабясь:

— Моя! — рявкнул он.

— Да чего, друг, базара нет, — ответил пьяный, будто это Эдуард защитил мою честь, а не я сама. Может, если бы я его застрелила, он бы еще посмотрел на меня как на личность, но за попытку лапать это было бы, пожалуй, слишком серьезное отмщение. Но разозлила меня не попытка, а убеждение, что женщины вообще не люди. Для большинства посетителей этого клуба это так. Я видела, как посетительницы в «Запретном плоде» относятся к стриптизерам: тоже как к существам второго сорта. Иначе бы они не могли себя так вести в клубе, как ведут. Одна из причин, по которым мне никогда ни с кем из них не было просто: даже до того, как я стала встречаться со стриптизером, я не забывала, что каждый из них — настоящий.

Мы остановились в закутке между баром и лавочкой сувениров и купили мне футболку. Она была белая, извитыми буквами поперек груди шла надпись «Триксиз», но это лучше, чем черная с голой девицей, держащей в руке стакан «мартини».

— Отлично подходит.

Это сказала танцовщица, одетая в короткий халатик и... и больше ни во что, как стало видно, когда он распахнулся. У нее было открытое симпатичное лицо и русые волосы, и была она очень похожа на идеальную возлюбленную из бесплодных мечтаний старшеклассника.

— Спасибо, — ответила я.

Если футболка натянулась еще хоть чуть-чуть, она бы лопнула, как штаны Невероятного Халка.

Она подошла ближе, погладила меня по боку — не то чтобы тронув грудь, но почти.

— Вылезай на сцену, я тебе приватный танец бесплатно станцую.

И она улыбнулась так, чтобы показать и невинную дружбу, и обещание чего-то порочного, укрывшегося в ямочках улыбки и в арахисовых глазах.

Эдуард притянул меня к себе излишне размашистым движением и улыбнулся ей в ответ:

— Извини, пора нам. Но в другой раз обязательно.

Она ему улыбнулась тоже, и улыбка эта была светлой, красивой и пустой, как электрическая лампочка. У меня у самой есть такая улыбка для трудных клиентов. Девушка переключилась на Эдуарда, закинув руку так далеко, как только позволял рюкзак.

— Обещаешь?

— А то, — ответил он и засмеялся.

Танцовщица придвинулась ближе:

— Спросите Брайанну, я тут шесть вечеров в неделю работаю после шести.

— Запомню, — кивнула я.

Эдуард повлек меня к выходу, и пальцы Брайанны проползли по моей руке от плеча до кисти. Мы вышли, и Эдуард еще

полквартала изображал пьяного. Потом выпрямился, и мы
пошли нормально.

—Я знаю, что к тебе тянутся оборотни и нежить, но она
ведь человек. Что это вообще все значит?

—Нырнем в какой-нибудь темный переулок, отдашь мое
оружие. Я тебе сразу все объясню.

Мы так и сделали — в этой части города полно темных пе-
реулков. Эдуард передал мне первый слой кобур, и началось
вооружение.

—Если тебе удастся развести девушку-посетительницу,
чтобы она сняла с себя что-нибудь, посетителям это нравится.
И можешь много денег заработать.

—Фантазии старой лесбиянки, — заметил он.

—Ага.

Я надела кобуру «браунинга» с дополнительной обоймой,
большой нож вдоль хребта занял свое место. Потом рюкзак —
затянуть, чтобы не ерзал.

—Кажется, ты ей понравилась больше меня.

—Ты тоже заметил. — «МП-5» вылез из рюкзака, куда не
полностью вмещался, и я затянула вокруг себя лямку. — Я это
видала у танцоров. Даже самые гетеросексуальные из них
иногда очень не любят, как ведут себя посетительницы. Наверное, то же самое у танцовщиц с посетителями. Неприятный
опыт может тебя слегка развернуть к бисексуальности.

—Интересно. И к кому-нибудь из мужчин твоей жизни
это тоже относится?

—Я думаю, что сексуальность мужчин моей жизни уста-
новилась до того, как кто-то из них пошел работать в стриптиз.
Кроме того, танцуют только Натэниел и Джейсон, а Джейсон — просто наш приятель, который иногда с нами спит.

—А Жан-Клод?

—Он больше не танцует стриптиз.

—Он выходит на сцену, Анита. Я видел, как он предлагал
поцелуи за деньги.

Это был достаточно недавний номер, и вопрос заставил
меня посмотреть на Эдуарда.

—И когда же ты был в клубе, что это видел?

Он шагнул под свет — как раз такой, чтобы видна была его улыбка. Так он улыбается, когда он знает что-то, что я тоже хочу знать, но говорить он не собирается.

— Ты за нами шпионишь?

— Не то чтобы шпионю.

— А что тогда?

— Я ему не доверяю, и на тот случай, если ты тоже вдруг решишь, что не доверяешь ему, я просто хочу знать, что происходит в Сент-Луисе.

— Не рассматривай Жан-Клода как возможную цель, Эдуард.

Вернув теперь себе все свое оружие, я чуть шагнула от Эдуарда, чтобы иметь пространство.

— Это угроза? — спросил он.

— Это ты шпионишь за одним из мужчин моей жизни. Я же не пришла к Донне в лавку, выдавая себя за покупательницу.

— Справедливо, — кивнул он. Но голос прозвучал холодно и расчетливо.

Подъехавший автомобиль я услышала прежде, чем в переулок ударил свет фар, от которого я закрыла глаза ладонью. Эдуард шагнул дальше в тень. Если бы нас поймали в ловушку, я бы уже была мертва, а он нет. Бывают минуты, когда его стандартная тренировка подчеркивает пробелы в моем образовании, полученном по ходу дела. Я попыталась отодвинуться в тень, но свет меня не выпустил.

— Руки держать на виду! — потребовал очень серьезный мужской голос. И запоздало представился: — Полиция.

Лучше бы он в обратном порядке, но я уже держала руки на виду, потому что сразу поняла, кто он, еще не услышав. Руки я сцепила на голове, не ожидая команды, потом медленно повернулась, чтобы свет упал на значок — так было задумано. У меня при себе было несколько серьезных стволов, все на виду. Если бы я не была с собой знакома, я бы тоже насторожилась.

Эдуард остался там, где стоял, невидимый в тени. Черт возьми, я знала, где он, но чтобы увидеть, надо было приглядеться изо всех сил. Как он это делает? Впрочем, сейчас есть более неотложные вопросы. Например, этот нервный коп.

— Выходите. Медленно.

Я подчинилась, твердо держа руки на голове. Попыталась назвать себя:

— Маршал. Я — маршал США.

С первого раза он, похоже, не расслышал.

— На колени. Быстро!

То ли он не видел значка, то ли количество оружия на мне сделало его слепым ко всему прочему. Наверное, его можно понять. То ли дело было в «МП-5», то ли в бронежилете, то ли два пистолета произвели на него впечатление, или вообще все вместе. Я снарядилась на монстра, то есть для человека — с большим запасом.

Я рухнула на колени, стараясь не слишком резко падать — не нужны мне синяки. И снова попыталась ему втолковать:

— Я — маршал США Анита Блейк. Я выполняю ордер на ликвидацию.

— На землю, быстро!

Блеснул силуэт наведенного на меня пистолета. Я опустилась на землю, гадая, что собирается делать Эдуард. Конечно, если сейчас он выйдет из переулка, может получить пулю. Коп был решительно настроен не подвергать свою жизнь исходящей от меня опасности. Появись еще кто-то так же тяжело вооруженный, и... случайности бывают.

Тротуар под моей щекой был не настолько чист, насколько мне хотелось бы. Мне не было страшно, хотя, наверное, надо было бы бояться. Пуля положительного персонажа не менее смертельна, чем отрицательного. Иногда я в такие моменты думаю, знал ли тот, кто писал законы, как это выглядит — ходить с таким арсеналом. Тут уж нужны значки на жилетах или где-то на более выдающихся местах, или когда-нибудь истребителя вампиров пристрелит полиция.

Я не двинулась, когда он наступил на меня коленом и надел наручники. Потом стал обыскивать и нашел второй значок рядом с пистолетом на талии. Отстегнул и поднес к свету.

—Блин! — сказал он с неподдельным чувством.

Я не сказала ему: «Я же говорила». У него пистолет, а я все еще в наручниках. Вместо этого я еще раз попробовала сказать:

—Я — маршал США Анита Блейк, я из противоестественного отдела, и я сейчас выполняю ордер на ликвидацию.

—Вы тут на вампиров охотитесь? — спросил он.

—Это моя работа, полисмен.

Я хотела поднять щеку с бетона, но не была уверена, что он это не воспримет как попытку встать. Недоразумений мне не надо было.

Он снова наклонился, но не стал на этот раз наступать коленом мне на спину.

—Я увидел все это оружие, и еще вы пытались спрятаться.

Он снял с меня наручники и шагнул в сторону.

—Можно мне встать? — спросила я.

—Можно.

Я осторожно поднялась. После таких недоразумений подмывает что-нибудь такое сделать пугающее этому типу, который на тебя надел наручники и заставил жрать бетон. Но я подавила этот импульс, потому что ни к чему хорошему он бы не привел.

Полисмен отдал мне значок, я его взяла и прикрепила рядом с «браунингом».

—Там, в переулке, мой напарник. Маршал Форрестер, покажитесь полисмену?

Не уверена, что это было то, чего хотел Эдуард, но у нас значки, а если у тебя значок, надо играть по правилам. По некоторым из них хотя бы.

Эдуард вышел, держа руки в стороны и чуть вверх, показывая, что они пусты. На застегнутой ветровке читались крупными буквами написанные слова «Маршал США». А я даже не знаю, куда я задевала ту ветровку, что он мне одолжил.

—Добрый вечер, полисмен, — произнес Эдуард голосом Теда и даже улыбнулся.

— Добрый вечер, маршал, — ответил полисмен, убрал пистолет, но кобуру не застегнул. — Я должен доложить по рации. Ничего личного.

— Увидел бы я столько оружия сразу, я бы тоже доложил, — тем же непринужденным и улыбчивым тоном ответил Эдуард.

Вот уж чего он не стал бы делать. Либо оставил бы без внимания, либо разобрался бы сам.

Полисмен Томас, согласно фамилии на значке, чуть отошел от нас, не поворачиваясь спиной. Включив наплечный микрофон, он что-то тихо в него сказал. Был при этом достаточно от нас далеко, чтобы мы не слышали. Искал кого-то, кто за нас поручится. Если только ему ответит не помощник шерифа Шоу, то мы в сравнительной безопасности.

Он хмыкнул несколько раз — с такого расстояния можно было только сказать, что согласно хмыкнул. Убрав руку от микрофона, он подошел к нам.

— Все в порядке. Извините за недоразумение.

— Пусть вас это не волнует, — ответила я совершенно искренне. Надо будет найти кого-нибудь, чтобы поставил вопрос о том, что из-за нового закона о ношении на себе целого арсенала истребителя вампиров могут просто пристрелить.

Эдуард опустил руки и с тем же любезным видом сказал:

— Но если вы нас подвезете в участок, это будет очень удачно.

— Не вопрос, — ответил Томас.

Он будто собрался что-то спросить, но передумал. Наверняка хотел поинтересоваться, где наша машина. И копам, и мужчинам не свойственно задавать лишних вопросов. Кроме того, он уже уложил меня лицом на мостовую и сейчас хотел быть полюбезнее.

— Я на переднем сиденье, — сказал Эдуард.

— Ладно, — ответила я.

Что-то в этом слове дало ему понять, что я не слишком довольна. Мы слишком давно и хорошо друг друга знали, чтобы можно было что-то скрыть. Он посмотрел на меня — его лицо было наполовину в тени, наполовину под уличным фонарем.

— Одну минутку, — обратился он к Томасу, и настала наша очередь отойти в сторону от полицейского, чтобы он не подслушал.

Я хотела рассказать Эдуарду окончание моего сна и спросить его мнения, почему этим заинтересовалась Вивиана. Откуда она знала? И что именно знала? Белль Морт перешла из сна в сон, или же она в контакте с тиграми Вегаса? У нее, как и у Марми Нуар, зверями зова служат кошачьи. Но метафизика не является сильной стороной Эдуарда. Он вряд ли знает больше, чем знаю я. Надо поговорить с кем-то, кто будет знать больше. С Жан-Клодом, наедине.

— Что-то с тобой случилось? — спросил он, стоя к Томасу спиной.

— Не могу понять. Надо побыстрее поговорить с Жан-Клодом с глазу на глаз.

— Она тебя спрашивала о твоих снах.

Я посмотрела на него и поняла, что он на это обратил внимание и почти все понял.

— У меня был сон, совершенно ошеломительный сон.

— Пусть будет ошеломительный, — улыбнулся он. — Ты можешь подождать до разговора с Жан-Клодом, или же будем развлекать Томаса?

Я подумала и решила:

— Вернемся к Олафу и Бернардо. Посмотрим, что там с Полой Чу и как подвигается дело. А метафизику я пока задвину на запасный путь.

— Ладно, если ты уверена.

— Уверена? На самом деле нет, но у меня значок. Ну, вот и будем действовать, будто я в самом деле маршал, а не ярмарочный уродец.

Он тронул меня за плечо:

— Анита, это на тебя не похоже.

— Вполне похоже. Я вот и решаю, способна я делать свою работу, или метафизика слишком глубоко въелась, чтобы мне значок носить.

— Метафизика тебе помогает лучше делать эту работу.

— Иногда. Но мы четыре часа потратили на мой целительный сон в обнимку с голым оборотнем-тигром, чтобы другие копы не видели, как мой внутренний зверь прорезал меня когтями изнутри. И на это время нам пришлось обоим отстранить себя от дела, а это плохо, Эдуард. Вот сейчас уже темно, и где-то там — Витторио. Золотое время потеряли, чтобы скрыть, кто я.

— Тогда перестанем спорить и поехали в участок. Бернардо нас догонит.

— Ты не понимаешь, Эдуард, Тед или кто ты сейчас есть: для тебя и для меня последние четыре часа, ушедшие, чтобы меня вылечить и скрыть, кто я, оказались важнее дела. Копы смотрят на это иначе.

— Мы нормально смотрим, Анита. — Не знаю, что отразилось у меня на лице, но он поймал меня за руку: — Не грызи себя.

— Я сказала правду.

— Это правда, только если хочешь в нее верить. Да, мы потеряли четыре часа, но зато ты поправилась, а мы узнали, что Макс не согласен с действиями Вивианы. Мы знаем, что Виктор не в восторге от матушки и стоит на стороне отца. Знать политические расклады у монстров города — это очень ценно, Анита.

Я хотела и могла бы поспорить, но Томас перебил:

— Извините, что вмешиваюсь, но я не могу прервать патрулирование надолго. Мне нужно вас отвезти и вернуться.

— Идем, идем, — отозвался Эдуард, все еще не выпуская мою руку. — Тебе нужно сейчас звонить Жан-Клоду?

Я покачала головой:

— Это терпит. Мы и без того много времени потеряли.

Он чуть задержал на мне взгляд, я посмотрела в ответ чистыми ясными глазами. Эдуард отпустил мою руку и отступил, потом повернулся к Томасу — с открытой честной улыбкой.

— Извините, Томас, не хотели вас задерживать.

— О'кей, но мне придется доложить по начальству, вы же знаете.

— Знаем, — ответила я.

На самом деле мы ничего такого не знали. Одна из причин, почему службе маршалов США не нравилось наше наличие в ее рядах, это что нас в нее всадили без дополнительного вспомогательного персонала. В принципе мы маршалы, но особо перед их начальством не отчитываемся. Противоестественный отдел почти что сам себе закон. Другие маршалы заполняют тонны документов, как только у них случится стрельба на службе, а мы взрываем кого надо и никаких бумажек не пишем. Единственный у нас документ — ордер на ликвидацию. Ставились эксперименты: некоторых из нас пытались заставить писать отчеты, но подробности оказались невероятно мрачными и невыносимыми, и кто-то там наверху в службе маршалов решил, что подвиги противоестественного отдела не следует предавать бессмертию на бумаге. В обычной полицейской работе отчеты пишутся, чтобы прикрыть задницу, но когда дело оборачивается плохо, их могут против тебя же использовать. Мы пока что отчеты писать не обязаны и потому до сих пор не писали. Это может поменяться, но пока что политика на эту тему строится по принципу «не спрашивай — не говори».

Я села на заднее сиденье полицейской машины, раздумывая, важно ли иметь значок, если работа остается та же, что и была. Мы — наемные убийцы. Легальные, разрешенные правительством и им же нанятые. Из нас некоторые пытались быть хорошими маршалами, но в конечном счете важно лишь вот что: маршалы спасают жизнь, мы ее отнимаем. И все значки мира не изменят ни кто мы, ни что мы делаем.

Я ехала через потемневший город, потом появился свет и я увидела Стрип, поднимающийся над домами какой-то стихийной силой, пылающей в ночи. Ехали мы не туда, но я знала, что она там — как чуешь океан, даже когда не видишь.

Томас увозил нас прочь от ярких огней, и вот именно так я чувствовала себя: будто меня что-то толкает все дальше от света, дальше от всего, что значит «быть человеком», все дальше от моих представлений о том, кто я есть и кто я буду.

Я сидела позади, не вслушиваясь в тихий разговор Томаса с Эдуардом. Профессиональная беседа, копы всегда говорят о своем. Эдуард будет делать все правильно, и Томас будет по-прежнему ради нас стараться.

Я сидела, погружаясь в свое недоумение, пока оно не перешло во что-то вроде депрессии. Вот не знаю я, как быть одновременно и правильным копом, и правильным монстром. Начиналось столкновение двух моих миров, и как его остановить, я понятия не имела.

Глава пятьдесят первая

Нам с Эдуардом пришлось помахать значками, когда мы шли по коридору к допросной, но еще издали мы услышали спор. Я узнала голос и Бернардо, и его собеседника:

— Откуда вы знаете...

— Нельзя ее отпускать...

— Почему это нельзя?..

Выйдя из-за поворота, мы увидели, как детектив Эд Морган спорит с Бернардо. Вот тут я наконец заметила, что Морган пониже шести футов — точный рост Бернардо. А это всегда труднее — спорить с кем-то, глядя снизу вверх, но Морган старался. Олаф со скучающим видом прислонился к стенке, в небрежной позе, ни над кем не нависая.

Морган обернулся к нам, как буря, ищущая, куда обрушиться.

— Вы что-то знаете про Полу Чу, чего нам не говорите!

— Мы только что приехали, — ответила я. — Мы даже не знаем, о чем у вас спор.

Олаф отвалился от стенки, выпрямился.

— Они хотят отпустить всех тигров, а Бернардо пытается задержать Полу Чу.

Бернардо обернулся к нам, черные глаза пылали злостью. От той же злости выступили скулы.

— Но почему он хочет задержать Чу, он мне не говорит, — ответил Морган, приближаясь широкими шагами. Мы с Эдуардом не сбавили шагу и встретились на полпути. Морган помахал пальцем перед лицом у Эдуарда, потом у меня. — Кто-то из вас велел ему ее здесь задержать, но не сказал почему. Что вы там скрываете?

Злость расходилась от него вибрирующей волной. У меня мелькнула мысль: «Я могу питаться гневом. И мне станет лучше, и перебранка кончится. Нет, Анита, нельзя. Неудачная мысль».

Я попыталась сунуть руки в карманы, но все время натыкалась на оружие.

— Может, дело в том факте, что она — сожительница того тигра, который сегодня с цепи сорвался, — сказал Бернардо, подходя к нам. Олаф шел следом.

— Этого мало, чтобы ее задержать, — возразил Морган.

— Я знаю, Морган, что вы можете ее задержать на дольше, — сказал Эдуард.

У меня возникла мысль:

— Давайте возьмем отпечаток лапы каждого тигра и сравним с ранами. После этого, если хотите, их можно отпустить.

— Я не стану предлагать этим ребятам перекидываться в полицейском участке, Блейк. Даже не думайте.

— А им не нужно перекидываться полностью. Только когти, — ответила я.

— Что? — спросил он, морща брови.

— Я вашему медэксперту говорила, что эти следы оставлены очень сильным оборотнем, который умеет всего лишь выпустить когти и спрятать их. Вроде как ножи с выкидным лезвием.

— Нас инструктировали по ликантропам, — ответил Морган. — У мощных оборотней есть две формы: полностью животная и животное-человек. Перекинувшись, они могут попасть под непреодолимое желание свежего мяса и убийства. Обратное превращение может быть лишь через шесть — восемь часов, и после него они еще час как минимум лежат без сознания. Я не собираюсь спускать с цепи тигров в нашем участке, где мы не можем гарантировать, что они будут собой владеть настолько, чтобы дать нам снять отпечатки.

— Можете мне поверить, если они умеют отращивать когти, то и мыслят тоже вполне ясно. И только у самых-самых новичков потребность жрать сразу после превращения непреодолима.

— И я должен верить вам, а не нашим экспертам? — с непередаваемым презрением спросил Морган.

— Оказываясь в тупике, я обращаюсь к ней, — ответил ему Эдуард.

Я попыталась проникнуть взглядом за эту маску Теда.

— Спасибо, Тед.

— Что вы ей верите — мне плевать. Я ей не верю. И никому из вас не верю.

Я заговорила, стараясь не терять терпения:

— Ваши эксперты — либо на них охотятся, либо их изучают?

Морган нахмурился, подумал. Потом кивнул:

— Да.

— А я живу с двумя такими. Можете мне поверить, когда я говорю, что знаю оборотней лучше вашего эксперта.

— И я вам должен верить, потому что вы с какими-то оборотнями трахаетесь?

Я улыбнулась, но не слишком довольной улыбкой — а той, которой улыбаюсь, чтобы не сорваться.

— Да, потому что я знаю оборотней в тех смыслах, в которых ваш эксперт и представить себе не может.

— Мне ваши извращения не интересны, Блейк.

Я сделала еще шаг, вторгаясь в его личное пространство. И еще, пока ему не пришлось бы либо отойти, либо соприкоснуться. Он не отступил, и нас разделяло расстояние не шире толщины волоса. Любому наблюдателю показалось бы, что мы соприкоснулись.

Детектив моргнул, глядя на меня сверху вниз. Нервный жест, выдающий, как в покере. То ли ему не нравилось, что я так близко, то ли...

Я стала тщательно выговаривать слова, добавляя в голос дозированную злость:

— Мои «извращения» — совсем не ваше дело, Морган. А поймать этого гада — ваше дело. Вы хотите, чтобы я вам помогла его взять, или хотите шипеть, злиться и критиковать мою половую жизнь?

— А что я должен думать, когда вы мне говорите, что живете с двумя такими?

— Вы должны думать, что я для вас важный источник информации о малоизвестном меньшинстве в этой стране, и что мои внутренние сведения могут быть для следствия бесценны.

Я говорила все тише и тише, чтобы ему пришлось наклониться.

И когда я закончила, его лицо почти касалось моего. И выражение на этом лице было странным, когда он тихо повторил:

— Бесценны.

Я не поцеловала его, не дотронулась вообще, но в этот момент он мне сдался, и я напиталась его злостью. Секунду назад она еще была внутри него и тут же полилась мне на кожу теплым приливом. Я закрыла глаза, вдохнула ее, и это было хорошо, хотя и не намеренно.

Эдуард тронул меня за плечо и чуть отвел от детектива. Морган остался стоять, глядя туда, где я была, будто я и не двинулась.

— Глаза у тебя... — шепотом сказал Бернардо.

Сзади послышались чьи-то шаги. Эдуард вынул из кармана солнечные очки и протянул мне. Я не спросила зачем: мне достаточно было выражения их лиц. Глаза у меня стали вампирскими. Такое уже случалось раз или два, но я всегда чувствовала, как это происходит.

Я надела очки на нос и сообразила, что сделала я это сейчас не нарочно, но Морган остался стоять, глядя в никуда. Не зная, ни что я с ним сделала, ни как, я не знала и того, как его из этого состояния вывести. Никогда раньше такого не было, когда я питалась чьим-нибудь гневом. Вот блин.

Бернардо пошел по коридору навстречу шагам:

—Шериф Шоу! Как жизнь?

Шоу, конечно. Блин и еще раз блин.

—Выведи его из ступора, Анита, — шепнул Эдуард.

—Я не знаю как.

—Сделай что-нибудь, — произнес Олаф еле слышно и двинулся не по коридору, а так, чтобы загородить от Шоу меня и Моргана. За его широкой спиной я придвинулась к детективу.

—Морган! Морган, ты здесь?

—Быстрее, — поторопил Эдуард.

Я щелкнула пальцами перед лицом Моргана. В отчаянии тряхнула его за плечо, голова мотнулась, резко сказала:

—Морган!

Он заморгал и поднял голову. Огляделся, будто не ожидал, что обнаружит себя в коридоре. Я ждала, что сейчас он обрушится на меня за магическое воздействие — серьезное нарушение целой кучи законов, но он только огляделся вокруг.

—Пойду повестки выписывать.

—Повестки? — не поняла я.

—Ну, да. Чтобы взять отпечатки когтей у всех этих тигров. Либо это их очистит, либо будем знать нашего клиента — или клиентку.

Он улыбнулся мне — от души, потом прошел мимо нас к Шоу, который наконец сумел разойтись в коридоре с Бернардо.

—Что тут творится, черт возьми? — спросил он.

Морган, продолжая улыбаться, объяснил ему насчет повесток и всего прочего.

—Невозможно, чтобы превращение коснулось только когтей, — возразил Шоу.

Морган его поправил, повторив как попугай все, что я ему говорила. Почти слово в слово.

Шоу посмотрел через плечо Моргана на меня и спросил:

—И кто тебе все это рассказал?

—Маршал Блейк.

—Вот как? Это она, значит?

Морган кивнул и пошел прочь делать то, что мне от него было нужно и что минуту назад ни за что делать не стал бы. Матерь Божия, что же это я сделала? И добро это или зло?

Глава пятьдесят вторая

Шоу шагал по коридору злой, почти бешеный, и тихий голосок у меня в голове сказал: *еда*. Я могла бы высосать из него злость и усвоить. Гнев не так хорошо питает ardeur, как похоть или влюбленность, так что это была закуска, но не еда. И уже на самом деле прошло двенадцать часов с той поры, как я питала ardeur. На заживление ран ушла энергия, и хотя я поспала под прикрытием энергии Виктора, от него я не питалась. Блин, блин и еще раз блин, надо убраться от копов подальше. И быстро.

— Вы что-то сделали с Морганом. Не знаю, что и как, но что-то сделали.

Я чуть сдвинулась, оказавшись у Эдуарда за спиной, чтобы Шоу случайно не оказался ко мне слишком близко. Не доверяла я себе в присутствии такого бешенства.

— Вечно за Форрестером прятаться не получится, Блейк.

— Считайте, что это для вашей защиты, а не для моей, — ответила я, приветливо улыбаясь.

И говорить так не надо было, и улыбаться тоже. Так зачем же это я? Что со мной такое?

Шоу пятнами пошел от злости, руки сжались в большие кулаки.

— Угрожаете?

— Нет, — ответила я, стараясь, чтобы это слово не прозвучало вызывающе.

У него зазвонил сотовый, и он отступил чуть в сторону от нас, будто не хотел подставлять спину.

— Слушаю, Шоу! — рявкнул он. Несколько минут молча слушал. Потом кивнул и сказал: — Сейчас будем.

Он вернулся к нам, уже снизив градус злости, и на лицо легли морщины, которых секунду назад не было. Какие новости он услышал, у меня ни тени сомнений не было.

— Еще один труп стриптизерши. Похоже, опять этот самый Витторио.

Я не стала ему пенять, что не дал нам материалов по предыдущим случаям гибели стриптизеров. Усталость на его лице выдавала, какой ценой даются ему эти случаи.

— Мы за вами, — ответил Эдуард.

— Ладно.

Он повернулся и зашагал, откуда пришел. Мы пошли следом.

Эдуард чуть поотстал и шепнул:

— Как ты?

— Сама не знаю, — ответила я.

Он еще сильнее понизил голос.

— Ты как-то от него напиталась.

— Его злостью, — ответила я.

— Никогда раньше у тебя такого не видел.

— Новое свойство.

— А что еще есть нового? — спросил он, и взгляд его не был тем взглядом, который мне хотелось бы видеть у Эдуарда. Он мой друг, и хороший друг, но где-то в самой глубине был у него вопрос, кто же из нас сильнее в нашем деле. Я знала, что он, но сам он не был уверен на сто процентов. Где-то в душе он сомневался иногда, что выиграл бы он, и желание снять это сомнение бывало сильным. Сейчас он смотрел на меня не как друг, а будто интересуется, насколько я стала сильнее и что значила бы эта сила, если бы мы открыли охоту друг на друга.

— Не надо... Тед, — попросила я.

Глаза у него стали холоднее зимнего неба:

— Ты должна мне сообщать, что появляется нового.

— Нет, — ответила я. — При таком выражении у тебя на лице — не должна.

Он улыбнулся, и эта улыбка была под стать глазам. Не очень отличалась от улыбки оборотня, который смотрит на тебя и прикидывает, какова ты на вкус. Только у Эдуарда улыбка была не такая теплая.

Мы оказались в залитой неоном темноте, но все равно слишком темно было для очков... глаза вернулись к норме? Я подождала, пока мы за Олафом и Бернардо прошли к машине Эдуарда. Когда мы заняли свои места, я опустила очки и посмотрела на Эдуарда:

— Как они?

— В норме, — ответил он, и голос его ушел в сторону от ледяных интонаций, стал не таким, которым пугают детей.

Я отдала ему очки — он покачал головой:

— Пусть у тебя будут, на всякий случай.

— А с моими что случилось?

— Разбились.

Он завел мотор и поехал за колонной полицейских машин, которые как раз выезжали, наполняя ночь мигалкой и сиреной, будто всех на свете хотели разбудить.

— А как они разбились, и что случилось с ветровкой, которую ты мне одолжил?

— Вивиана и ее тигры хотели положить еще одного тигра в постель к тебе и Виктору. Я не согласился.

Бернардо подался вперед, ухватившись за сиденье на резком повороте.

— Что случилось в коридоре, Анита?

— Она что-то сделала с детективом, — ответил Олаф.

Я глянула на него, почти невидимого в темноте автомобиля.

— Откуда ты знаешь, что я сделала?

— Я не знаю, что именно ты сделала, знаю только, что было что-то. Видел, как у тебя изменились глаза.

— Ты ничего об этом не сказал, — заметил Бернардо.

— Я не думал, что мы хотим извещать об этом второго полисмена.

— Извини тогда, что я ляпнул, — сказал Бернардо, поглядев на Олафа, и тут же снова на меня. — Но что ты сделала с Морганом?

Я посмотрела на Эдуарда.

— Расскажи им, если хочешь, — ответил он.

— Вы видели, что я сделала.

— Ты его заставила с собой согласиться, — сказал Олаф.

— Ага

— Как ты это сделала? — спросил Бернардо.

— Если я тебе отвечу «не знаю», ты мне поверишь?

Бернардо сказал «нет», Олаф сказал «да». И снова Бернардо посмотрел на него хмуро.

— Почему ты веришь?

— По выражению ее лица, когда она поняла, что сделала. Она сама испугалась.

Бернардо задумался, потом снова нахмурился.

— Но она не выглядела испуганной. Разве что взволнованной.

— Это был страх.

— Ты уверен?

— Да, — ответил Олаф.

— Потому что так хорошо знаешь Аниту?

— Нет. Потому что я знаю, как выглядит страх на лице, Бернардо. У мужчины или у женщины. Я его ни с чем не спутаю.

— Ладно. — Бернардо повернулся ко мне: — Ты вампир?

— Нет, — ответила я, подумала и добавила: — Не в традиционном смысле.

— Что это значит?

— Я не питаюсь кровью. Я не мертвая. Священные предметы и солнечный свет мне не мешают. Я почти каждое воскресенье хожу в церковь, и ничего там не вспыхивает.

Мне трудно было скрыть горечь в последней фразе.

— Но ты можешь замылить человеку мозги и заставить его делать, что ты хочешь. Как вампир.

— Вот это было в первый раз.

Машины перед нами остановились, свет мигалок смешался с неоном реклам на зданиях. Мы были совсем рядом со Стрипом, и самые яркие его огни перехлестывали через ближайшие дома, будто ночь подавалась в стороны под давлением искусственного рассвета.

—Приехали, — сказал Эдуард.

—Это в переводе означает: «Перестань задавать вопросы»? — спросил Бернардо.

—Именно так, — ответил Эдуард.

—Я считаю, что у нас есть право задавать вопросы, когда мы ей помогаем делать то, что она делает.

С этим мне трудно было поспорить.

—Вы оба вызывались кормить ее сексом, — сказал Эдуард. — Может быть, вам захочется понять, на что вызываетесь, до того, как раскроете рот.

С этими словами он открыл дверь и вышел. Я не стала ждать приглашения, а вылезла тоже, оставив наших непрошенных советчиков выбираться и догонять. Ну, выбирался Бернардо, а Олаф будто вытек из машины одним плавным движением и шел за нами.

Забавно, что Бернардо был напуган всей этой мистикой, а Олаф будто и не реагировал. Ну, впрочем, если он хочет, чтобы я не очень замечала в нем серийного убийцу, то должен проявлять подобную чуткость и понимание. Я — живой вампир, он — серийный убийца. Проще пареной репы.

Глава пятьдесят третья

Изломанное тело валялось кучей в переулке за зданием клуба, где работала убитая — будто не тело бросили, а привезли ее домой. Последний труп в Сент-Луисе тоже нашли возле клуба, где работала жертва. Но там было очень аккуратно по сравнению с тем, что здесь — только укусы вампира. Смерть от потери крови.

У этой женщины не было времени потерять столько крови.

Я поняла, что здесь, как и в большинстве случаев в Сент-Луисе, тело бросили там, где темнота частично скроет раны. Как будто убийца не мог смотреть на свою работу при свете.

Шея жертвы была согнута под таким острым углом, что виден был упершийся в кожу обломок позвоночника — не пробивший насквозь, но почти. Неприятно было смотреть на эту неестественную шею, но это была ерунда по сравнению с тем, что сделали с... с телом.

Ожоги покрывали половину лица и дальше вниз по телу на той же стороне. Кожа покраснела, почернела и отстала, а вторая половина осталась невредима. Бледная, молодая и красивая — резкий контраст с головешкой, оставшейся от первой половины.

Бернардо сделал резкий вдох и шагнул чуть дальше в переулок. Я заставила себя остаться возле тела, пытаясь не вдыхать запаха. Глухие переулки вообще благоуханием не отличаются, но обычно запах горелого мяса забивает все. Здесь было не так. Ожоги не слишком свежие, или они бы смердели сильнее.

Проглотив слюну сухим ртом, я встала, позволив себе оглядеть собравшихся вокруг людей и отвлечься от тела. Надо было продолжать думать о нем именно как о теле, потому что если увидеть за ним человека, это будет слишком. Если я буду думать, что вынесла эта женщина, раскрыть преступление это мне не поможет. Честно, не поможет.

Шоу стоял, глядя на тело, и выражение на его лице я могу назвать только одним словом: потерянное. К нам подошел Морган, сказал, что запустил процесс выписки повесток. Сейчас он, похоже, думал, что это была его собственная мысль, и ко мне относился совсем не дружелюбно. Мне от этого даже легче стало: не знаю, что я с ним сделала, но долгосрочных последствий не было. Еще с нами была детектив Тергуд в плохо сидящей юбке, на высоких каблуках и с запасами враждебности. Но вроде бы никто к нам тут вообще не пылал дружескими чувствами.

—Другие тела тоже так выглядели? — спросила я.

—Не так, — ответил Шоу.

—Нет, — подтвердил Морган.

Тергуд только мотнула головой, сжимая губы в ниточку так сильно, что рта почти видно не было. Судя по этой гримасе и ее молчаливости я заключила, что она борется с тошнотой.

—Другие тела тоже были обожжены? — спросила я.

—Последние два. Но далеко не так сильно, — ответил Шоу.

—Вы вообще уверены, что это тот же тип, что был в Сент-Луисе? — спросил Морган. — Он в вашем городе ничего такого не делал.

—Откуда вы знаете, что он делал в моем городе?

—Мы говорили с лейтенантом Сторром, он нас проинформировал.

Мне не хотелось им сообщать, что Дольф не сказал мне о запросе из Лас-Вегаса. Мне не хотелось признавать, что человек, с которым мне полагается работать, вычеркнул меня из своих списков. И я сделала вид, что для меня это не ново, будто и не относится ко мне как к преступнику половина копов, с которыми я работаю.

—Витторио и его ведомые тел не жгли, но я все равно уверена, что это он.

—Почему уверены, если в Сент-Луисе и во всех прочих городах у него не было такого почерка? — спросил Морган.

Эдуард придвинулся ко мне — не слишком близко, но достаточно, чтобы дать мне знать: он понял, что Дольф меня не информировал. Вот то, что он так много понимает, мне может и не понравиться.

—Потому что именно так поступала Церковь с вампирами, если их удавалось поймать живьем. Использовалась святая вода, которая жжет как кислота. Считалось, что она выгоняет из вампира дьявола. Но те двое, которых я знала лично, были оба красивы, очень красивы. Такова темная сторона Церкви: она утверждает, что спасает душу, но ее работники обычно выбирают жертв, удовлетворяя какую-то свою потребность.

—Ты хочешь сказать, что Церковь действует как серийный преступник?

Это наконец заговорила Тергуд — голосом слегка сдавленным, но все равно достаточно злым.

—Не знаю. Мне просто кажется интересным, что единственные двое мужчин, которые из моих знакомых были подвергнуты такому воздействию, были красивы лицом и телом, очень красивы. Никогда не слыхала о вампире, начавшем жизнь таким же красавцем, как эти двое. И мне интересно, не один ли и тот же был это священник или группа священников?

И снова Тергуд:

— Хочешь сказать, что красивые мужчины — это был профиль какого-то священника?

— Двое — это может быть не система, а совпадение. Но если бы нашелся третий — да, я бы сказала именно так.

— Чудовищная ложь.

— Знаешь, я тоже христианка. Но плохие люди в любой профессии есть.

— Какая разница, что сделал или не сделал какой-то священник, которого уже много сотен лет как нет на свете? — сказал Бернардо. Он подошел к нам, стоящим возле тела. — Его нам не поймать, он уже умер. Нам надо ловить Витторио.

— Маршал прав, — отозвался Шоу. Минуту было не совсем ясно, кого из маршалов он имеет в виду. — Нам надо ловить живых, — пояснил он.

— Вы говорите, что вампир воспроизводит те повреждения, которые были нанесены ему? — спросил Морган. Как будто двух других и не слышал.

— Похоже на то, — ответила я.

— Другие умерли от потери крови, сломанной шеи не было, — сказал Шоу.

— Может, он ее пожалел, — предположил Бернардо. Все обернулись к нему. Он кивнул на тело: — Кто-нибудь из помощников Витторио избавил ее от страданий.

— Или им надоели ее крики, — добавил Олаф.

Тут все посмотрели на него. Все лучше, чем разглядывать тело. А Олаф именно этим и занимался. Если ему и было неприятно, он этого не показал.

— Или она потеряла от боли сознание, и развлечение кончилось, — сказал Шоу.

— От такого сознания не теряют, — возразил Бернардо. — Не засыпают. Отдыха нет. Ничего нет, кроме боли, разве что тебя сильно накачают наркотиками. И даже тогда боль иногда пробивается.

— Вы так говорите, будто знаете, — сказал Шоу.

— Мой друг вот так обгорел.

Бернардо отвернулся, чтобы не смотреть ни на кого из нас Что бы ни было написано у него на лице, показывать нам он этого не хотел.

— Что с ним случилось? — спросил Шоу.

— Он умер.

И Бернардо отошел в сторону. На этот раз дальше, проталкиваясь среди людей, пока не нашел свободную стенку, чтобы прислониться. При этом он оказался ближе к репортерам, и они стали выкрикивать ему вопросы, увидев значок и перчатки на руках. Он не обращал внимания — просто закрыл глаза и привалился спиной к стене. То, что он там видел — или наоборот, старался не видеть, — отрезало его от всех, кто пытался до него докричаться.

— Он прав? — спросила я Олафа. — От этого не перестают кричать и сознание не теряют?

— Не знаю, — ответил Олаф. — Я огня не люблю.

Я поняла, что хотя ему не было неприятно смотреть на тело, того удовольствия, что он испытывал в морге, тоже не было. Он любил сталь и кровь, но не огонь. Что ж, приятно знать.

Я обернулась к Шоу.

— Нам нужно посмотреть другие фотографии, других жертв. Особенно двух последних.

Он посмотрел на меня, нахмурился. Вот уж чего мне в Вегасе хватает.

— В отчетах из Сент-Луиса не сказано, чтобы кто-то из вас взаправду видел Витторио. Откуда вы знаете, что у него ожоги?

Я постаралась сохранить нейтральное выражение лица, не делать большие глаза, потому что я забыла. Судьба Витторио мне была известна из письма от его бывшей подруги, которая после Сент-Луиса его покинула, опасаясь за свою жизнь и жизнь своего нового возлюбленного. Иметь дело с этим сумасшедшим она больше не могла. Она помогала нам в Сент-Луисе, вытаскивая тела туда, где мы их раньше найдем, подбрасывая зацепки. Письмо пришло мастеру города Жан-Клоду, и мне в голову не приходило делиться этими сведениями с полицией.

Жан-Клод навел справки в совете вампиров, и информация подтвердилась. Но опять же полиции я не сообщила. В тот момент это не казалось важным.

Сейчас мне пришлось думать, что сказать.

— Я наводила справки по его биографии у своих вампирских источников.

Даже мне самой эти оправдания показались жалкими.

— И что еще рассказали вам вампиры?

В голосе Шоу слышалось презрительное отвращение.

— Что рубцы ожогов от святой воды у него настолько серьезные, что он вряд ли может заниматься сексом. Вот он и вкладывает свою энергию вот в такое.

— Вампиры тебе такое сказали?

Это уже Тергуд. И с хорошим таким презрением. Даже темень переулка не могла его скрыть — а может, из-за коротких волос оно читалось так ясно. Или же это я слишком чувствительна.

— Нет. Они мне сказали, что ожоги настолько сильные, что мешают ему функционировать. Дальше я допустила логический скачок, заключив, на что может подобная злость подвигнуть индивидуума, вынужденного жить вечно в столь поврежденном теле.

— Составление профиля лучше оставить профессионалам, Блейк, — сказал Шоу.

— Хорошо. Я только сказала то, что знаю.

— Почему этого нет в материалах дела?

— Потому что я не знала этого, пока дело шло. Уже какое-то время мне было сказано, что дело закрыто.

— Вы мне говорили, почему вы одна не поверили, будто Витторио убили в том кондоминиуме в Сент-Луисе.

— Среди убитых не было ни одного столь сильного, чтобы это был он.

Шоу подступил ближе, навис надо мной:

— Знаете, что я думаю, Блейк? Я думаю, что вы видели Витторио. Видели его лицом к лицу. Вряд ли вы все это узнали от своих приятелей-вампиров. Думаю, что вы узнали это при личном знакомстве.

— Почему тогда он не убит?

— Вы так уверены, что можете его убить?

— Хорошо, тогда почему не убита я? Потому что одно я вам могу обещать, Шоу: если мы столкнемся с ним лицом к лицу, то останется или он, или я.

— А может, он из ваших вампирских любовников.

Я уставилась в землю, стараясь не выйти из себя.

— Итак, вы этого не отрицаете?

Я наконец-то подняла глаза, злости уже не скрывая.

— Я хотела по-хорошему, но я уже вам говорила: если мои сведения верны, он не способен на секс. И можете мне поверить: если бы я его видела, постаралась бы завалить.

— Половой акт невозможен, но такая грамотная девушка, как вы, не может не знать других способов.

К Шоу подошли Тергуд и Морган.

— Сэр, вам стоит немного сдать назад, — сказала Тергуд.

Эдуард взял меня за плечо — очевидно, я сделала какое-то движение в сторону помощника шерифа. Наклонившись ко мне, Эдуард шепнул:

— Жалоба.

Я кивнула:

— Вы хотите, чтобы я подала официальную жалобу на сексуальные приставания? Я вас правильно понимаю?

— Подавайте и идите к черту. Но вы знаете больше, чем рассказываете нам, людям.

— Даже если это так, шериф, — заявил Морган, стоящий теперь между нами, — это не способ. На нас смотрят репортеры.

Шоу посмотрел назад, потом вперед.

— Я не хотел верить слухам, пока не увидел вас рука об руку с одним из тигров Макса, и потом вы целовались с его

сыном, тоже оборотнем. Вы утверждаете, что встретили его
только что, и Грегори Миннса тоже, но никто, ни один человек
не может так быстро подружиться. Вы сумели убедить моих
лучших людей, что говорите правду. Но я, — он с силой стукнул
себя в широкую грудь, — я знаю, что ты трахалась с одним из
охранников Вивианы, если только с одним. И ты не больше
человек, чем те твари, что мучили эту девушку!

Он театральным жестом указал на труп.

То, что он сказал, было неверно и странно.

— С кем из охранников я трахалась? — спросила я, глядя
ему в лицо.

Он вроде как услышал сам себя и покачал головой.

— Откуда я знаю? В темноте все кошки серы.

— Откуда ты знаешь, что я вообще там с кем-то трахалась,
у Вивианы? — спросила я.

Он попытался снова напялить маску копа, но она дергалась
и плохо держалась.

— Ты оттуда вышла, держась за ручки с одним из тигров.

— Криспин — стриптизер, как вы и говорили, а не охранник. Если вы меня обвиняете перед лицом других полисменов,
то нужно больше доказательств, чем просто держание за
ручки.

— А может быть, ваша репутация вам предшествует, Блейк.

Это должно было прозвучать зловеще, но чего-то в этой
интонации не хватало.

Но я уже знала, почему Шоу перешел от недоверчивости
к враждебности, и дело было не только в истории с его женой.
Он слышал записи нашего визита к Вивиане, а это значило,
что кто-то поставил у нее там жучки. Очевидно, какое-то федеральное ведомство, а Шоу дали послушать ровно столько,
чтобы моя репутация полетела к черту.

Я попыталась услышать, как это должно было звучать, если
доносятся только звуки от Домино, Криспина и остальных.
Похоже на секс? Может быть. Важнее, как ты будешь это ин-
терпретировать. Часто находишь именно то, что ищешь, и
ожидаемое становится истинным.

Бернардо подошел к нам сзади, когда стало похоже, что начинается что-то интересное. Он услышал, так что смог сказать:

— И кто из федералов у вас в корешах, Шоу?

Морган и Тергуд шарахнулись от него как от зачумленного. Может, он и стал зачумленным: он только что заложил нам федералов, которые поставили жучки у Макса. Нам, которые — как Шоу считал — трахались с подданными Макса и вообще больше на их стороне, чем на стороне копов.

— Шоу! — сказал Морган.

Тергуд просто стояла, опустив руки, не глядя на него, будто это улучшало ситуацию. Может быть, чего не видишь, того и нет?

Он знал, что сильно облажался, это было в его глазах, выхваченных из темноты полоской света. И тогда он обратился к нам:

— Не понимаю, о чем вы говорите, маршалы. При той репутации, что есть у Блейк, отчего мне не подумать, что она там всех тигров перетрахала?

Он пытался говорить злобно, но я в ответ ему мило улыбнулась.

— Что смешного?

— Вы еще можете все исправить, — сказала я. — Просто попросите.

— Не понимаю, о чем вы говорите.

Он собирался притворяться, будто не проговорился ни о чем. Тергуд и Морган его наверняка в этом поддержат. Он что, думает, что я буду играть в эту игру, только потому что у меня тоже значок?

— Забавная ситуация, — сказала я. — Вы мне только что объяснили, что я на стороне монстров, и тут же рассчитываете, что я буду лояльным копом. Обвинили меня в том, что я трахалась с кучей оборотней-тигров, но вам надо, чтобы я ставила свой значок выше моих предполагаемых любовников. Или что вы сейчас сделаете вид, будто ничего не говорили, и все рассосется? По-моему, копы так не делают. По-моему, копы смотрят реальности в глаза.

— Вы сами сказали, Блейк: вы не коп, вы наемный убийца.

Я улыбнулась не слишком любезной улыбкой на этот раз:

— Превосходно, Шоу. Превосходно.

Эдуард отодвинул меня за плечо назад, так что оказался сам перед Шоу.

— Бернардо, проводи Аниту прогуляться. Вот в эту сторону.

Он показал прочь от репортеров.

Бернардо зашагал прочь, и я рядом с ним. Наполовину я ожидала протестов Олафа, что он хочет меня прогулять, но он встал у Эдуарда за спиной. Приятно знать, что у нас есть кому прикрыть спину. В копах Вегаса я уже не была уверена.

Бернардо провел меня мимо тела, и мы, будто сговорившись, не стали смотреть в ту сторону. Просто прошли дальше, где переулок стал чуть темнее без тех оставшихся на углу фонарей. Хотя меня заставило остановиться то, что запах здесь был не такой едкий, и через несколько футов мы вышли на другую группу копов, перекрывших этот выход из переулка.

— Это интересно, — сказал Бернардо.

— Ага, — кивнула я.

— Они поставили там жучки.

Я снова кивнула и попыталась вспомнить, что же я говорила у Вивианы. Все не вспомнилось, но многое.

— Ты пытаешься вспомнить все свои слова?

— Да.

— Если бы я слышал только звук, я мог бы подумать о сексе. И еще я вполне мог бы решить, что ты умеешь перекидываться по-настоящему.

— Что стоило бы мне значка.

— Для этого они должны открыть, откуда записи, — возразил он.

— Теперь, когда Шоу проболтался — кто может знать?

— Ты чувствуешь конфликт интересов?

Я посмотрела на него, разглядывая его лицо, насколько возможно было при тусклом свете.

— Хочешь спросить, не проболтаюсь ли я тиграм?

Он пожал плечами.

— Нет, — ответила я.

—Но ты же не хотела бы, чтобы жучки поставили дома у Жан-Клода?

—Нет, но мы регулярно проверяем помещения на наличие подслушивающих устройств. Максу тоже следовало бы.

—Значит, ты не станешь рассказывать, потому что это — разгильдяйство со стороны Макса?

Он хотел было прислониться к стене, но сообразил, насколько тут грязно, и остановился, не закончив движение.

—Отчасти. Но я — федеральный служащий. У меня значок. Макс — деятель преступного мира. Как я могу провалить операцию, направленную, быть может, на спасение жизней?

—Значит, значок выше, — сказал он негромко.

Я глянула на него сердито, но он мог и не увидеть в полумраке.

—А ты что, веришь тому, что сказал Шоу? Что я лояльнее монстрам, чем полиции?

Он поднял руки, будто останавливая меня.

—Я не это имел в виду. Просто если бы у меня были твои проблемы, я бы ощущал конфликт.

Я вздохнула:

—Прости, Бернардо, но мне надоело. Надоело, что вся полиция считает меня ярмарочным уродцем. — Я мотнула головой: — Черт побери, я даже не уверена, что они неправы. Мне уже приходится задумываться, могу ли я служить значку — и своему другому мастеру одновременно.

Он подался вперед:

—И ты задумала повесить значок на гвоздь?

Моя очередь настала пожимать плечами:

—Не знаю, может быть.

—Не очень себе представляю, чтобы ты это сделала, Анита.

—Да и я не очень, но... Шоу — не первый коп, считающий, что мне приходится делить лояльность. И уж точно будет не последним. А последнее время я вообще ходячий судебный процесс о сексуальном харасменте. Такое ощущение, что спать с вампирами и оборотнями — это оскорбляет полицию на каком-то совершенно глубинном, базовом уровне.

—Ну, это я понимаю, — сказал он.

Я на него уставилась:

— В смысле?

Он осклабился — даже в темноте было видно.

— Во-первых — сама мысль, что ты предпочитаешь монстров. Раз так, то слух, что монстры куда лучше в этом деле нас, простых смертных, может быть верен. Это многих мужиков может вывести из себя, и значок тут ничего не меняет. Может, копы даже больше мужики, чем другие, и потому это их сильнее достает.

— Ну, это же детский сад какой-то! Для копов такая мысль...

— Я же не сказал, что это четко словами сказанная мысль. Но в глубине, там, где живут все эти неандертальские инстинкты, они не могут не думать: а не уступают ли они монстрам в определенном смысле?

Я попыталась заглянуть за эту улыбку, понять, что у него в голове, но слишком темно было. Наконец я сказала:

— Это такое у тебя ощущение?

Он помотал головой:

— У меня была дама, которая бросила своего оборотня-любовника ради меня.

Я улыбнулась — не смогла сдержаться.

— Значит, это случилось за два последних года. Потому что когда мы с тобой познакомились, ты как-то неуверенно себя чувствовал из-за моего любовника-вервольфа.

Он пожал плечами и развел руками:

— Могу только одно сказать: я настолько хорош, насколько сам думаю.

Я не могла сдержать смеха:

— Настолько хороших вообще на свете нет.

— Ты хочешь сказать, что я хвастун?

— Ага.

Он засмеялся, потом стал серьезным, и он повернулся так, что лицо попало в пятно фонаря, свет и тени легли, как на абстрактной фотографии.

— Никакого хвастовства, Анита, голые факты. С удовольствием тебе когда-нибудь доказал бы.

— Меньше всего мне сейчас надо, чтобы копы услышали такие слова от еще одного мужчины прямо сейчас.

— Я все еще готов тебе помочь питаться.

— Я думала, тебя напугало то, что сталось с Морганом.

Он задумался, нахмурясь:

— Да, напугало.

— Я думала, это заставит тебя снять предложение.

Он нахмурился еще сильнее, морщины легли между больших темных глаз.

— Да, я действительно думал, что переменил намерение.

— Зачем же тогда возобновлять предложение?

— Привычка, наверное.

Но морщинка между глаз осталась.

У меня возникла мысль, и не слишком хорошая. Мне скоро нужно будет питание. Вообще-то я должна была чувствовать себя энергичнее, не такой «голодной», потому что Виктор вроде бы поделился со мной своей энергией. Но, наверное, все, что он смог сделать — это помочь мне залечить раны. На исцеление и драки ушло много энергии, и Белль Морт была права насчет того, что я последнее время питалась минимально. Кроме того, мы уже миновали двенадцатичасовую отметку, когда неплохо было бы поесть. Тут я сообразила, что я и обычной пищи не ела. Черт, ведь знаю же, что нельзя. Один голод подстегивает другой, и если не есть достаточно настоящей еды, то и звери, и ardeur восстают быстрее и сильнее. Знаю, но посреди расследования трудно найти время побыть человеком. И не ищу ли я случайно пищу? Не пытаюсь ли заколдовать Бернардо, сама того не зная? Вот это самое «не зная» меня и пугало больше всего.

— Мне надо поесть.

— Ты можешь есть после такого зрелища?

Он не показал на тело, это и так было понятно.

— Нет, я не голодна.

— Тогда не понимаю.

— Если не есть достаточно часто обычную пищу, труднее контролировать голод иного рода.

—А! — сказал он, потом нахмурился. — Я подумал о чем-то действительно непристойном, даже для меня.

— Мне стоит знать о чем? — спросила я.

Он мотнул головой:

— Нет, разозлишься.

Уж если Бернардо не хочет говорить такого вслух, то лучше и не надо. А то, что он это подумал, а потом передумал, — признак, что что-то у нас не так. Это ardeur к нему взывает? Я даже не знала, как это определить.

— О'кей, вернемся к... Теду, и посмотрим, можем ли мы получить у местных нужные материалы.

— Если ты хочешь сегодня поесть, лучше это сделать до того, как рассматривать фотографии с места преступления.

— Согласна, — ответила я.

Мы повернулись и пошли туда, где стояли люди и лежали останки последней жертвы Витторио.

Глава пятьдесят четвертая

— Через пару часов у вас будет все, что вам нужно, — говорил Морган, — но сперва мы должны закончить здесь.

— Так попросите кого-нибудь, — отвечал Эдуард.

Шоу стоял чуть дальше в переулке, разговаривая с двумя техническими работниками. Только Тергуд и Морган увидели, как мы подходим, и поморщились. Морган был всего лишь раздражен, а вот Тергуд демонстрировала неприкрытую враждебность.

— Мы вам дадим информацию, но придется подождать, пока кто-нибудь из нас не вернется в участок.

— Почему? — спросил Эдуард.

— Потому что вам выделят один наш компьютер, и кто-то должен будет с вами посидеть.

— Вы нам не доверяете бумажных копий? — спросила я.

– Мы вам вообще не доверяем.

– Вот тебе и сестринство.

— Я тебе не сестра, — ответила она. — Из-за таких, как ты, и другим нам труднее. Из-за таких, как ты, нас другие копы всерьез не принимают.

— Из-за таких, как я, — повторила я. — Каких это — таких?

Я знала, но хотела, чтобы она сказала вслух.

— Анита, — сказал Эдуард.

— Что?

— Сама знаешь, кто ты такая, — ответила мне Тергуд.

— Я знаю, какой ты меня считаешь, — сказала я.

— Прекратите, — велел Эдуард. — Обе.

— Ты мне не начальник.

— Посмотрим, как нашим начальникам понравится, что полиция Лас-Вегаса нам мешает работать, — сказал Эдуард голосом тихим и ледяным, но с ноткой тепла. Обычно он не теряет самообладание до такой степени. Эдуард явно был не в силах сгладить конфликт.

— А мы не хотим, чтобы она со своими любовниками лазила по нашим файлам.

— Ой-ой! — сказал Бернардо. — Раз ты шлюха, так и нас в шлюхи записали.

— Бернардо, заткнись, — сказал Эдуард и пошел по переулку прочь от них и в сторону репортеров. К несчастью, там стоял наш автомобиль.

Мы пошли следом. У входа сняли перчатки, бросили их в мусорный ящик, кем-то здесь поставленный. Рядом стоял постовой в форме, следя, чтобы никто не взял себе сувенирчик. Можете мне не верить, но полно есть психов, фанатеющих от серийных убийств. Перчатки в ту же ночь оказались бы на е-бэе, если бы их правильно зарегистрировали и не сняли бы с аукциона еще до покупки. Е-бэй старается соблюдать правила, но жуткие предметы все равно выставляются на продажу.

Другой коп приподнял ленту, и нас вдруг ослепили вспышки фотокамер и прожектора телекамер на плечах операторов. Все стационарное оборудование отвели назад, но фотографы и операторы с портативными камерами просочились.

Мы на вопросы не отвечали — не наш город. Один из вернейших способов разозлить местную полицию — отвечать на вопросы репортеров. Патрульным иногда приходилось раздвигать толпу собой, чтобы освободить нам дорогу.

Сперва вопросы задавали про убийство, а потом кто-то из толпы узнал меня. Казалось бы, что вампир — серийный убийца должен быть интереснее для прессы, чем моя жизнь с другим вампиром? А может, они думали, что я и правда отвечу на эти вопросы.

— Анита! Анита! Что думает Жан-Клод насчет того, что вы охотитесь на других вампиров?

Этот вопрос я тоже игнорировала, как и все прочие, потому что по опыту знала: что ни скажи, а все выйдет хуже, чем не сказать ничего. Без разницы, на какие вопросы я стану отвечать: местные увидят и решат, что я выдаю ход расследования. Они и так на меня злятся, добиваться их ненависти мне ни к чему.

Олаф встал от меня сбоку, загораживая от микрофонов и протянутых рук. Эдуард встал спереди, Бернардо прикрыл спину. Они защищали меня от прессы, от толпы. И это не было правильно. Либо я настоящий маршал США и равный член команды, либо глупая девица, которую надо защищать.

А, блин.

Патрульным пришлось проводить нас до машины, репортеры увязались следом. Жан-Клод недавно появлялся в некоторых крупных гламурных журналах. Не на обложке, но внутри, на вкладочках. Картинки из одного из самых горячих вампирских клубов страны. Дважды на этих фотографиях рядом с ним оказывалась я. Хуже того, он в одном интервью признал, что я — его подруга. Пресса была в восторге, что охотница на вампиров крутит роман с вампиром. Репортеров, желающих взять интервью, на этот жареный факт налетело больше, чем на любое убийство. Всем было отказано.

Отчего я не предупредила Эдуарда? Честно говоря, я думала, что дело серийного убийцы заставит прессу забыть о мелких сплетнях. И некоторые действительно выкрикивали вопросы об убийстве, но среди них как изюминки в тесте мелькали вопросы о романах и вампирах. Да уж, после этого полиция Вегаса точно будет воспринимать меня всерьез.

Мы сели в машину и медленно двинулись сквозь ворчание казенных автомобилей. За ними стояли телевизионные фургоны с антеннами как в научно-фантастических фильмах. Копы проложили коридор для всех, кто уезжал с места преступления. Я думаю, мы оказались первыми.

— Если верховная жрица Рэнди Шермана сейчас дома, давайте ее навестим, — предложил Эдуард.

— Да, но сперва поедим, — ответила я.

— Поесть — это хорошо, — согласился Олаф.

— Быстро или за столом? — спросил Эдуард.

— Можно и быстро, если там мясо будет, — сказала я. По опыту знаю, что белок лучше овощей помогает держать зверей в узде.

— Это только мне есть не хочется после того, что мы сейчас видели? — спросил Бернардо с заднего сиденья.

— Да, — ответил ему Олаф.

— Я же тебе говорила, Бернардо, что мне нужно поесть.

— Когда ты ела последний раз? — спросил Эдуард, выруливая на залитый светом Стрип.

— Около восьми, в качестве завтрака и для ardeur'a.

— Более тринадцати часов, — сказал он. — Как себя чувствуешь?

— Белковая пища не помешала бы.

Он дал мне свой сотовый, экран уже был подсвечен.

— Позвони по этому номеру и спроси, примет ли она нас, а я пока что-нибудь найду.

Я нажала кнопку и стала ждать, пока наберется номер.

Эдуард не спрашивал, кто чего хочет, просто подъехал к первой же точке быстрого питания. «Бургер кинг» меня вполне устраивает, люблю «Уопперы».

Я рассчитывала на автоответчик, но после седьмого гудка ответила женщина. Голос у нее был настороженный.

— Да?

— Говорит маршал США Анита Блейк. Я расследую дело об убийстве одного из членов вашего ковена, Рэндолла Шермана.

— И тех, кто погиб вместе с ним, — сказала она все тем же осторожным голосом.

— Да, и я думала, что вы могли бы помочь нам, ответив на несколько вопросов.

— Я мало что знаю про вампиров и оборотней.

— У меня вопрос скорее о магии. И о том, что сделал бы Рэнди Шерман в определенной ситуации.

— Этот вопрос отличается от тех, что задавала мне полиция.

— Нетрудно угадать. Они думали, что вы можете быть причастной к этому, поскольку вы викканка.

— Они вообще-то хорошие люди, но некоторые не доверяют колдуньям.

— Мне самой приходится это хлебать, — ответила я, — а у меня значок.

Она не удержала тихого смеха — очень короткого.

Эдуард жестом привлек мое внимание и попросил показать, что я заказываю. Я подняла палец.

— Вы знаете, как ко мне проехать?

— У меня есть адрес.

— Тогда приезжайте, и мы поговорим о магии и о Рэндолле Шермане.

— Спасибо, Феба Биллингс.

— Всегда пожалуйста, Анита Блейк.

Что-то в ее голосе зазвенело, почти как сила.

Я повесила трубку, не успев на эту тему встревожиться. Будем решать проблемы по мере их поступления. Эдуард раздал еду. Бернардо сумел достаточно задавить своих тараканов, чтобы взять себе жареную картошку и сандвич с рыбой, без соуса. Я думаю, ему не хотелось прямо сейчас смотреть, как капает что-то красное.

Я ела свой сандвич с его капающим соусом, и в обморок не падала. Когда-то я бы не смогла есть сандвич с соусом после такого зрелища, но это было когда-то. Такие вещи либо преодолеваешь, либо нет. Я, похоже, преодолела.

— Помнишь адрес жрицы? — спросила я.

Эдуард только глянул на меня, и этого было достаточно. Конечно, он адрес запомнил. И он здесь раньше бывал, и это был Эдуард — значит, он запомнил, как ехал. И ел он сандвич, измазанный соусом, держа его одной рукой, а другой вел машину. У него все получалось аккуратно и просто, а я двумя руками и горстью салфеток боролась с соусом, готовым капнуть мне на жилет. Но кола — это было хорошо, и она на меня не капала.

Зазвонил мой сотовый, я даже вздрогнула и чуть пролила колы. Вот тебе и спокойствие. Поставив чашку в держатель, я достала из кармана телефон.

— Да?

— Анита, это Нечестивец. Мы тут в Вегасе. Ты где?

Я попыталась представить его себе на том конце линии. Он наверняка одет во что-то модельное, отлично пригнанное и очень современное. Светлые волосы пострижены длинно, но аккуратно. Из тех по-настоящему мужественных мужчин, которые умеют быть симпатичными, хотя слово «красивый» ему бы понравилось больше.

— Кто еще с тобой, кроме Истины?

С ним ли Истина, я спрашивать ее стала — они уже несколько веков Нечестивая Истина или Истинный Нечестивец. Два брата, два наемных солдата, два вампира, пожалуй, из самых лучших воинов, каких мне случалось видеть. Более того и важнее того: они лучшие из воинов, которых знал когда-либо Жан-Клод во всей вампирской стране. Теперь они воюют за нас, но они — не пища. Я только однажды нарушила этот запрет, чтобы спасти жизнь Истине. А кроме этого, я их не трогала.

— Реквием, Лондон, Грэхем, Хэвен, несколько новых львов и парочка гиен.

— Гиены и львы — это пища или воины?

— Воины.

— Отлично.

—Проинформируй меня, что тут у вас, — попросил он.

—Ты среди них главный?

—Жан-Клод меня назначил старшим в силовой группе.

—Как Хэвен отреагировал?

—В конце концов придется мне поговорить с Рексом львов, но не сегодня.

Перевод: Хэвен сам хотел быть старшим, но склонился перед авторитетом Жан-Клода. Хотя и очень неохотно.

—Погоди, ты сказал — «в силовой группе». А где тут еще можно быть старшим?

—Ну, строго говоря, я в этой операции командую телохранителями, но Реквием — третий по рангу вампир в Сент-Луисе, поэтому начальник — он.

—Что ж, имеет смысл.

Мне не совсем было понятно, как я отношусь к главенству Реквиема, а также к тому, что он здесь, в Вегасе. Он мастер-вампир, но еще он чертовски склонен к перемене настроений, и мы с ним не так чтобы исключительно ладили последнее время. Я пыталась убрать его из своего списка питания, а сейчас он здесь, в Вегасе, когда я далеко от дома и своих обычных мужчин.

—Глубоко задумалась, Анита, — сказал Нечестивец. — Отчего ты недовольна, что Реквием здесь?

Я не считала, что должна объяснять ему свои отношения с Реквиемом, и потому сказала:

—Я просила Жан-Клода никого не посылать из тех, кто не умеет постоять за себя в драке. Реквиема я в драке не видела.

—Вполне нормально себя ведет. Но если честно, Жан-Клод не хотел посылать нас на территорию другого вампира без дипломата более искусного, чем все мы. Реквием здесь на случай, если придется вести переговоры с Максом и его подчиненными.

—Я же сказала, Нечестивец, имеет смысл.

—А теперь спроси меня, как Реквиему нравится его легенда на этом задании.

—Легенда? Он же представляет интересы Жан-Клода?

— Да, но только в случае осложнений с местным мастером. Макс счел оскорблением, что мы послали столько народу, но Жан-Клод объяснил, что нас тревожит опасность, грозящая тебе от серийного убийцы.

— Звучит разумно, — сказала я, но не слишком довольным тоном.

— Макс хотел поставить вокруг тебя свою стражу, Анита.

— Ну уж нет, — ответила я.

— Вот в этом и состоит компромисс.

— В чем — в этом?

Мне уже трудно было сдерживать раздражение.

— Реквиема одолжили как танцора в ревю Макса.

— Он же ненавидит раздеваться на сцене!

— Да, а я терпеть не могу применять пытки. Но очень, очень хорошо это умею.

Не зная, что на это ответить, я перевела разговор:

— Нельзя было просто сказать Максу, что это просто пища для меня?

— Телохранителей мы можем объяснить. Можем объяснить pomme de sang — это будет Лондон. Но мы не можем сказать, что тебе нужно столько пищи, Анита. Это слишком похоже на признание, что ты не можешь держать ardeur под контролем. Реквием поедет посмотреть клуб Макса для возможного выступления в роли примы-гастролера, и если его устроит, то Жан-Клод согласился иногда одалживать и других танцоров.

— Макс давно уже этого хотел.

— Чем мы и объяснили присутствие Реквиема.

— Почему мне все это объясняешь ты, а не Реквием?

— Он успокаивает оскорбленные чувства в нашей маленькой группе.

— И насколько там народ злится?

— Анита, ты просила Жан-Клода выбрать тех, кто может за себя постоять. Это значит, что ты в одну комнату запустила много больших псов, дерущихся за одну кость. Мы с Реквиемом можем держать их на цепи, но я подумал, что тебе следует знать, пока ты в это не влезла.

—Спасибо.

—Ладно. Где ты сейчас?

—На пути к окраине города. Мы едем допросить свидетеля.

—Ты ела?

—Твердую пищу, несколько минут назад.

—А мокрую пищу?

Так среди вампиров называют кровь, и недавно я заметила, что некоторые из них этим термином обозначают мое питание от секса, от эмоций. Спорить с этим я не могла, хотя где-то в глубине души и хотела.

—Нет, — ответила я.

—Уже скоро будет четырнадцать часов с момента ее приема, Анита. С тобой кто-нибудь есть на всякий случай?

Я облизала губы:

—Есть волонтеры на самый экстренный случай, но настоящих — нет.

—Насколько ты далеко и по какой дороге?

Я спросила Эдуарда, он мне ответил, я передала Нечестивцу.

—В такое время суток быстрее будет, если кто-нибудь из нас к тебе прилетит.

—Кто из вас умеет летать настолько хорошо? И если это будет Реквием, то один он лететь не может. Хоть он дерется прилично, но этого сейчас мало. Пусть никто из наших не ходит по одному, пока мы этого гада не возьмем.

—Ты думаешь, Витторио попытается захватить кого-нибудь из твоих?

—Пойди мне навстречу. Так кто достаточно хорошо умеет летать, чтобы ко мне сейчас прибыть?

—Я умею, Истина умеет. Остальных спрошу.

Он отключил микрофон. Насколько я его знаю, он просто спросит Лондона и Реквиема, кто из них летает лучше. Я понятия не имела.

—Мы не можем встречаться с вампирами Жан-Клода прямо у дома свидетеля, Анита, — сказал Эдуард. — Это как раз подтвердит то, что думает полиция.

— Я это знаю, Эдуард. Я надеюсь, что он нас догонит потом.

— Ты собираешься питаться до того, как мы поедем обратно? — спросил Олаф.

— Нет. Но прошло уже четырнадцать часов, и мне пришлось заживлять серьезные раны, на что ушла энергия. Он к нам прилетит, но это всего лишь предосторожность.

— Я же сказал, что готов тебя кормить, — сказал Олаф.

— Спасибо, Олаф. Нет, правда спасибо, но... — Я подумала, что говорить дальше. — Наверное, не надо, чтобы первый наш раз был в кузове пикапа.

Он задумался на минуту, потом сказал:

— Да, лучше, чтобы было больше места и времени.

Я не соглашалась на секс с Олафом, но сумела не разбить его добрые намерения — секс без убийства партнерши. Эдуард просил меня попытаться — вот я и пытаюсь.

Телефон у меня в руке ожил:

— Я прилечу.

— Нечестивец, я только что сказала: никто не передвигается в одиночку.

— Если они сумеют со мной справиться, то и всех нас поубивают. Поэтому, если я не долечу, забирай всех наших и уматывай из города.

— Ты из себя делаешь приманку?

— Нет. Ты уверена, что волнуешься о моей безопасности, а не о том, что придется, быть может, заниматься со мной сексом?

— Несправедливые слова, Нечестивец. Ты знаешь, почему я стараюсь ограничиваться.

— Знаю, меня нет в меню. Но тут выходит, что другие два вампа летают плохо, а брат мой тебя боится.

— Он меня не боится. Он просто не хочет быть пищей.

— Ты права, не хочет, но и я прав. Он тебя боится, а Истина мало чего боится.

— А ты не боишься, что я тобой завладею или что-то в этом роде?

— Рискну. Кроме того, ты же сама сказала: теперь у тебя все под контролем, а я нужен на всякий случай.

В голосе слышалась горечь.

— Нечестивец!

— Да?

— Не надо мне с твоей стороны такого отношения.

— Ты можешь мной командовать, и я должен подчиняться. Но диктовать, какие чувства мне испытывать, ты не можешь.

В чем-то он был прав, но... Я хотела сказать вот что: не понимаю, почему все мужчины хотели быть в этом списке. У меня есть зеркало, и я знаю, что в нем вижу. Хорошенькая, если правильно нарядить, то даже красивая, но не такая уж красавица, чтобы за мной гонялись все мужчины. Но каждый раз, как я пытаюсь это сказать, меня обвиняют в скромности или во лжи. По-моему, это не скромность, а честность.

— Я не стану извиняться за то, что стараюсь не расширять список, Нечестивец. Жан-Клод шумит, что не хочет делить меня с новыми мужчинами, а сейчас не посылает мне почти никого, кроме них. В чем тут дело?

— Он предпочтет видеть тебя и своих вампиров дома в Сент-Луисе живыми, а не щадить свое самолюбие.

— Что ты хочешь этим сказать?

— То, что он согласен с твоей оценкой Витторио. Если он пошлет кого-нибудь, кого Витторио может использовать как заложника, или того, кто себя в бою защитить не способен, это может оказаться слишком большим соблазном. Особенно если учесть, что в основном его жертвы — стриптизеры, а почти все твои ближайшие любовники работают в стриптизе.

От этих слов у меня собрался ком под ложечкой.

— Я чувствую твой страх, Анита. Он думал, что ты это все продумала.

— Да, но не так прямо.

— Удивлен. Обычно из вас двоих более прямо рассуждаешь ты.

— Ладно, ладно. В общем, сейчас у меня нет ощущения, что я вот-вот потеряю над собой контроль.

— Тогда я поеду обратно с тобой и этими добрыми ребятами-истребителями. Но когда ты вернешься в отель, кого-то ты должна будешь для еды использовать. — В сдержанном вампирском голосе слышалась некоторая самоирония, и я знала, что она не искренняя. Его чувства выдавал тон. — Но если ты будешь сегодня питаться от вампира, то утром тебе придется выбрать кого-то из оборотней, потому что вампир действует, лишь пока мы не ушли под землю.

— Я знаю.

— Я просто говорю, что тебе надо подумать о пунктах меню, потому что я не хочу, чтобы у тебя ardeur вышел из-под контроля. Ты стала обидчивой.

— Я не обидчива.

— Если бы так, ты бы уже переспала с Хэвеном.

Я не стала развивать эту тему, потому что он был прав в большей степени, чем я готова была признать.

— Сколько еще с тобой тех, с кем я ни разу не спала?

— Почти все из оборотней.

Я преувеличенно вздохнула.

— Анита, ты велела не посылать никого, кто тебе слишком дорог, и посылать только тех, кто умеет драться. Эти условия отсекают большую часть твоих постоянных. Либо они слишком много для тебя значат, либо их умение драться фартинга не стоит. — На миг послышалась тень акцента, давнего-давнего. — Сумей смирить ardeur, и тебе не придется трогать нас.

— Да не в этом дело, черт побери! Просто я пытаюсь сокращать список, а не расширять!

— Да понимаю я и это. Но ты не только не поддаешься моему очарованию, но и активно сопротивляешься мысли о сексе со мной, что ранит сердце старого вампира.

— Нечестивец, черт бы тебя побрал, заткнулся бы ты насчет раненых чувств?

— Постараюсь изо всех сил.

— Нечестивец...

— Я подожду у машины, возле дома, чтобы не компрометировать ваше расследование.

Он повесил трубку.

— Я не знал, что Нечестивец у тебя в меню, — сказал Эдуард.

— Его там нет.

Эдуард посмотрел на меня, приподняв светлую бровь.

— Не начинай хоть ты.

Я свернулась в уголке сиденья, скрестила руки на груди и позволила себе надуться. Да, это было ребячество, но каждый раз, как мне казалось, будто я обрела контроль над своими силами, мне приходилось разочароваться. Ну не хочу я, честно, расширять список мужчин, с которыми сплю. Почему это я не хочу спать с такими красавцами, которые еще, как правило, великолепны в постели? Потому что, хотя я и выяснила, что сексом с таким количеством мужчин я могу заниматься, «встречаться» с ними я уже не могу. Не могу быть с ними эмоциональным бревном. Я пыталась, безуспешно, но, кажется, я не могу вот просто трахаться и жрать. Жан-Клод был прав, мне нужно либо снизить свою потребность, либо перестать подключать к сексу эмоции. Только я понятия не имела, как это можно сделать. Зачем вообще секс, если он ничего не значит эмоционально? Ну, да, потому что ты — суккуб. Ты умрешь, но при этом высосешь жизнь тех, кого любишь, и они умрут первыми. Что ж, причина достаточная. Наверное, прав Нечестивец: я все еще пытаюсь не видеть, что такова моя реальность.

— Значит, возле дома свидетеля нас встретит вампир? — спросил Бернардо.

— Да. Он подождет у машины, пока мы выйдем.

— А его машина тоже там будет?

— Он туда прилетит.

— На чем... а, *прилетит*! — Бернардо даже показал руками, как.

— Да, только они руками не машут. Это скорее левитация, чем полет.

— Как Супермен, — пояснил Олаф.

Я глянула на него в полумраке салона:

— Да, наверное. Как Супермен.

— А ты настолько сейчас в шатком состоянии, что тебе нужно, чтобы нас там встретили? — спросил Эдуард.

— Нет, но он прав: уже четырнадцать часов прошло. Скажем так: я люблю тебя как брата, и мне не хотелось бы объяснять Донне и детям насчет табу на инцест.

—Значит, если ты потеряешь контроль...

—Может быть плохо, — договорила я и заставила себя сесть прямее. Не хрен дуться в углу, не маленькая.

—Ты хочешь сказать, что у тебя ardeur может выйти из-под контроля? — спросил Бернардо.

—Да, — ответил я, позволив себе вложить в это слово первую струйку злости.

—И насколько выйти? — спросил Олаф.

—Будем надеяться, что никто из вас этого не узнает.

—Мы возле дома, — сообщил Эдуард.

—Надеваем коповские морды, — бодро заявила я, — и притворяемся, что среди нас нет живых вампиров, питающихся сексом.

—Анита, не надо, чтобы тебе другие копы внушали мысль, будто это плохо.

—Но это действительно плохо, Эдуард.

—Все, что случилось с тобой, произошло потому, что ты пыталась кого-то спасти. Эти вампирские силы — как огнестрельные ранения. Ты на работе получала и то, и другое.

Я всмотрелась ему в лицо:

—Ты и вправду в это веришь?

—Я никогда не говорю, чего не думаю, Анита.

—Ты умеешь врать без запинки, Эдуард.

Он улыбнулся:

—Тебе я не вру.

—Ага, — серьезно согласилась я.

Он улыбнулся уже во весь рост:

—О'кей, почти никогда. — Лицо его стало серьезным. — Сейчас я говорю правду.

—Верю, — кивнула я.

—Я себя чувствую последним вуайеристом, — сказал Бернардо.

Мы оба посмотрели на него, нахмурившись, он поднял руки:

—Ребята, извините, что испортил душевный момент, но честно: хотите говорить по душам — дайте нам сперва выйти из машины Я насчет вуайериста не шутил

— Выйди, — сказал Эдуард.

Бернардо открыл дверцу и вышел, ни о чем больше не спрашивая. Лицо Олафа отчетливо выступило во внезапном верхнем свете, он смотрел на нас, будто впервые видел.

— В чем дело? — спросила я.

Он покачал головой и тоже вышел, мы остались в машине одни. Эдуард потрепал меня по ноге:

— Анита, я говорил серьезно. Это как ранение или как болезнь, которую заработал на службе. И не позволяй никому действовать тебе на нервы по этому поводу.

— Эдуард, я никогда интимно не прикасалась к Нечестивцу, а вот сейчас он мчится сюда через ночь, чтобы предложить себя для секса, если не больше.

Он посмотрел на меня, сдвинув брови.

— Больше чем секс — ты что имеешь в виду?

— Такое впечатление, что, когда я питаюсь от мужчины из противоестественных видов, они подпадают под мою силу, или что-то вроде этого. Вот почему его брат, Истина, не хочет со мной спать. Боится, что попадет под мою власть.

— И так оно и будет?

— Если да, то не нарочно.

— Насколько ты можешь контролировать этот процесс?

— Недостаточно, — ответила я.

Мы посмотрели друг на друга. Верхний свет постепенно потух.

— Мне очень жаль, Анита.

— Мне тоже. Знаешь, Эдуард, если я не могу ездить без необходимости питаться, то я не могу ездить.

— Мы над этим поработаем.

— Это мне мешает делать то, что требует работа маршала.

— Мы над этим поработаем.

— А что, если не сможем?

— Сможем, — ответил он очень твердо. Я знала этот тон: здесь мне споры не помогут. При таком тоне он ожидал, что ты выслушаешь и сделаешь, что тебе сказали.

Я выслушаю и послушаюсь, но даже великий Эдуард не все может решить. Я бы хотела думать, что он сможет мне помочь работать маршалом, когда мне надо питать ardeur, но есть вещи, которые не починить.

— Пошли допрашивать ведьму.

— Они не любят, когда их так называют.

Он улыбнулся мне и открыл дверцу — снова включился свет.

— Давай, пропускаю тебя вперед. Ты у нас эксперт по магии.

Я поняла, что он уступает мне лидерство не только потому, что я эксперт по магии, а чтобы я почувствовала, что и я что-то контролирую. Для такой фанатички порядка и контроля, как я, последнее время контроля было маловато. Но я вышла, мы закрыли дверцы, заперли и пошли через невадскую тьму к дому Фебы Биллингс, верховной жрицы и колдуньи.

Глава пятьдесят пятая

Мы стояли перед скромным пригородным домом на улице, полной других скромных пригородных домов. Уличных фонарей хватало, чтобы и ночью было хорошо видно. Обычно забывают, что Стрип с его казино, шоу и ярким светом — всего лишь небольшая часть города. Если бы не то, что дом стоял во дворе, состоящем из камней, песка и местных пустынных растений, он вполне мог бы находиться любом месте страны.

У всех или почти всех прочих домов во дворах росли трава и цветы, будто их владельцы делали вид, что живут не в пустыне. От дневной жары трава и цветы становились приятно-коричневыми. Наверное, здесь есть нормы воды на полив, потому что я видала в пустыне дворы зеленее поля для гольфа, а эти в остывающей темноте смотрелись грустными и утомленными. Все еще было жарко, но наступившая темнота обещала прохладу.

— Это здесь живет верховная жрица? — спросил Бернардо.

— Если верить телефонной книге, — ответила я.

Он обошел машину, встал рядом с нами на тротуар.

— Как-то очень все... обыкновенно.

— А чего ты ожидал? Хеллоуинских декораций в августе?

Ему хватило такта смутиться.

— Кажется, да.

Эдуард обошел машину, открыл багажник, вытащил свой чемодан с фокусами и достал ветровки с надписью «Маршал США».

— Жарковато для них, — заметила я.

Он на меня посмотрел:

— Мы вооружены до зубов, и оружие на виду. Ты бы впустила нас в дом, если бы не была уверена, что мы из полиции? Только запас ветровок у меня кончается — их кто-то все время кровью мажет.

— Прошу прощения.

Я потрогала висящий на шее значок — я его так ношу в Сент-Луисе на шнурке, когда жарко.

— Вот, видишь? Я представитель закона.

— У тебя более безобидный вид, чем у нас, — сказал он, раздавая ветровки остальным.

Бернардо взял свою без комментариев и просто надел, отработанным движением вытаскивая косу из-под воротника. Есть жесты, общие для мальчиков и девочек — дело только в длине волос.

У Олафа тоже значок висел на шее. Мне было неприятно, что мы оба поступили одинаково, но куда же прицепить значок, если на тебе футболка? У меня есть значок на прищепке, я его цепляю иногда на рюкзак, но бывает, что рюкзак надо снимать, и тогда я отдельно, а значок отдельно. Есть значок на поясе рядом с «браунингом», потому что, показывая пистолет, всегда хочешь сначала показать значок. Практика выживания — и спасает других копов от ложных вызовов паникующих граждан, завидевших оружие. Значок нужен в разгар боя между полицией и бандитами — чтобы полицейские тебя не застрелили. Ну, да: я девушка, и ни на копа, ни на бандита не похожа, но всякое случается в разгар адреналиновой горячки. Когда значок на виду, если что и произойдет, то хотя бы не по моей вине.

Эдуард прицепил значок к одежде, дважды подчеркнув, кто он, и Бернардо последовал его примеру. Бывают моменты, когда я при Эдуарде чувствую себя желторотой. Интересно, придет ли время, когда я искренне сочту себя равной ему? Вряд ли.

Я вообще-то не фанат пустынных ландшафтов, но кто-то с хорошим глазом удачно расставил кактусы, траву и камни так, что все текло. Это была иллюзия воды, сухой воды, текущей камнями и растениями.

— Красиво, — сказал Бернардо.

— Что именно? — спросила я.

— Сад, пейзаж. Красиво.

Я посмотрела на него и записала эстетическую наблюдательность ему в плюс.

— Камни и кактусы, — пожал плечами Олаф.

Я хотела было что-то сказать, но Эдуард меня опередил.

— Мы не любоваться ее садом приехали. А поговорить об убийстве одного из ее прихожан.

— Я не думаю, что они себя называют прихожанами, — сказал Бернардо.

Эдуард глянул на него, и Бернардо развел руками, будто хотел сказать «извини». С чего это вдруг Эдуард так напрягся?

Я шагнула к нему — и вдруг сама это почувствовала. Легкое гудение по коже, по нервам. Оглянувшись, я увидела это на крыльце: мозаичная пентаграмма из красивых цветных камешков, вделана прямо в бетон. Она была заряжена — заряжена заклинанием.

Я тронула Эдуарда за руку:

— Может быть, стоит сойти с придверного коврика.

Он глянул на меня, потом туда, куда я показывала. Спорить не стал, просто шагнул в сторону. И тут же напряжение видимым образом ушло. Может быть, Эдуард только думает, что

лишен чувствительности. Небольшие экстрасенсорные способности объяснили бы, почему он остается в живых все эти
годы, охотясь на противоестественных жутких тварей.

— Я ее не видел, — сказал он. — А ведь смотрел.

— Я тоже не видела, пока ты не задергался, — ответила я.

— Она свое дело знает, — сказал он и позвонил в звонок.

Я согласно кивнула.

Олаф смотрел на нас, будто желая спросить, какого черта
мы тут танцуем.

— Колдовской знак на крыльце, — сказал ему Бернардо. —
Обойди.

— Не колдовской, — начала я объяснять, но тут открылась
дверь.

За ней стоял высокий мужчина, темные волосы сбриты почти наголо, темные глаза смотрели на нас без всякой
радости.

— Что вам нужно?

Эдуард немедленно превратился в старину Теда. Можно
бы уже привыкнуть, как легко он становится кем-то другим,
но мне до сих пор жутковато.

— Маршал США Тед Форрестер. Мы звонили, миз Биллингс обещала быть дома. То есть звонила маршал Анита
Блейк.

Он улыбался, просто излучал обаяние. Не то скользкое
очарование, какое бывает у некоторых смазливых мужчин, а
очарование этакого рубахи-парня. Есть у меня знакомые, для
которых это естественно, но Эдуард единственный, кто умеет
это делать по заказу, будто выключатель повернули. Меня
всегда интересовало, не был ли он до армии больше похож на
Теда. Странноватая формулировка, поскольку он и *есть* Тед,
и все-таки вопрос стоит внимания.

Человек в дверях посмотрел на его значок, потом ему за
спину.

— Это кто такие?

Я подняла значок на шнурке, чтобы он был виднее.

— Маршал Анита Блейк. Это я звонила миз Биллингс.

— Маршал США Бернардо Конь-В-Яблоках, — представился Бернардо таким же приветливым и жизнерадостным голосом, как у Теда.

— Отто Джеффрис, маршал США, — почти проворчал у нас из-за спины Олаф и поднял значок, чтобы был виден. То же сделал и Бернардо.

Из дома донесся женский голос:

— Впусти их, Майкл.

Мужчина — очевидно, он и был Майклом, — посмотрел на нас хмуро, но сетчатую дверь открыл. Все же перед тем, как мы переступили порог, он тихо предупредил нас:

— Не расстраивайте ее.

— Мы изо всех сил постараемся, сэр, — ответил Эдуард голосом Теда.

Мы вошли в дверь, но почему-то присутствие Майкла за спиной заставило меня повернуться, чтобы видеть его боковым зрением. Войдя, я оценила его рост — чуть больше шести футов, то есть выше Бернардо, но ниже Олафа. Пока мы толпились в прихожей, у меня была минута заметить, насколько Эдуард ниже ростом, чем остальные. Всегда забывается, что он совсем не такой высокий: пять футов восемь дюймов. Просто он из тех, кто кажется выше, чем на самом деле. Иногда слово «высокий» означает не просто длину тела.

Гостиная, наверное, разочаровала Бернардо не меньше, чем сад, потому что тоже была совершенно типичной. Диван, пара кресел, все в светлом и жизнерадостном голубом цвете с примесью розовато-оранжевого на обивке, плюс какие-то безделушки. На журнальном столике чайный сервиз с чашками для всех. Я ей не сказала, сколько нас будет, но стояло четыре чашки. Люблю экстрасенсов.

Там же сидела Феба Биллингс, с несколько покрасневшими от слез глазами, но улыбка у нее была безмятежная и какая-то знающая. Как у моей наставницы Марианы. Подобная улыбка значила, что Мариана знает нечто такое, что надо знать мне, или просто смотрит, как я учу урок, который мне совершенно необходим, но я упрямлюсь. Колдуньи, работающие еще и консультантами, очень следят, чтобы у тебя самоосознание происходило само и в должное время, потому что, если тебя торопить, кармический урок просто не усвоится. Да, иногда Мариана меня злила до чертиков отсутствием указаний, но так как одной из вещей, которые она считала для меня необходимыми, было терпение, то и от злости выходила польза. Злишься, но это и хорошо, говорила она.

И это злило еще в тысячу раз больше.

— Прошу вас, присядьте. Чай только что заварен.

Эдуард сел рядом с ней, улыбаясь как Тед, но сейчас с большей долей сочувствия.

— Я соболезную вашей утрате, миз Биллингс.

— Феба, если можно.

— Хорошо, Феба. А я Тед. Это Анита, Бернардо и Отто.

Майкл занял пост возле хозяйки, одна рука держит запястье другой. Это позу телохранителя я хорошо знаю. Он либо у нее жрец, либо ее черный пес — хотя практически ни в одном ковене такового уже не осталось. Черный пес — это телохранитель, который занимается и деталями магической защиты, когда ковен работает. Обычно их работа чисто спиритическая, но бывает, что черному псу приходится преследовать страшилок из плоти и крови. От Майкла создавалось впечатление, что на это он тоже способен.

Феба посмотрела на нас по очереди, потом повернулась снова к Теду.

— Так что вы хотите знать, маршалы?

Наше звание она произнесла, едва заметно запнувшись.

Феба налила нам чаю, в две чашки положила сахар, две оставила так. Потом протянула чашки Майклу и сказала, кому какую.

Эдуард взял предложенную чашку, мы тоже. Мне досталась последняя, ни Фебе, ни Майклу чашек не досталось. У меня не было абсолютно никакой причины не доверять Фебе Биллингс, но если она чай не пьет, я до него тоже не дотронусь. То, что ты — колдунья, еще не значит, что ты колдунья добрая.

Она улыбнулась, глядя на наши нетронутые чашки, будто мы поступили именно так, как она предполагала.

— Рэнди тоже не стал бы пить, — сказала она. — Вы, полицейские, очень подозрительны.

Феба коснулась пальцами век и деликатно фыркнула, как положено леди.

— А зачем нам было тогда наливать чай, если вы знали, что мы его не станем пить? — спросила я.

— Считайте, что это была проверка.

— Проверка чего?

Наверное, мои слова прозвучали несколько более недружелюбно, чем я хотела, потому что Эдуард тронул мою ногу — чуть-чуть, намек, чтобы снизила тон. А Эдуард — один из немногих, чьи намеки я понимаю.

— Спросите меня через несколько дней, я тогда отвечу.

— Знаете, то, что вы викканка и экстрасенс, еще не значит, что обязательно надо нагонять таинственность.

— Задавайте свои вопросы, — сказала она, и голос у нее был грустный и слишком мрачный для той комнаты, где мы сидели. Но горе приходит в любой интерьер, как бы весело он ни был раскрашен.

Эдуард чуть глубже сел на диван, чтобы мне Феба тоже была видна без необходимости пересаживаться. Этим он показал, что вручает руководство мне — как и сказал в машине. Ладно.

— Насколько хорошим магом был Рэндолл, Рэнди Шерман?

— В магии он был таким же умелым, как и во всем, что делал, — ответила она.

Из глубины дома вышла женщина, неся поднос с чашкой и блюдцем. У нее были длинные каштановые волосы жрицы, но тело худощавое и молодое. Я не удивилась, когда Феба ее представила как свою дочь Кейт.

— Значит, если Шерман начал говорить заклинание посреди боя, у него были основания думать, что заклинание поможет?

Дочь налила чай матери и протянула ей чашку.

— Рэнди никогда ничего зря не тратил. Ни патронов, ни физических усилий, ни заклинаний.

Она отпила из чашки, Бернардо последовал ее примеру и отлично справился с задачей не глазеть вслед Кейт, идущей на кухню с пустым подносом. Эдуард тоже отпил чаю.

Феба посмотрела на Олафа и на меня:

— Все еще мне не доверяете?

— Спасибо, но я предпочитаю кофе.

— Я не люблю чая, — ответил Олаф.

— Кейт может сварить вам кофе.

— Я бы предпочла просто задать вопросы, если можно.

И это действительно было так. Кроме того, опыт меня научил, что любители чая кофе варить не умеют.

— Почему вы думаете, что Рэнди во время перестрелки творил заклинание?

Я посмотрела на Эдуарда, он подхватил нить разговора — я просто не знала точно, что ей можно рассказывать.

— Мы не можем сообщать информацию по ведущемуся следствию, Феба. Но у нас есть веские причины думать, что Рэнди в разгаре боя говорил заклинание.

— Говорил? — переспросила она.

— Да.

— Рэнди был очень хорошим магом. Ему достаточно было бы произнести благословение мысленно.

— А какого рода заклинание ему пришлось бы произнести вслух? — спросила я.

Она наморщила лоб:

— Некоторым колдунам приходится говорить вслух, чтобы сосредоточиться. Рэнди это не было нужно. Значит, если он что-то вычитывал вслух, то это было нечто ритуальное и древнее. Что-то выученное наизусть, как старое заклинание. Не знаю, что вам известно о нашей вере, но большинство ритуалов создается для конкретного события. Процесс этот очень творческий и разнообразный. Если говорить о фиксированных словах, то это скорее церемониальная магия, нежели викканская.

— Но Рэнди был не церемониальным магом, а викканцем, — напомнила я.

— Да, верно.

—Что же такое он знал или думал, что надо было произнести в разгар боя? Что навело его на мысль о старом распеве, о выученных наизусть словах?

—Если у вас есть запись того, что он сказал, я могу помочь. Если хотя бы несколько слов, я смогу дать какой-то намек.

Я посмотрела на Эдуарда.

—У нас ничего нет, что мы могли бы дать вам послушать, Феба. Извините.

Очень тонко. Он ей не сказал, что у нас нет записей, а только что мы не можем дать ей послушать. Я бы ответила, что у нас их нет. Почему и предоставила отвечать Эдуарду.

Она отвернулась и сказала дрогнувшим голосом:

—Это так ужасно?

Вот блин! Но Эдуард ловко придвинулся, даже тронул ее за руку.

—Не в том дело, Феба. Просто — идет следствие, и мы должны тщательно дозировать исходящую информацию.

Она посмотрела на него почти в упор:

—Вы думаете, что может быть замешан кто-то из моего ковена?

—А вы? — спросил он совершенно не удивленным голосом, будто подразумевая: да, подозреваем, но скажите нам сами. Я бы не смогла скрыть удивления — и ее бы спугнула.

Она посмотрела ему в глаза, и его рука на ее руке вдруг приобрела значение. Я ощутила покалывание энергии и знала, что ни оборотни, ни вампиры здесь ни при чем.

Он улыбнулся и убрал руку.

—Феба, читать мысли полицейского без разрешения — незаконно.

—Чтобы ответить на ваши вопросы, мне нужно знать больше, чем вы говорите.

—Почему вы так решили? — спросил он с улыбкой.

Она улыбнулась и поставила чашку на журнальный столик.

—Я же экстрасенс. У меня есть информация, которая вам нужна, но я не знаю, какая именно. Я только знаю, что, если вы зададите мне правильный вопрос, я вам скажу что-то важное.

— Это вы чувствуете подсознанием, — встряла я.

— Да.

Я обернулась к сопровождавшим меня мужчинам и попыталась объяснить:

— Экстрасенсорные возможности, как правило, очень расплывчаты. Феба знает, что у нее есть информация, которая окажется важной, но чтобы это знание в ней пробудить, нужно задать верный вопрос.

— А откуда она это знает? — спросил Бернардо.

Я пожала плечами:

— Она сейчас не может вам сказать, и я тоже не могу. Но я достаточно долго работала с экстрасенсами и знаю, что такое объяснение вполне удовлетворительно.

— Это не объяснение, — нахмурился Олаф.

Я пожала плечами:

— Лучшего не будет. — Я обернулась к жрице: — Вернемся к вопросу маршала Форрестера. Может кто-нибудь из вашего ковена быть замешан?

Она покачала головой:

— Нет.

Очень твердое «нет».

Я попыталась еще раз:

— Кто-нибудь из магического сообщества может быть замешан?

— Как я могу ответить на этот вопрос? Я не знаю, ни какие использовались заклинания, ни почему вы считаете, будто Рэнди что-то говорил. Конечно, в каждом сообществе есть гнилье, но без дополнительной информации я не смогу сказать, какого рода таланты там использовались.

В ее голосе слышалось некоторое раздражение, и я ее понимала.

Я обернулась к Эдуарду.

— У вас есть свидетельство священнослужителя? — спросил он

Она улыбнулась:

—О да! Верховный Суд постановил, что мы — истинные священнослужители, и потому то, что вы мне говорите, по закону является тайной.

Он обернулся к Майклу:

—Он священнослужитель?

—Мы все — жрецы и жрицы, когда нас призывает Богиня, — ответила она.

Очень такой... жреческий ответ.

За нее ответила я:

—Он — ее черный пес.

Феба и Майкл на меня посмотрели, будто я отколола интересный номер.

—Они пришли, притворяясь, что ничего о нас не знают, но они нас заранее проверили. Они лгут.

—Ну-ну, Майкл. Не надо поспешных заключений. — Она обернулась ко мне, взглянула карими глазами. — Вы собрали о нас информацию?

Я покачала головой.

—Клянусь вам, ничего, кроме того, что вы — жрица ковена, где состоял Рэнди Шерман.

—Откуда же вы знаете, что Майкл у меня не жрец?

Я облизала губы, задумалась. Откуда я знаю?

—Между теми жрецами и жрицами, которых я знала, есть некоторая связь. Либо они пара, либо их объединяет магическая работа. Такого ощущения от вас двоих нет. Кроме того, он здорово похож на силовика. Единственная работа, которая есть в ковене для силовика, спиритуального или физического, — это быть черным псом.

—В большинстве ковенов их уже нет, — сказала она.

Я пожала плечами:

—Моя наставница хорошо знает историю своего ремесла.

—Я вижу крест. Это символ вашей веры или же полиция требует его ношения?

—Я христианка.

Она улыбнулась — слишком понимающей улыбкой.

—Но некоторые положения Церкви слишком ограничительны.

Я постаралась не скривиться:

— Я нашла слишком ограничительным отношение Церкви к паранормальным способностям моего вида.

— А каков же вид ваших способностей?

Я начала было отвечать, но Эдуард сделал движение рукой — и я замолчала.

— Сейчас не важно, каковы способности маршала Блейк.

Не знаю, почему Эдуард не хотел, чтобы я ей рассказала, но его суждению я доверяю.

Феба посмотрела на нас по очереди:

— У вас очень сильное партнерство.

— Мы уже много лет вместе работаем, — сказал он ей.

Она покачала головой:

— Нет, не только это. — И снова мотнула головой, будто отгоняя ненужную мысль. Потом посмотрела на меня — и мягкости в этом взгляде уже не было. — Задавайте ваши вопросы, маршал Блейк.

— Если бы Майкла не было в этой комнате, нам было бы свободнее беседовать, — сказал Эдуард.

— Я тебя с ними не оставлю, — решительно заявил высокий телохранитель.

— Они полисмены, как Рэнди.

— У них значки, — возразил он, — но они не такие полисмены, как Рэнди.

— Горе слепит меня? — спросила она у него.

Лицо Майкла смягчилось:

— Я думаю, что да, моя жрица.

— Тогда скажи мне, что видишь ты, Майкл.

Черные глаза повернулись к нам. Майкл показал на Олафа:

— У этого аура черная, измазанная насилием и деяниями зла. Если ты не почувствовала его у своей двери, то действительно горе ослепило тебя, Феба.

— Тогда будь моими глазами, Майкл.

Он обернулся к Бернардо.

— Не вижу в этом ничего злого, но свою сестру я бы ему не доверил.

Она улыбнулась:

— Красивым мужчинам редко можно доверить сестру, Майкл.

Меня он пропустил и подошел к Эдуарду.

— У этого аура тоже темная, но такого типа темная, как была у Рэнди. Темная, как темны бывают люди, ведшие смертельный бой во тьме. Я бы не хотел, чтобы он оказался у меня за спиной, но здесь он вреда принести не стремится.

Должна признаться, пульс у меня подскочил. Майкл посмотрел на меня, и я, подавив желание отвернуться, встретила взгляд этих слишком проницательных глаз.

— Вот с ней непонятно. Она экранируется, и очень плотно, через эти щиты мне ее не прочесть. Но она сильна, и от нее ощущается что-то, связанное со смертью. Я не знаю, то ли она приносит смерть, то ли смерть сама следует за ней, но она присутствует здесь — как запах.

— На некоторых тяжело ложится рука судьбы, — сказала Феба.

Он мотнул головой:

— Тут не в этом дело.

Он смотрел на меня, и я почувствовала давление на щиты. После истории с Санчесом мне очень не хотелось опускать их снова.

— Майкл, перестань давить на мои щиты. Иначе будет неприятный разговор.

— Извини, — сказал он со смущенным видом. — Но я еще не видал никого, кроме викканцев, кто мог бы от меня закрыться.

— Меня учили лучшие специалисты, — ответила я.

Он глянул на моих спутников:

— Но не эти.

— Закрываться паранормальными щитами копы не научат.

— Они не копы. Во всех в вас есть что-то незаконченное, дикое. Единственный коп, от которого я ощущал что-то похожее, это был внедренный агент, так долго проработавший под прикрытием, что и сам почти стал одним из преступников. Он вышел из той работы живым, но она его переменила. Он стал меньше копом и больше бандитом.

— Ты же знаешь, что говорят на эту тему. Мы почему умеем ловить бандитов? Потому что умеем думать, как они.

— Это умеют почти все копы. Но есть разница между думать, как бандит — и быть бандитом. — Он присмотрелся к нам. — Значки настоящие, но это как надеть поводок на тигра. Тигром он от этого быть не перестанет.

Это было неприятно близко к истине.

Глава пятьдесят шестая

Майкл не стал выходить — он счел, что мы слишком опасны. Мы задавали вопросы, но Эдуард не захотел рассказывать о раздробленной челюсти и других фактах, поэтому беседа напоминала поиски в темной комнате. Знаешь, что искомый предмет где-то здесь, но без хотя бы слабого света его можно искать годами.

Я верила, что Феба что-то знает, но нужен правильный вопрос, чтобы до этого добраться. Она не могла сказать, чего именно знает из того, что нам нужно знать, — как-то вот так. Один из наиболее раздражающих допросов, которые мне приходилось вести, хотя я передала управление Эдуарду до того, как совсем вышла из себя. Если бы я была одна, сказала бы я ей все, что — по моему мнению — ей нужно было знать? Возможно. Я почти наверняка разболтала бы ей то, что полиция не считала возможным сообщать гражданским лицам. Это значит, что плохой из меня полицейский? Наверное. А из Эдуарда — лучше? Возможно.

Я уже прохаживалась вдоль дальней стены комнаты. Эта женщина — практиционер магии. И вполне может быть, что она или Майкл в деле замешаны. Не слишком правдоподобно, но... и все-таки я бы ей все выложила. А я всегда обо всем дважды подумаю, прежде чем сделать. То есть так это на меня не похоже, так не похоже... но тогда на кого это похоже?

Тут я его почувствовала — вампира. Я просто знала, что он там, ощущала его.

— Снаружи вампир, — сказала я.

Послышался шорох вынимаемого из кобуры оружия. У меня тоже был в руке «браунинг», но...

— Это вампир хороший или плохой? — спросил Бернардо.

Эдуард подошел ко мне, стоящей возле большого венецианского окна за шторами.

— Ты можешь сказать, кто это? — прошептал он.

Я приложила левую руку к шторе, прижала штору к стеклу, сосредоточилась слегка и прислушалась к поступившему толчку энергии. У меня был выбор: ответить таким же толчком или просто чуть приоткрыться, попробовать на вкус. Я была почти уверена, что это Нечестивец, потому что пришедший не пытался от меня скрыться. Витторио умел скрывать свое присутствие не только от меня, но даже от Макса, а если он умеет скрыть свой энергетический образ от мастера города, то у меня на радаре никак не засветится.

Но лучше все-таки проверить, и я чуть потянулась к этой прохладной силе, веющей кладбищем. Притронулась к энергии, почувствовала вкус силы Жан-Клода. У всех связанных с ним вампиров есть этот привкус — как добавленная пряность.

Потом моя сила коснулась Нечестивца, а его я ощущаю — даже можно было это слово выделить жирным шрифтом. Я чувствовала, как он глядит вверх, будто я там перед ним парю. Будь это Жан-Клод, я могла бы глядеть его глазами, а так — только чувствовать.

— Это он, — тихо сказала я Эдуарду. *Все в порядке, он на нашей стороне*, хотела я добавить, но не выговорила, потому что в просвет приоткрытых щитов устремилась иная сила. Я забыла про Майкла. Забыла, что он — экстрасенс, а его жрица велела ему прощупать мои способности.

В какой-то момент я застряла между попыткой ощутить вампира снаружи и выгнать колдуна из-за моих щитов. По идее, я должна была просто закрыть просвет, но каким-то образом Майкл его расширил, и это оказался вход в туннель, по которому грузовик проедет. Дверь я бы защитила, а вход в туннель слишком для этого велик. И в туннелях живет тьма.

Клубящаяся тьма двинулась ко мне — я видела ее мысленным взором как облако ночи, готовое пролиться в просвет, и Майкл тоже стоял рядом со мной в этом видении — если это можно назвать видением. Он его тоже видел, и не стал тратить времени на вопросы вроде «что это?» — он действовал. Он — черный пес, черный человек, и это его работа. Древний-древний обычай: гость не должен пострадать в твоем доме.

В его руке вспыхнуло золотое сияние — будто молния вылетела из ладони, приняв форму меча. Он стоял лицом к лицу с надвигающейся тьмой, держа в руке пылающий меч, и над ним возникла вторая тень — если тень может светиться. Она была больше, чем он, и чем выше поднималась чернота, готовая поглотить место, где мы стоим, тем яснее разгоралось сияние, и на миг я увидела тень огромных огненных крыльев.

Первое, что я подумала — демон. Потом я поняла, что это подсказка разума, но не ощущения. Как ощущается демоническое, я знаю, а здесь этого не было. Ощущалась сила, первозданная, настоящая, и огонь нес разрушение, но это был святой огонь, и только нечестивые должны его страшиться. Однако стоять так близко к пламени и не бояться — на это нужна вера. Насколько же сильна она у меня? Во что я верю, когда взмывающая темнота готова поглотить меня и Майкла, стоящего с мечом и с тенями ангелов за спиной? И всего доля секунды была, чтобы подумать: *О Майкл*, я поняла!*

Этот человек встал между мною и тьмой, и я не могла оставить его там одного. Я встала с ним рядом, с Майклом, читая на ходу: *Святой Архангел Михаил, вождь небесных легионов, защити нас в битве против зла и преследований дьявола...* — пламя разгорелось ярче. — *Будь нашей защитой! Да сразит его Господь, об этом мы просим и умоляем.* — Так разгорается свет в освященном предмете, когда одна только твоя вера сто-

---

*Имя Майкл (Michael) совпадает с именем архангела Михаила.

ит между тобой и вампиром. — *А ты, предводитель небесных легионов...* — и будто все и каждый пылающие священные предметы, виденные мною в жизни, загорелись передо мной все сразу, — *низвергни сатану...*

Я запнулась, стоя на самом краю пламени от крыльев. Темнота взметнулась выше, над человеком и сиянием, и я знала, что на решение у меня секунды. Кто я? На чьей стороне? Достаточно ли святости во мне, чтобы ступить в этот свет?

В голове заговорил голос Марми Нуар, или же это заговорила окружившая нас тьма.

— Частицу меня ты несешь в себе, некромантка, и если встанешь в огонь Божий, погибнешь, как всякий вампир.

Правда ли это?

Майкл шагнул назад, снова становясь у нее на дороге. Он встал против океана тьмы, когда ему был дан шанс уйти в сторону. Это даже не была мысль — я двинулась вперед, потому что он принимал на себя предназначенный мне удар, судьбу, рок, — и я не могла этого допустить. Я шагнула в огонь, ожидая, что ослепну, но нет — случилось так, будто весь мир стал светом, и только свет был мне виден, мерцающий и переливающийся вокруг. Человек передо мной был настоящий, и огонь тоже настоящий, но...

— Помоги, некромантка!

Не знаю, что она хотела сказать, да и не важно это. Зло всегда лжет. И я договорила молитву:

— *и прочих духов зла, бродящих по свету и развращающих души, низвергни их силою Божиею в ад. Аминь.*

Будто окружающая нас сила сделала вдох, чтобы задуть свечу. Сделала вдох — и выдохнула, и это было как в эпицентре атомного взрыва. Реальность хлынула наружу, преобразилась, и я наполовину ожидала, что дом развалится, но нет — мы стояли, моргая, в гостиной дома Фебы Биллингс. Даже чашки на столе не шелохнулись.

Эдуард стоял с нами рядом, но его удерживала Феба, говоря:

— Подожди, Майкл знает, что делает.

Я стояла позади Майкла, как было в «видении». Пылающего меча в руке у него не было, но я почему-то знала: надо будет — появится.

Он повернулся и посмотрел на меня темно-карими глазами, но где-то в глубине их мерцал свет, намек на пламя. Не как у вампиров — другой свет.

— Анита! — окликнул меня Эдуард.

— Все в порядке, Эдуард, спасибо Майклу.

Я вложила в это имя второй смысл. Найду потом церковь и поставлю свечку Михаилу-Архангелу. Это самое меньшее, что я могу сделать.

— Пусть мне кто-нибудь объяснит, что здесь произошло, — сказал Эдуард с оттенком злости в голосе.

— Что ты видел?

— Ты посмотрела вверх и чего-то испугалась до чертиков. Тогда он, — Эдуард ткнул большим пальцем в сторону Майкла, — подошел и встал рядом с тобой. Я попытался подойти к вам, но она мне сказала, что это дело не для пистолетов.

— Она была права.

— Потом запылали все освященные предметы в комнате.

— Ты хочешь сказать, засветились? — уточнила я.

— Нет, вспыхнули огнем.

— Бернардо запаниковал, — сказал Олаф, — и сорвал с себя крест.

Я посмотрела на гиганта и чуть не спросила, как может жить с верой в Бога серийный убийца, но воздержалась. Может быть, в другой раз, если захочу его взбесить.

— Как только я остался без креста, — сказал Бернардо, и я поняла, что он единственный стоит вдалеке от нас, — тут же на меня навалились... видения.

— Какие? — спросила я.

— Свет, тьма. — Он смотрел на меня, сидя на краю дивана. — И еще... еще всякие вещи.

Я уже открыла рот, собираясь спросить, какие, — но меня остановил Майкл, тронув за плечо и покачав головой. Я кивнула. Ладно, не будем допытываться, что видел Бернардо. Он перепугался до чертиков, а потому это его личное дело. Либо сам расскажет, либо напьется и постарается забыть. Не каждый день видишь демонов и ангелов. Строго говоря, Марми Нуар не демон, но все равно дух зла.

— Что это такое за тобой охотится? — спросил Майкл.

— Ты сам видел.

— Да, но раньше не встречал ничего подобного.

Я посмотрела ему в лицо.

— Ты дважды встал у нее на дороге, и ты не знаешь, кто она и что может с тобой сделать?

Я была поражена.

Он кивнул:

— Я — черный пес, страж круга. Ты — наш гость, и мое дело — чтобы и волос не упал с твоей головы.

— Ты понятия не имеешь, что она могла бы с тобой сделать.

Он улыбнулся — улыбкой истинно верующего.

— Она не могла бы до меня дотронуться.

— Он говорит о... — начал Эдуард и остановился.

— Марми Нуар, — договорила я.

— Мать Тьмы, — добавила Феба, и я кивнула. — Темная богиня не всегда страшна, бывает, что она безмятежна.

— Она не богиня, а если даже и так, то нет в ней хорошей стороны, поверь мне.

— Это не была энергия богини, — добавил Майкл.

— Ты разве ее не видела? — спросила я.

— Я ее ощущала, но сосредоточилась на устранении прорыва в нашей защите, чтобы никто не проник вслед за нею. А в том, чтобы защитить тебя и изгнать колдунью, пробравшуюся через наши границы, я положилась на Майкла.

— Это колоссальное доверие, — заметила я.

— Ты видела его, вооруженного для битвы. Считаешь ли ты, маршал, что мое доверие неоправданно?

У меня перед глазами мелькнул образ Майкла с пылающим мечом и тенью крыльев за спиной.

— Нет, я так не считаю.

— Кто-нибудь пусть мне все это объяснит, — сказал Эдуард. — И прямо сейчас.

— Я опустила щиты, чтобы посмотреть, наш ли это вампир, и Майкл попытался исследовать мою силу, чуть расширив просвет.

— Как было сегодня с Санчесом.

Я кивнула.

— Я не повреждал твои щиты намеренно, — сказал Майкл.

— Я тебе верю. А Мать Всей Тьмы снова пыталась меня поглотить, но Майкл ее остановил и изгнал.

— В ад? — спросил Бернардо. Казалось, что его все еще преследуют видения.

Я покачала головой:

— Вряд ли. Просто изгнал отсюда.

— Как она проникла через защиту? — спросил Майкл.

— Я думаю, во мне есть ее частица, и когда впустили сюда меня, она тоже просунулась.

— В тебе не ощущается зла, маршал.

— Она сегодня что-то со мной сделала. Как-то изменила мои паранормальные способности, увеличила открытость.

— Я думаю, что здесь мы можем помочь. А я была бы рада узнать о том, кто она и как ты привлекла ее внимание.

— У нас нет на это времени, Анита, — напомнил Эдуард.

— Знаю.

— Тьма пыталась сожрать ее дважды за один день, — сказал Олаф. — Если Анита не научится защищаться получше, она погибнет.

Мы с Эдуардом уставились на великана.

— Ты много видел или ощутил? — спросила я.

— Не очень много, — ответил он.

— Тогда с чего это только ты меня подталкиваешь заняться вплотную метафизикой?

— Марми Нуар тебя хочет, Анита. Что такое навязчивое желание, я хорошо знаю. — Он уставился на меня пещерами глаз, и мне большого труда стоило не отвести взгляда. Мне даже непонятно было, что меня больше нервирует: пристальность этого взгляда или отсутствие в нем других эмоций. Как будто в этот момент он весь свелся к той острой нужде, что смотрела из его глаз. — Она выбрала тебя жертвой, и она тебя получит, если только ты не сможешь исправить то, что она в тебе нарушила, улучшить свою защиту — или убить ее раньше.

Я сухо рассмеялась:

— Убить Мать Всех Вампиров? Это вряд ли.

— Почему? — спросил он.

Я посмотрела на него хмуро:

— Если она все это проделывает за тысячи миль отсюда, то я и думать не хочу, что она сможет сделать, если я окажусь ближе. От приближения все вампирские силы возрастают.

— Можно это сделать бомбой. Чем-нибудь с высоким выходом тепловой энергии.

Я всмотрелась в его лицо, пытаясь что-то в нем прочесть, понять, к чему весь этот разговор, но это было почти как смотреть в лицо оборотня, когда он в получеловеческом образе. Просто не читается.

— Мне все равно придется быть с ней в одном городе, и это уже слишком близко. Кроме того, я в бомбах не разбираюсь.

— Я разбираюсь, — ответил он.

Тут до меня наконец дошло.

— Ты предлагаешь ехать со мной?

Он только кивнул.

— Черт побери, — сказал Эдуард.

Я посмотрела на него:

— Я тебя не прошу ехать.

— Я не могу отпустить тебя одну с ним на охоту за ней.

Сказал он это так, будто это уже решено и подписано.

Я замотала головой, замахала рукой, будто стирая что-то, написанное в воздухе.

— Я тоже не еду. Никто из нас не подойдет к ней и близко.

— Она тебя наверняка убьет, если ты не убьешь ее раньше, — сказал Олаф.

— Это обязательно обсуждать при свидетелях? — спросил Бернардо, наконец подойдя к нам.

Мы посмотрели на Фебу и Майкла, будто только сейчас о них вспомнили. Тем более что я и правда о них забыла. Эдуард никогда ни о чем не забывает, но сейчас, когда он смотрел на меня, я видела в его глазах виноватое выражение. Никогда раньше ни по отношению к кому не видала у него такого — кроме Донны и детей.

Я протянула руку, осторожно положила пальцы ему на рукав:

— Если ты погибнешь в попытке убить Марми Нуар, мне это сейчас не поможет. Тебя не станет, а я останусь наедине с этими двумя.

Это почти заработало мне улыбку:

— Или она будет убита, а ты в безопасности.

Я крепко сжала его руку.

— Кончай рефлектировать, Эдуард, ты этого не умеешь. В этой хреновой ситуации, единственное, что у нас есть, — определенность.

Тут он действительно улыбнулся.

— Надо же, кто говорит. Уважаемая госпожа Все-Решенья-Под-Сомпеньем.

— Вы хотите сказать, что это создание обладает физическим телом в нашей плоскости, в данный момент? — спросил Майкл.

Я подумала и кивнула.

— Я видела, где лежит ее тело.

— Я думал, что ты никогда не была рядом с ней?

— Только во снах и в кошмарах.

Заиграла музыка — «Уайлд бойз» группы «Дюран Дюран», и я только через минуту поняла, что это мой сотовый. Я полезла в карман, про себя клянясь найти другую мелодию, чтобы ее Натэниел поставил мне рингтоном, и больше этой не слышать.

— Анита, — спросил Нечестивец, — все там у тебя в порядке?

— Да, вполне.

— Ты под принуждением?

— Нет-нет, действительно все в порядке.

— Я не могу войти. Не могу даже встать на порог.

В голосе Нечестивца звучал испуг. Никогда не слышала у него такой интонации — только когда он боялся за жизнь брата.

—И не надо входить, Нечестивец, подожди снаружи. Я скоро выйду.

—Я ощутил присутствие Матери Всей Тьмы, а потом почувствовал...

Ему не хватило слов.

И я чуть не подсказала ему, но он — вампир, а это были ангелы. Мне хотелось узнать, что он почувствовал. Наконец он заговорил снова:

—Когда я только прилетел, я мог войти в этот дом по приглашению, но сейчас бы не осмелился. Он сияет, как что-то святое.

—Жрице пришлось обновить щиты, — сказала я, — чтобы не впустить Марми Нуар.

—Если там что-нибудь случится, я не смогу тебе помочь.

—Тут все под контролем, Нечестивец. Нет, правда.

—Я знаю, что с тобой Эдуард, но я твой телохранитель, Анита. Жан-Клод поручил мне твою безопасность. Если я допущу, чтобы ты здесь погибла, Жан-Клод убьет меня и моего брата. Наверное, даже сперва убьет Истину у меня на глазах, а потом уже меня. А я вот прямо сейчас не могу к тебе подойти, блин!

—Последнее слово — вроде бы моя реплика?

—Анита, мне не до шуток.

—Послушай, мне жаль, что ты не можешь пройти эту защиту, но тут все в порядке, а от Марми Нуар ты меня не защитил бы, даже если бы был здесь.

—И это тоже проблема. Я ее видел как черную бурю, нависшую над домом. Она меня в упор не видела, будто меня на свете нет, но я ощутил ее силу, Анита. Ее никакое оружие этого мира не остановит.

—Магия, как видишь, справляется.

—Та защита, за который ты сейчас находишься, ее удержит?

—Может быть.

—Но не допустит к тебе и никакого другого вампира, и у Витторио есть оборотни, чтобы послать за тобой. Так мне говорит Жан-Клод.

—Да, я в этом вполне уверена.

—Тогда мы должны быть с тобой, — сказал он.

—Согласна.

—А Мать Всей Тьмы нельзя к тебе допускать. Как же нам это совместить?

То, что он задает вопрос, уже тревожно.

—Волки, — ответила я после паузы.

—Что?

—Волки. У нее нет над ними власти, только над кошачьими.

—А гиены?

—Не знаю, я заставила на себя работать только волков.

—У нас есть Грэхем.

—Любые волки были бы сейчас полезны.

—Свяжусь с Грэхемом, посмотрю, что можно будет найти.

И он повесил трубку. Мне оставалось только повернуться к собравшимся в комнате и сказать:

—Вот, знаете, понятия не имею, как это все объяснить, так что и пытаться не буду.

—На тебе есть предмет, который должен защищать тебя от Тьмы, — сказала Феба.

Я чуть не коснулась медальона, висящего на одной цепочке с крестом, но остановилась.

Феба улыбнулась.

—Да, — сказала я, — но это не важно, потому что он перестал действовать.

—Ты разрешишь мне на него посмотреть? Я думаю, достаточно будет только чистки и подзарядки. — Очевидно, лицо у меня было достаточно выразительным, потому что она добавила: — Та, кто научила тебя так держать щиты, что ты можешь закрыться от Майкла, не могла тебя и этому не научить.

—Она пыталась, но я как-то не очень полагаюсь на украшения.

—И все же ты веришь в этот кусочек металла на шее, — улыбнулась она снова.

Я не совсем поняла, имеет она в виду крест или медальон, но в любом случае в ее словах был смысл.

— Ты права, моя наставница мне говорила о камнях и прочей бижутерии. Просто я в нее не верю.

— Есть вещи, которые действуют независимо от веры или неверия, маршал.

— Вот на мне кое-что есть, — сказал Бернардо, — и оно просто действует, Анита.

— Камни? — спросила я.

Он кивнул.

— Они помогают тебе видеть то, за чем ты охотишься, — сказала ему Феба. — Но когда ты снял крест, они улучшали твое зрение в духовном мире, но не защищали тебя от него.

Он пожал плечами:

— Я получил ровно то, чего просил. Может быть, я просто не знал сам, что мне нужно.

Я посмотрела на него. Он уже надел крест обратно, но глаза у него еще напряженно щурились. Видение Марми Нуар сильно его напугало.

— Я бы не предположила, что ты из любителей амулетов, — сказала я.

— Ты же сама говорила, Анита: у нас нет твоих талантов работы с мертвыми. Привлекаем себе на помощь подручные средства.

Я посмотрела на Эдуарда:

— И ты ими тоже пользуешься?

Он покачал головой.

— А ты? — обратилась я к Олафу.

— Не камнями и не магией.

— А чем?

— Крест, благословенный весьма святым мужем. Он горит его верой, не моей.

— А для тебя лично кресты не действуют? — спросила я и тут же пожалела.

— Тот же муж мне сказал, что я проклят, и никакое количество «Аве, Мария» и прочих молитв меня не спасет.

— Спасен может быть каждый, — возразила я.

— Чтобы получить прощение, нужно раскаяться в грехах.

Он смотрел на меня пещерами глаз в упор.

— А ты нераскаявшийся.

Он кивнул.

Я подумала об этом — о том, что его крест горит верой святого мужа, который предсказал Олафу низвержение в ад, если он не раскается. Он не раскаялся, но крест, полученный от святого, носит, и крест этот действует. От такой логики, то есть ее отсутствия, у меня голова заболела. Но в конечном счете вера не имеет отношения к логике. Иногда она требует нелогичности.

— Ты его убил? — спросил Бернардо.

Олаф посмотрел на него:

— Зачем мне было его убивать?

— А почему было не убить?

Олаф задумался на секунду и ответил:

— Мне этого не хотелось, и никто мне за это не заплатил бы.

Вот в этом весь Олаф. Он не потому не убил священника, что это нехорошо, а потому что ему это не доставило бы ни удовольствия, ни денег. Даже Эдуард в самых своих резких проявлениях такой логике не следовал бы.

— Мы очень свободно при вас разговариваем, — сказал Эдуард. — Почему бы это?

— Наверное, потому что чувствуете себя свободными.

Он мотнул головой:

— Нет. Вы на эту комнату или на весь дом наложили какое-то постоянное заклятие.

— Единственное у меня тут заклинание — чтобы каждой мог говорить свободно, если хочет. Очевидно, у ваших друзей такое желание есть, а у вас нет.

— Я не верю, что исповедь приносит душе пользу.

— Я тоже, — ответила она, — но она освобождает запертые части души, или же помогает успокоить разум.

Он покачал головой, потом обернулся ко мне:

— Если надо, чтобы она что-то сделала с медальоном, то давай. Нам пора.

Я вытащила вторую цепочку из-под жилета и всей одежды. Когда-то я пыталась носить медальон и крест на одной цепочке, но слишком много раз мне нужно было показывать крест, и меня утомили вопросы, что означает второй символ. На металле был изображен многоголовый кот, и если посмотреть на медальон под нужным углом, видны были полосы и символы, начерченные по краю. Я пыталась его выдать за ладанку, но он недостаточно невинно для этого выглядел.

Я протянула его Фебе. Она его осторожно взяла за цепочку двумя пальцами:

— Очень старая вещь.

Я кивнула:

— Металл такой мягкий, что гнется под давлением, а иногда — просто от тепла тела.

Она направилась к двери, через которую выходила ее дочь с чаем. Я ожидала, что мы сейчас попадем в алтарную, но мы оказались в небольшой светлой кухне. Дочери Кейт нигде не было видно.

Феба ответила на незаданный вопрос:

— У Кейт сегодня свидание, я ей разрешила уйти после того, как она подаст чай.

— Так что она пропустила метафизическое представление.

— Да, хотя многие одаренные в нашей округе могли бы что-то почувствовать. Невозможно призвать такое зло и такое добро, не всполошив тех, кто такое ощущает.

— Я обычно не воспринимаю постороннего, — возразила я.

— Но тебя этому и не учили, — ответила она. — Сегодняшнее представление привлекло либо необученных, не умеющих от него отгородиться, либо обученных, открытых для тревоги.

Я покачала головой:

— Мы сюда пришли ради лекции или ради очистки амулета?

— Какое нетерпение.

— Знаю, но у меня работа есть, которую надо делать.

— Тогда, — улыбнулась она, отворачиваясь к раковине, — не буду больше тратить твое время.

Она включила воду, выждала несколько секунд, подняв лицо к потолку и глядя закрытыми глазами на что-то, чего я не видела и не ощущала.

Потом опустила амулет и цепочку под бегущую воду, закрыла кран, взяла амулет в руки и снова закрыла глаза.

— Очищен и готов к применению.

Я уставилась на нее. Она рассмеялась:

— А ты что, ожидала, что я его положу на алтарь и поведу тебя танцевать в лунном свете?

— Я видела, как моя наставница очищает украшения, и она использовала четыре стихии: землю, воздух, воду и огонь.

— Я хотела посмотреть, могу ли я его очистить так, чтобы ты могла это повторить сама.

— Ты имеешь в виду — просто смыть с него плохое?

— Я пустила воду на несколько минут, думая про себя: «Все воды священны». Ты, конечно, знаешь, что бегущая вода является барьером для зла.

— На самом деле я никогда не видела, чтобы вампир не мог перебраться ко мне через воду. Однажды гули перебежали через ручей.

— Очевидно, водный поток — как твой крест. Нужно верить.

— А почему вода не как камни, не сама действует?

— Почему вода должна быть как камень?

Один из тех выводящих из терпения вопросов, которые иногда задавала Марианна. Но я научилась играть в эту игру.

— А почему нет?

Она улыбнулась:

— Я теперь понимаю, почему ты так быстро и гладко сработалась с Майклом. У вас есть одно общее качество: вы умеете мгновенно выводить из себя собеседника.

— Да, мне говорили.

Она тщательно вытерла медальон чистым кухонным полотенцем и отдала его мне.

— Это не как крест, маршал. Не предмет, которые автоматически сдерживает создания зла. Этот предмет нейтрален — ты понимаешь, что это значит?

Я опустила медальон с цепочкой на ладонь:

— Это значит, что он не зло и не добро, скорее как оружие. Служит оно тому или другому — зависит от того, кто спускает курок.

— Аналогия более или менее верна, но я ни разу в жизни ничего подобного не видела. Ты меня не знаешь, но мне редко приходится произносить подобные слова, маршал.

Я посмотрела на тусклый блеск металла на ладони.

— Мне было сказано, что эта вещь не допустит ко мне Марми Нуар.

— Тебе что-нибудь еще о ней сказали?

Я подумала и покачала головой.

— Может быть, говоривший этого не знал. Но я думаю, что как не пускает она к тебе Темную Мать, так и привлекает к тебе другие создания.

— Какого рода?

— Есть что-то очень анималистичное, почти шаманское в энергии этого предмета, но все-таки не совсем.

Я хотела спросить, не привлекает ли он ко мне тигров? Может быть, именно медальон тянет их ко мне? Если спросить, не дам ли я ей слишком много информации?

— Почему вы спросили, насколько хорошим колдуном был Рэнди?

У меня было побуждение просто ей рассказать. Она права, я хотела ей рассказать, чувствовала, что мы должны как-то воспользоваться ее талантом, но не мне решать. Эдуард здесь старший, и я доверяю его опыту. Что я могла сейчас ответить?

— Преступники или создания зла не нанесли сразу смертельный удар. Первые удары были, чтобы помешать ему говорить. Он был полностью вооружен, отлично обучен — боец специальных сил. Это достаточно опасный противник, чтобы убивать сразу, но тот, кто наносил удары, счел его способность говорить опаснее для себя, чем оружие.

— Вы спрашивали о заклинании, но я не могу ничего придумать такого, что вынудило бы Рэнди говорить вслух. Ты видела Майкла и видела, как он работает. Его заклинания беззвучны.

— Да, но такого рода вызов требует сосредоточения, правда? Мог ли Рэнди воззвать к подобной энергии в разгаре боя?

Она задумалась.

— Не знаю. Никогда не пыталась так действовать в битве. У нас есть другие братья и сестры, которые служат солдатами. Могу их спросить по электронной почте.

— Спроси, пытались ли они творить магию в перестрелке. Без деталей.

— Даю слово.

Не слишком ли много я сказала? Мне казалось, что нет.

— Ради обоснования скажем, будто твои люди тебе сообщили, что не могут нормально и беззвучно творить магию в бою. Какая сила должна была выступить против вооруженного подразделения, против группы СВАТ, чтобы Рэнди Шерман подумал, будто слова сильнее подействуют, чем пули с серебряной оболочкой?

— Ты уверена, что это были серебряные пули?

— Стандартное вооружение СВАТ на случай, если вдруг преступник окажется вампиром или оборотнем. Они были приданы в качестве усиления охотнику на вампиров. Не могло у них не быть серебряных пуль.

— Но вы не проверили, — сказала она.

Я кивнула:

— Проверю. Но я видела, как эти ребята работают, и такой большой ошибки они не сделают.

Она кивнула:

— Рэнди наверняка не допустил бы такой оплошности.

— Ты не ответила на мой вопрос, Феба.

— Я думаю, — сказала она.

Нахмурившись, она чуть-чуть прикусила верхнюю губу. Похоже было на старую нервную привычку, почти уже изжитую. Я подумала, не выдающий ли это ее признак. Значит это, что она лжет, или что нервничает сильнее, чем следует? Может ли она быть как-то связана с тем, что происходит? Ну, может быть, но как-то это не ложилось в картину. Впрочем, насколько ее магия и сам дом со всеми его защитами влияют на мое восприятие этой женщины? Блин, вот лучше бы мне об этом не думать совсем или подумать раньше. И то, что раньше я об этом не подумала, означает, что опять кто-то мне в мозги залез. Блин.

Феба нахмурилась и сказала:

— Что-нибудь демоническое. Какие-то злые духи, вроде тех, что ты видела с твоей Матерью Тьмой.

— Ты о чем-то подумала, — сказала я.

Она покачала головой.

— Нет, это просто... это может быть все, что угодно. Ты мне даже не сказала, *как* они помешали Рэнди говорить. Я полагаю, это был кляп или какая-то рана, делающая речь невозможной.

Честно говоря, уж чтобы она и в правду была источником ценной информации, ей надо дать больше нитей, но Эдуард открыто мне запретил давать какие бы то ни было. Черт.

— Я знаю, что ты мне не доверяешь, маршал.

— А с чего бы мне доверять? Этот дом так заряжен магией, что ты устранила почти весь наш природный цинизм. Мы при тебе говорили куда более открыто, чем нам вообще случалось.

— Цинизм не всегда плодотворен при изучении и выполнении магии.

— Но для копов он необходим.

— Защищая свой дом магией, я не знала, что ко мне приедет полиция допрашивать.

— И это верно. Но как мы можем знать, что сделано намеренно, а что нет? Я даже не могу сказать, говорили мы слишком много до того, как ты восстановила защиту, или уже после. Если после, то ты это сделала намеренно, чтобы мы больше тебе рассказали о смерти Рэнди Шермана.

— Такой поступок был бы очень серым для викканской жрицы, маршал.

Я улыбнулась — настоящей улыбкой.

—Значит, ты так и сделала? Воспользовалась аварийной ситуацией и чуть подправила заклинания, чтобы мы стали болтать. — Я погрозила ей пальцем. — Это противозаконно. Магическое воздействие на полицейских, ведущих расследование, автоматически влечет за собой арест. Я могла бы тебя обвинить в злоупотреблении магией.

—Это тюремный срок как минимум шесть месяцев, — сказала она.

—Именно.

Мы посмотрели друг на друга.

—Горе лишило меня разума, и я приношу за это свои извинения, но я хочу знать, что случилось с Рэнди.

—Лучше не надо, — ответила я.

Она помрачнела:

—Настолько это страшно?

—Не надо, чтобы последним образом твоего друга были... — я запнулась, — фотографии с места преступления. И уж точно — не посещение морга. — Я хотела было положить ей ладонь на руку в знак утешения, но остановилась. Я не очень разбираюсь в паранормальных возможностях людей. Они растут от прикосновения, как у вампиров? У меня — нет, но мои весьма специализированы. Так что я опустила руку. — В этом ты уж поверь мне, Феба.

—Как я могу тебе верить, если ты угрожаешь мне тюрьмой?

В ее голосе прозвучала едва заметная струйка злости, но Фебу можно было понять.

Я на самом деле не сказала, что посажу ее в тюрьму. Я сказала, что *могла бы* посадить ее в тюрьму. Это серьезная разница, но если она это восприняла как угрозу, отлично. Если это даст мне больше информации об убийствах, или о Рэнди Шермане, или о чем угодно, — еще лучше. Я тут не популярности ищу, а разгадки преступления.

В дверях, ведущих в глубину дома, что-то шевельнулось — и у меня в руке оказался пистолет. Движение почти опережало мысль.

— Это моя дочь, — сказала Феба, но смотрела она на пистолет. Смотрела как на что-то очень плохое. Я даже его ни на кого не направила, а она уже испугалась. В мгновение ока из властной жрицы, связанной с божеством, превратилась в перепуганную штатскую.

— Можно мне слово сказать, или ты хочешь сразу меня пристрелить?

Голос Кейт нес сдержанную ярость. От нее шла красивая красная волна гнева, чуть приправленного страхом, и у меня живот свело, будто от голода — но голода не по твердой пище.

Я шагнула прочь от матери и дочери. Встала так, чтобы свободной рукой в случае чего открыть дверь и уйти от соблазна, если голод станет непреодолим. У меня там снаружи Нечестивец, и выбор между утолением ardeur'a с ним или паранормальным изнасилованием колдуньи решается однозначно: секс с вампиром. По крайней мере он — доброволец.

— Ты меня испугалась? — спросила Кейт, осторожно входя в комнату.

Она надела к джинсам короткую куртку и руки держала в карманах.

— Покажи руки, — сказала я тихим ровным голосом.

Она скривилась, но мать сказала ей:

— Делай, что она говорит, Кейт.

Девушка вряд ли была намного меня моложе — лет на пять максимум, но жизнь у нее была совсем другая. Она не верила, что я ее могу застрелить. А мать верила.

— Кейт, я, твоя жрица, велю тебе сделать, как она говорит.

Девушка тяжело вздохнула, вытащила руки из карманов — медленно и осторожно. Они были пусты. Злость выливалась из нее, подобно густому аромату, и казалось, что на вкус эта злость была бы лучше многих других.

— Я не дам тебе засунуть ее в тюрьму, — сказала она, и темные глаза были полны только тревоги за мать, будто и не стояла я напротив нее с пистолетом в руке.

Я надеялась, что мне не придется стрелять — это было бы как воевать с рассерженным Бемби. Она просто не понимала. Сама ее наивность помогла мне подчинить голод. Медленно и ровно дыша, я стала думать пустые, успокаивающие мысли.

— Кейт, — сказала Феба. — Я позволила горю взять верх над разумом. Это не вина маршала.

Кейт так мотнула головой, что хвост волос расплескался по плечам.

— Нет. — И она повернула рассерженный взгляд ко мне. — Если я тебе назову имя того, кто мог это сделать, ты отстанешь от матери?

— Кейт, нельзя!

— Мы ему не так много должны, чтобы ты шла за это в тюрьму. А если он и правда в этом замешан? Тогда в следующий раз, когда он кого-нибудь убвет, это и нам испортит карму. Я не настолько у него в долгу.

— Я была его жрицей, Кейт.

Она снова мотнула головой.

— А я нет. — Она обернулась ко мне. — Я встречаюсь с одним копом. Он говорил о разорванных телах, и не все это можно было списать на оборотня. Я в том смысле, что всегда, когда находят изувеченное тело, прежде всего обвиняют местных оборотней. — Я просто кивала. У девушки было настроение поговорить, не дай бог, я ей его испорчу. — Но он мне сказал, что некоторые тела разрезаны ножами. Что судмедэксперты такого никогда не видели, и вы тоже.

Болтливый у нее бойфренд, но если она мне сообщит имя, я не стану рассказывать. Может быть, я попытаюсь выяснить, кто это, и скажу ему, чтобы держал язык за зубами, но выдавать не буду. Пусть она мне только имя скажет.

— Это правда? — спросила она.

— Я не имею права обсуждать ведущееся расследование, и ты это знаешь.

— Если это правда, то вам нужно поговорить с Тоддом Берингом.

— Он снова без лекарств, это надо понять, — вставила Феба. — Он хороший человек, когда принимает свои лекарства, но когда нет...

— Для чего лекарства?

— Ему поставили диагноз шизофрении, потому что он слышал голоса и видел видения. Может, он слегка болен, но я никогда не видала природного колдуна такой силы.

— Что значит — природный колдун? — спросила я.

— Вот у тебя, — сказала Кейт, — сила просто появилась? Тебе ведь не надо было учиться, просто сразу можно было ее использовать.

— Мне пришлось учиться ею владеть.

— Вот и мы пытались научить Тодда. — Кейт уже не сердилась, скорее немного опечалилась. Я была рада этой печали: от нее гнев становился менее аппетитным.

— Не получилось? — спросила я.

— Получилось, — вздохнула Феба. — Но когда он снова начал заболевать, он вызывал такое, что нам никогда бы не следовало трогать. Есть вещи, которые нельзя делать — и не оказаться на стороне зла.

— Я слыхала об этом, — кивнула я.

— Он вызвал демона. Это было так ужасно — будто дышать не можешь от сгустившегося зла, — сказала Кейт. Она смотрела в землю, но в глазах ее был ужас воспоминания, будто она до сих пор это ощущала.

— Мне приходилось сталкиваться с демоническим.

— Тогда ты знаешь.

— Знаю, — кивнула я.

— У него вместо рук были когти-крючья. Насколько я знаю, он все еще находится в круге в доме Тодда, но если вырвется...

Девушка пожала плечами. Я посмотрела на них обеих:

— Наиболее вероятный сценарий — демон, вырвавшись из круга, убьет заклинателя и вернется туда, откуда взялся. Насколько вероятно, чтобы этот Тодд Беринг был достаточно силен и в здравом уме, чтобы управлять такой тварью?

Феба подумала и сказал:

— Он мог бы.

— Вы должны были сообщить властям, как только увидели демона, — заявила я.

— Я подумала, как и ты, что демон вырвется из круга и убьет Тодда. Это была бы немедленная карма. Мне и во сне не снилось, что Тодд сумеет его подчинить или что будет нападать на полисменов. Ходили слухи, что это серийный убийца — вампир и оборотни. Никто не говорил ни о демоне, ни о ножах. По телевизору говорилось, что полицейских разорвали клыками и когтями.

Серьезная утечка в полиции Вегаса, и о ней я должна буду сообщить. Одно дело — проболтаться своей девушке, совсем другое — давать информацию репортерам. Я не могла исключить шанс, что ее бойфренд и является этим источником.

— Это были ножи, мам.

Я не стала поправлять, что тут были и ножи, и когти. Незачем мне их информировать.

— Я благодарна вам за эти сведения.

— Если бы ты мне просто сказала, что он — Рэнди то есть — был ранен ножами, я бы сразу тебе сказала про Тодда.

— Понимаю. Но трудно знать заранее, кому доверять. Мне нужен его адрес.

Они переглянулись, потом Феба взяла лежащий возле телефона блокнот и написала адрес.

— И да простит меня Богиня, если эти страшные убийства совершил он.

Я убрала пистолет в кобуру, а левой рукой взяла у Фебы листок.

— Я не смогу скрыть, от кого получила информацию.

— Они нас всех притянут под следствие! — заорала Кейт и сделала шаг ко мне. И ее гнев вдруг оказался так близко, так рядом, так...

У меня за спиной открылась дверь, я успела отодвинуться, пропустив Эдуарда.

— У вас тут все в порядке? — спросил он.

Я сперва замотала головой, потом кивнула.

—Есть сумасшедший колдун, который вызвал демона с кинжалами вместо рук. В последний раз его видели внутри круга вызова. Надо посмотреть, там ли он еще.

—Если он там, значит, не его работа, — сказала Кейт.

Я посмотрела на нее и вынуждена была отвернуться, но не от зрелища — ее гнев обдавал меня волной соблазнительного аромата. Снова желудок свело судорогой, и я подалась за край открытой двери.

—Если он в круге, это еще не значит, что заклинатель его не выпустил и потом не вернул обратно.

—Ты погубишь нашу репутацию. Погубишь все, что мы создавали. Все добро, что сделала моя мать, отступит перед известием, что один из членов нашего ковена вызвал демона-убийцу!

Снова Кейт орала, надвигаясь на меня.

Я не могла допустить, чтобы она ко мне прикоснулась, потому что меня с ума сводил голод. Я хотела всосаться, выпить из нее весь гнев.

—Адрес у нас есть, и мне нужно на воздух.

Эдуард глянул на меня вопросительно.

—Остаться мне сейчас здесь — это будет порочный поступок, — тихо сказала я.

—Иди, — разрешил он, а сам повернулся успокоить разъяренную девушку и ее печальную мать.

Майклу не давали войти в кухню Олаф и Бернардо. Но никто еще не был в наручниках.

Я сказала, проходя мимо:

—Надо было нам сказать про Беринга и его демона.

Отдав листок Бернардо, я пошла дальше.

—Что это? — спросил он.

—Адрес демона с кинжалами вместо рук.

—Анита! — окликнул меня Олаф.

Я мотнула головой и оказалась уже у двери. Защиту я ощутила физически, почти как теплую воду или толстый пузырь, липнущий при каждом движении. Но она была поставлена на вход, а не на выход, и я вылезла из теплого защитного барьера в холодную ночью пустыни, где ждал меня, прислонившись к нашему автомобилю, Нечестивец.

Глава пятьдесят седьмая

Нечестивец отодвинулся от машины и встал чуть ли не по стойке смирно. Вдруг стал виден каждый дюйм его немалого роста, широкие плечи стали еще внушительнее. Он был одет в коричневый плащ поверх костюма того же цвета, светлые волосы серебрила луна, и концы их шевелило ветерком на плечах. Лицо почти до боли мужественное, и луна с уличными фонарями подчеркивали резкие скулы, подбородок с ямочкой преобразился в углы и плоскости, казался резче и мужественнее, чем на самом деле. Глаза у него сине-серые, и в этом свете — серебристо-серые. Он почувствовал, что я иду к нему, и они раскрылись шире.

Не важно было, что он никогда еще не служил мне пищей, не важно, что никогда у нас не было секса. Все добрые намерения разлетелись прахом, когда я перешла через двор и ступила на тротуар.

Послышался щелчок открываемого автомобиля — я оглянулась и увидела на крыльце Эдуарда. Он отпер нам машину. Практичен, как всегда.

Я снова обернулась к вампиру, и он заговорил голосом, уже чуть хриплым от ощущения моего голоса:

— Анита, что не так?

Я готова была налететь на него, как зверь. Как будто все виды голода, доставшиеся мне от вампирских меток и от моей собственной магии, закружились всепоглощающим бешеным водоворотом, сливаясь в единственное желание.

Глядя на высокое и красивое тело, я думала только одно: *еда. Мясо. Кровь.* И только очень отдаленно маячила мысль: *секс.* Я закрыла глаза, попыталась вернуть себе хоть что-то, похожее на самообладание. Если я сейчас к нему прикоснусь, то непонятно, брошусь я его трахать или вцеплюсь зубами — по-настоящему.

Мысль всадить в него зубы, чтобы горячая красная жидкость хлынула в рот... нет, вампиры — пища холодная. Ветер повеял сзади, по спине, и я учуяла запах стоящего на крыльце

Эдуарда. Этот теплее. Начала оборачиваться — и заставила себя остановиться.

— Нечестивец! — прошептала я.

— Да, я здесь.

— Что-то не так.

— Я чувствую твой голод. Будь ты вампиром, я бы позвал тебя сейчас на охоту.

— Помоги мне его утолить.

— Ты можешь превратить жажду крови в ardeur?

— Не знаю. — Это была правда. Настолько пугающая, что я стала снимать с себя оружие и бросать на землю, сказав через плечо: — Эдуард, подбери, будь добр, когда мы сядем в машину.

— Подберу.

Я наконец сняла жилет и, избавившись от его веса, задышала легче. По коже бежал жар, будто я горела. Так у некоторых ликантропов повышается температура перед превращением.

— Анита! — прозвучал голос Нечестивца уже гораздо ближе.

Я открыла глаза — он стоял прямо передо мной. Свет падал на него, и я видела каждую линию, каждый изгиб на его лице. Смотрела пристально в серебристые глаза, стояла в дюймах от его тела, и мой взгляд упал на его шею, где защищал ее воротник и галстук. Стояла и смотрела на шею сбоку, где бывает пульсирующая жилка, но кожа была спокойна. И сердце не билось. Я отступила назад — нет, это не то. Я хочу другого. Другого хочу... горячего.

И я обернулась к дому, крыльцу, теплу. Нечестивец схватил меня за руку, прижал крепко к своему телу, и сама внезапность, сила этого жеста отрезвили меня на миг, вернули возможность думать.

— Нечестивец, не пускай меня к ним. Убери меня куда-нибудь подальше. Заставь думать о сексе, а не о мясе.

Схватив его за перед рубашки, я дернула на себя так, что пуговицы полетели, рванула, чтобы просунуть руки к голой коже, обхватить, и прикосновение к этой мускулистой плоти помогло думать о чем-то другом, кроме вкуса теплой крови в жилах моего друга.

— У тебя кожа горяча.

Он обнял меня за талию, поднял от земли, и мои руки скользнули к его груди, слишком широкой, чтобы охватить его.

А в следующий миг мы взмыли в небо. Меня будто невидимой силой оттолкнуло от земли, ноги повисли в пустом воздухе.

Страх очистил мысли, приглушил все виды голода. Никогда еще меня не поднимал в воздух вампир, но оказалось, что мой страх перед полетом и в этом случае никуда не девается, даже сильнее, чем на самолете. Я висела, цепляясь за разорванную мною рубашку, как утопающий за спасательный круг, пульс бился в горле, не давая дышать, крик поднимался из легких. Прижимаясь лицом к голой груди Нечестивца, я давила в себе страшное, извращенное желание — посмотреть вниз.

Наконец я перестала сопротивляться — и посмотрела. Пустыня расстилалась под нами улетающим назад ковром, и было совсем не так высоко, как я боялась. Я опасалась увидеть крохотные машинки и игрушечные домики, но нет, на такую высоту мы не поднялись. Но на достаточную, чтобы, если он меня уронит, я осталась калекой на всю жизнь. Тоже не самая приятная мысль.

Тут я заметила, что земля приближается.

— Очень трудно приземляться, когда кого-нибудь несешь, — сказал Нечестивец. Его голос гулко резонировал у него в груди и передавался мне в ухо. — Я покачусь, чтобы погасить инерцию.

— Чего? — спросила я.

— Держись как держишься, все будет хорошо, — ответил он.

Земля приближалась теперь очень быстро, и у меня оставались секунды, чтобы решить, что делать. Попыталась обхватить Нечестивца ногами, но он предупредил:

— Ноги мне не связывай!

Я перестала, но осталась наедине со своим страхом и лишь мгновениями на борьбу с ним. Закрыв глаза, чтобы не видеть летящую навстречу землю, я вцепилась в Нечестивца руками.

Удар, когда его ноги коснулись земли, — и вот он покатился вперед, гася инерцию. Мы оказались на земле, лежа на боку, он обнимал меня двумя руками, принимая удар на себя. Я лежала, пытаясь снова начать дышать, обернутая его руками, прижатая к его телу.

— Ты цела, Анита?

Я не знала, так ли это, но сумела ответить:

— Да, все в порядке.

Голос звучал с испуганным придыханием.

Он меня отпустил, чуть отодвинул от себя, посмотрел мне в лицо, потом улыбнулся и взял его в большие ладони.

— Давно уже этого не делал, растренировался.

— Мало кто из вампиров умеет нести другого, — ответила я, все еще не отойдя от страха.

— Я же тебе говорил, мы с Истиной летаем очень здорово.

Он снова улыбнулся, и на этот раз улыбка была мне знакома. Тем более что он подался ко мне.

Я его остановила, положив ему ладонь на грудь:

— Кажется, сейчас ardeur кормить не надо. Ты меня так напугал, что он куда-то делся.

Он засмеялся — низким мужским смехом. Очень мужественные во всем они двое — он и его брат. Мне больше нравится, когда в мужчинах есть немножко женской энергии, но смех был хорош.

— У тебя кожа горяча на ощупь, будто ты в лихорадке. То, что случилось там, возле дома, еще не ушло от тебя. Когда страх отступит, вернется голод. — Лицо его стало строже. — Тебе нужно покормиться до этого, Анита.

У меня снова перехватило дыхание, сдавленным голосом я сказала:

— Мне хотелось вернуться в дом — и есть, Нечестивец. Мне не важно было, что это Эдуард, что это люди. Главное — что у них теплая кровь.

Он кивнул, все еще надо мной, опираясь на локоть, другая рука гладила мне лицо. Это было скорее успокаивающее прикосновение, чем сексуальное.

— Тебе нужно выпустить ardeur до того, как проснутся другие виды голода. Его нужно напитать.

— Что со мной, Нечестивец?

— Не знаю. Но если напитать ardeur, всякий другой голод тоже будет утолен.

— На время.

Тут он улыбнулся, но с легким оттенком грусти.

— Это всегда на время, Анита. Что бы ни было тебе нужно, оно тебе будет нужно снова.

Он снова ладонью взял меня за щеку, прикоснулся губами к губам и впервые поцеловал меня — нежнейшим поцелуем, едва касаясь.

И отодвинулся — чтобы прошептать:

— Отпусти ardeur, Анита, накорми его, чтобы ты могла вернуться к своим друзьям из полиции.

Я подумала об Эдуарде, о тех, кто с ним сейчас пойдет в дом, где демон, и о том, что не прикрываю ему спину. Ну, я бы любому полисмену, с которым пошла бы, прикрыла бы спину, но будем смотреть правде в глаза: только Эдуарда я бы никогда себе не простила, если что.

Я посмотрела в лицо Нечестивца:

— Как ты понял, что именно это надо мне сказать?

— У тебя есть верность и честь, и ты не бросишь своих друзей в опасности. Кормись, и мы отнесем тебя к ним.

— Мы?

— Я позвал Истину к нам.

Я посмотрела на него так подозрительно, что он не выдержал и снова засмеялся.

— Зачем?

— Потому что если все будет правильно, я сразу после этого ходить не смогу, не то что летать.

Выражение его лица заставило меня покраснеть и опустить глаза — как раз к его голой груди, где я разорвала на нем рубашку. Это меня еще больше смутило, и я поймала себя на том, что отталкиваюсь от него. Он позволил мне сесть, но сам остался лежать на боку на шершавой земле. Куда ни глянь, здесь была только голая земля, песок и камень. Над нами, за спиной Нечестивца, нависал холм — вот и все прикрытие. Ну, не все: еще ночное небо над нами — совершенно черное, и звезды, много-много звезд. Такие яркие, такие белые, как никогда не бывает в городе.

— Мы далеко? — спросила я.

— В смысле, от города?

— Да.

— Не знаю, трудно судить по воздуху, сколько миль.

— Во всяком случае, светового загрязнения здесь нет.

Он повернулся, посмотрел вверх на переливающееся небо.

— Красиво. Но я помню времена, когда почти всюду, куда ни пойди, небо было таким. Даже в самом большом городе свет не затмевал звезд.

Я посмотрела на мерцающее одеяло звезд, попыталась представить себе мир, где ночное небо всегда такое, и не смогла. Такое небо бывает над дальней пустыней, над открытой водой, там, где нет людей.

Он тронул меня за руку — осторожная игра пальцев. Я посмотрела на него, он — на наши руки, где его пальцы едва заметным прикосновением медленно ходили по моей коже. Глаз его или выражения лица мне не было видно.

— Анита, отпусти ardeur. Я не настолько силен, чтобы пробудить его, а тебя не настолько ко мне тянет, чтобы это произошло случайно.

— Тут ничего личного, Нечестивец. Я же вижу, как ты красив.

Он посмотрел на меня, и читалось на этом лице то, чего я никак не ожидала на нем увидеть: неуверенность.

— Это правда, Анита?

— Я не слепая, — нахмурилась я. — И вижу, как ты выглядишь.

— Правда? — Он снова опустил глаза, глядя на свои пальцы, идущие вверх по моей руке. Нашел ложбинку на ее изгибе, кончиком пальца потрогал теплую мягкую кожу. Я вздрогнула, дыхание перехватило. Тогда он улыбнулся: — Может быть, и видишь.

Он продолжал водить пальцем над той же точкой, я поежилась и сказала ему:

— Щекотно!

— Не думаю, — ответил он и сел. В сидячем положении рядом со мной он был куда как выше. Взял меня за плечи, погладил по рукам. — Впусти меня, Анита. Впусти.

От второго смысла я поморщилась, но его ладони на моих руках отвлекли меня от неприятного ощущения. Он меня обвинил по телефону в переборчивости; сейчас, под его руками, я поняла, что он был прав. Ко мне снова вернулась привычка подавлять ardeur. Между кормлениями я могла теперь протянуть дольше, и поэтому продолжала воевать. И до сих пор продолжаю, даже хотя знаю, что Эдуард будет звонить в местную полицию, чтобы организовать рейд на дом Тодда Беринга. Они войдут, и там наверняка будет как минимум демон, а может, и вампиры. В качестве же поддержки с ними будет только кто-то вроде Санчеса. Он мощный экстрасенс, но не разбирается в мертвецах, и я вполне уверена, что в демонах тоже. Если меня там не будет, а дело обернется хреново, я всю жизнь буду себя грызть, что могла бы их спасти — и не спасла.

Все, что мне нужно, — это исполнить секс с лежащим рядом мужчиной и напитать ardeur, а потом я готова появиться, как бог из машины. В такой формулировке это кажется просто: секс, напитать ardeur, отловить демона и нескольких вампиров, при этом чтобы никто из своих не погиб. Проще простого.

Но сперва — отпустить вожжи. Сперва — добровольно создать себе еще одну уязвимость, еще одного мужчину. Вот именно этот момент мне не очень нравился. Если правду сказать, совсем поперек горла. Не люблю быть уязвимой, ни для чего и ни для кого.

— Я недостаточно силен, чтобы пробиться сквозь твои щиты, Анита, — сказал он тихим и спокойным голосом.

Даже сейчас ситуацию контролировала я. Я могла просто сказать ему, чтобы отнес меня обратно к Эдуарду и к ребятам. Но... а что если я потеряю самообладание посреди налета на дом чернокнижника? А если голод вспыхнет в машине, когда я буду с Эдуардом, Олафом и Бернардо? Есть вещи похуже, чем секс с друзьями. Я могла бы у них выдрать глотки и купаться в их крови; и так бы и было, если бы Нечестивец меня от них не унес.

Нет уж, что бы там со мной ни было, но питать ardeur — это меньшее зло. Быстро подзаправиться, и снова за раскрытие преступления. Посмотрев на высокого красавца, я сказала:

— Мне жаль, что первый раз у нас будет на скорую руку. Ты стоил бы того, чтобы не торопиться, Нечестивец.

Он улыбнулся, и лицо его смягчилось:

— Ничего приятнее я от тебя в жизни не слышал.

Я тоже улыбнулась:

— Когда я выпущу ardeur после такого долгого поста, это может показаться грубым.

— Я буду осторожен.

— Я не про это.

Мотнув головой, я просто сняла с себя футболку, купленную у «Триксиз», и осталась в одном лифчике в эту на удивление теплую ночь.

Нечестивец посмотрел на меня удивленными глазами.

— Я про то, что можем случайно так разорвать друг на друге одежду, что надеть будет нечего.

Он пожал плечами и стал развязывать галстук:

— Предпочел бы обнажаться более чувственно, но командуешь ты.

— Хорошо бы, — вздохнула я.

— Ты говоришь: «разденься» — я раздеваюсь. Это и значит, что ты командуешь.

Он уже снял галстук, следующим пошел плащ.

— Ты же хотел в конце концов раздеться? — спросила я.

— Хотел.

Он снял обрывки рубашки, и одно лишь зрелище его голого торса заставило меня отвернуться. Первое обнажение кого-то хорошо знакомого всегда меня смущает.

Было у меня когда-то правило: если раздевание напрягает, то лучше остановиться, одеться — и домой. Я Джейсону говорила в Сент-Луисе, что забываюсь. Сейчас я здесь, далеко от дома, и не кто-то из мужчин моей жизни заставляет меня забыться, а сила, живущая во мне. От нее мне не сбежать. Как старая шутка: куда ни пойдешь, всюду обнаружишь себя. И так как от себя не уйти, то и пытаться не стоит.

Две руки сзади легли мне на ребра, уперлись нерешительно в края лифчика. Я потянулась к бретелькам — сбросить их с плеч, но его руки дошли туда раньше, и он их медленно спустил вниз, покрывая обнажаемые плечи поцелуями. Руки осторожно передвинулись к застежке, расстегнули, давление ослабло, и предмет одежды целиком соскользнул вниз, освобождая груди.

Тут же их приняли ладони, сильные ладони больших рук, сжали, разминая, ощупывая. И уже от одного этого я почувствовала, что стала влажной, и эти опытные руки вызвали у меня стон восторга. Я сама стала расстегивать брюки, но опять его руки успели раньше, погладив по дороге груди, расстегнули молнию, раскрыли ее, проникли внутрь, коснулись волос и потянулись ниже.

Я засмеялась:

— Руки у тебя большие, а штаны у меня тесные.

— Это можно исправить, — сказал хриплый голос рядом с моим ухом, и резким рывком он стянул с меня брюки вместе с трусами, обнажив верх бедер, подставив ночному воздуху.

Руки коснулись голого зада, гладя, обхватывая, ощупывая. У меня дыхание ускорилось, пульс часто забился в горле.

— Нечестивец! — выдохнула я.

— Вот так я и хочу слышать от тебя свое имя.

И его руки обняли меня спереди, стоящую на коленях. Пальцы проникли между ног, поглаживая самые сокровенные части, щекоча и дразня, заставляя меня вскрикивать. Вторая рука стянула джинсы пониже, чтобы можно было развести бедра, и знающие пальцы захватывали, шире, увереннее.

Он попытался проникнуть дальше, глубже, но поза была неудобной, и большая рука не совсем помещалась в освобожденном пространстве. Издав низкий досадливый звук, он взялся руками за края джинсов и сдернул их до колен. Потом притянул меня к себе, и я ощутила, какой он большой, твердый, готовый, но тут другая рука вернулась опять внутрь, между ног, палец вошел внутрь, и я снова вскрикнула. Он вдвинул пальцы дальше, вытащил, играя на этой влажности, на едва заметной сладкой точечке спереди, а другая рука обняла за талию, прижала к мужской твердости, и я полубессознательно стала тереться об него, а пальцы снова оказались между ног, дразня и поглаживая, и возникла и стала нарастать тяжесть грозящего прорваться наслаждения.

— Почти, — выдохнула я.

Он изменил ритм движения пальцев, быстрее, быстрее, снова-снова-и-снова, пока я не ахнула:

— Нечестивец!

И от легкого движения пальцев я пролилась через край, крик вырвался из горла, я забилась, прижимаясь к Нечестивцу, к груди, животу, ниже, а пальцы ласкали, играли, заманивали, вызывали оргазм, и я уже не знала, это один и тот же или много-много маленьких быстро один за другим и они сливаются воедино.

Я орала от наслаждения прямо в звездную ночь, и лишь когда я обмякла в его объятиях, перестала его рука шевелиться, и только тогда он чуть отодвинул меня от себя, и только тогда я почувствовала, как пробивается в меня он. Ноги еще не работали, и он держал меня на весу, обняв за талию, а другая рука помогала ему найти тот угол, который был нужен. И снова я назвала его по имени: «Нечестивец», — и тогда он положил меня на разостланный плащ и от меня отодвинулся.

— Что случилось? — спросила я у него.

— Ничего, — ответил он. — Ничего совсем.

Я смотрела снизу, лежа, ожидая, чтобы тело снова начало работать, а он перебирал свою одежду, пока не нашел презерватив. Я была на таблетках, но правило было такое, что любой мужчина, не входящий в число моих главных возлюбленных, должен быть одет. Если уж случится непредусмотренное, то пусть это будет кто-то из тех, кого я люблю. То, что я это правило забыла и пришлось вспоминать ему, уже говорит о том, как меня занесло сегодня.

Нечестивец подобрался ко мне опять, уже растянув латекс по всей своей длине.

Обняв меня за талию одной рукой, он поднял меня, лежащую ничком, почти на четвереньки. И снова стал искать нужную позу, и от этих легких прикосновений я застонала нетерпеливо и снова назвала его имя. А он нашел, что искал, и стал пробиваться внутрь, и у меня уже не было воздуху, чтобы произносить слова.

Он снова положил меня на расстеленный плащ, и я прижалась щекой к ткани и к земле под ней, а остальное он приподнял, уйдя в меня, уйдя так, что уже дальше было некуда, и наши тела встретились, остановились, слились вместе. Вот так он помедлил секунду, потом стал искать ритм, туда и обратно, туда и обратно, долгими, медленными, глубокими движениями всего тела, уходя до упора, сильно, но ласково, будто боялся сделать больно, и снова двигался наружу.

—Ты мне больно не сделаешь, — сумела я сказать.

—Я упираюсь в шейку, это будет больно, если не быть осторожным.

—Мне это нравится.

—Что?

—Ты меня хорошо подготовил, Нечестивец, ощущение чудесное.

—Отпусти ardeur, и я буду быстрее.

Он держал все тот же осторожный ритм, но я чувствовала напряжение, как он сдерживает себя.

—Сильнее! — сказала я.

—Ardeur, — ответил он голосом, готовым сорваться, дрожащим, как мышцы, которые он сдерживал. Я не хотела, чтобы он сдерживался.

И я сделала, как он просил, как мне было нужно: я потянулась к той части своей личности, которая и есть ardeur, и это не так, будто убрали щит, а просто будто я перестала с собой сражаться. Ardeur нахлынул на нас обоих приливом жара, от которого мы вскрикнули.

— Делай меня, Нечестивец, делай!

Он отбросил осторожность и всей своей длиной, всей толщиной, быстро и сильно вбивал себя в меня со звуками удара кожи в кожу, и я кричала ему, визжала ему, содрогалась от ощущения его ударов в самую глубокую точку, от ощущения, что надо прекратить, а он еще нет. И он начал снова, на этот раз не так глубоко, чуть иными движениями бедер, и снова стал во мне нарастать теплый тяжелый жар. Я повторяла и повторяла его имя, вперемежку со слово «Боже», и наконец оргазм заорал моим ртом, руки вцепились в плащ, в землю. Если бы я могла дотянуться, я бы вцепилась в кожу, но мне пришлось искать иные пути выражения страсти.

И он надо мной вскрикнул, тело утратило ритм, и он качал меня изо всей силы и мощи, я думала, что это уже все, но оказалось, что даже еще сейчас он был осторожен. Его тело ударилось в меня изнутри, и если бы не ardeur, это было бы что-то более чем поразительное, но ardeur убрал все, кроме желания и радости. Нечестивец довел меня еще раз — и только после этого дал себе волю. Только тогда его тело дернулось еще раз во мне, и мы вскрикнули вместе, и он во мне содрогнулся, и только тогда ardeur пустился есть.

Я питалась каждым ударом его тела внутри меня, ощущением, как он проливается в меня, силой его тела, стоящего надо мной на коленях. Я питалась от его рук, сжимавших мне плечо, от напряжения мышц в последнем уже толчке, от которого я снова вскрикнула — и тогда он рухнул мне на спину. Он оперся на руки, сумел выгнуться надо мной как мост, прижавшись мокрой голой грудью к моей спине, а тело его еще было во мне, мы вместе стояли на четвереньках, прижатые друг к другу так тесно, как только могут прижаться тела, и дыхание громом отдавалось у нас в ушах, и сердце его грохотало о мои ребра. Оно билось, билось для меня.

Нечестивец вышел из меня, засмеялся, весь дрожа. Я последний раз тихо вскрикнула и свалилась набок, а он свернулся вокруг меня кольцом. Так мы и лежали, восстанавливая дыхание, и только тогда я глянула направо и увидела Истину, стоящего в свете звезд.

Глава пятьдесят восьмая

Истина смотрел на нас серьезными глазами. Волосы у него темные, в отличие от брата, но глаза такие же серые, лицо тоже как у брата, если не считать небольшой бороды, скрывающей мужественные черты, от которой Истина кажется незаметнее Нечестивца.

Я ожидала, что он отвернется, наш скромник Истина, но он смотрел на нас, лицо его было холодным и бледным в свете звезд, обрамленное темными волосами. Он смотрел, и было в его лице нечто, чего я раньше никогда там не видела: голод. Смотрел, как оголодавший до смерти — или как утопающий.

Нечестивец погладил меня спереди, разогнув мне ноги, чтобы брату было видно.

Я хотела ему сказать, чтобы перестал дразнить брата, но слова застряли в горле, потому что Истина зашагал к нам. Кожаную куртку он сбросил на землю, за ней следом полетела черная футболка. Торсы у них были почти одинаковы: широкоплечие и сильные, и только длинный кривой шрам, приобретший с возрастом блеск, выдавал разницу. Руки Истины были уже на поясе, когда я попыталась что-то сказать, но он сбросил пистолет вместе с кобурой и ремнем, не оглянувшись, вот тут-то я и поняла, что что-то не так. Истина и Нечестивец с оружием обращаются очень аккуратно, всегда.

Я начала что-то говорить, но его руки уже легли на ремень, и штаны упали к щиколоткам. Оказалось, что не только торсы у братьев почти идентичны.

— Истина! — успела сказать я, и тут почувствовала: ardeur не ушел. После сеанса питания он засыпал, всегда, кроме тех случаев, когда перекидывался на кого-нибудь из присутствующих, но для этого нужно было прикосновение. Истина стоял неподалеку, но пока я пыталась как-то найти во всем этом логику, он уже балансировал на одной ноге, стаскивая с себя ботинок, потом другой, потом Истина переступил через спущенные штаны, а я, все еще лежа на земле, прижатая к телу его брата, только смотрела снизу. Один был момент, чтобы решить, что я чувствую, и тут же Истина оказался рядом, опустился на землю, тянулся ко мне.

Я еще раз успела назвать его имя, и он притянул меня к себе, отобрав у Нечестивца, и положил на спину. Я глазела на него, а он упал на меня сверху, прижался ртом к губам, стал целовать так, будто хотел проникнуть в горло и дальше. Я ответила на поцелуй, ответила губами, руками, обхватившими его спину, ощупывающими позвоночник, опускающимися вниз, туда, где кончалась талия и начиналось другое. Дальше мне достать было трудно — он слишком высокий.

Он целовал меня, сильно и долго, пока наконец из его губ не послышались тихие протестующие звуки, и он поднялся с меня, слишком высокий, чтобы одновременно и целовать, и любить. Всей силой рук он развел мне бедра, я увидела на миг эту твердую толстую длину, и руку Нечестивца, протягивающую презерватив.

Истина хмыкнул, но взял его и надел. К концу одевания он уже почти рычал от нетерпения, и слова «нетерпение» еще было мало, чтобы описать это рычание. Всю эту безопасно зачехленную длину он приставил ко мне, и я смотрела, как он втискивается дюйм за дюймом. От одного только зрелища у меня голова закинулась назад и крик вырвался из губ. Передо мной переливались миллионы звезд ночного неба, и Истина вдвигался в меня.

Он стоял на коленях, упираясь руками, и почти единственное, чем он касался меня, был этот длинный стержень плоти, входящий внутрь и выходящий наружу.

Я выкрикнула звездам его имя, и он стал вбиваться сильнее, быстрее, дыхание участилось и стало прерывистым, он начал терять ритм. Я смотрела на его тело, нависшее надо мной, и глаза его смотрели в ночь, не на меня. Я хотела ему сказать, чтобы обратил на меня внимание, и тут неожиданный оргазм скрутил меня, я захлебнулась криком, визгом, протягивая руки, чтобы ухватиться за него, где попало, втереть свое наслаждение в эту кожу. Он обнял меня за талию, оторвал от земли нижнюю половину тела, и последний раз вдвинулся, уже содрогаясь, зарылся в меня, и пролился там, и ardeur пировал.

И я пировала не только на сексе, на этом сладком поту, но и на страхе в нем. Он боялся ardeur'a еще с тех времен, как Белль Морт много сотен лет назад дала Истине ощутить его вкус. И как боялся, но ardeur вновь настиг его, настиг в пустыне под сияющими звездами, в сладком запахе обнаженных тел. Он свалился вперед, все еще на коленях, сомкнув руки вокруг меня, и голова его упала мне на грудь. Я сумела тронуть его волосы: они были тоньше, чем у Нечестивца, шелковистые на ощупь.

И я гладила его по волосам, чувствуя, как возвращается дыхание, и пульс снова поднялся к горлу, и чистый воздух пустыни пьянил как шампанское.

Истина весь затрясся, и я поняла, что он плачет, и стала гладить его по волосам, приговаривая:

— Истина, Истина, что с тобой?

Он поднял голову, на лице в суровом свете звезд поблескивали слезы.

— Я хотел отказаться, но не мог. Увидев тебя голую при луне, не мог сопротивляться.

— Истина, прости, мне очень жаль.

Я говорила искренне. Сама знаю, что это такое — не иметь выбора.

К нам подошел Нечестивец, обнял брата за плечи.

— Да все в порядке, она не такая, как Белль.

Истина отодвинулся от нас обоих:

— Но в конечном счете ardeur всех превращает в чудовищ.

Я села и очень осторожно, очень бережно подвинулась к нему. Он и в правду был напуган, и я стала вытирать ему слезы пальцами. Он не мешал, но глаза у него были слишком широко открыты, белки виднелись, как у лошади, готовой понести.

— Помоги мне не стать чудовищем, Истина.

Он посмотрел на меня, нахмурив лоб — не так, будто я предмет, подлежащий оттрахиванию, или же которого надо бояться, — а так, будто *видит* меня. Что бы это ни значило.

— Что ты этим хочешь сказать? — спросил он хриплым от плача голосом.

— Что ты мне должен будешь сказать, если я начну превращаться в чудовище. Ты мне скажешь, если эта сила меня обратит во что-то иное.

— Жан-Клод скажет.

— Он мне однажды сказал, что доверяет мне убить его, если он станет бессердечным, как Белль Морт. Он рассчитывает на меня, что я не дам ему стать монстром.

— И ты мне говоришь, чтобы я убил тебя, если ты потеряешь над собой контроль? — спросил он, медленно выговаривая слова.

Я подумала и ответила:

— Еще нет. Но если Тьма мною завладеет и ничего от меня не останется, то да.

— Ты не знаешь, о чем просишь, — сказал Нечестивец.

— Я знаю, что все остальные слишком меня любят, но если от меня останется один только ardeur, то меня все равно уже не будет.

Братья переглянулись, потом посмотрели на меня одинаковыми взглядами.

— Как нам узнать, что тебя уже нет? — спросил Истина.

Я снова подумала.

— Не знаю.

Истина коснулся мизинцем моей щеки, отнял палец, на котором дрожала одинокая слеза.

— Ты говоришь серьезно.

Я кивнула, охватила руками колени, прижала их к груди.

— Я думала, что дело в мужчинах. Что я живу с Жан-Клодом и всеми прочими и потому собой не владею, но здесь их нет.

Здесь только я, понимаешь, Истина? Дело во мне. Я не знаю, что со мной происходит, и не знаю, как этим управлять.

Уронив голову на колени, я зарыдала. Да, я знала, что надо одеваться, что меня ждет демон, что я не знаю, где сейчас Эдуард, но только одна мысль была у меня сейчас: что я больше не могу на себя полагаться.

Истина обнял меня, и Нечестивец тоже, с другой стороны, и они держали меня между собой, обнимали, и я рыдала. Они меня обнимали, а я говорила им то, что вряд ли могла бы сказать Эдуарду или любому из мужчин, которых люблю. Как можно кого-то попросить тебя убить, если наберешь слишком много силы и слишком много зла? Жан-Клод однажды попросил меня об этом, и я его за это прокляла. А сейчас братья меня обнимали, а я открыла им самый темный свой страх.

Истина шепнул мне в ухо:

— Если ardeur тобой завладеет и ты станешь таким же воплощением зла, как Белль Морт, я обещаю...

— Мы обещаем, — перебил его Нечестивец. — Обещаем, что не дадим тебе стать злом.

— Вы убьете меня, — сказала я тихо.

Они помолчали несколько мгновений, потом руки их сильнее меня обняли, и братья ответили в один голос:

— Мы тебя убьем.

И это было лучшее, что я могла услышать. Если ardeur или Тьма подчинят меня себе, то Истина и Нечестивец меня убьют прежде, чем я сделаю то, что любая из злых волшебниц Запада от меня захочет. И не важно, что они при этом убьют тех, кто метафизически со мной связан, потому что если Марми Нуар овладеет мной или я превращусь всего лишь в сосуд для ardeur'a, та дрянь, что поселится во мне, захватит в конце концов всех. И мысль о том, что мы можем натворить, если станем орудиями зла, воистину утратим жалость, была так ужасна, что я даже не могла ее осмыслить. Мы сможем тогда править вампирами и подавляющим большинством оборотней этой страны, потом можем захватить и Европу. Если Марми Нуар завладеет мною и получит все, что принадлежит Жан-Клоду и мне, то ничто не сможет остановить нас, кроме тех двух вампиров, что обнимают меня сейчас. Они смогут — ценой моей жизни.

Я сидела в звездной ночи, меня обнимали руки тех единственных двух, у кого хватит доброты, чести и беспощадности убить меня по моей просьбе. Когда-то я думала, что это сделает Эдуард, если нужно, но сейчас я знаю, что даже он заколебался бы — слишком он меня любит. Но Истина и Нечестивец не любят меня так, пока что — не любят, и если мы за этим проследим, то и не будут. Потому что мне нужно, чтобы они сдержали слово. Я должна знать, что на случай полного моего крушения, полного и окончательного, у меня есть страховка. Страховка из клинков, пуль и двух лучших воинов, топтавших когда-либо нашу планету.

Из страховок — не худшая.

Глава пятьдесят девятая

Мы оделись, потому что — как ни странно, — когда утих ardeur и ушло горе, ночь в пустыне оказалась холодной. Истина дал мне свою кожаную куртку, а когда я стала возражать, заметил, что не так воспринимает холод, как люди. Ну, это я знала, но все же эмоциональное откровение меня несколько потрясло.

Когда он надевал на меня куртку, я увидела, что у него на руках остались следы от ногтей, некоторые даже кровавые. И на тыльной стороне правой ладони — тоже.

— Ой, Господи, Истина, прости!

Он глянул на царапины, будто тоже только что их заметил.

— Ерунда.

— Ну, все равно, мне неудобно, что я сперва не спросила.

Он чуть заметно улыбнулся:

— У нас не было времени на переговоры.

— Да, пожалуй.

— Буду их считать следом моей службы тебе и Жан-Клоду.

Я слегка дернулась:

— Не надо говорить «служба». Это звучит почти как...

— Не надо в его слова вкладывать больше, чем там есть, Анита, — перебил Нечестивец. — Он ничего такого не хотел сказать.

Разговор увял, потому что слишком смущал меня. Куртка Истины была достаточно велика, чтобы мои руки утопали в рукавах, а подол доходил до середины бедра. Вид был как у пятилетней девочки, нарядившейся в папину куртку, зато тепло. И пусть полиция моды выписывает мне штраф.

По сотовому Истины я позвонила Эдуарду — мой, наверное, остался во дворе у Фебы Биллингс. Надеюсь, Эдуард его нашел. Я позвонила узнать, где он, и не слишком ли мне поздно помогать ему в охоте на демона.

— Привет, Анита, — сказал он наполовину с облегчением, наполовину с испугом. Такое от Эдуарда слышишь не часто.

— Как ты там?

— Это я бы должен у тебя спрашивать, — ответил он, понизив голос, будто не хотел, чтобы подслушали. — Последний раз, как я тебя видел, тебя уносил вампир, и я не стал ему мешать. Прошло полтора часа, а ты еще не вернулась. Мне казалось, что, если тебе нужно питать ardeur, для этого хватит быстрячка.

Я подавила желание оглянуться на братьев-вампиров.

— Можешь мне поверить, Эдуард, это и был быстряк. Я все пропустила? В доме Беринга нашли демона?

— Ты ничего не пропустила. Пыталась ты когда-нибудь получить ордер на обыск на том основании, что в доме может находиться демон?

Я чуть не сказала «да», потом остановилась и подумала.

— На самом деле нет.

— Так вот, нам попался судья, который считает, что демоны — это просто злые духи. И утверждает, что демоны не могли убить полицейских.

— Вообще-то он прав, но это не имеет значения. По нашему ордеру на ликвидацию мы имеем право войти в дом Беринга.

— Шоу так не считает, а замещает шерифа он.

— Ага. Я правильно поняла, что Беринг богат, или у него связи, или еще что-то?

— Его семья тут имеет большой вес уже столько времени, сколько Макс заправляет в городе. Он последний в роду, если не оставит потомства. Что представляется маловероятным, если нам удастся попасть к нему в дом.

— Ты можешь просто выполнять ордер. Он федеральный и отменяет все местные заморочки.

— Я хотел дать тебе время вернуться.

— Блин, Эдуард, ты же не обязан задерживать расследование только потому, что у меня метафизический срыв.

— Сформулируем по-другому: есть ли кто-нибудь, кроме нас с тобой, кого ты хотела бы иметь в напарниках против демона?

Я подумала и сказала:

— Лейтенант Граймс и его люди свое дело знают.

— Они из лучших, но я не видел, чтобы они молились ангелам, и все вокруг начинало светиться.

Ага.

— Ладно. Скажи, где ты, и Нечестивец меня туда подбросит.

Оказалось, что он в полиции, в СВАТ.

— У нас совещание по поводу дома Беринга. Ждем ордера — или чтобы я стал размахивать тем, который у нас есть.

— Там мое оружие в сейфе, ты мог бы кое-что для меня поменять? Я когда собиралась, не имела в виду демона.

— Я уже для тебя собрал что нужно, и во дворе вместе с оружием нашел твой телефон. Могу тебе перечислить, что взял.

— Не надо, я тебе доверяю. Хотя, честно говоря, демон почти все время недостаточно материализован, чтобы на него действовало обычное оружие любого рода. Те редкие, которые должны полностью материализоваться для нападения, могут это делать лишь в момент атаки, так что придется нам вокруг себя и друг друга стрелять все время, если станет горячо.

— Видишь? Из их практиционеров никто этого не знает, и священник, который благословлял нам пули, тоже.

— Священник, который — чего делал?

— Ты не ослышалась.

— Надо же. Никогда этого не пробовала.

— Я тоже.

— Интересно, будут ли пули светиться, — подумала я вслух.

— Заодно и узнаем, — ответил Эдуард.

— Узнаем, — вздохнула я.

— Что-то у тебя голос не особенно.

Я подумала, что сказать, и дала единственный ответ, который смогла найти:

— Мне надоело быть жертвой собственных метафизических сил, Эдуард.

— Как ты сейчас?

— Я напитала ardeur. На двенадцать часов меня должно хватить. Может, и на все двадцать четыре.

— Удвоение времени откуда?

— Скажем, очень плотно поела.

— О'кей. Тогда давай сюда побыстрее.

— Так что, я появляюсь, размахиваю удостоверением федерала, достаю всех до печенок, а потом появляешься ты, невероятно разумный и доброжелательный по сравнению с этой стервой?

— Я бы вполне готов был сыграть грубияна, но слишком я здесь был рассудительный, мне не объяснить перемену.

— Значит, стервой буду я.

— А ты представь себе лицо Шоу, когда будешь играть эту роль.

Я улыбнулась, сама зная, что улыбка не слишком приятная.

— Ладно, договорились. Хорошо, я буду злой коп, но в следующий раз твоя очередь.

— Ты этим свою репутацию не подорвешь.

—А ты можешь, — договорила я за него.

—Тед — потрясающе славный парень, — ответил он.

—У меня почему-то мурашки по коже, когда ты говоришь о Теде в третьем лице.

Он засмеялся, и это был хороший смех Эдуарда.

—В общем, давай сюда побыстрее. У тебя значок с собой?

Я стала ощупывать себя и нашла ремень, значок и пустую кобуру, пережившие эту ночь.

—Как ни странно, да.

—Тогда размахивай им и объясняй всем, почему мы не должны ждать ни Шоу, ни судью.

—А не получится, что ты и другие маршалы будут выглядеть слабаками?

—Тут все считают, что мы с ними — бабьи подкаблучники. Зачем людей разочаровывать?

Я пожала плечами, сообразила, что он этого не видит, и ответила:

—О'кей, но ты предупреди Бернардо и Олафа, чтобы они потом на меня не дулись.

—Предупрежу. Давай быстрее.

Я услышала, как он отрывается от телефона и говорит в сторону:

—Здравствуйте, детектив Морган. Да, это маршал Блейк. — Пауза. — Попросите вежливо, тогда может быть.

Очевидно, Морган попросил вежливо.

—Где вас черти носят, Блейк?

—Шла по следу, — ответила я.

—Что за след?

—Вампиры.

—И что это был за вампирский след?

—Такой, который никуда не привел.

—То есть, — сказал он весьма недружелюбно, — вы просто потратили полтора часа нашего времени.

—Как вы сами знаете, большинство следов никуда не приводят. А что до времени — это же не я пытаюсь прикрыть задницу вторым слоем документов.

—Вы лучше свою задницу сюда тащите.

— Вы мне не начальник, Морган. Отдайте трубку Теду.

— А он вам начальник?

— В Вегасе разве что его можно так назвать.

Снова шум, движение, и трубку взял Эдуард.

— Ты уж извини, Блейк, — обратился ко мне благожелательный Тед. Послышались шаги — ковбойские сапоги стучали по твердому, а потом Эдуард заговорил нормально. — Морган не был согласен с Шоу насчет обращения к судье. Он считал, что мы должны сами разнести Беринга на клочья.

— И он свою злость на Шоу срывает на нас?

— Мы его не выгоним со службы и не понизим в звании.

— Мне как-то надоело служить девочкой для битья, Эдуард.

— Ага. — Шаги остановились. — Давай сюда, Анита. Надо заканчивать работу.

И я осталась с гудящим телефоном в руках. На самом деле я бы предпочла брать демона при дневном свете, но тут были две проблемы. Первая — демоны днем не показываются, так что если ты хочешь его убить или изгнать, приходится действовать ночью. Вторая — раз тут участвуют вампиры, я бы тем более предпочла действовать днем, но пока мы будем страховаться и ждать, они могут еще кого-нибудь убить. Что неприемлемо. Так что моя работа сейчас — решить, какое из несчастий выбрать. Как, наверное, часто бывает в работе полицейского.

Я обернулась к вампирам:

— Мне нужно обратно в Вегас, помахать ордером, чтобы ребята могли войти в тот дом.

— Я думал, твой ордер подразумевает любой дом, который тебе нужен, — удивился Нечестивец.

— Да, но у нас тут разозленный шериф и судья, который не любит ордеров на ликвидацию. Как многие судьи.

— А чего им не любить такие ордера? — спросил Нечестивец. — Отличный законный повод убрать всех, кто стоит у тебя на дороге.

— Ты так говоришь, будто не одобряешь.

— Кто я такой, чтобы одобрять или не одобрять?

—Ладно. Истина, отнеси меня в Вегас.

—Я не говорил, что не понесу, — сказал Нечестивец.

—Тогда перестань заедаться. Мне этого вот так от местных хватает.

Его лицо смягчилось:

—Анита, прости. Я же вампир, и завтра меня сможет убить любой истребитель почти без доказательств и уж точно без суда.

Истина и Нечестивец встали передо мной зеркальными отражениями друг друга, будто у них была сейчас одна и та же мысль.

—Мы тебя отнесем, куда бы тебе ни было нужно, — сказал Истина.

—Ты боишься до меня дотронуться? — спросила я.

Он покачал головой.

Я всмотрелась в его серьезное лицо:

—Ты боишься ardeur'a?

—Да.

—Он не тебя боится, Анита. Мы знаем, что ты говорила серьезно. Белль никогда бы никого об этом не просила. Ей нравится быть чудовищем.

Меня пробрало дрожью — на этот раз не от наслаждения.

—Мне знакомо ее прикосновение.

Вспомнился ее визит во сне. Я была почти уверена, что именно она помешала тигру Виктору что-то сделать со мной во сне, но взамен она как-то изменила ardeur. Это она сделала так, что ardeur захватил Истину на расстоянии? Не знаю. А если ее спросить, она соврет.

—В общем, кто согласен, несите меня к Эдуарду.

—Она боится высоты, — сказал Нечестивец.

—Сильно боится? — спросил Истина.

—Достаточно.

Истина посмотрел на меня оценивающим взглядом.

—Мы тебя ни за что не уроним.

Я отмахнулась от этой мысли:

— Это фобия, а не логика. Только давайте, решите уж, пока я еще остатки храбрости не растеряла.

Они рассмеялись — будто стереозвук.

— Ты много чего можешь потерять, — сказал Нечестивец, — но только не храбрость.

— Приятно думать. Так кто же будет пилотом на обратном пути?

— А почему тебе просто не приказать одному из нас? — спросил Истина.

— Потому что я не умею летать и не знаю, насколько устал Нечестивец, когда меня сюда нес и потом кормил ardeur. И потому я доверяю вам решить, кому это делать.

Нечестивец мне улыбнулся:

— Тем, что ты нас спрашиваешь, а не командуешь, я горжусь едва ли не больше, чем сексом.

— Всегда пожалуйста, — пожала я плечами. — А теперь все-таки давайте обратно в город.

— Я понесу ее, — сказал Истина.

— У меня было больше времени на отдых, — возразил Нечестивец.

— Я понесу, — повторил Истина.

Братья обменялись очень долгим взглядом. Одно из тех нечитаемых мгновений, когда воздух тяжел от веса невысказанных мыслей, и вдруг ты чувствуешь себя вуайеристом, подглядывающим за чужой жизнью. Я теперь поняла, что говорил Бернардо обо мне и Эдуарде там, в машине. Он был прав.

— Как скажешь, — наконец произнес Нечестивец.

— Так и скажу.

И снова я будто слушала обрывок разговора, и десятки разных вещей скрывались под поверхностью этих немногих слов, но не надо никому давать понять, что ты слышишь то, что не произнесено. Они от этого нервничают, а я народ пугаю достаточно и без проявления девичьей интуиции.

— Ты готова? — спросил Истина.

Я сделала глубокий вдох, медленно выдохнула, стараясь, чтобы выдох получился без дрожи, и кивнула.

Он сократил между нами дистанцию, остановился в нерешительности и сказал:

— Я должен буду нести тебя.

Я снова кивнула:

— Да, я знаю.

Голос мой прозвучал лишь чуть-чуть недовольно. Черт побери, я же могу. Всего лишь высота да полет, да... а, черт, не хочу, но мы слишком далеко, чтобы ехать, даже если бы машина была. Так будет быстрее всего, а Эдуард и без того уже меня заждался.

Истина подхватил меня на руки, будто собирался идти со мной пешком. Наверное, что-то отразилось на моем лице, потому что он сказал:

— Так тебя надежнее всего нести.

— Нет-нет, просто Нечестивец нес меня по-другому.

— Я боялся, что ты начнешь вырываться с этим твоим голодом. Прижимая тебя к себе, я был уверен, что справлюсь, если ты... обезумеешь в полете.

Истина повернулся, держа меня на руках:

— Ты говоришь «голод», а не ardeur?

— Первым голодом, который ею овладел, был голод по плоти и крови. Ее потянуло к людям, и она попросила меня отнести ее куда-нибудь, где не будет этого соблазна.

Истина посмотрел на меня с лицом серьезным и непроницаемым — это у него такое лицо, когда он не хочет ничего показывать. Когда не хочет, чтобы кто-нибудь знал его мысли.

— Что такое? — спросила я.

Он покачал головой:

— Я тебя отнесу к твоим друзьям, но если другие виды голода стали подниматься сильнее, чем ardeur, ты очень тщательно должна следить, чтобы вовремя есть обычную еду. И...

Он не договорил.

— Он хочет сказать вот что: чтобы ты точно не напала на своих человеческих друзей, тебе нужно регулярней питать ardeur, а также есть больше обычной еды

— Ты думаешь, сегодня мне еще надо есть перед тем, как лечь спать? — спросила я.

— Я думаю, что полночный перекус был бы очень кстати, — ответил Нечестивец.

— Согласен, — сказал Истина.

— Блин. Вот чего я точно не захотела бы — это некоторых из тех, кого вы привезли из Сент-Луиса.

— Мне кажется, что небольшой секс с согласными на то мужчинами был бы меньшим злом, Анита.

Я кивнула. Если вопрос стоит о выборе между сексом и попыткой выдрать глотку Олафу, Бернардо или Эдуарду, то... дайте-ка подумаю. А вслух я сказала:

— Я знаю, что это меньшее зло, но все равно не обязана этому радоваться.

— Если бы радовалась, это была бы уже не ты, — ответил Истина.

— Но если ты будешь по этому поводу переживать не так сильно, — сказал Нечестивец, — то у тебя ardeur будет под бóльшим контролем, это в первую очередь. Чтобы использовать вампирские силы как следует, нужно прежде всего перестать им сопротивляться.

— Знаете, если мы собрались просто поболтать, опустите тогда меня на землю.

— Даме надоели разговоры, — сказал Нечестивец.

— Что ж, к делу, — ответил ему Истина, и я ощутила напор энергии, бьющий в небо. Песок и мелкие камешки взметнулись вверх от вихря силы, и мы в облаке пыли взмыли в воздух.

От вида уходящей вниз земли закружилась голова, волна тошноты полезла вверх по горлу. Я крепко зажмурилась и прижалась к груди Истины. Тошнота ослабела, но пульс еще норовил вырваться из горла сбоку, сердце билось так, что грудь болела. Я попыталась не обхватывать его шею так судорожно, но не смогла сдержаться, чтобы не захватить горстями ткань, будто эта тонкая футболка мне поможет, если все рухнет к чертям. Но иногда, когда очень сильно напугаешься, единственное, что тебе остается, это иллюзия. И тогда цепляйся за нее покрепче, детка. Цепляйся.

Глава шестидесятая

Еще до прилета в Вегас я обнаружила, что могу открыть глаза. Надо только не сводить взгляда с плеча Истины или с неба. Я даже смогла признать, что находиться в темноте в окружении звезд — красиво. Только земля далеко внизу портила вид.

Истина только однажды спросил меня, как я. Я ответила, что все в порядке, и он не стал расспрашивать — понятно было, что он ощущает наполнивший меня страх. Скрыть от него частоту сердцебиения и дыхания я не могла, но еще до приземления они пришли в норму. Я боялась по-прежнему, но вполне могла остаться на этом уровне страха, не впадая в панику и не теряя сознания.

Звезды стали меркнуть, и я сперва подумала, что это дневной свет, хотя и знала, что время совсем не то. Но черное небо стало светлеть, и я поняла, что это огни Вегаса. Они поднимались в небо ложным рассветом, делая черное небо бледным, как постоянный восход солнца, вечно расталкивающий тьму, никогда не пускающий в город звезды.

Истине пришлось подняться выше, просто чтобы держаться над домами. Иногда крыша пролетала так близко, что, казалось, рукой дотронешься. И при моем страхе высоты подмывало меня такое извращенное желание. Пришлось крепче вцепиться в Истину, и он, наверное, подумал, что я испугалась сильнее.

— Скоро будем на месте, — сказал он мне, и голос его прозвучал сдавленно.

Я посмотрела на него и чуть не спросила, что с ним такое, но что я могла бы сделать, если что?

Мы оставили позади высокие здания Стрипа и летели над обычными домами и магазинами — это мог быть город Где-Угодно, США. Местность становилась все более открытой, показались огни аэропорта. Я подумала, что Истина собирается приземляться по ним, но он стал забирать к зданиям на краю летного поля. Я бы не узнала нужный дом с воздуха, в темноте, и еще меня волновал момент приземления с качением по земле, где бетон и дома. Земля рванулась навстречу, мне пришлось закрыть глаза, борясь с тошнотой, а потом я поняла, что дело тут не в том, что я вижу, а в ощущении падения под ложечкой. Открыв глаза, я увидела сбоку стену дома, и тут Истина на бегу стукнулся оземь и побежал дальше, чуть споткнувшись, но не выпустив меня из рук. Бег становился медленнее, и наконец вампир смог остановиться, все еще скрытый тенью дома. Я успела заметить улицу, где неслись редкие огни машин, прорезая насыщенную электричеством тьму. Истина направился по кратчайшему пути в тень дома, чтобы скрыться от взглядов с улицы. Сзади расстилалась открытая местность, окружающая аэропорт.

Он прислонился к стене, пошатнувшись от усталости, держа меня на руках как ребенка.

— Можешь поставить на землю, Истина, — сказала я.

Он открыл глаза и заморгал, будто возвращаясь из глубокой задумчивости. Потом поставил меня на землю, выпустил из рук, прислонился к стене здания, и грудь у него поднималась и опускалась, будто после быстрого бега. Вампиры не всегда дышат, и не всегда им это нужно, так что этот факт означал, что Истина устал, или что-то иное.

Я кончиками пальцев коснулась его голой руки.

— Ты теплый, — сказала я.

— Тронь меня там, где я тебя к себе не прижимал, — ответил он.

Я дотронулась до его лица сбоку. Кожа была прохладна.

— Значит, это мое тело согрело тебя?

Он кивнул.

— Отчего же ты так дышишь? Сколько энергии тебе пришлось затратить?

Он с трудом проглотил слюну, видно было, как шевельнулось горло.

— Прилично.

— Блин, надо было дать Нечестивцу меня нести.

Он покачал головой, все еще прижимаясь плечами и руками к стене здания.

— Вряд ли это имело бы значение. Просто ты покормилась глубже, чем я думал, только и всего.

— Что это значит?

Он посмотрел на меня серыми глазами, почти никогда не похожими на глаза брата.

— Вот как мы можем взять больше крови или меньше, так же и ardeur. Ты была как вампир, который голодал слишком долго. Тебе нужно было больше.

— Но вампир может выпить лишь столько крови, сколько в желудок войдет, — возразила я. — Ardeur ведь не так действует?

Он посмотрел на меня и ничего не сказал.

Блин.

— И насколько ты серьезно ослаблен?

— Не ослаблен, просто устал.

— Хорошо, насколько серьезно ты устал?

— Тебе пора к твоим друзьям, — сказал он.

— Не могу я тебя так оставить на улице. Ты даже стоять не можешь. Появись сейчас Витторио со своей шайкой — ты будешь для них легкой добычей.

Он посмотрел на меня настоящими вампирскими глазами, серая молния сверкнула во взгляде.

— Я никому не добыча, — сказал он сердито, и тут его глаза стали нормальными, а сам он начал сползать по стене. Я его подхватила, не дала упасть. Он положил руку мне на плечо, и я почувствовала, каких усилий ему стоит не падать.

— Извини, — сказал он.

— Нет, это ты меня извини.

— На полет нужно много энергии, а если несешь кого-нибудь — еще больше. Я просто забыл, насколько больше.

— Значит, дело не во мне, а просто ты, накормив меня, сильно потом напрягся.

— Да. Отлично помогло бы просто поспать или покормиться.

— Кормление поможет? — спросила я

Он кивнул. Тело его дрожало от усилий не упасть. И даже при моей помощи это было не просто

— Я тебя так не оставлю, Истина. Либо ты пойдешь со мной, и пусть тебя копы защищают, либо...

Я не хотела открывать для него вену. Я это однажды сделала, чтобы спасти ему жизнь, когда его пырнули серебряным ножом — он тогда помогал полиции и мне задержать очень плохого вампира, — но я не хотела изображать из себя ходячий банк крови. Однако ни за что Граймс и его люди не пустили бы к себе в здание вампира. Как я объясню копам его присутствие, и как я объясню, что с ним такое? Когда открыть вену — меньшее зло, приходится пересматривать приоритеты.

— Возьми кровь у меня.

— Ты никому не даешь крови.

Он говорил хрипло, ноги у него стали подкашиваться. Я помогла ему сесть, опираясь спиной на стену.

— Обычно — нет, но сейчас срочная необходимость. Как мне было нужно питать от тебя ardeur.

У него затрепетали веки, закрываясь.

— Истина, черт тебя побери, не вздумай в обморок падать!

Он широко раскрыл глаза, и я видела, как он борется со слабостью, стараясь меня послушаться. И сделала единственное, что могла придумать: подставила ему левое запястье. Это будет больнее, чем шея, но легче будет скрыть от полицейских.

— Я недостаточно вампир, чтобы затуманить тебе мозг. Будет больно.

— Ешь давай, — сказала я.

Он поднял трясущиеся руки, одной схватил меня за руку, а второй поддернул рукав кожаной куртки. Рукава были длинные, но он без труда обнажил мне предплечье.

Я собралась перед укусом, потом выдохнула и заставила себя расслабиться. Если напрячься, то будет больнее — как при уколе.

Истина широко раскрыл рот, и я успела увидеть блеск клыков перед ударом. В последнюю минуту напряглась — ничего не могла сделать. Сразу же резко ударила боль и возникло ощущение туго присосавшегося рта, а клыки ушли глубже. Вот там глубже боль и осталась, но ощущение рта на запястье, присасывания было приятно. Последние несколько месяцев мне приходилось чаще давать кровь Ашеру и Жан-Клоду, и, очевидно, организм научился этот процесс превращать в наслаждение. У меня он стал ассоциироваться с сексом, потому что с Жан-Клодом и Ашером мы сделали кровь элементом предварительной игры, а иногда — и самого секса. Я даже не подозревала, насколько это изменило мое отношение к самому процессу дачи крови.

Он брал кровь, а мое тело пыталось разобраться, куда же все-таки все это отнести: к боли или к наслаждению. Истина уже сел, отодвинувшись от стены, руки его стали намного сильнее, рот присосался энергичнее, горло ходило вверх-вниз, высасывая меня, проглатывая.

Мне пришлось опереться о стену, чтобы остаться стоять на коленях, а не рухнуть на бетон, потому что наконец-то голова решила: это хорошо. Так хорошо, что ноги подкашиваются.

Это Истина остановил процесс, оторвавшись от моей руки. Но не выпустил ее из своих больших ладоней, прислонился к ней головой. Я всей тяжестью оперлась на прохладный бетон стены, стараясь не поддаться слабости коленей. И была я мокрая — тело приготовилось по привычке к тому, бывало после. Когда это я в последний раз давала кровь вампиру без секса? Не вспомнить. Сейчас уже такого не бывает.

Блин.

Голос Истины прозвучал все еще хрипло, но уже без придыхание, чуть глубже. Но не от болезни или усталости глубже.

— У тебя вкус... энергия такая... совсем не то, что в прошлый раз.

— Ты был при смерти, ты просто не помнишь.

Он поднял голову, посмотрел на меня. Серебристо-серые глаза светились в полутьме.

— Вампир никогда не забудет вкуса крови, Анита. Что-то изменилось с момента нашего знакомства.

Он лизнул рану — длинным, чувственным движением, закрыл сверкающие глаза и облизал губы, будто чтобы не упустить ни одной капельки. Рана все еще кровоточила и будет кровоточить еще какое-то время — в слюне вампиров содержится антикоагулянт.

— Отпусти мою руку, Истина, — сказала я, но голос у меня прозвучал слегка неуверенно.

Он улыбнулся и разжал пальцы.

Я отодвинулась, опираясь на стену. Никогда не видела, чтобы Истина улыбался — вот так.

А он просто сидел под стенкой и улыбался, глядя на меня.

— Ты пьян? — спросила я.

— Возможно. — Улыбка была счастливая.

Я только однажды видала у вампира такую реакцию, и тот вампир тогда пил по очереди у Джейсона и у меня. Вервольф с запивкой из некроманта заставили Жан-Клода пьяно хихикать.

— Мне пора, Истина.

— Иди, — ответил он, улыбаясь еще шире.

— Я должна знать, что оставляю тебя в порядке.

— А, ерунда!

Он встал слишком быстро — только что был на земле и оказался передо мной. Вампиры быстрее нормальных людей, но чтобы вставание казалось таким быстрым, надо уметь замыливать мозги. Будь у меня пистолет — я бы сейчас его направила. Просто по привычке.

И еще я машинально отступила, чтобы не быть на расстоянии вытянутой руки, но при такой скорости это было бы бесполезно.

— Я не хотел тебя пугать. Просто показал, что все в полном порядке.

У меня пульс забился в горле.

— Так это не ментальный фокус был, — сказала я.

— Ты про скорость?

— Да, про нее.

— Нет, без дураков.

— Никогда не видала вампира, способного так двигаться.

Он слегка поклонился:

—Высокая похвала в твоих устах. Но у нас это в крови, в нашей линии.

—Ты про скорость без ментальных фокусов? Это умеют все вампиры вашей линии?

—Да.

—Понятно, почему вы тогда элита воинов. Это быстрее, чем почти у любого ликантропа.

—Когда-то, если совету вампиров было нужно убивать оборотней, посылали вампиров нашей крови.

—Но сейчас остались только ты и Нечестивец?

Он кивнул.

—Я тебя видела в бою, ты не был так быстр.

—Уже давно мне не было так хорошо. — Он потянулся, подняв руки к небу, мышцы зашевелились буграми. — Как новенький. Как... — он глянул на меня, и глаза его и сияющих серебристых стали обычными, — как в те дни, когда мы еще не убили родоначальника нашей линии. — Он нахмурил брови. — Ты меня привязала к Жан-Клоду своей кровью и его силой. Что ты сделала — или что сделал он тебе — с того раза, как ты меня питала кровью?

—Не знаю, о чем ты говоришь, — сказала я.

Он сильнее наморщил лоб и задумался сильнее:

—Я говорю о том, что я будто снова родился, будто сейчас пройдет по улице наш прежний мастер и поздоровается. — Он шагнул ко мне, я отступила, сохраняя дистанцию. Тогда он остановился. — Ты меня боишься?

—Я не знаю, что сейчас произошло, поэтому я просто осторожна.

Он кивнул, будто понял и согласился.

—Я тебя провожу к твоим друзьям и потом вернусь в отель.

—Отлично, — сказала я. Но с моим проклятым любопытством не могла оставить тему. — Ты только не обижайся, но тебе, кажется, все равно, что я теперь к тебе насторожена?

Он пожал широкими плечами.

—Я тебя напугал, и сам не знаю, что только что случилось. Пока мы не будем знать, дело тут в твоей крови, в твоей силе или в моей силе, осторожность не помешает.

— О'кей. Тогда проводи меня за угол, и можешь быть свободен.

— Ладно.

Он жестом пропустил меня вперед, я обошла его по широкой дуге, и мы так и обходили друг друга до самого угла здания. Оставалось только его обогнуть и через несколько ярдов встретиться с Эдуардом, его друзьями и полицией. По улице вихрем промчалась группа машин, совершенно не обращая на нас внимания. Забавно было видеть машины, знать, что где-то есть люди, а мы только что вышли из какого-то совершенно своего мира.

Что я заметила в этом нашем танце друг вокруг друга — что пистолет Истины в кобуре на поясе без куртки заметен. Одной футболки мало, чтобы его скрыть.

А есть у него разрешение на ношение оружия в этом штате? Этого я не знала. А что знала — что какой-нибудь усердный коп, увидев здоровенного мужика, одетого в черное и с пистолетом, может его остановить. То, что ты вампир, тебя от этого не гарантирует.

Сняв с себя куртку, я протянула ему. Он мотнул головой:

— Я же тебе говорил: я не чувствую холод так, как ты.

— Это чтобы пистолет спрятать, — ответила я. — Не хотелось бы, чтобы тебя копы тормознули за оружие напоказ.

Он чуть было не притронулся к пистолету на спине, но остановил руку. Взял куртку, тщательно избегая соприкосновения со мной. Я сделала вывод, что по мне виден мой испуг. Ну и ладно.

Истина натянул куртку, запахнулся кожаными полами. Я на миг подумала, что ему все же холодно, потом сообразила, что он просто нюхает куртку — она пахнет мной. И опять же это был больше жест оборотня, чем вампира. Я всмотрелась в него при свете фонарей, и вид у него был здоровый и розовощекий. Не знай я, на кого смотрю, вполне могла бы принять за человека. Что за хрень?

Остановившись на тротуаре, я спросила:

— У вампиров вашей крови есть какие-то суперсилы?

— Можем сойти за людей. Даже колдуны путают.

— Еще есть?

— Есть некоторые. А что?

— Да нет, так. До завтра.

— До рассвета домой не вернешься?

— Я бы на это не рассчитывала.

— Мне не по себе, Анита. Я должен быть рядом с тобой, охранять тебя, а вместо того должен отпустить навстречу опасности, и без меня. Нехорошо это.

— Такая у меня работа, Истина.

Он кивнул.

— Буду тебя ждать в отеле. Надеюсь, ты еще до рассвета обернешься. — Он повернулся и сказал через плечо: — Ты все еще кровоточишь.

Я посмотрела, увидела струйку крови на руке, капающую на тротуар, и прижала рану. Как я не почувствовала сама?

— Как ты объяснишь эту рану?

— Что-нибудь придумаю. Да иди уже, Истина!

Тут заиграла классическая музыка, несколько сдвинутая вверх, но я узнала Бетховена. Истина полез в карман, достал сотовый:

— Да?

Я махнула рукой и направилась за угол.

— Анита, это тебя! — позвал Истина.

Я обернулась:

— Кто это?

— Твой друг, маршал Тед Форрестер.

Я вернулась, взяла телефон, который он мне протягивал:

— Тед, я тут буквально за углом, сейчас буду.

— Это вряд ли, — ответил он. Я услышала шум, звуки.

— Ты в своей машине?

— Поступил вызов.

— Что еще стряслось?

— Вампиры ворвались в клуб. Некоторых клиентов отпустили, но всех танцоров задержали. Отпущенные заложники описывают вампира со шрамами от святой воды — как ты описала Витторио.

— Блин.

— Ты говорила, что он увеличит сегодня счет трупов. Ты была права.

— Можешь мне поверить, Эдуард, не хотела я оказаться правой.

— Даю тебе адрес.

— Тут найдется кому меня отвезти?

— Вызывали всех, Анита.

— Блин.

— У тебя транспорта нет?

— Да есть, Истина все еще тут. Попрошу его меня к вам отнести.

— Только смотри, чтобы он тебя поставил подальше от полицейского ограждения. Не хотелось бы мне, чтобы патрульные у барьеров увидели летящего вампира с женщиной в руках.

— Поняла.

— Мы здесь, но ждать тебя не можем, Анита. С освобожденными клиентами нам выслали ухо одной танцовщицы. Вампиры грозятся выслать и все остальное — по частям.

— Буду как можно скорее, Эдуард, — сказала я, но уже в глухую трубку. Он отключился. — Твою мать! — произнесла я с неподдельным чувством.

— Я почти все слышал. Где это?

Я ему передала, он попросил вернуть ему телефон и что-то сделал с экраном. Несколько секунд всматривался, потом сказал:

— Так, понятно. Готова?

— Второй раз тебя кормить с таким небольшим перерывом я не смогу, Истина.

— Все нормально, Анита. Можешь мне поверить, это не понадобится, когда мы сядем.

Мне пришлось поверить ему на слово. Он меня поднял в воздух, и мне пришлось зажимать укус на запястье вместо того, чтобы вцепляться в вампира. У меня была надежда, что если прижать как следует, к моменту приземления кровь остановится. Если да, то это будет единственное, что сегодня получилось правильно.

Глава шестьдесят первая

Я прижалась к Истине так тесно, как только могла, лишенная возможности за него ухватиться, но в конце концов не могла больше выдержать: бросила собственную руку и обхватила его за шею, спрятала лицо у него на груди. Он теперь был теплым — теплым от моей крови, моей энергии. У него на шее под моей щекой бился пульс, и стук его сердца взывал ко мне.

От изгиба шеи пахло чистотой и свежестью, как от чистых простыней, высушенных на ветру под солнцем. Как будто в его коже сохранился след всех тех солнечных дней, которых он уже никогда не увидит.

В том, как он меня держал, что-то изменилось, и я повернула голову посмотреть. Внизу вспыхивали мигалки, сновали копы, но не очень близко. Истина опустился на землю возле дальнего конца темных торговых рядов. Немножко пробежался, чтобы погасить инерцию, но плавнее, чем в прошлый раз. То ли вспоминался навык, то ли он был в лучшей физической форме.

Он шагнул в густую тень затемненного магазина и посмотрел вдоль улицы, где стояли машины с мигалками.

— Там как раз полицейское заграждение.

— Можешь поставить меня на землю, — сказала я.

В темноте блеснула улыбка, и он поставил меня, ничего не сказав.

— Все еще кровь идет? — спросил он.

Я посмотрела на руку и увидела, что кровь засыхает.

— Уже нет.

— Это хорошо.

И возникло неуклюжее молчание. Так бывает, когда на первом свидании непонятно, пора уже целоваться или только обниматься. И это было неправильно: у меня еще никогда не было такого чувства в его присутствии. Он нагнулся ко мне, я шагнула назад.

— Извини, Истина. Я не знаю, что происходит, но не думаю, что это добровольно с твоей или с моей стороны.

Он выпрямился, глядя на меня. Лицо его было скрыто тенью.

— Ты думаешь, я тебя зачаровал.

Я пожала плечами.

— Но это не я, Анита. Ты же тоже чувствуешь эту тягу.

Я вспомнила, что мне когда-то сказал Жан-Клод.

— Очень многие из сил Белль — обоюдоострые. Но это острие поражает лишь до той глубины, до которой вампир хочет быть поражен.

— Значит, ты хочешь поражения до самого сердца.

На это я не знала, что сказать, и потому прикрылась работой:

— Мне пора. И тебе тоже пора. — Я мотнула головой. — Давай, Истина, лети отсюда, просто куда-нибудь в другое место.

В ту же секунду он взмыл в небо, и мне отбросило ветром волосы в лицо.

Я повернулась туда, где было ограждение. Все эти барьеры мне сейчас придется проходить, объясняя патрульным, чтобы пропустили к ребятам из СВАТ. Мне хотелось найти Эдуарда — не ради полицейской работы или по практическим причинам, а потому что нужен был друг. Такой друг, что не хочет меня трахать и не собирается в меня влюбляться. Которому от меня ничего не надо.

И список таких друзей становился все короче и короче.

Глава шестьдесят вторая

Я почти уже добралась до барьеров, когда мне перегородил дорогу мужчина в свитере с капюшоном. Я собиралась извиниться и обойти его, как увидела под капюшоном лицо — и слова замерли в горле.

Темно-карие глаза, черные волосы, смутная бледность кожи, красивое и мужественное лицо, но он повернулся к свету — и стали видны шрамы ожогов справа.

Рука дернулась к «браунингу» — его не было. Ничего не было. Я была безоружна — а он передо мной.

— Не вызывай ментально своих вампиров. Я это почувствую — и велю своим вампирам убить эту соблазнительницу в клубе. И я знаю, что ты безоружна. Не думал, что ты окажешься столь беспечна, но это дает нам шанс поговорить.

Я облизала вдруг пересохшие губы и сделала единственное, что пришло на ум: шагнула назад, давая себе место. Как бы мало толку в этом ни было.

— Зачем было захватывать клуб? Зачем давать полиции время поймать твоих вампиров в западню?

Я спрашивала спокойным голосом. Очко в мою пользу.

— Это была приманка для тебя, Анита.

— Надо же. Обычно мужчины просто цветы посылают.

Он посмотрел на меня сплошными карими радужками. До конца понять выражение его лица я не могла, но, очевидно, моя реакция отличалась от ожидаемой.

— Если ты каким-либо способом позовешь на помощь, я велю вампирам, которые мне подчинены, начать убивать проституток.

— Они танцовщицы, а не проститутки, — ответила я, — но я тебя поняла. Ты достаточно сильный мастер, чтобы обращаться к своим вампирам ментально.

— Как и ты, — кивнул он.

Я сделала глубокий вдох и постаралась изо всех сил как-то взять под контроль сердцебиение и пульс. Что ему на это ответить, я не знала, и поэтому промолчала. Держать язык за зубами — это редко меня заводило в беду.

Он оглядывал меня с головы до ног — не как мужчина смотрит на женщину, а как смотрит покупатель на намеченный автомобиль. Взгляд именно клиента в магазине, а не кавалера на свидании.

Я попыталась его втравить в беседу:

— Ты сказал, что хочешь говорить? Давай будем говорить.

— Пойдем со мной. Прямо сейчас.

Он протянул большую руку с длинными пальцами. И действительно большую, слишком большую, я бы сказала, но изящную. Как его голос.

— Не пойду, — ответила я.

— Тогда я немедленно дам приказ убивать блудниц.

Я покачала головой:

— Ты их наверняка убьешь в любом случае.

— А если я дам тебе слово?

— Я знаю, что ты говоришь искренне. Но ты — серийный убийца и сексуальный садист. Прости, но это не позволяет тебе верить.

Я пожала плечами и начала яростно думать в сторону Эдуарда. Не магически, а просто желанием, чтобы он посмотрел сюда, подошел сюда, заметил. Но я слишком низкорослая, и толпа меня закрывает, а стоящий передо мной вампир закрывает еще сильнее. И вряд ли случайно.

— Я понимаю, о чем ты, — сказал он и снял капюшон с правой стороны. — Посмотри как следует, Анита. Посмотри, что сделали со мной люди.

Я попыталась не смотреть, потому что это мог быть просто прием отвлечения, но есть вещи, на которые не смотреть трудно. У Ашера лицевые шрамы идут по краю щеки, уходя на подбородок. А у Витторио вся правая щека, от края капюшона до рта и подбородка была сплошным рубцом.

Он опустил капюшон на лицо снова, и я поняла, что левая рука у него протянута назад, будто он точно знал, что кто-то сейчас возьмет его руку. И к ней потянулась молодая девушка. Я сперва подумала, что она тоже вампир, но посмотрела в эти широко раскрытые серые глаза и поняла. Она была одета с бродяжьим шиком: слишком короткая юбка, голый живот, маленькие груди приподняты как можно выше. До того, как это вошло в моду, я бы подумала — проститутка. Теперь, когда такое носит половина сопливых девчонок, я могу только гадать, что носят проститутки.

Она отвела с лица короткие каштановые волосы, сонно улыбнулась Витторио.

— Не трогай ее, — сказала я.

Он погладил девушку по щеке, и она прильнула к ладони, как котенок. Витторио повернул ее ко мне лицом, чтобы я увидела под слоем краски, как она молода: лет четырнадцать, ну пятнадцать от силы. Трудно было сказать точнее при такой раскраске и одежде. Они добавляют лет, которые девушки еще не заслужили.

— Не трогай ее, я сказала.

У меня голос уже не дрожал, в нем звучали первые нотки гнева. И я обрадовалась ему, подкармливая сладкими мыслями о мести, о том, что сделала бы я с Витторио, представься мне возможность.

— Если проснутся твои звери, я вырву ей горло, — предупредил он, привлекая ее к себе.

Мне снова пришлось сдержать свой гнев, проглотить его, потому что он был прав: я не могла гарантировать, что при таком напряжении гнев не устроит мне какой-нибудь проблемы с ликантропией. Если бы я умела перекидываться реально, это дало бы мне оружие, но для меня ликантропия была не оружием, а именно проблемой.

Он протянул другую руку — и к ней подошел мужчина. Высокий, выше Витторио. Серые глаза были почти как у этой девушки, и короткие волосы того же оттенка каштанового. Он смотрел перед собой, ничего не видя.

Витторио начал расстегивать молнию свитера, обнажая грудь. Я знала, как это выглядит, потому что так же располагались самые страшные шрамы Ашера — но здесь было страшнее. Святая вода не просто оставила шрамы на коже, она разъела тело, обнажив сухожилия и кости ребер. Как будто тело пыталось снова вырастить какую-то ткань поверху, но правая сторона груди и живот выглядели как скелет, покрытый рубцовой тканью. Там, где не было костей, чтобы поддержать заживающую рану, зияли впадины.

Если бы он хотел, то мог в этот момент сделать со мной все, что вздумал бы — так меня загипнотизировало зрелище этих повреждений и сознание, что он после этого выжил.

— Если бы я мог умереть от заражения, то умер бы, потому что в те времена еще не было антибиотиков.

— Если хочешь умереть, подожди здесь: я принесу пистолет и помогу тебе.

— Были времена, когда я искал именно этого, но никого не было столь сильного, чтобы меня сразить. Я это понял как знамение, что я сам — смерть, ибо смерть не может меня коснуться.

— Все смертно, Витторио, — ответила я. Никак не могла оторвать глаз от отца и дочери.

— Какие они хрупкие, эти люди. Правда?

— Ты их сюда привел как заложников?

— Я их нашел в толпе. Сперва я подумал, — он поглядел на девушку, — что она блудница. Но нет, она лишь притворяется. — Он поцеловал ее в макушку, и она прильнула к нему сильнее. — От нее разит невинностью и неискушенностью.

— Чего — ты — хочешь?

Я в каждое слово вложила тот гнев, который пыталась подавить. Трудно придумать, чего бы я ни отдала в этот миг за пистолет.

Он посмотрел вниз, на девушку. Она прижималась к нему, запустив руки глубоко под свитер, обхватив его за талию и смотрела она на него с полным восторгом.

— Она видит меня таким, каким я был раньше. Когда-то я был красив.

— А потом ты совершаешь большое откровение и ловишь кайф от сюрприза. Понимаю.

Он сказал, глядя не на нее — на меня.

— Я могу уйти отсюда с этой парой — или с тобой. Отдашь свою свободу за их свободу?

— Не надо этого делать, — сказала я тише.

— Ты пойдешь со мной, чтобы их спасти?

Я посмотрела на мужчину, на его невидящие глаза, на загипнотизированную девушку.

—Ты не убиваешь ни мужчин, ни детей — кроме мужчин-стриптизеров. Это не твои любимые жертвы, отпусти их.

—Мне пробудить отца, чтобы он видел, что делают с его дочерью?

—Чего ты хочешь, Витторио? — спросила я.

—Тебя.

Мы смотрели друг на друга в упор. Он слегка улыбался, я — нет.

—Меня. В каком смысле?

Он засмеялся — горько.

—Твоей добродетели ничего не угрожает, Анита. Церковь об этом позаботилась много лет назад.

—Из-за твоих вампиров в Сент-Луисе? Ради этого я тебе была здесь нужна?

—Месть — это для мелочных умов, Анита. Ты узнаешь, что у меня мысли масштабнее. Величественнее.

Девочка начала целовать изуродованную сторону груди, нетерпеливо постанывая.

Он что-то с ней сделал, чего я не ощутила, прямое воздействие на разум. Стояла в футе от них, и ни хрена не ощутила. За многие годы не встречала вампира, у которого бы так получалось.

—У меня есть шпионы в лагере Максимилиана. Он знает, а теперь знаю и я, что Жан-Клод не поставил тебе четвертой метки.

Я изо всех сил постаралась сохранить бесстрастное лицо, но знала, что не получилось — глаза раскрылись шире, дыхание перехватило, пульс зачастил.

—Твой мастер оставил открытую дверь для других, Анита. Вивиана хочет, чтобы в эту дверь вошел Макс. Она считает, что если бы ты любила Жан-Клода, ты бы ему это позволила и была бы сейчас за ним замужем. В твоей нерешительности она видит доказательство, что ты еще не нашла своей истинной любви.

—Она слишком старомодна в этом смысле, — ответила я, потому что — что еще могла я сказать? Соври я, он бы знал. Вампиры и оборотни — ходячие детекторы лжи. Те из них, кто силен, а Витторио как раз из таких.

—Но пусть тебя не волнует Макс и его невеста, ибо я решил, что эта дверь для меня, а не для него.

Я заморгала — злость прошла, уступив место недоумению. Много чего я могла придумать, что хотел бы от меня этот сумасшедший, но этого пункта в списке не было.

—Ты хочешь сделать меня своим слугой?

—Да.

—Зачем? — спросила я. — Всякий знает, какой я для Жан-Клода геморрой. Тебе-то он зачем?

Я не могла позвать на помощь никаким способом — иначе кто-нибудь погибнет. Не могла дать волю собственной ликантропии, потому что это бы мне не помогло. Так что же я могла сделать? Что, блин, могла я сделать без оружия?

Он снова засмеялся, но на этот раз более низким голосом, более привлекательным, более соблазнительным.

—Ради власти, Анита. Силы и власти. Ты первый за много веков истинный некромант, и у тебя еще куча других сил.

Он шагнул ко мне ближе, увлекая за собой девушку. Мужчина шагнул следом, как робот.

Витторио протянул ко мне свободную руку — я отступила. Все вампирские силы вблизи увеличиваются, особенно при прикосновении. Он и так делал практически невозможное; мне не хотелось выяснять, на что он способен при прикосновении.

—Анита, ты меня сделаешь самым сильным мастером города во всем новом свете.

—Значит, ты берешь меня к себе, а потом мы отбираем у Макса Вегас?

Я лихорадочно думала, перебирая свои возможности — их вроде было не очень много. Одно я знала: я с ним отсюда не уйду. Есть железное правило работы с серийным убийцей: заставь его убивать себя на публике, потому что наедине будет куда хуже. И еще я не могу дать ему уйти с девушкой и с ее отцом. Но нести двоих в полете он не может, значит, ему придется просто идти пешком. И я могу ему помешать, правда ведь? Должен же быть способ?

Думай, Анита, черт тебя возьми, думай!

—Тигр — зверь моего зова, Анита. Мы убьем Макса и его жену, и дело кончено.

—Еще и Виктора придется убивать, — напомнила я.

Он улыбнулся и снова сделал движение ко мне — я снова отодвинулась.

—Да, разумеется. Какой ты будешь изумительной королевой в нашей империи крови и страданий!

Голос у него был такой радостный, будто и не об убийстве он говорил.

—Позволь мне только прикоснуться к тебе, лишь приложить пальцы к щеке.

Он вытянул руку вперед жестом фокусника: вот, смотрите, ничего нет в рукаве.

Ага, так я и поверила.

—Не двигайся.

Это был голос Эдуарда. Вся сила воли потребовалась мне, чтобы не обернуться и не поискать его взглядом, но я не отвела глаз от вампира. Помощь пришла, теперь только бы мне не облажаться.

Отец подошел к Витторио, и я готова была чем угодно ручаться, что он загородил Эдуарду прицел.

—Этот человек под чарами, Эдуард, — сказала я, снова заставив себя не искать его взглядом: слишком силен Витторио, чтобы мне отвести от него глаза хотя бы на миг. Не знаю, что может сделать со мной его прикосновение. Может быть, и ничего, но может быть, и что-то плохое. Я действую быстрее обычного человека, спасибо Жан-Клоду, так что если я не отведу взгляда от Витторио, смогу уклониться от его прикосновения.

По крайней мере в теории.

—Ко мне, друзья мои, — сказал он, и на этот раз я ощутила едва заметную тягу силы. Стоящие у барьера повернулись к нам и направились к нему.

—Он заворожил толпу!

Я бросилась было к нему, но девушка все еще оставалась у него в руках, и я заколебалась. Толпа обтекала нас, закрывая вампира от любой стрельбы, но еще эти люди пытались меня схватить. Они вели себя как зомби: невидящие глаза, протянутые руки, отсутствие мысли. Как он сумел так подчинить себе столько людей? Каким чертом он это делает?

Я пыталась сперва никому не наносить травм, но когда поняла, что меня они задавят просто числом, перестала миндальничать. Ударила в колено ногой, почувствовала, как провалился сустав, и человек вскрикнул, а потом спросил:

— Что это? Где я?

Я ударила в ближайшее лицо, представив себе, что цель моя — противоположная сторона лица, как учат на занятиях по боевым искусствам. Человек рухнул и исчез в толпе. Я свалила еще двоих ударами в сустав и разбитым носом. Боль приводила их в чувство, и они отползали прочь, уже не представляя собой угрозы, но я слишком долго тянула, и сейчас их просто было слишком много.

— Боль! Они от боли в себя приходят! — крикнула я, не зная, слышит ли меня кто-нибудь, но потом зазвучали крики боли с наружного края толпы. Кто-то сюда шел, кто-то из моих сторонников. Но меня схватило множество рук, навалился вес тел, и я не могла шевельнуться.

Витторио опустился на землю возле моей головы, положил мне руку на лицо. Я попыталась вырваться, но ничего не могла сделать. Глаза его пылали карим огнем — я знала, что он сейчас сделает.

— Эдуард! — закричала я.

Только что я слышала удары тел о землю — и вдруг ничего не осталось в мире, кроме прикосновения вампира и пылающих карих глаз, нависших надо мной, и они давили на меня. Закрыв глаза, я заорала.

Глава шестьдесят третья

Я ждала, что сейчас в меня проникнет и поглотит меня пламя, но ничего не случилось. Руки все еще держали меня, не давая встать, я ощущала напор силы, этого карего пламени, но и все. Приоткрыв глаза, я увидела золотисто-карее пламя, слепившее меня, но оно не приближалось.

Выстрел грохнул так близко, что я на секунду оглохла. Пламя исчезло, надо мной нависло лицо Витторио. Сперва я подумала, что он склонился для поцелуя, но сообразила по его позе, что он пригнулся от выстрела. Снова грохнул выстрел — и те, кто меня держали, отпустили руки и встали живым щитом вокруг сидящего около меня вампира.

—В другой раз, — сказал он, и вдруг таким быстрым движением, что я не уследила, вскочил и бросился бежать. Я села, глядя ему вслед, и сердце прыгало в горле. Одного только вампира я видела, который без ментальных фокусов умел двигаться так быстро. Это Истина.

—Блин, куда он девался? — ревели мужские голоса. — Смотри, ты такое видел?

Вдруг надо мной вырос Эдуард, протягивая руку. Я взяла ее, и он меня поднял на ноги. Удержал, когда я покачнулась.

—Все в порядке? — спросил он.

Я кивнула. Он присмотрелся.

—Он пытался поставить мне метку, но за то время, что ты ему дал, не смог пройти мои щиты.

Над нами навис Олаф:

—Она ранена?

—Все в порядке, — сказала я, заставив себя выпустить руку Эдуарда, хотя на самом деле мне больше всего хотелось свалиться ему на грудь, и пусть бы он меня прижал к себе.

Возле нас оказались ребята из СВАТ в зеленых мундирах, пробившиеся через расходящуюся толпу, где люди спрашивали друг друга, что тут было.

Среди них был Хупер — единственно светлым в его облике было побледневшее лицо.

—Блейк, что тут стряслось?

—Клуб и заложники — это была ловушка.

—Для кого? — спросил Хупер.

—Для меня.

К сержанту подошел Джорджи:

—Блейк, ничего личного, но почему тогда он тебя не убил?

—Он не смерти моей хочет.

—А чего? — спросил Хупер.

—Меня в качестве слуги-человека.

—Но ведь ты уже принадлежишь мастеру Сент-Луиса? — спросил Каннибал, выходя с другой стороны редеющей толпы.

Что мне было на это сказать?

—Вроде того.

—Тогда он поздно спохватился, — сказал Каннибал.

—Он считает, будто ему хватит сил, чтобы меня увести.

Хупер стоял неподвижно, только всматривался мне в лицо.

—Хватило? — спросил он.

—Сегодня — нет.

Хупер чуть шевельнул губами — то ли улыбнулся, то ли нет.

—Давай не будем давать ему второй попытки.

—Аминь, — ответила я и повернулась к Каннибалу, он же сержант Рокко.

—Хреновый же ты экстрасенс. Ты что, не слышал, как Витторио работает с толпой?

—Извини, Анита, я только воспоминания чувствую.

—Блин, ты ничего такого рода не чуешь? А Санчес где?

—Зачем он тебе? — спросил Олаф.

—Я думаю, он мог бы учуять эту метафизику.

—Он со второй группой, — сказал Эдуард. — Которая пошла обыскивать дом Беринга. Граймс хотел иметь с собой своих практиционеров — проверить, учуют ли они демона.

—А почему ты не с Санчесом? — спросила я у Рокко.

—Мои способности — прикосновения и воспоминания. Я не стану намеренно прикасаться к демону и не хочу иметь его воспоминаний.

—Они хотели проверить, учуют ли они демона, — сказал Эдуард, — чтобы мы вошли ближе к целям или дальше от них, в зависимости от того, что они найдут.

—Дайте мне пистолет и пошли отсюда.

Стоящий рядом со мной Эдуард отдал мне мой собственный запасной пистолет, вынув его из кармана штанов.

— У вас прямо тут вампиры, зачем гоняться за демонами? — спросил Рокко.

— Здесь захват заложников, а я не переговорщик.

Подошел Бернардо. У него по лицу текла кровь из пореза на лбу — очевидно, кто-то дал сдачи.

Людям из толпы, которая пыталась измолотить в кашу полицейских, раздавали одеяла и горячий кофе работники «Красного Креста». Врач группы их осматривал, парамедик ему помогал. Я услышала чьи-то слова:

— Я знал, что мы делаем что-то неправильно, но остановиться не мог. У меня в голове был голос, и он мне говорил это делать. Я не хотел, но делал.

Я встала перед Рокко, и он остановился, посмотрел на меня:

— Если Санчес и другие практиционеры смогут учуять демона, то он их тоже учует. Если он убил оперативников, то может выйти и выследить их по их собственной магии.

— Как правило, демонам на это ума не хватает, — сказал Эдуард.

— Мы знаем, что некоторые противоестественные существа чуют паранормальные способности, маршал. И мы защитили своих людей, чтобы их... — он неопределенно повел в воздухе рукой, — подписи были искажены.

Эта предусмотрительность произвела на меня впечатление, о чем я и сказала.

— Паранормальные способности — это для нас часть нашей работы. — Тут затрещала его рация, и он отвернулся послушать. Потом пустился в медленный бег, и всем пришлось к нему пристраиваться. Ну, ребятам действительно медленным бегом, это мне пришлось бежать быстро — у меня ноги короче. — Вампиры отпустили заложников и сдались сами.

— А в чем подвох? — спросила я.

Мне никто не ответил, но я знала, что подвох должен быть. С вампирами иначе не бывает.

Глава шестьдесят четвертая

Кто-то включил в клубе рубильник, залив все здание ослепительным светом. В дешевых стрип-клубах яркий свет не предусмотрен: он выявляет все трещины и облупившуюся краску. Убирает иллюзии и обнажает суть этих клубов: ложь. Ложь о сексе, о его обещании, стоит только чуть добавить денег. Натэниел объяснял мне, что танцоры зарабатывают на жизнь надеждой клиентов на близкий секс. Тут все рекламируется — и ничего не купишь. Под резким верхним светом намазанные алым женщины выглядели так, что если бы даже они продавались, купить не захотелось бы.

Танцовщицу, потерявшую ухо, срочно увозили в больницу с идеей пришить его обратно, если получится — рана была еще свежая. Остальных танцовщиц допрашивали в задних комнатах, потому что в зале между всеми сценами сидели вампиры, закованные в цепи из нового металла, который используют специальные подразделения полиции против преступников из противоестественного мира. Какой-то суперкосмической эры металл. Я еще не видела его в деле, и потому полагаться на него на сто процентов подожду.

Вампиры сидели грустным рядом, неуклюже держа руки перед собой, потому что цепь проходила к лодыжкам и вокруг пояса. Должна признать, что если бы им даже удалось сломать этот металл, вряд ли они смогли бы разорвать цепь и напасть быстрее, чем мы могли бы выстрелить. Может быть, оковы были удачным решением, хотя для этого нужно подойти к задержанному близко и почти интимно, а насколько я понимаю, тут был единственный невосприимчивый к вампирскому взгляду человек, и это была я.

Олаф ходил вокруг закованных вампиров, оставаясь вне их досягаемости, но ходил вокруг — как скотовод вокруг стада, которое думает купить. А может быть, мне это только казалось. Может быть.

Эдуард и Бернардо допрашивали танцовщиц. Почему же со мной остался Олаф? Потому что танцовщицы хищника бы опознали сразу, и даже после целого вечера в заложниках у вампиров многие из них сообразили, кто он, что успокоению их нервов не способствовало. Чтобы от допроса был толк, Олафа надо было куда-нибудь убрать. Почему женщин допрашивала не я? Потому что только я могла подойти к вампирам вплотную и не попасть под их чары. Так что моя специализация вела меня прямо в другую комнату. Но Эдуард сказал что-то сержанту Рокко, он же Каннибал, потому что либо он, либо кто-то из его людей находился при мне неотлучно. Честно говоря, присутствие Рокко меня напрягало после нашей небольшой стычки в СВАТ, но когда он вдвинулся между мной и Олафом — не демонстративно, но так, чтобы великану пришлось меня обойти по широкому кругу, — я просто порадовалась, что мне прикрывают спину.

— Вот что, ребята, сейчас будет так: вас будут выводить по одному в другую комнату и спрашивать, что случилось. Пока нас не будет, не переговаривайтесь: маршал Джеффрис и пара оперативников СВАТ в зале останется, так что ведите себя прилично.

Они все пообещали, как послушные первоклассники. Не было в этом зале ни одного вампира, которого я побоялась бы один на один. Но их тут было десять, а десять — это много. Десять вампиров любого сорта — это уже пугает. Да блин, даже десять человек если на тебя сразу накинутся, ты их всех не свалишь.

Полицейские помогли первому вампиру в цепях пройти в небольшую комнатку за баром — где хранят выпивку. Ему поставили стул, который специально для этого нашли. Я присела возле и увидела перед собой слегка пухловатого мужчину со светло-карими глазами и волосами в тон. Он улыбнулся мне, тщательно пряча клыки. Пытался показаться безобидным, дружелюбным, готовым помочь, но я знала, что из них из всех он самый старый. Я его ощущала в голове как эхо времени. Три сотни лет ему, отдай не греши. Одет он был тщательно, слишком тщательно для этой жары, для города, для того, за кого себя хотел выдать. Светлые брюки, чуть более темная рубашка, заправленная в штаны и застегнутая. Ремень из отличной кожи, такие же туфли. Невзрачные каштановые волосы подстрижены недавно и хорошо. Часы на руке золотые, дорогие. Не «ролекс», поэтому не могу сказать, какие именно, но Жан-Клод научил меня разбираться в качестве.

Я улыбнулась, он улыбнулся в ответ.

— Фамилия?

— Джефферсон. Генри Джефферсон.

— Ну, хорошо, мистер Джефферсон. Так что случилось?

— Вот как на духу, леди: я играл в казино в покер, а он подошел к столу, к самой веревке.

Веревка — это один из столов для крупной игры, где игра начинается с пяти сотен, если не с десяти тысяч или больше.

— И что было дальше?

— Он меня заставил рассчитаться и велел идти с ним. — Вампир поднял на меня глаза, и в них было недоумение — и легкий оттенок страха. — Максимилиан — сильный мастер города. Он нас защищает. Но этот тип просто появился из ниоткуда — и я не мог сказать «нет».

Следующий вампир был намного младше во всех смыслах. Может быть, всего несколько лет как мертв, и едва-едва достиг законного возраста, когда ушел в нежить. На локтевых сгибах — зажившие следы уколов. Давно уже чист, как подсказывала мне интуиция.

— Церковь Вечной Жизни? — спросила я.

Это вампирская церковь, наиболее быстро растущая конфессия в стране. Хочешь узнать, как это — умереть? Спроси у любого члена церкви, который уже продолжился. Они это так называют — продолжиться. У членов церкви медицинские идентификационные браслеты, так что если попадешь в угрожающую жизни ситуацию, — звонишь в церковь, приезжает вампир и заканчивает работу.

У него глаза широко раскрылись и челюсть отвисла — он не сразу вспомнил, что не надо клыки показывать. Потом пришел в себя и попытался сделать то, чему учат старые вампиры молодых: когда говоришь с полицией — изображай человека. Не старайся притвориться человеком, просто не будь вампиром.

—Да, — ответил он, от испуга невольно шепотом. — Как вы...

—Дорожки на руках. Церковь тебя сняла с иглы?

Он кивнул.

—Как тебя зовут?

—Стив.

—Ладно, Стив, так что случилось?

—Я был на работе — продавал на улице сувениры. Знаете, многие любят покупать у вампиров.

—Знаю.

—Но он подошел к киоску и говорит: «Идем со мной». И я пошел. — Он уставился на меня перепуганными глазами. — Почему я это сделал?

—Почему идет с тобой человек, если ты его зачаруешь взглядом? — спросила я в ответ.

Он замотал головой:

—Я так не делаю. Правила Церкви...

—...запрещают вампирский взгляд, но я ручаюсь, что ты это пробовал. Хотя бы раз.

Он смутился.

—Это пустяки, Стив, мне без разницы, если ты с туристками взглядом заигрываешь. А этот вампир — он тебя глазами поймал?

Он снова наморщил лоб.

—Нет, я поклясться готов, что это был не взгляд. Как будто он мне сказал: «Идем со мной» — и я должен был.

—Значит, это был голос?

Стив не знал.

Никто из них не знал, как он это сделал. Они все бросили работу, спутниц, деньги на игорных столах — и просто пошли за ним. Иногда Витторио что-то говорил, иногда просто останавливался рядом. В любом случае они шли за ним и делали, что он говорил.

Девушке было лет девятнадцать на вид, но после Генри Джефферсона она была тут старшей. Двести лет с хвостиком, по моей оценке, и оценка была верной. Темные длинные волосы спадали на лицо, и она моргала, пытаясь их отодвинуть.

Мы уже выяснили имя, звание и личный номер, когда я сказала:

— Сара, хочешь, я тебе волосы уберу с глаз?

— Да, пожалуйста, — попросила она.

Я осторожно отодвинула волосы с широко раскрытых моргающих серых глаз. Она была первая, кто спросил:

— Вы мне смотрите в глаза, люди обычно так не делают. В смысле, я бы не стала вас подчинять или там что, просто копы обучены в глаза не смотреть.

Я улыбнулась:

— Ты еще слишком молода, чтобы подчинить меня глазами, Сара.

Она нахмурилась, глядя на меня:

— Не понимаю... — и вдруг глаза у нее распахнулись, и та легкая краска, что была на лице, сбежала со щек. Не часто случается видеть, как бледнеет вампир.

— Господи! — ахнула она, и в голосе был ужас.

— Что случилось? — шагнул к нам Рокко.

— Она сообразила, кто я така́, — ответила я негромко.

Вампирша Сара разразилась воплями:

— Нет, пожалуйста, не надо! Он меня заставил! Это как человека просто, будто я человек, он меня подчинил, Господи, клянусь вам, я этого не делала! Я не хотела. Боже мой, боже мой, боже мой! Ты Истребительница! Господи, господи, ты же убьешь нас всех!

— Может быть, вам стоит выйти. Я постараюсь ее успокоить, — сказал Рокко.

Ему пришлось перекрикивать ее вопли.

Я оставила его успокаивать истеричку-вампира и вернулась в зал. Там я застала тихий, но горячий спор Хупера с Олафом — в уголке, подальше от задержанных. Все равно охраны оставалось еще достаточно. Проходя мимо, я заметила, что они на меня смотрят — враждебно или перепуганно. Либо они слышали вопли Сары, либо кто-то еще догадался. Впрочем, была еще одна возможность.

Я подошла поближе к двоим и услышала обрывок:

—Вы мерзавец! Никто вам не позволял угрожать задержанным!

—Это не была угроза, — ответил Олаф своим густым голосом. — Я всего лишь рассказывал, что их всех ждет.

—Они и так рассказывают нам все, что знают, Джеффрис. Их незачем запугивать.

Они оба посмотрели на меня и подвинулись, давая мне место.

—Что ты сказал девушке?

—Откуда вы знаете, что девушке? — спросил Хупер.

—Я больше знаю: я могу сказать, которой из них. Вон той маленькой с каштановыми волосами, волнистыми и длинными.

Хупер прищурился на меня:

—Как вы это узнали?

—У Отто есть любимый тип.

—Он с ней говорил тихо, но старался, чтобы другие тоже слышали. Сказал, что он вырежет ей сердце, когда она будет еще жива. Обещал, что сделает это после наступления темноты, чтобы она была в сознании.

Таким злым я Хупера еще не видела. У него мелко дрожали руки, он подавлял желание сжать их в кулаки.

Я вздохнула, заговорила тихо:

—Ты им сказал, кто я?

—Я сообщил, что мы — охотники на вампиров, и что с нами — Истребительница и Смерть.

—Что Блейк — Истребительница, я знаю. А кто такой Смерть? Вы?

—Тед, — ответила я и посмотрела на Олафа неприязненно. — Ты хотел их напугать. Хочешь видеть страх на лицах, да?

Он смотрел на меня и молчал.

—А какое прозвище у вас, Джеффрис?

—У меня его нет.

—Он не оставляет выживших, — пояснила я.

Хупер посмотрел на меня, на него, снова на меня.

— Минутку. Вы хотите сказать, что все эти вампиры будут казнены?

— Это вампиры, связанные с серийным убийцей, которого мы посланы уничтожить, — сказал Олаф. — Они вполне предусмотрены имеющимся ордером.

— Люди у заграждения напали на полицейских, но когда они сказали, что вампир их подчинил, мы им поверили.

— Этим вампирам я тоже верю, — ответила я.

— Это не существенно, — пояснил Олаф. — Они взяли людей в заложники, угрожали жизни людей и состоят в доказанном сообщничестве с мастером-вампиром, на которого выписан действующий ордер на ликвидацию. Они лишились своих прав. Всех своих прав.

Хупер секунду смотрел на Олафа, потом перевел взгляд на меня.

— Он говорит правду?

Я в ответ кивнула.

— Никто сегодня не погиб, — сказал он. — Я хочу, чтобы это так и осталось.

— Ты — коп. Ты спасаешь жизнь. Мы — истребители, Хупер. Мы ее отнимаем.

— Ты хочешь сказать, что тебе убить этих людей ничего не стоит?

— Они не люди, — напомнил Олаф.

— В глазах закона — люди.

Я покачала головой:

— Нет, потому что, будь они в глазах закона людьми, у меня был бы другой выход. Закон в его нынешней формулировке исключений не делает. Отто прав: по закону они лишили себя права на жизнь.

— Но они были под властью вампира, как та толпа людей!

— Да, но закон не признает такой возможности. Закон не верит, что вампир может подчинить себе другого вампира. Он защищает от власти вампира только людей.

— Ты хочешь сказать, что у этих вампиров нет выхода?

— Отсюда их отвезут в морг, прикуют к каталкам с освященными предметами — а может, хватит этих цепей, не знаю.

Но их отвезут в морг, как-то привяжут и они будут ждать рассвета. Когда они впадут в дневной сон, мы их убьем. Всех.

— Закон не оговаривает, что мы должны ждать до рассвета, — сказал Олаф.

Я не могла скрыть гримасу отвращения.

— Никто не делает этого добровольно, когда они в сознании. Только если нет другого выхода.

— Если мы их отработаем как можно скорее, то можем выдвинуться на помощь Санчесу и другим практиционерам.

— Они выходили на связь, — сообщил Хупер.

— Что случилось? — спросила я.

— Дом оказался пуст. Все разгромлено, а Беринг — мы предполагаем, что это Беринг — найден убитым. Причем он уже довольно давно мертв.

— Значит, дохлый номер, извините за невольный каламбур.

— Я думал, они должны только экстрасенсорно разведать обстановку и ждать нас, — сказал Олаф.

— Они ничего в доме не ощутили, радировали нам и лейтенант разрешил. — Хупер обернулся ко мне: — Если окажется, что эти вампиры говорят правду, вы сможете задержать казнь?

— У нас есть некоторая свобода выбора в сроках исполнения ордера, — ответила я.

— Каннибал может прочесть их память.

— Ему придется экстрасенсорно открыть себя вампирам. Это совсем не то, что баловаться с мозгами людей.

— Не существенно, почему они сделали то, что сделали, — прозвучал низкий голос Олафа. — Согласно закону, они будут казнены независимо от причин.

— Нам полагается защищать всех граждан этого города. — Хупер показал на вампиров через плечо. — Насколько мне помнится, они таковыми считаются.

— Не знаю, что вам сказать, сержант. Их не примет ни одна тюрьма, а оставить их на несколько суток прикованных к освященным каталкам нельзя — это считается жестоким и необычным наказанием. Поэтому они должны быть казнены своевременно.

— Так что лучше их просто убить, чем оставить на каталках?

— Я вам цитирую закон, а не делюсь своим мнением. Я бы считала, что их стоит на время положить в гробы под крестами, чтобы и им было безопаснее, и под ногами не путались. Однако это тоже считается жестоким и необычным.

— Если бы они были людьми, не считалось бы.

— Если бы они были людьми, не говорили бы мы сейчас о том, чтобы положить их в ящик и задвинуть в дыру. Будь они людьми, нам не было бы разрешено их приковать к каталке, вынуть сердца и отрубить головы. Будь они людьми, не было бы у нас этой работы.

Он уставился на меня долгим пристальным взглядом, в котором читалось почти отвращение.

— Подождите здесь, я поговорю с лейтенантом.

— Закон есть закон, — заявил Олаф.

— Боюсь, что он прав, Хупер.

Сержант обернулся ко мне, игнорируя Олафа.

— Если бы была другая возможность, ты бы за нее схватилась?

— Зависит от того, что за возможность, но я бы рада была в такие моменты иметь законный выход, не требующий убийства.

— Это не убийство, — возразил Олаф.

Я развернулась к нему:

— Ты сам себе не веришь. Не будь это убийство, тебя бы оно так не радовало.

Он обратил ко мне темные пещеры глаз, и в глубине горел огонек злобы. Мне было наплевать. Я просто знала, что не хочу убивать ни Сару, ни Стива, ни Джеффри Хендерсона, ни девушку, которую Олаф заставил плакать. Но чтобы не дать Олафу быть с этими женщинами наедине, я их убью сама. Но не ночью, не тогда, когда они будут видеть, что их ждет, не тогда, когда они боятся.

— А ты и правда не любишь их убивать? — спросил он с неподдельным изумлением.

— Я тебе говорила, что не люблю.

— Говорила, но я не поверил.

— Почему поверил сейчас?

— Я видел твое лицо. Ты пыталась придумать способ их спасти или уменьшить их страдания.

— Ты это мог сказать с одного взгляда?

— Не с одного, с нескольких. Как облака, проходящие по солнцу одно за другим.

На это я не знала, что сказать. Почти поэзия, блин.

— Эти лица не виновны ни в каком проступке. Они не заслужили смерть тем, что недостаточно сильны и не могут противостоять Витторио.

— Тед сказал бы, что не бывает невиновных вампиров.

— А что скажешь ты? — спросила я, стараясь разозлиться, потому что это лучше, чем ощущение дрожи в животе. Не хотелось мне убивать этих вампиров.

— Я скажу, что вообще не бывает невиновных.

Хупер вернулся с Граймсом. Лейтенант сказал:

— У нас тут есть адвокат, который пытался задерживать казнь в подобных случаях.

— То есть звонок от губернатора в последнюю минуту, как в кино? — спросила я.

Граймс кивнул. Честные карие глаза смотрели мне в лицо.

— Нужно, чтобы нашелся истребитель, который напишет и подпишет мнение, что казнь этих вампиров была бы убийством и не способствовала бы общественному благу.

— Пусть Каннибал прочтет мысли нескольких, удостоверится, что нам не парят мозги, и тогда я подпишу.

— Анита... — начал Олаф.

— Не надо. Вот не надо, и все. И держись подальше от задержанных.

— Ты здесь не главная, — ответил он, и это было выражением возникающей злости. Класс!..

— Она — нет, а я — да, — ответил ему Граймс. — До дальнейшего распоряжения не подходите к задержанным, маршал Джеффрис. Я скажу другим маршалам, что мы здесь делаем.

Они направились в задние комнаты, туда, где находились освобожденные заложники и Эдуард. Олаф сказал вслух то, что я думала:

— Эдуарду это не понравится.

— Пусть не нравится, — ответила я.

— Обычно женщины считаются с мнением своих бойфрендов.

— С ним я разберусь, — сказала я ему и пошла прочь из комнаты.

— Флаг в руки, — ответил он мне вслед.

Я продолжала идти. Сидящие на полу вампиры смотрели на меня так, будто я — Витторио или кто-нибудь, ему подобный. У них в глазах горела ненависть, но из-под нее выглядывал страх. Я его просто чувствовала корнем языка, будто что-то сладкое с примесью горечи, как темный шоколад — чуть слишком темный.

Открылась дальняя дверь, и Каннибал помог Саре, вампирше, через нее пройти. Увидев меня, она снова завопила, надсаживаясь:

— Она нас убьет! Она нас всех убьет!

Вообще-то она была права. Но сегодня, быть может — только быть может — нам удастся их всех спасти.

Глава шестьдесят пятая

До рассвета осталось меньше двух часов. Я так устала, что ныло все тело, но зато вампиры были живы. Они лежали в морге, прикованные к каталкам, и так как в морге была комната, оборудованная только под одного вампира, то коронер и его штат были не в восторге, когда их привезли десять, но Граймс своих людей расставил как дополнительную охрану. Он попросил вызываться добровольцев, и его ребята посмотрели на него как на психа: если он говорит, что что-то — хорошо, значит, так оно и есть. К тому же высказался он следующим образом: «Сегодня никто не погиб. Если мы это сделаем, завтра тоже никто не погибнет».

Эдуард не был мною доволен. Бернардо ситуация позабавила. Олаф оставил меня в покое, погруженный в свои мысли, которые мне не хотелось бы знать. Я согласилась на предложение сержанта Рокко подбросить меня в отель, поскольку Эдуард такого не предложил. Вообще-то это могло бы задеть мои чувства, но не сейчас.

— Никогда раньше не испытывал свои способности на настоящем вампире, — сказал Рокко в тишине машины.

— И насколько это отличается? — спросила я, глядя на затемненные дома за окном. Как на почти всех улицах почти всех городов, все было закрыто в этот предрассветный час. Даже стриптизеры разбрелись по домам.

— Ощущение как и от людей, только мысли у них будто медленнее. Нет, — перебил он сам себя, и было в его тоне что-то такое, что заставило меня на него посмотреть. Повернутое в профиль лицо казалось очень серьезным в уличном свете. — Это как насекомые, застывшие в янтаре, будто воспоминания давних времен у них наиболее ясны, а то, что сегодня делал с ними наш убийца — как в тумане.

— Спорить готова, что это только у Генри Джефферсона и у Сары.

Он покосился на меня, на миг отведя глаза от дороги.

— Да. А как ты узнала?

— Они самые старые. Ты же знаешь, что старики помнят прошлое лучше настоящего?

Он кивнул.

— Я думаю, что у некоторых вампиров так же. У тех, которые не преуспели, а просто выжили. Вот они тоже оглядываются на славные дни.

— И твой бойфренд-вампир тоже так?

Я подавила желание спросить «который?» и не стала собачиться.

— Нет, но он же мастер города.

— Хочешь сказать, что он доволен своим положением.

— Ага.

— У Генри часы, которые стоят дороже этой машины. Он вполне процветает, так почему же самые живые у него воспоминания о временах, когда женщины ходили в локонах и длинных платьях, а он — в жилете, в костюме с кармашком для часов и в цилиндре?

— Он любил ту женщину? — спросила я.

Рокко задумался, потом ответил:

— Да. — Он снова посмотрел на меня. — Раньше, Анита, я никогда не умел улавливать образы любви. Отлично ловил насилие, кровь, ненависть, всякое темное. А сегодня легко воспринимал образы мирной жизни, а всякие резкости — приходилось напрягаться. Ты со мной что-то сделала, когда я тебя читал?

— Не нарочно, — ответила я, — но я знаю за собой способность влиять на вампирские силы.

— Я не вампир, — возразил он.

— Мы одни, Рокко, и ты хотел говорить со мной наедине, так что не будем врать. Я знаю, и ты знаешь, и твои люди знают, что ты питаешься собранными воспоминаниями.

— Они не знают.

— У тебя кличка — Каннибал. Они знают. На каком-то уровне — знают. — Я откинулась на спинку сиденья. Мы сворачивали на Стрип, и вдруг я поняла, куда все девались — сюда. Улица перед рассветом выглядела так же, как в полночь. — Я думала, что город, который никогда не спит — это Нью-Йорк.

Рокко рассмеялся.

— Я там никогда не был, но Стрип спать не любит. — Он снова глянул на меня, тут же отвернулся к ярким огням и рекламам улицы. — Ты же тоже питалась моей памятью.

— Ты мне показал, как это делается.

— И ты, питаясь моей памятью, поняла, как это против меня обратить. Как-то так?

— Очевидно.

— Ты где остановилась?

— В «Нью-Тадже».

—Это отель Макса, — сказал он неодобрительным тоном.

—Макс знает, что, если с нами что-нибудь случится, это будет большая неприятность. И охраняет мир, охраняя нас.

—Твой бойфренд в вампирском мире настолько большая шишка?

—На жизнь не жалуемся, — ответила я.

—Это не отвечает на мой вопрос.

—Не отвечает, — согласилась я.

—Ну, ладно.

Мы стояли у светофора перед «Белладжио». Невдалеке высился нью-йоркский горизонт, сбоку — Эйфелева башня. Как будто весь мир уменьшили и втиснули в одну улицу.

—Задай тот вопрос, который хочешь задать, Рокко.

Я вполне готова была, что он возмутится, но он остался спокоен. Потом сказал:

—Ты такая же, как я. Ты питаешься своей силой.

—Поднимая мертвых? Вряд ли.

—Нет, сила связана как-то с сексом или любовью. Я питаюсь насилием, памятью о нем. А ты — более мирными эмоциями. Так?

Я подумала про себя над ответом. Наверное, я устала, потому что ответила правду:

—Да.

—И я теперь буду видеть более мирные вещи?

—Не знаю. Вроде как мы слегка обменялись силами.

Я посмотрела на пиратский корабль, на пожар, и это было что-то нереальное, сюрреальное даже, как в бессвязном сне.

—Ты когда-нибудь раньше обменивалась так силой?

—Я могу действовать как линза для паранормальных способностей, поднимая мертвых.

—Это как?

—Я объединяю силу с другими аниматорами, и мы вместе можем поднять больше мертвецов, или более старых.

—Интересно.

—Ага. Я об этом несколько лет назад писала. Статья в «Аниматоре».

—Пришли мне ссылку, прочту. Может быть, практиционеры тоже это могут.

—Ваши способности не очень похожи друг на друга.

—Наши с тобой тоже.

—Мы с тобой оба — живые вампиры, Каннибал. Это нас объединяет.

Он посмотрел на меня — более долгим взглядом.

—Пока что на экстрасенсорных вампиров закон не распространяется.

—О них недостаточно известно, чтобы законодательно регулировать.

Он улыбнулся:

—Да и слишком многие политики попали бы под пресс закона.

—Вероятно.

Он снова глянул на меня:

—Ты кого-нибудь таких знаешь?

—Нет, просто я цинична.

—Не то слово.

—Спасибо за комплимент. Для копа это высшая похвала.

У меня осталось чувство, что свой вопрос он так и не задал. Я ждала в залитом неоном молчании, подчеркнутом пунктиром темных точек между фонарями, будто всюду, где не горел свет, ночь становилась гуще. И настроение у меня мрачнело.

Он заехал на большую круговую дорожку возле «Нью-Таджа». Тут я сообразила, что надо было позвонить, чтобы нас встретили. Я-то думала, что меня Эдуард и ребята завезут, и они меня прикроют. А сейчас я осталась одна.

—Тебя проводить?

Я улыбнулась ему, берясь за ручку двери:

—Я уже большая девочка.

—У этого вампира на тебя стоит не на шутку.

—Ты все вопросы задал, для которых тебе нужно было уединение?

—Тебе кто-нибудь говорил, что ты бестактна?

—Только это и говорят.

Он снова засмеялся, но слегка нервно.

— У тебя когда-нибудь бывало искушение подкормиться больше, чем следует?

В дверях нарисовался швейцар, или служитель парковки, или кто-то там — я махнула рукой, чтобы был свободен.

— Ты это о чем, Рокко?

— Я могу забрать воспоминание, Анита. Забрать и стереть из чужого разума. Несколько раз такое получалось случайно. И как будто тогда это становится уже моим воспоминанием, а не чужим — и это приход. Наплыв радости. Я думаю, если бы я дал себе волю, то мог бы забрать все — все дурные воспоминания человека. Может быть, и больше. Может быть, всю память, оставив его пустым. И думаю, каково это было бы ощущение — забрать все.

— И это искушение? — спросила я.

Он кивнул, на меня не глядя.

— Ты когда-нибудь это делал?

Он посмотрел на меня с удивлением, потом с ужасом:

— Нет, конечно! Это же было бы плохо.

Я кивнула.

— Вопрос не в том, что можешь что-то сделать, Рокко. Даже не в том, что думаешь о том, как это сделать. И даже не в том, что у тебя искушение зайти слишком далеко.

— Так в чем же он?

Я смотрела во вполне взрослое лицо мужчины, знающего свое дело, и видела в его глазах неуверенность. Знакомую мне неуверенность.

— В том, чтобы решить этого не делать. В том, чтобы не поддаться, испытывая соблазн. Не способности наши делают нас служителями зла, сержант, а то, что мы поддаемся им. Паранормальные способности в этом смысле не отличаются от пистолета. То, что ты можешь войти в толпу и перестрелять половину, еще не значит, что ты это сделаешь.

— Пистолет я могу запереть в сейф. А свою способность не могу из себя вынуть и положить туда же.

— Да, этого мы не можем. И потому каждый день и каждую ночь мы совершаем выбор: быть хорошим человеком, а не мерзавцем.

Он смотрел на меня, не снимая рук с рулевого колеса.

— И вот это твой ответ: мы — хорошие люди, потому что не совершаем плохих поступков?

— Разве не в этом смысл понятия «хороший человек»?

— Нет. Хорошие люди совершают хорошие поступки.

— Разве ты не совершаешь их каждый день?

Он нахмурился:

— Пытаюсь.

— Рокко, так это же и есть все, что может сделать каждый из нас. Мы пытаемся. Мы делаем, что можем. Сопротивляемся соблазну. И продолжаем действовать.

— Я тебя старше лет на десять; как получается, что я у тебя спрашиваю совета?

— Во-первых, я старше, чем выгляжу. Во-вторых, я первый человек на твоем пути, который может испытывать подобный соблазн. Трудно жить, когда думаешь, что ты только один такой — сколько бы лет тебе ни было.

— Звучит как голос опыта.

Я кивнула:

— Но иногда я настолько не одна, что непонятно, куда девать эту компанию.

— Как сейчас, — сказал он, кивнув в сторону окна.

Там стояли Истина и Нечестивец, терпеливо ожидая конца нашего разговора. Они за мной следили или просто знали, что я здесь? А хочу ли я спрашивать? Нет, если не готова услышать ответ.

— Да, как сейчас. — Я протянула ему руку: — Спасибо, что подвез.

— Спасибо, что поговорили.

Мы пожали друг другу руки, и никакой магии сейчас в этом не было. Мы оба устали, огни у нас потускнели за вымотанностью и эмоциями. Он вышел, помог нам разгрузить машину. Горящему энтузиазмом швейцару было разрешено прикоснуться к моему чемоданчику — и ни к чему больше. Две трети моего самого опасного снаряжения осталось в сейфе СВАТ, но и здесь было достаточно, чтобы я не хотела доверять его персоналу гостиницы. Дополнительные сумки взяли Истина и Нечестивец. Сержант Рокко протянул им руку. Это их удивило, хотя вряд ли он их удивление заметил. Они пожали ему руку, он пожелал спокойной ночи и сказал:

— Завтра увидимся.

— Начнем с той зоны, где он сегодня нашел всех своих жертв-вампиров.

— Ага. Вполне возможно, что там его логово.

Он сел в машину, мы направились к двери. Жаль, что мне не очень верилось, будто Витторио охотится только возле логова. Он не произвел на меня впечатления субъекта, совершающего столь очевидные ошибки.

Истина и Нечестивец молчали, пока мы не сели в лифт и не остались одни.

— У тебя усталый вид, — сказал Истина.

— Я устала.

— Ты питалась от нас обоих и уже устала, — отозвался Нечестивец. — Нам оскорбиться?

Я улыбнулась, покачала головой.

— Просто ночь выдалась напряженная. Это вас никак дурно не характеризует. Сами знаете, насколько вы хороши.

— Двусмысленный комплимент, но принимаю, — сказал Нечестивец.

— Я не напрашивался на комплимент, просто сказал, что у тебя усталый вид.

— Ну, извини, Истина, извини. Просто чертовски трудная выдалась ночь.

Они переглянулись, и взгляд это мне не понравился.

— О чем это вы переглядываетесь?

— В номере тебя ждет Реквием, — ответил Нечестивец.

— Я так и предполагала, что у меня в номере или в соседнем будут стоять гробы.

— Он не про это, — объяснил Истина.

— Слушайте, ребята, я устала смертельно. Говорите просто.

— Он ждет, чтобы тебя кормить, — ответил Истина.

— Я же от вас обоих подпиталась... — я прищурилась на часы, — меньше шести часов тому назад. Мне ardeur питать не надо.

— Жан-Клод дал нам инструкции, чтобы пища тебе была доступна чаще, если тебе захочется.

— Он так и сказал?

Двери открылись. Истина пояснил:

— Он волновался, что ты сорвешься, когда из пищи вокруг окажутся только полицейские.

Я представила себе такое и не могла не согласиться, что это было бы очень плохо.

— Нет у меня сейчас настроения, ребята.

— Наше дело — предупредить, Анита.

— Вы ему сказали, что уже оба меня кормили?

Они снова переглянулись.

— Ну, чего вы?

— Как только мы вошли, он и говорит: «Она от вас питалась. Только что».

— Откуда он узнал? — спросила я.

Они оба пожали плечами — как в зеркале.

— Он сказал, что чует твой запах на нашей коже.

— Он же вампир, а не вервольф!

— Анита, — сказал Нечестивец, — с нами-то какой смысл сейчас ругаться? Мы только предупредили. Но он ждет у тебя в кровати, и если ты ему дашь отлуп, не знаю, как он это воспримет.

Я прислонилась к стене между двумя дверями не наших лифтов.

— Вы чего хотите сказать? Он ревнует, что вы меня кормили?

— «Ревнует» — пожалуй, слишком сильное слово, — сказал Истина.

— Ну, что тебе каждый раз надо имя свое оправдывать, — поморщился его брат.

Истина снова пожал плечами.

— И вот как раз поэтому Жан-Клод поставил старшим над ночной сменой тебя, а не его, — отметила я.

— Потому что Реквием, бывает, хандрит, — сказал он.

Я кивнула.

—Ага. — Оттолкнулась от стены, посмотрела на часы. — До рассвета у нас час. Блин. — Тут я остановилась, потому что шла впереди. — Джентльмены, я же не знаю, в каком мы номере.

Нечестивец повел нас вперед, Истина замыкал шествие, я шла в середине. Подойдя к номеру, Нечестивец достал ключ-карту, открыл дверь и придержал ее для меня.

Номер был приятный. Просторный, на мой вкус — излишне красный и роскошный, но приятный. Дома нам не придется жаловаться на гостеприимство Макса — в этом смысле. Первая комната была настоящей гостиной, со столом на четверых и окнами на яркий Стрип. Возле двери — гроб, но только один.

—А вы где спите?

—На сегодня наши гробы в другой комнате. У тебя чуть меньше часа, приятного отдыха.

Они поставили мои сумки возле закрытой двери в спальню — и смылись.

—Трусы! — прошипела я им вслед.

Нечестивец всунул голову в дверь:

—Он мужиков не любит, и мы не любим.

—Раньше вы против публики не возражали.

—Мы и сейчас не возражаем, я по крайней мере. А вот Реквием ее не любит. Доброй ночи.

Он закрыл дверь, прихватив с собой табличку «Не беспокоить». До меня дошло, что Жан-Клод поставил его распоряжаться не только вампирами, но и мной. Если честно, то Реквием тут не единственный, кто подвержен настроениям.

Но именно такого рода вещи и передвинули для меня Реквиема вниз по пищевой цепи. Он из тех бойфрендов, с которыми чем сильнее хочешь расстаться, тем сильнее они за тебя цепляются. Поэтому, в частности, мне хочется вернуться в собственный дом, а их почти всех оставить где-нибудь в другом месте.

Сейчас я только и хотела, что поспать немного, пока не надо вставать и снова идти на охоту за Витторио.

Дверь спальни открылась — как раз чтобы показать контур его тела, пальцы, руку, водопад длинных и густых темных волос. В полумраке номера эти волосы до талии, подсвеченные сзади, казались черными, и трудно было понять, где кончается халат и где начинаются волосы. Кожа на груди, на шее, на лице была бледна как первые лучи рассвета — холодная, снежная красота. Ван-Дейковская бородка и черные усы, темнее волос. Они обрамляли рот, как можно обрамить картину, и глаза в них тонули.

Я позволила себе поднять взгляд выше, потому что это как раз моя настоящая слабость: для меня все решают глаза. Пара красивых глаз и в этот раз на меня подействовала — как всегда. Синие и зеленые, как воды Карибского моря под солнцем, из тех потрясающих оттенков синего, которые я видала лишь под контактными линзами — а у него натуральный цвет. У Белль Морт слабость к мужчинам с голубыми глазами, и она пыталась им завладеть, как Ашером и Жан-Клодом. Тогда у нее были бы самые темные в мире синие глаза, самые светлые и самые близкие к зеленым, но все равно еще синие. Реквием удрал из Европы, чтобы не стать ее движимым имуществом.

Минуту назад я хотела сказать: «Я весь день гонялась за серийными убийцами, лапа, может, пропустим сегодня?» А сейчас я только и могла, что стоять и любоваться этим шедевром.

Бросив сумки, я пошла к нему, подсунула руки под полуоткрытые полы халата, провела руками по этой идеальной глади. Приложилась губами к груди, поцеловала — и была вознаграждена звуком вырвавшегося из легких воздуха.

— Ты сердилась, когда я вошел.

Я подняла глаза на эту шестифутовую фигуру, держа руки у Реквиема на груди. Все-таки чтобы сразу падать ему в объятия, на мне слишком много было оружия.

— А потом я увидела тебя, как ты тут стоишь, и сообразила, что ты всю ночь тревожился. Ты думал, где я и что со мной, а я не позвонила. Сидел и думал, что придет рассвет, и ты можешь не успеть узнать, вообще цела ли я.

Он молча кивнул.

—Из меня плохой муж, Реквием, это все знают.

Его ладони нашли мои плечи, погладили меня по рукам вниз, и он сказал:

> ...горькую слагая песню
> о бедной судьбине,
> о себе поведаю
> сколькие были
> скорби смолоду,
> прежние и новые,
> а сегодня хуже:
> ни дня без новой скорби
> без беды свежей.

—Не знаю этого стиха, но звучит печально.

Он слегка улыбнулся:

—Очень старая песнь. Называется «Сетования жены», оригинал на англо-саксонском.

Я покачала головой:

—Мне хочется извиниться, а я не знаю почему. Ты всегда вызываешь у меня чувство, будто я делаю что-то нехорошее, и меня это уже утомило.

Он убрал руки:

—А сейчас я вызвал у тебя злость.

Я кивнула, двинулась мимо него в спальню. Когда мужчина смотрит на тебя такими собачьими глазами, никакая красота уже не поможет. Я просто не знала, как с ним быть.

Стоя спиной к нему, я сняла жилет, оружие, все снаряжение сегодняшнего дня. Целая куча образовалась с моей стороны кровати. Той, на которой я сплю, когда кровать только для меня и одного мужчины. Последнее время так случается нечасто. Я не против лежать в середине, видит Бог, но иногда их просто слишком много, и в эту ночь, похоже, будет то же ощущение, будто их слишком много.

Я услышала шорох халата по кровати: шелк очень характерно шуршит. Он был за мной, я почувствовала, как он ко мне тянется.

— Не надо.

Он застыл у меня за спиной.

— Я знаю, что ты не любишь меня, звезда моя вечерняя.

— Слишком много в моей жизни мужчин, которых я люблю, Реквием. Ну почему мы не можем быть просто любовниками? Зачем тебе постоянно напоминать, что ты меня любишь, а я тебя нет? Твоя несчастная любовь давит на меня постоянным грузом, а я здесь не виновата. Я любви никогда не предлагала и не обещала.

— Я буду служить моей леди любым образом, которым она захочет, ибо нет у меня гордости там, где есть она.

— Даже и знать не хочу, что ты цитируешь. Просто уйди.

— Посмотри на меня и вели мне уйти — я уйду.

Я упрямо замотала головой:

— Не буду смотреть. Тогда я не скажу. Ты красив, ты великолепен в постели. Но к тому же ты жуткий геморрой, а я устала, Реквием. Устала как собака.

— Я даже не спросил тебя, как прошла ночь. Думал только о своих чувствах и своей потребности. Я не настоящий любовник, я думаю только о себе.

— Мне сказали, что ты сюда прибыл кормить ardeur.

— Мы оба знаем, что это ложь, — сказал он тихо и рядом. — Я здесь, потому что мне сердце разрывает, что ты спала с Нечестивой Истиной.

Я хотела ответить злой репликой — он прервал меня:

— Не надо. Я не могу не чувствовать того, что чувствую, звезда моя вечерняя. Я просил Жан-Клода найти мне другой город, где я мог бы быть у мастера вторым, а не далеким третьим.

Я обернулась к нему, всмотрелась в лицо:

— Ты говоришь правду.

— Да, — улыбнулся он устало.

Я тогда обняла его, сплелась с ним как с кем-то, с кем уже счет потерян, сколько раз были вместе, когда тела друг друга знакомы на ощупь, когда знаешь музыку этого дыхания, если воздух пахнет сексом. Я обняла его, прижала к себе, и поняла, что стану по нему скучать. Но еще я знала, что он прав.

Он погладил меня по волосам:

— Что тебе будет меня не хватать — это утешает.

Я подняла голову, встретить эти синие глаза с чуть зеленоватым ободком вокруг зрачков.

— Ты знаешь, что я считаю тебя красавцем и потрясающим любовником.

Он кивнул и снова улыбнулся той грустной улыбкой.

— Но все твои мужчины красивы, и все они хороши в постели. Я хочу уехать куда-нибудь, где у меня будет шанс блистать. Шанс найти женщину, которая будет любить меня, Анита, и только меня. Ты никогда не будешь любить только меня.

— Вот не уверена, что я когда-нибудь буду любить кого-нибудь «только».

Он улыбнулся чуть шире:

— Немножко приятно знать, что и Жан-Клод не до конца тобой доволен. Придумать не могу, кто мог бы против него устоять.

Я нахмурилась:

— Я вообще-то не пыталась устоять.

— Ты его любовница, ты его слуга, но ты ему не принадлежишь.

Я хотела шагнуть назад, он удержал меня, прижимая к себе.

— Он почти то же самое сказал мне по телефону. Это тебя я должна благодарить за тот разговор?

— Я ему сказал, почему я должен уехать, и он согласился. Вот почему я в Лас-Вегасе: посмотреть, не захочется ли мне здесь обосноваться.

— Я не думаю, что этот город то, что тебе нужно.

— Нет, но для начала вполне годится. Я посмотрю их шоу, буду танцевать сам, и женщины сочтут меня красивым, и захотят меня, и я в конце концов захочу их.

— Меня просто мало, Реквием, чтобы крутить роман с вами со всеми. Сексом заниматься я с таким количеством мужчин могу, но быть для каждого прекрасной дамой одной женщине просто невозможно.

Он кивнул:

— Я знаю. А теперь поцелуй меня, поцелуй так, будто ты всерьез. Поцелуй так, будто без меня тоскуешь. Поцелуй меня, торопясь перед рассветом, потому что когда ты кончишь охоту на своего убийцу, я с тобой обратно не вернусь. Если мне не понравится Вегас, то ищет себе заместителя мастер Филадельфии, а она хотела бы мужчину из линии Белль, если получится.

Я посмотрела ему в лицо и поняла, что это всерьез. И он не шутит. Я привстала на цыпочки, он наклонился, и я стала целовать его в губы, сперва нежно, как касаются хрупкой статуэтки, боясь поцарапать, а потом позволила себе, рукам, рту целовать его так, как он этого хотел. Целовать, как целуют того, чьи руки, чьи соприкасающиеся губы, чье поднимающееся тело как хлеб и вода для тебя. Я не могла отдать ему сердце, но могла отдать все, что могу, и это не была ложь. Я люблю его тело, люблю выпадающие из него грустные стихи, просто его самого не получается любить. Видит Бог, я пытаюсь любить их всех, но сердце до такого размера не растягивается.

Он отодвинулся первый, смеясь, глаза светились вниманием.

— Слишком близко к рассвету, чтобы я мог оправдать такой поцелуй. Я знаю, что ты не разрешаешь даже нашему мастеру спать в твоей постели, когда он умирает на день, так что я иду к себе в ящик. И пришлю тебе партнеров потеплее, чтобы ты не была одна и чтобы по пробуждению у тебя была пища.

— Реквием... — начала я, но он положил палец мне на губы.

— Она идет во всей красе

Светла, как ночь ее страны.

Вся глубь небес и звезды все

В ее очах заключены.

Не знаю почему, но первая тяжелая и горячая слеза скатилась у меня по лицу. Он отнял пальцы от моих губ, стал ловить слезы. Целовал меня, снимая их с лица.

— То, что ты плачешь от моего ухода, очень много значит.

И он вышел, аккуратно притворив за собой дверь.

Я пошла в ванную и стала готовиться ко сну. Смыла слезы. Даже непонятно было, плачу я или нет, — просто я устала. Потом услышала шум, выключила воду и услышала Криспина:

— Анита, это мы!

У меня была секунда задуматься, кто это «мы», потому что Криспин никого не знал из других оборотней, прибывших из Сент-Луиса, или знал недостаточно. Я выяснила, что гетеросексуальные мужчины очень переборчивы по отношению к тому, кого брать с собой в кровать — в смысле, парней. Надо бы выглянуть и посмотреть, но я очень устала. Когда я тут закончу, Криспин и кто там с ним никуда не денутся.

Я вышла из ванной, одетая в снятый с двери халат, закрывавший меня с плеч до пяток. Двое мужчин у меня в кровати были прикрыты только простыней до талии. Двое голых мужчин у меня в кровати, оба ничего себе. Беда в том, что одного из них я никогда не видела голым.

Глава шестьдесят шестая

Криспин был все такой же мускулистый и худощавый, каким я его помнила. Он сел, улыбаясь, и простыня сползла, обнажив бедро сбоку, и было видно, что ничего больше нет между ним и моей простыней. Коротко стриженные белые курчавые волосы светились от горящей сзади лампы, и свет играл в завитках, образуя сияющий белый нимб. Криспин улыбнулся кривой улыбкой, ямочка с одной стороны лица. Совершенно ангельский вид был у него с этим нимбом, но если он и был ангелом, то падшим.

На другой стороне кровати лежал на спине Домино, вытянув руку на подушки, туда, где придется лечь мне. Черно-белые кудри резко выделялись на белой наволочке. Заметно было, что в основном они черные. А раньше не было ли их примерно поровну? Глаза ярко-оранжевые, цвета огня, но в огне не бывает таких золотых прожилок. Огонь не моргает длинными ресницами, не пытается сделать равнодушное лицо, когда глаза его выдают. А в глазах было желание и страсть.

Я думала, что разозлюсь, но нет. Вдруг из всего населения Вегаса для меня остались в мире только эти двое, между которыми мне хотелось свернуться клубком. Я говорила Истине, что сила линии Белль Морт проявляется лишь настолько, насколько глубокий порез хочет получить проявляющий ее вампир. Это так, но это еще не все: я могу войти в чужое сердце ровно настолько, насколько позволяю его владельцу войти в свое. У меня есть вся эта сила — и ни малейшего понятия, как защититься, чтобы этот обоюдоострый клинок меня не порезал до кости.

При виде этих двоих у меня осталась только одна мысль: *дома*. Глубокое чувство успокоения, которое и Криспин-то еще не заработал, а Домино для меня вообще чужой. Но иногда встретишь чужого — и с первого взгляда создается связь, квази-память, будто его кожа, его аромат уже были на твоих простынях, память-эхо. Надо было бы мне воспротивиться, поспорить с этим чувством, но я так устала, что даже глаза жгло.

Я сказала то единственное, что пришло на ум:

— Мне еще не нужно кормиться. — Голос прозвучал робко и неуверенно. Я резко кашлянула, прочищая горло, начала снова. — Ничего личного, я просто...

— Устала, — не дал мне договорить Криспин, — мы знаем. Мы чувствуем.

Я посмотрела на лежащего за ним Домино. Ощутила его неуверенность, его напряженное желание, чтобы все тут получилось хорошо. У меня совсем не осталось сил ни для какой борьбы, и это было приятное ощущение, странно спокойное. Впервые в жизни я не стала в этом копаться. Я не стала спрашивать: «Сможете ли вы хорошо себя вести, если все мы будем голые?» — потому что они оборотни, и для них нагота не означает секса. Она просто значит, что ты без одежды — это уже мой человеческий ум придает ей грязный смысл.

Я развязала пояс халата и подошла к кровати. Криспин улыбнулся, но Домино уставился на мелькнувшую полоску тела... может быть, для него обнаженность не означала сейчас просто быть без одежды?

Он заговорил, но хрипло, ему пришлось прокашляться.

— Секс — это было бы чудесно, но я ощущаю твою усталость как тяжелый вес, гнущий тебя к земле, и на нас тоже давящий. Давай мы тебя обнимем, Анита, просто обнимем.

Я полсекунды смотрела на его лицо. Он поднял руку с подушки и протянул мне. Я шевельнула плечами, сбрасывая халат на пол, и заползла между ними на кровать. Криспин помог мне влезть под одеяло, потом прильнул ко мне сбоку, давая мне ощутить, что не одному Домино трудно было бы сейчас заснуть.

Я посмотрела на него, а он лежал, опершись на локоть, улыбаясь и глядя на меня.

— Я в постели с красивой голой женщиной, и я же мужик.

Я не могла не улыбнуться. Кровать шевельнулась, и я обернулась посмотреть на придвигающегося к нам Домино. На лице у него читалось некоторое сомнение, будто он не знал, рады ли ему здесь будут. Я тоже не знала.

Он был шире в плечах, чем Криспин, и сейчас, глядя на них, опирающихся на локти, я увидела, что лишние дюймы роста у Криспина — от талии вверх. Домино остановился за несколько дюймов от нас, не стал придвигаться вплотную. Я эту сдержанность оценила.

И протянула руку потрогать его волосы. Они были мягкие на ощупь, но не такие мягкие, как белые волосы Криспина.

— Мне показалось, или у тебя было белых и черных волос поровну?

Он улыбнулся:

— За то время, что ты меня не видела, я превращался в черного тигра. Когда я возвращаюсь в человеческий облик, то на цвете волос сказывается цвет последнего воплощения.

Я уставилась на него:

— Ты умеешь превращаться *и* в белого тигра, *и* в черного?

Он кивнул, потерся головой об мою руку, чтобы я погладила его волосы — как гладишь кота, который трется о твои пальцы. При этом моя рука сползла с волос на щеку, и он прижался этой щекой к ладони. Глаза у него закрылись, лицо стало почти блаженным, будто какая-то тяжесть вдруг его покинула.

Я приподнялась его поцеловать, но это сократило бывшее между нами расстояние, и я вдруг почувствовала, что он не только рад быть тут со мной, но такой твердый и так рвется в бой, что у меня дыхание перехватило в груди, и я удивленно пискнула.

Он отодвинулся.

— Извини, Анита. Эта реакция неподконтрольна.

Я мотнула головой.

— Да я не... не надо извиняться, что ты самец, Домино. Мне это нравится.

Он улыбнулся почти смущенно.

Почти невольно моя рука скользнула вниз по его телу, глаза у него снова закрылись, и голова запрокинулась, будто давно уже такого с ним не было.

Криспин будто прочел мои мысли.

— Клан Белого Тигра гордится чистотой своей крови. Наша королева рада была обрести кровь черного тигра, но почти все самки нашего клана боятся риска родить нечистокровного отпрыска.

Я смотрела на Домино, который все еще слегка надо мной нависал, и моя рука остановилась где-то наверху его живота. Глаза у него остались закрытыми, но он начал отворачиваться от меня, хотел перевернуться.

Я остановила это движение, взяв его за плечо.

— Все у тебя хорошо, Домино. Ты красив.

— Нет.

— Я тебе говорю.

Он посмотрел на меня почти застенчиво:

— Не могу поверить.

— Почему?

— Потому что еще никто из тех, кто для меня важен, не обращался со мной так, будто это правда.

Тут я поняла, что устала я или нет, но уж не настолько устала.

— Я тебе скажу одну вещь, которую потом вряд ли повторю когда-нибудь.

Он посмотрел на меня, снова настороженный.

— У нас мало времени, надо по-быстрому.

Он улыбнулся от неожиданности, я улыбнулась в ответ:

— Мне и правда надо поспать до того, как позвонит полиция и надо будет снова ехать ловить преступников. Но я хочу, чтобы ты знал: я против тебя ничего не имею. Ты красив, и если верить тому, что я сейчас ощутила бедром, у тебя все тело классное.

Он и правда смутился, опустил голову. На вид он был лет тридцати, но по поведению — намного моложе. Может быть, только в этой сфере и только от недостатка опыта.

Я тронула его за лицо, повернула к себе.

— Займемся любовью.

— Это требует времени, если заниматься правильно, — ответил он.

Я улыбнулась ему:

— Ладно, тогда потрахаемся.

Он опешил.

— У нее постельные разговоры всегда конкретны, — сказал Криспин.

Я повернулась, посмотрела на него неодобрительно. Он пожал плечами — одним плечом:

— А чего? Я правду говорю.

Я нахмурилась сильнее, потом повернулась к Домино:

— В общем, любое слово, на твой выбор.

— Вот так? — спросил он.

— Вот так, — кивнула я.

— Почему?

— Чтобы не было у тебя таких потерянных глаз.

— О чем ты это?

— Заткнись и соглашайся, — сказал ему Криспин, — чтобы уже можно было поспать.

Домино глянул на него не слишком дружелюбно, потом опять на меня.

— Я всю жизнь провел среди женщин, которым не мог доверять. До меня согласны были дотронуться только выжившие после нападения, но не мой клан.

— Я из выживших.

Он покачал головой.

— Нет, — ответил он, наклонился к моим волосам и сделал долгий, глубокий вдох. — Нет, от тебя пахнет, как от меня: темным и светлым одновременно.

Я опустила руку ниже и почувствовала, что он уже не так твердо дрожит, как раньше: разговоры смягчают не только ситуацию. Охватив его ладонью, я слегка сжала — у него веки затрепетали, дыхание вырвалось вздохом.

— Хватит разговоров, — сказала я.

Ему пришлось проглотить слюну и только потом сказать:

— Ладно.

Я работала с ним рукой, а он наклонился в поцелуе, и вдруг впился мне в губы. Впился, как голодный в еду. Мои руки легли к нему на спину, ноги обернулись вокруг бедер. Он всем весом на меня навалился, не прерывая поцелуя, захватывающего, всепоглощающего. Снова тело его обрело прежнюю твердость, и одно ощущение этого предмета снаружи рядом со мной заставило меня вскрикнуть.

Криспин уже стоял возле кровати с презервативом в руке.

— Анита после нашего первого раза заставила меня дать обещание.

Мы с Домино прервали поцелуй, ловя ртом воздух. Я уставилась на Криспина, будто не понимая, кто это и что он говорит.

Домино встал на колени и вдруг я увидела, что трогала руками.

— О Господи! — вырвалось у меня.

Домино взял презерватив и надел на себя, встал надо мной на четвереньки, посмотрел на себя, потом мне в лицо.

— Мы тебя не подготовили, а я...

— Не маленький, — закончила я за него.

Он кивнул.

— Она тугая, но промокнет, — успокоил его Криспин.

Я посмотрела на него сердито.

— Тебе еще нужно поиграть? — спросил он тоном выговора.

Я задумалась.

— Хорошо было бы, но... — Я посмотрела на Домино, вниз, и единственное, о чем я могла подумать, было: — Нет, я хочу вот это в себя.

— Не хочу делать тебе больно в наш первый раз.

— Я тебе скажу, если будет больно, но... — Я поймала себя за язык. Ни один мужчина не захочет слышать — тем более в такой момент, — что у других твоих любовников был аппарат побольше. — Хватит трепаться, давай трахаться. Ну!

Он не стал спрашивать второй раз, просто опустился на меня, движением бедер раздвинув мне ноги чуть шире. Чтобы войти, ему пришлось направить рукой, но дальше помогать было не надо. Хотя ему пришлось поначалу пробиваться, первые несколько движений.

Сперва он был надо мной, опирался руками, нижняя часть тела прижата между моих раздвинутых ног, и когда я смотрела вниз, то видела, как он входит и выходит, и снова не могла не крикнуть.

— А ты был прав. Тугая, но влажная.

Криспин вернулся на свою сторону кровати и просто смотрел.

— Я тебе говорил.

Тело Домино раскрыло меня чуть шире, и вдруг нашло ритм. Я смотрела, как он скользит быстрее, плавнее, глубже, сильнее... В этой позиции, если у мужчины есть хоть какой-то размер, он попадает по точке, и попадал, попадал.

Я ощутила, как нарастает между ногами тяжесть, и прошептала:

— Вот уже почти, Господи, почти...

— Что почти? — спросил он, но так, будто и не слушает ответа. И голос его был с придыханием, и глаза закрылись в сосредоточении.

И тут между двумя ударами эта тяжесть хлынула вверх, затопляя кожу теплом и наслаждением, исторгая крик у меня из горла и вгоняя мои ногти в его предплечья. Он застыл надо мной, и голос Криспина откуда-то сказал ему:

— Не останавливайся.

Он начал снова, но потерял прежнюю остроту и выдохнул:

— Мне показалось, будто я делаю тебе больно.

— Она любит поорать, — пояснил Криспин.

Я могла бы скривиться в его сторону, но Домино снова поймал ритм, и мне все остальное стало безразлично. Он старался сохранить этот ритм — добиваясь для меня оргазма, наверное, но тело его начало терять равномерность движения, дыхание стало прерывистым. Он ударил еще раз, второй, четвертый — и снова стала нарастать тяжесть у меня в середине.

— Опять, опять близко! — простонала я.

Он заставил себя качать дальше, поймал тот же плавный ритм. Я приподнялась на локтях, чтобы еще лучше видеть и соприкасаться под более острым углом — и этого мне хватило. Он снова заставил меня хлынуть через край, и я орала в потолок от удовольствия.

На этот раз он не остановился. Переменился ритм, но это уже было не важно, лишь бы только он входил и выходил из меня, входил и выходил. Оргазм нарастал, ощущение накатывалось за ощущением, и ритм становился все самозабвеннее, и тело двигалось быстрее и жестче, и наконец он опустился низко, так, что в меня стучалась вся его длина. Это было иное удовольствие, но он уже так меня подготовил, что это и правда было удовольствие.

— Сильнее, глубже!

На этот раз он не стал спрашивать, всерьез ли я — поверил на слово. Он вбил себя в меня, глубоко и сильно, как сам хотел, как хотела я, весом и силой распял меня на простыне, пригвоздил к кровати, и тело его тряслось надо мной. Он открыл глаза — внезапно, совсем близко, и мы уставились друг на друга, и у него глаза стали больше и дыхание снова стало хриплопрерывистым, тело стало вскидываться, как от судороги, выдавливая из себя каждый следующий толчок. А потом он достал глубоко-глубоко, и это было чистое наслаждение. Я завопила и всадила ногти ему в спину, охватила его ногами и вписала свой оргазм в его тело воплем и кровью.

Он выкрикнул хриплым горловым голосом: «Да!», вонзился в меня еще один раз, последний, так глубоко, как еще не был, и я снова самозабвенно заорала, и наши тела задрожали вместе, и я вцепилась губами ему в шею, заглушая собственные крики.

Он лежал на мне, сердце его стучало об мое тело, пульс на шее бился у меня во рту, и я резко отпустила его, потому что на меня вдруг накатило желание вцепиться сильнее. И без того ощущался сладковатый металлический вкус, и я знала, что пустила ему кровь.

Откинувшись на кровать, я обвивала его руками, гладила ладонями, не отпуская сплетенных ног, удерживая его в себе, внутри, прижимаясь изо всех сил.

Наконец он приподнялся, и я расплела руки и ноги, чтобы он мог рухнуть в середину кровати рядом со мной, перевернуться на спину, судорожно восстанавливая дыхание. Пульс бешено бился у него на горле.

— Если это быстрячок, — сказал Криспин, — то я лопаюсь от любопытства, что же называется «долго».

Домино улыбнулся с полузакрытыми глазами, выговорил расслабленным голосом:

— Я хотел, чтобы было хорошо. Чтобы не разочаровать ее.

Я лежала на краю кровати, на его краю кровати, не в силах шевельнуть ничем из того, что ниже пояса, и не особенно желая шевелить чем-либо вообще.

— Разочаровать, блин. Интересно было бы посмотреть, как оно выйдет с предварительным разогревом.

— Так ты снова меня хочешь? — спросил он неуверенным голосом, и лицо у него вытянулось.

Я похлопала его по животу — туда проще всего было дотянуться.

— Если бы я уже могла шевельнуться, я бы тебя поцеловала и сказала бы, что любая женщина, которая тебе отказывала, была дурой.

Он погладил меня по бедру:

— Самое лучшее, что приходилось мне слышать от девушек.

Почему-то мне эти слова показались печальными, но я не стала говорить этого вслух.

Когда нас уже начали держать ноги, мы помылись и забрались обратно в постель. Меня положили в середине, что меня вполне устраивало. Я выяснила, что гетеросексуальные мужчины, которые не возражают против секса в присутствии другого мужчины, несколько напрягаются, когда им спать приходится в середине. Я ценю тех из мужчин своей жизни, которых это не парит, но других тоже понимаю. Мне вот не нравится спать рядом с голой женщиной, как выяснилось с леопардами-оборотнями в Сент-Луисе. Это была просто большая голая куча щенят — точнее, котят, — но все равно я предпочитаю быть начинкой бутерброда между двумя ломтями не моей природы. Так что не мне возникать.

Не с каждым уютно спать, как ложки в коробке. Криспин, например, спит на животе, так что этот вариант с ним не проходит. А вот Домино прильнул к моей спине, обвился вокруг меня, будто я — его любимая плюшевая игрушка, без которой ему не заснуть. Я подумала, что как-то неловко будет спать с незнакомым мужчиной. В смысле, что одно дело секс, когда только познакомились, а спать... ведь сон — это беспомощность. А я не люблю быть беспомощной в присутствии тех, кого знаю недостаточно хорошо.

Однако его тело будто сделано было для моего по мерке, рукой он приобнимал меня, прижимая к себе, как это делал дома Мика.

Я с ностальгией вспомнила своего короля леопардов. И Натэниела мне тоже не хватает. Интересно, как Домино с ними уживется? Но эту мысль я прогнала: решать проблемы будем в порядке очередности. Чтобы попасть домой, мне надо убить Витторио. Чтобы его убить, надо его найти. Значит, мы с Рокко потом пойдем его искать.

Но мне не пришлось искать Витторио. Он нашел меня сам.

Глава шестьдесят седьмая

Только сперва меня нашла *она.*

Я стояла в комнате, где, как я знала, лежит ее тело. Она казалась маленькой под шелковой простыней, даже не маленькой — ссохшейся. Впервые она выглядела как накрытый простыней труп. Я ждала, чтобы она пошевелилась, чтобы послышалось ее дыхание, но ничего не дождалась. Ее не было.

Потом я перенеслась в давнюю ночь, где в воздухе пахло дождем и жасмином. Было жарко, но не душно, будто и не был воздух полон влаги. Однако ощущался привкус грядущего дождя, и если чуть напрячь воображение, можно было почувствовать, как жадно ждет земля под ногами, как любовница ждет объятий.

Она вышла в эту ночь в виде женской фигуры, подобной самой этой ночи, но была она голосом, шелестящим у меня на коже.

— Некромантка, они идут меня убивать. Идут с новым оружием, с вещами, которых я не понимаю. Я покинула оболочку, лежащую в той комнате — пусть они заберут ее.

Запах жасмина усилился, потому что приблизился дождь — густой и чистый запах.

— Чего ты хочешь?

— Тебя, некромантка. Я хочу твое тело.

— Нет, — ответила я.

— Нет, потому что ты не подпускаешь меня. И тебе помогают в этом связи с твоими мужчинами. Но мне нужна сила, достаточная, чтобы выжить, когда погибнет моя оболочка. Тело твое я не могу забрать, Анита, но думаю, что смогу питаться через тебя.

— Это как? — спросила я, ощущая, как возникает тяжесть под ложечкой. Это зарождался страх.

— Тигры, маленькая моя некромантка. Ты не думаешь, что они случайно тебя нашли?

— Нет, я знаю, что ты со мной что-то сделала.

— Ты просто кормись на всех цветах этой радуги и передавай мне силу. Это мне позволит продержаться достаточно, пока я не найду себе тело.

— Ты просишь меня или приказываешь?

— Хватит ли просьбы, чтобы ты это сделала? — спросил голос.

— Нет.

— Тогда я тебе приказываю.

— Нет.

— Я могу заставить тебя, некромантка, только это будет менее приятно.

— Я не стану тебе помогать захватывать другое тело только потому, что ты не можешь заполучить мое.

— Запомни, некромантка: я тебе давала выбор. Ты выбрала путь боли. Теперь, если забеременеешь, будет поздно мне помогать.

— Что ты сказала?

— Когда я поняла, что не могу в тебя попасть, я попыталась устроить тебе беременность от кого-нибудь из моих тигров, но ты слишком долго была далеко от них. Сейчас ты лежишь рядом с двумя из них, и рядом с тобой лежит голубой тигр — даже я думала, что эта масть давно вымерла. Я бы предложила тебе как вариант использовать свою защиту, когда будешь для меня кормиться. Но раз ты не желаешь этого сделать добровольно, я сделаю то же, что сделала при твоей первой встрече с этим белым тигром.

— Постой!

Теперь я испугалась по-настоящему. С Криспином я повстречалась в Северной Каролине, куда приехала на мальчишник одного высокопоставленного типа и оказалась с Криспином в одном отеле. Я очнулась через двое суток — голая, в синяках, царапинах, все болело, и вокруг меня валялись без сознания трое мужчин. Один был Джейсон, второй — Криспин, которого я только что встретила, а третий, Алекс, вообще случайно попавший репортер, освещавший ту самую свадьбу. Он просто оказался рыжим тигром.

Вдруг у меня пульс забился в горле.

— Не надо, — попросила я.

— Либо ты будешь питаться от тигров добровольно и дашь мне силу, либо я снова тобой завладею. Но мне не нужно будет так надолго: вполне устроит твоя беременность, так что секс произойдет быстрее.

— А зачем тебе, чтобы я была беременна от тигра-оборотня?

— Потому что при жизни я была некроманткой, как ты, Анита, и оборотнем. Тигры — самые мощные из кошачьих, которые остались на земле. Я подумала, что, если младенец будет частично тигром, частично некромантом, я смогу завладеть его телом.

Страх у меня никуда не делся, но к нему начала примешиваться злость.

— Не имеешь права.

— Ты была у меня в мыслях, некромантка. Ты и правда думаешь, будто мне не безразличны всякие там права?

Запах жасмина лез в горло.

— Нет, — прошептала я.

Дождь уже готов был пролиться, ветер нес его прохладу. Очень темна была ночь.

— Тебе выбирать, Анита. Добровольно или силой?

— Если я тебе помогу, ты этой энергией воспользуешься, чтобы уйти от убийц и спрятаться в чьем-то теле. Займешь чужое тело и скроешься.

— Да.

Дождевой ветерок шевелил на мне тонкое платье, на ногах у меня были сандалии, которых я никогда не носила. Ветер задувал волосы на лицо, и рот был полон вкусом жасмина, будто я пила духи. Первые капли дождя упали на землю.

— Время уходит, некромантка. Ответ?

Я знала, что значит этот вкус жасмина — это во мне растет ее сила, как спусковой крючок отодвигается под пальцем, готовый сработать.

Я проглотила слюну — и это было трудно, настолько забил горло сладкий вкус.

— Я не могу помогать тебе захватывать чужое тело. Не могу жертвовать другим ради спасения тебя.

— Это же будет чужой тебе человек, — сказал голос во тьме.

Я покачала головой. Ветер ударил меня, стеной налетел дождь, я вмиг промокла до нитки. Холоден был дождь, и весь мир имел вкус жасмина.

— Не могу.

— Можешь и будешь, некромантка. Будешь меня кормить, спасешь меня. Я — Мать Всей Тьмы, я не умру от упрямства глупой девчонки.

Я стояла в пустынной ночи, бывшей когда-то на земле, когда еще ни городов, ни книг не было. Дрожала под холодным дождем, шедшим много тысяч лет назад. На языке ощущался жасмин, и вдруг у меня отрезало дыхание — это она вложила свою силу мне в горло.

Я еще сумела сказать:

— «Нет» — значит «нет», сволочь!

И слов не стало.

Глава шестьдесят восьмая

Дождь прекратился резко, будто кран закрыли. Горло освободилось от вкуса жасмина, я сделала мощный судорожный вдох.

В мире больше не пахло дождем. Еще держался запах цветов, но дождя не было. Воздух был сух, и ветер веял из пустыни, скрытой от меня пальмами. В этом видении я ощущала пустыню, о которой знала всегда, что она там.

Из песка налетел вихрь, и Мать Всей Тьмы шепнула у меня в ухе:

— Этого не может быть!

Вихрь остановился в нескольких футах, перестал вертеться и превратился в Витторио. Но это не был тот Витторио, которого я видела в Вегасе. Этот подставил луне красивое лицо без шрамов, одежда его была богато расшита, но вполне гармонировала с тонким платьем и сандалиями, которые были на мне. Короткие волосы снова стали длинными, когда он вышел из опавшего вихря, как маг из волшебной сказки. Он спас меня от нее — зачем? Мне даже безразлично было как. Но зачем?

— Я знаю, что ты еще здесь, Темная Мать. Я чувствую в этой ночи твое присутствие, ты паришь в воздухе, подобно дурному сну.

Ему ответил голос:

— Ты выглядишь неизменно, Отец День. Смотрю, твои собачки вернулись вместе с тобой.

Он шевельнул рукой — и что-то возле него появилось. Нечто такое, чего я будто бы и не видела, но если смотреть уголком глаза, виден был возле него контур массивного человека. Контур колебался, как на расстроенном телевизоре, но это существо было здесь. По крайней мере во сне.

— Ты можешь призывать народ ветра только во сне? — спросила она.

— Нет. Силы, которых ты лишила меня, возвращаются с каждым днем. Слабея, ты теряешь власть над тем, что у меня украла, и оно возвращается ко мне.

— Надо было мне тебя убить.

— Надо было. Я бы тебя убил.

— Слишком я была сентиментальна, — ответил голос.

— Не сентиментальность спасла меня, Темная Мать. Я отлично помню твои слова: «Если бы я точно знала, что ад есть, я бы убила тебя, чтобы тебя мучили вечно, но так как я не уверена, я оставлю тебя в живых, чтобы ты остался на земле в личном аду бессилия.

— Слишком это давно было, я не могу вспомнить свои слова в точности, — вздохнула она.

— Ты всегда тщательно запоминала свои дела, а не слова.

Я хотела что-то сказать, но боялась привлечь к себе внимание. Интересно, не могу ли я разбить сон и попросту проснуться?

— Не уходи, Анита, — сказал Витторио, будто прочтя мои мысли. — Неужели тебе не интересно, что происходит?

Я проглотила слюну и ответила, стараясь не показать, насколько я перепугана:

— Мне кажется, что у вас двоих много есть, о чем поговорить. Не хочу вам мешать.

Ответы прозвучали одновременно:

— Нет, некромантка, ты не уйдешь.

— Нет, Анита, я тебя не отпускаю.

Блин.

— Свет дня держит тебя в плену?

— Ты мне всегда завидовала в этом, никогда не была на это способна.

— А ты никогда не умел поднимать истинно мертвых.

— И ты неспособна призывать ветер под руку свою.

— У нас у обоих — свои армии рабов, Отец День.

— У тебя — гниющие орды, у меня — армия джиннов. И моя армия вернется ко мне, а твоя — нет.

Голос его стал ниже, и какое-то древнее зло зазвучало в нем.

Я хотела спросить, правильно ли я поняла, что джинн — это дух из арабских сказок, но не настолько нужен мне был ответ, чтобы обращать на себя его внимание.

В ее голосе прозвучали первые нотки страха:

— Ты не дашь мне спастись?

— Именно, любовь моя. Не дам.

— Мы оба любили силу и власть больше всего на свете. Не сантименты помешали тебе нанести мне первый удар, любовь моя.

И она издала нежный звук, прозвучавший оскорблением.

Он поднял руки, произнес слова, которых я не поняла, но у меня волоски на руках встали дыбом — будто та часть моего мозга, которую я перестала понимать, точно знала значение слов. Он коснулся кольца у себя на руке.

—Ты говоришь слова, но действие производит — кольцо. Ты еще недостаточно силен, чтобы ими повелевать без него, — сказала она.

—Пока нет. Но благодаря твоим планам, скоро стану. — Он повторил те странные слова, и снова у меня побежали мурашки по коже. — Они почти здесь.

Я сперва подумала, что он про джиннов, а потом почувствовала, что она обернулась назад, будто за тем местом, откуда шел голос, было невидимое мне окно. На миг мелькнула стройная смуглая девушка, потом на нее налетел ветер. И ветер этот был полон клинков, как водоворот серебра, окружил ее и разрубил в куски.

—Не верь ему, некромантка! — успела она вскрикнуть отчаянно и потом ее не стало, но не от лезвий — будто взрыв ударил у меня под ложечкой, будто мое тело было той комнатой, где он прозвучал. Я рухнула на колени от резкой жгучей боли.

—Они воспользовались современной взрывчаткой, она мертва! — заявил он торжествующе.

Ветер клинков стих, будто его и не было, но у меня возник еще один образ огромной фигуры, стоящей за ним. Вот уже две таких фигуры. Это джинны? Если да, то совсем ничего похожего на мультики, кроме кольца на пальце, которое позволяет ими управлять. Вот это прямо из сказок.

Он обернулся ко мне с улыбкой, но улыбкой недоброй. Так могла бы улыбаться змея мыши перед тем, как ее заглотать.

Я решила, что ничего не теряю, задав вопрос.

—Это джинны убили полисменов?

—Да. Мой дневной слуга имеет доступ к некоторым моим способностям посредством вампирских меток.

—Он просто берет кольцо, — догадалась я.

—Нет, кольцо всегда со мной.

—Если у тебя не будет кольца, они на тебя набросятся?

—Они — рабы. Рабы всегда возмущаются оковами.

— Я сейчас прерву этот сон и проснусь, — сказала я, пытаясь выразить голосом уверенность, которой не было.

Он засмеялся — очень хорошим смехом, но по сравнению с Жан-Клодом — весьма ординарно. И снова, будто прочитав мои мысли, сказал:

— Линия Белль Морт обладает способностями, которых нет ни у нее, ни у меня. Белль — это нечто новое. Все прочие происходят от нас — кроме нее и Дракона. Она никогда вообще не была человеком, и потому была и остается от нас отличной.

— И ты не разделяешь способности линии Белль Морт.

— Я слишком откровенно делюсь тайнами. Но уже давно не было у меня, кому их открыть.

— Одиноко должно быть.

— Так и есть, но сейчас ко мне возвращаются мои слуги и моя магия.

— Поздравляю. А теперь я пойду, если можно?

Это «если можно» встало у меня поперек горла, но если оно мне поможет отсюда смыться ко всем чертям, то дело того стоило.

— Темная Мать всегда хорошо планировала. Именно потому она и победила меня. Это хороший план.

— Какой план?

— Чтобы ты кормилась от тигров всех цветов, а вампир у тебя откачивал энергию. Это была бы достаточная энергия, чтобы ее спасти, и ее будет достаточно, чтобы вернуть мне мое былое великолепие.

— Тебе не хватает в клане Макса двух цветов. Нужен желтый и красный.

— Ты видела афиши, Анита. Красный тигр выступает в Вегасе. Его одолжили на год клану Макса.

— Но Максу он не принадлежит.

— Я не только тех тигров призываю, которые принадлежат Максу, Анита. У меня много имен, но одно из них — Отец Тигров. Я их призову сюда, в твою комнату, и ты — и они с тобой вместе — будете делать то, что я велю.

— Тебе все равно не хватает желтого, — ответила я, борясь с давящим горло пульсом.

—Ты не понимаешь, Анита? Желтый тигр — это ты. На тебя нападал желтый тигр.

—Так я же выжившая, а не чистокровная. Превратилась бы я в обычного тигра.

—Нет, Анита, это не так. Как ты думаешь, откуда возникли кланы? Ты и правда веришь, что тигры сочетались с людьми и порождали потомство? Сказки. Все они были выжившими после нападения тигров разных пород. Сами себя они убедили, что они выше других, потому что размножаются так, как надо, но это они собственную правду забыли. Когда-то они были такими, как ты, и ничем больше. От тебя пахнет золотым тигром, Анита, а всеми ими когда-то правил золотой клан, поэтому они склоняются перед его властью. Не будь ты истинным золотым тигром, они бы не реагировали на тебя так, как сейчас.

—Нет, — сказала я.

—Да мне не нужно, чтобы ты была с ребенком. Это даже осложнило бы положение, поэтому мы сделаем все быстрее. Мне только нужно, чтобы ты питалась от них и вернула все линии к их полной силе. Для этого нужно до конца использовать силы линии Белль Морт.

—Ты не дашь мне шанса согласиться на сотрудничество? — спросила я.

—А зачем? Я вижу в твоих мыслях свою смерть, Анита. К твоему счастью, ты мне нужна живая. Теперь давай передавай мне силу, которая была когда-то моей, пока Тьма не ограбила меня до нитки.

—Нет! — закричала я, но тут все исчезло в темноте, и чернота на этот раз была лишена голоса. Не было ничего.

Глава шестьдесят девятая

Я очнулась в полумраке кровати, лежа между теплыми телами. И подумала, что я дома, между Микой и Натэниелом Удовлетворенно вздохнув, я свернулась, прижавшись потеснее спиной к Мике и прижав к груди Натэниела. Обычно так мы и сплю, но мужчина у меня за спиной был слишком высок для Мики, и это было неправильно. А который передо мной — слишком низкорослый, и мышцы не такие, как у Натэниела.

Вдруг я широко распахнула глаза, напрягшись всем телом. Кто был за мной, я не знала, но у лежащего впереди были короткие черные волосы. Лицо он спрятал в подушку, его не было видно. Я задержала дыхание и медленно стала убирать руку с его талии. Надо будет еще убрать руку со второго мужчины, но будем решать проблемы по очереди.

— Он не проснется, — сказал чей-то голос.

Я вздрогнула и огляделась. Третий мужчина лежал на дальней стороне кровати, свесив руку вниз. Этот был Криспин, голый, спящий на животе поверх одеяла.

— Тебе придется подняться, чтобы меня увидеть, — снова сказал голос Виктора.

Я стала приподниматься, придерживая руку второго мужчины за запястье, чтобы его не беспокоить.

— Честно тебе говорю, Анита, они не проснутся. Все лежащие в этой кровати должны будут проспаться после превращения. Это еще несколько часов займет.

Я теперь его видела — в большом кресле, в углу. На нем был гостиничный купальный халат, коротко стриженные белые волосы в беспорядке. Будто он запускал в волосы пятерню или же только что из кровати вылез.

И тут у меня возник образ — не зрительный, осязательный. Я вспомнила, как шевелила руками его волосы, как заставила его глядеть мне в глаза, и...

— Блин, твою мать! — сказала я.

Он кивнул:

— Достаточно точная характеристика.

Я теперь уже сидела, прислоняясь спиной к кожаной спинке кровати, и мужчина на другой ее стороне был мне виден. У него были длинные темные волосы, падающие на лицо и спускающиеся ниже плеч. Мускулистый, высокий, незнакомый.

— Кто они?

— Одного из них ты должна знать.

Я старалась говорить тише, как при спящих.

— Я не знаю, кто у меня там за спиной.

— Его ты могла видеть на афише возле «Таджа». Наш гастролер-звезда на ближайший месяц, потом едет домой. Твой Реквием должен будет занять его место, тоже на месяц.

Я представила себе вспыхивающий образ улыбающегося рыжего со словами: «Приходите посмотреть, как бык превращается в котенка», — и неоновую картину превращения человека в красного тигра.

— Только не это!

Возле двери послышался шум. Мне ничего не было видно, но я вспомнила: в Северной Каролине и на полу лежал тигр.

Лежавший на полу застонал и сел. У него были прямые черные волосы, спадающие на плечи, лицо с чуть раскосыми глазами, как у Вивианы, но кожа не бледная — загорелая. Как будто живет и работает на открытом воздухе. Опустив лицо в ладони, он простонал еще раз и спросил:

— Что стряслось?

— Что ты помнишь? — спросил его Виктор.

Мужчина огляделся, увидел меня на кровати.

— Вот ее.

— Да, ее, — кивнул Виктор.

— Я не нарочно, — сказала я.

Мне вспомнился мой сон. Там был Витторио и Мать Всей Тьмы. И сон стал мне ясен быстрее, чем что-либо произошедшее в этой комнате.

— Это сделал Отец Всех Тигров, — сказал мужчина на полу.

Я на него уставилась.

— Кто? — спросил Виктор.

— Витторио, — объяснила я. — Это одно из его старых имен. Откуда ты знаешь этот его титул?

— Я был тигром его зова.

— Был? — переспросила я.

Вдруг у Виктора оказался в руке пистолет, направленный на этого человека. Один из моих пистолетов.

— Он меня вызвал через полмира — я не мог не ответить. Он был моим мастером, и когда он снова набрал достаточно силы, я не мог воспротивиться. — Казалось, он смотрит в никуда, но лицо его говорило, что воспоминания его не радуют. — Я думал, что свободен от него навеки, но если он тебя захочет, спастись от него невозможно.

— Он пришел в отель, — сказал Виктор. — Дотронулся до меня, и мне пришлось сюда идти. Я даже не слышал, что он идет со мной, ничего не слышал, пока он не тронул меня, и я просто делал то, что он хочет, и не мог перестать. Я не мог позвать на помощь. Не мог ему сказать «нет».

— Да. Ты превращаешься в раба, в марионетку. Он заставит тебя делать страшное, и ты не сможешь воспротивиться.

— Как тебя зовут? — спросила я.

— Для него — Хонг. А для себя и уже много сотен лет я — Себастьян.

— Хорошо, Себастьян, ты тут сказал — *был зверем его зова*. Что изменилось?

— Ты.

Он встал, не чувствуя неловкости от наготы, как все оборотни. Я вдруг вспомнила его над собой, бьющееся в судорогах тело, запрокинутую голову, ощущение его тела во мне. От этого мне пришлось сделать глубокий вдох и выдохнуть очень медленно. Он был невысокий, примерно моего роста. И руки у него были едва ли больше моих.

— Пусть он получил энергию от того, что мы тут делали, но как только у нас произошел секс, как только я ощутил, что ты от меня кормишься, что-то будто во мне порвалось. Это ты разорвала его хватку.

— Это невозможно, — сказала я.

— Темная Мать сотворила это много веков назад. Это была одна из ее особенностей — умение разорвать связь между хозяином и слугой. Она лишала мастеров силы и брала эту силу себе.

— Брось мне пистолет, Виктор, — попросила я.

Он посмотрел на меня.

— Просто брось и все.

Проверив предохранитель (что мне понравилось), он бросил мне мой «Смит-и-Вессон». Я его поймала, щелкнула предохранителем и взяла Себастьяна на мушку.

— Это ты убил практиционеров из СВАТ?

Он просто кивнул.

— Пусть я своего мастера ненавидел, но ко мне вернулись силы старых времен. Я мог управлять двумя найденными им джиннами, а колдун из полиции знал одно очень старое заклинание — оно бы лишило меня над ними власти. Джинны ненавидят рабство, и если им предоставить шанс, они набросятся на хозяев.

— Как демоны, — сказала я.

— Да, иногда, — согласился он.

Я подняла колени, устроила на них пистолет, направленный на него.

— Я знаю, что ты убил полицейского. Я бы тебя сдала, но знаю, что у тебя не было выбора. Он может тебя заставить делать такое, чего бы ты делать не стал.

— От него пахнет правдой, Анита, — сказал Виктор.

— Я знаю.

— Что вы со мной сделаете?

— Не знаю пока. Расскажи нам о джиннах.

Он стоял, опустив руки, стараясь быть как можно неподвижней под нашими дулами.

— Расскажи про джиннов, — повторила я.

— Это из арабских сказок? — спросил Виктор.

— Если то, что я видела рядом с Витторио, оно и есть, то в кино и в книжках все не так.

— Я понимаю, что они не исполняют желаний, — сказал Виктор.

Мы с Себастьяном оба рассмеялись, но не слишком счастливым смехом. Переглянулись, и я заметила, что у него глаза того же цвета, что у Домино: как выгравированный в радужках огонь.

— Где Домино? — спросила я.

— В ногах кровати, — ответил Виктор.

— О'кей, — кивнула я. — Так расскажи нам об этих тварях.

— Они бывают связаны с каким-нибудь предметом или подчинены ему, и тогда их можно заставить выполнять приказы волшебника или чародея. В этом сказки не лгут, — сказал Себастьян.

— Например, к тому кольцу, — вставила я.

— Именно.

— Если он потеряет кольцо, он потеряет власть над джиннами?

— Да, до тех пор, пока не вернет себе полную силу. Когда это случится, он сможет звать их из воздуха без магической помощи. Такой у него дар.

— Был ветер, и они из него явились, — сказала я.

— Они — вторая порода людей, сотворенных из воздуха — как мы сотворены из земли. Они очень сильные духи. Такие сильные, что царь Соломон уничтожил их как народ и сделал рабами своей воли. Так они пали до слуг, до состояния духов, чья способность — нашептывать нам в уши зло, направляя наши поступки.

— Царь Соломон сделал печать, с помощью которой лишил свободы почти всю эту расу, или что-то в этом роде? — спросила я.

Он кивнул.

— Да. Есть легенды, будто он использовал их при строительстве своих великих храмов.

— Если мы сможем забрать у него кольцо, обратятся ли джинны против него? Убьют его?

— Может быть. А может, просто сбегут. Он для их расы такой же жупел, как и для твоей.

Я отметила это «твоей», как будто он из другой. Но пока оставила без внимания и стала думать, что же с ним делать. Он убил бойца СВАТ и был соучастником убийства других. Но я верила, что это Витторио заставил его такое сделать, как вчера вампиров в клубе и людей в толпе.

— Его надо убить до того, как он наберет полную силу, — сказала я.

— Согласен, — ответил Себастьян.

— Как? — спросил Виктор.

— Я знаю его дневное логово, — сообщил Себастьян.

Я опустила пистолет, и Виктор последовал моему примеру.

— Давайте включите свет, найдите какую-нибудь одежду а ты скажи мне адрес. Все адреса всех мест, где он останавливался в Вегасе с тех пор, как ты с ним.

— Ура! Это значит, что меня не казнят?

— Я думаю, что нет.

— Ты про меня не расскажешь?

— Постараюсь не рассказывать.

— Спасибо тебе.

— Не благодари. Помоги мне лучше его убить, пока он снова не стал Отцом Дня.

— Да, — сказал Себастьян. — Если он вернет себе полную силу, то сможет наколдовать себе армию джиннов прямо из воздуха, которым мы дышим.

— У меня есть бумага и ручка, — сообщил Виктор.

— Скажи ему адреса. — Я стала переползать через мужчину, который лежал в кровати, но при этом мне стало видно его лицо. — Матерь божия, только не это! — произнесла я.

И рухнула с кровати, приземлившись на Домино, который замычал и проснулся.

— Анита, ты цела? — спросил он.

— Ты ей не дал упасть, — ответил ему Себастьян.

Я встала и уставилась на кровать. Криспин, и красный тигр — стриптизер, которого я даже не знаю, как зовут, а третий мужчина — это был не мужчина. Мальчик. Синий тигр, Синрик, едва шестнадцати лет от роду.

Глава семидесятая

Единственное, из-за чего этот момент не стал самым неловким во всей моей жизни — это что мальчик не проснулся. Я оделась в ванной и сказала своему отражению в зеркале, что истерикой дела не поправишь. Отражение мне не поверило, но спорить не стало.

Когда я вышла, в черном с ног до головы — под стать настроению, Криспин уже проснулся, и рыжий тоже. Не рыжий, как человек, не красный, как тигр, но все-таки рыжий. У него волосы были краснее, чем у Дамиана, моего слуги-вампира в Сент-Луисе. Да, слуги-вампира, вы не ослышались. Насколько нам известно, я — первый слуга-человек, обзаведшийся слугой-вампиром. У Дамиана волосы красные оттого, что столетия не видели солнце, но при зажженных лампах волосы у этого тигра были красные, как восковой мелок. Тот красный цвет, за который в школе сразу прочно обзовут рыжим — только чуть с примесью черного, будто на палитру выдавили краску слишком густо.

Лицо у него было длинновато на мой вкус, но все равно достаточно красивое. Глаза желтые, будто кто-то вплавил в лицо осенние листья. И только когда он повернулся, и я увидела идущую ко мне эту мускулистую грацию, только тогда я отвернулась, покраснев, и стала цеплять на себя оружие.

Криспин подошел ко мне, обнял:

— Все нормально?

— Нет, — ответила я.

— Пропали мои отец и мать, — сообщил Виктор.

— Что? — обернулась я к нему.

— Мастер собирался их захватить. Я сказал Виктору, но поздно. Они пропали.

— Как он захватил Макса и Вивиану? В смысле, они же совсем не легкая добыча?

— Он сказал, что подождет, пока наберет силу достаточную, чтобы захватить их обоих.

Я обернулась к Себастьяну:

— И сколько он ее набрал?

— Не знаю.

Ко мне подошел красный тигр. Смущение меня уже оставило — слишком я была встревожена.

— Я Хантер, — сказал он.

— Это хорошо, — кивнула я. — Извини, что мало что помню. Потом память вернется.

Из самоуверенного его лицо стало разочарованным.

— Ты не помнишь?

— Послушай, Хантер*, если это твое настоящее имя, а не сценический псевдоним, ты понимаешь, что пропали мастер города и предводительница местных тигров? Я сейчас позвоню в СВАТ и пойду на вампирскую охоту.

— Прости, просто старался быть вежливым.

— Вежливыми будем завтра. Давай для начала сегодня останемся в живых, ладно?

Вид у него был несколько уязвленный, и я подумала, насколько он сообразителен — или наоборот. Но опять же и это не было сейчас важно. Я обернулась к Виктору.

— Как ты хочешь: чтобы я сообщила полиции о твоих родителях или вы хотите сами разобраться?

— Пока не звони. Если он их утащил к себе в дневное логово, то нормально, мы их выручим. Но в этом поиске, быть может, не станем особо оглядываться на закон.

— О'кей, как скажешь. Значит, я пока про это молчу.

И я набрала первый из номеров, который в телефоне записала на СВАТ. По алфавиту, так что первым был лейтенант Граймс.

— Маршал Блейк, мы вам уже около часа дозваниваемся. Все ли у вас в порядке?

— Да. Мне удалось выяснить место дневного отдыха Витторио.

— Давайте адрес.

Я продиктовала.

— Мы сейчас высылаем группу. Остальные маршалы уже здесь.

— Блин, лучше бы вы меня подождали.

Граймс сказал что-то мимо микрофона, потом вернулся.

— Тед уверен, что мы можем действовать без вас.

— Правда? Ну, ладно. Можно Теда к телефону буквально на секунду?

— Форрестер слушает, — сказал голос Эдуарда. Очень холодный и на него не похожий.

---

*Hunter — Охотник (англ).

Ладно, хрен с ним.

— Эдуард, Витторио — не настоящее имя. Он его взял, когда Мать Всей Тьмы лишила его силы и выбросила прочь. Изначально он был Отец Дня или Отец День. Он стар, как сама тьма, и по мере того, как она теряет силы, он их набирает.

— Откуда ты это знаешь? — спросил он, и уже не был сердит.

— Он приходил этой ночью в мои сны, и она тоже.

— Анита, ты...

— Пока в порядке. Кто-то перебил у тебя работу, и, думаю, взорвал ее в эту ночь.

— Он может ходить днем?

— Пока вроде бы нет. Но если и нет, то близок к этому. Однако не это самое худшее.

Я рассказала ему про джиннов.

— Если он вернет себе всю свою силу, то у нас в городе окажется вампир такой же сильный, как Мать Всей Тьмы, — сказал Эдуард.

— Ага.

— Граймс послал Рокко и Дэви посмотреть, как ты. Мне бы хотелось, чтобы Дэви вошел туда с нами, если покажутся джинны.

— А что он такого умеет?

— Умеет управлять погодой, но на самом деле — он движет воздухом.

— Это как?

— Он умеет делать воздух твердым, создавая из него пуленепробиваемые щиты.

— Ни хрена себе. Не слабо, — восхитилась я. — Вроде комбинации погодной магии с телекинезом.

— Да, но что будет, если твердыми станут джинны — это если они и правда сделаны из воздуха?

— Хороший вопрос, я над ним подумаю. Когда они сюда приедут, мы двинемся к вам.

— Давайте. И вот что, Анита...

— Да?

— Извини меня.

—Все путем, Эдуард.

—Увидимся на месте.

—Оставь мне нескольких, — попросила я.

—Я читал отчеты из Сент-Луиса. Не менее одной вампирши и слуга-человек.

—Ага.

—Все, бегу.

—Пока, — ответила я уже в пустоту. Он повесил трубку. Но он извинился — быть может, впервые.

Я решила посмотреть, как там моя охрана по соседству, и набрала номер Хэвена.

—Анита, я думал, ты будешь весь день занята, — ответил он. — Если ты хотела повеселиться, то у нас тут достаточно мужчин.

Голос у него был возмущенный.

—Ни хрена себе из вас охранники. Я все утро была под гипнозом Витторио.

—Что?

—Тебя не удивило, что столько тигров собралось у меня в комнате?

—Ты подошла к двери и сказала, что все нормально. И сама пригласила их всех.

—У меня не было странного вида?

—Нет, совершенно нормален. Клянусь.

—Я бы не согласилась на всех, кто пришел.

—Ты про мальчишку, — сказал он так небрежно, что я разозлилась.

—Ага. Который есть нарушение закона.

—Ну, во-первых, шестнадцать в Вегасе вполне возраст согласия. А во-вторых, если это вполне законно, что плохого в молодых?

—А. Ну, ладно. — Я протянула телефон Виктору: — Расскажи ему новости про своих родных.

А сама пошла к Себастьяну, который стоял все так же голый.

—У кого-нибудь осталась одежда?

—Похоже, на мне ее разодрали в клочья, — сказал он.

— Возьми тогда халат. — Он послушно направился в ближайшую ванную. — Постой. Есть еще какой-нибудь план? Или еще что-то, что ты мне должен рассказать про Витторио?

— Про полисменов в госпитале, которые сейчас спят. Витторио видел их нападение моими глазами, и он велел мне убить колдуна, но остальных только обезвредить. Это мне дало свободу выбора, чтобы их усыпить.

— Есть способ их вывести из этого состояния?

— Да, поцелуй любви.

— Как?

— Каждого из них должен поцеловать кто-то любящий.

— Это как Спящую Красавицу?

Он кивнул:

— Ну, да. Изначально эта сила исходила от линии Белль Морт: вампирская сила, приводимая в действие любовью. — Он наморщил лоб: — Я вообще-то думал, что кого-нибудь из них уже жена поцеловала случайно.

— Это должен быть поцелуй в губы?

— Да.

— И крепкий поцелуй?

— Ну, слегка чмокнуть недостаточно. И эмоции в нем должны быть, в этом поцелуе.

— Типа при этом надо думать, как ты крепко любишь спящего или как его хочешь?

— Да.

Вот каждый раз, как я думаю, что уже слышала о самой необычной вампирской силе, так и оказываюсь не права. Я уже потянулась за телефоном звонить в СВАТ, но постучали в дверь.

Я пошла открывать, но меня опередил Криспин.

— Дай лучше я посмотрю, Анита.

Он был прав, поэтому я не стала спорить. Он посмотрел в глазок, повернулся ко мне, улыбаясь.

— СВАТ. Нам спрятаться?

— Да.

И они попрятались — я им велела одеться и не бросать Себастьяна.

Я открыла дверь — за ней стояли Рокко и Дэви.

—У нас есть адрес дневного логова.

—Блин, ты уже сообщила?

—Да, и мы все там встретимся, но есть еще другие новости.

Закрыв за собой дверь, я вышла к оперативникам, ожидающим моей информации. Мелькнула в щели приоткрытой двери голубая шевелюра Хэвена, он же куки-монстр. Я кивнула ему, и это было лучшее, что я могла сделать. На Хэвена есть в полиции досье, а до недавнего времени он служил громилой у главаря мафии. Играть с ним и с копами в одной команде не выйдет. Мы сперва попробуем действовать легально, а потом, если не получится, можно поискать способы, не лежащие в правовом поле.

Впрочем, сообщая Рокко и Дэви утренние новости, эту мысль я оставила при себе.

Дэви осклабился:

—В смысле пуль эта штука не на сто процентов надежна пока что.

—А на сколько? — спросила я.

—На восемьдесят.

—Семьдесят, — поправил Рокко.

—И все равно здорово.

Он снова улыбнулся, изогнув красивые губы, и сделался моложе, как-то свежее.

—Но если есть монстр, сделанный из воздуха, я думаю, с этим я смогу повозиться.

Я была за него рада, а семидесятипроцентный успех для редкого таланта очень неплохо, но как-то я не была уверена, что хочу выступить против великана, способного разорвать человека в бронежилете или же изрубить его в куски вихрем клинков. Семьдесят процентов — это кажется неплохим шансом, если на карте не стоит твоя жизнь, иначе оценка меняется. Но будем смотреть правде в глаза: что у нас есть еще? И тут я поняла, что я дура. Я же знаю: у погибшего практиционера было заклинание, которого испугался Витторио.

Я поискала в телефоне номер Фебы Биллингс. Если член ковена знал заклинание, то есть шанс, что его верховная жрица тоже его знает. А со мной — еще два практиционера. Если все мы его сможем выучить, у нас будет шанс.

Глава семьдесят первая

Я сидела на пассажирском месте машины Рокко, когда что-то будто мелькнуло. Сперва я подумала, что это игра яркого света пустынного солнца, но снова оно мелькнуло у меня в поле зрения, и я поняла, что это в голове.

— У меня видения, — сказала я вслух.

— Какого рода видения? — спросил Рокко.

Дэви подался вперед на сиденье. Вопрос был хороший — а хорошего ответа у меня не было.

— Не знаю. Исчезло уже, но было отчетливое.

— Расскажи, когда и что ты видела.

— Расскажу.

Про себя я надеялась, что больше ничего не увижу, но просто приятно было работать с полицейскими, которые тебя не считают психом только за то, что ты — экстрасенс.

Зазвонил мой телефон — это отозвалась на мое сообщение Феба Биллингс. Она начала сразу:

— Полиция к моей двери не приходила. Вы не стали привлекать по этому делу меня и мою группу.

— Не видела в этом смысла. Но я выяснила причину смерти Рэнди и что он делал в момент гибели.

И я объяснила.

— Джинн, в Америке? В самом деле?

— Честное слово.

— Погоди минуту, я посмотрю. Я знаю, какое ты имеешь в виду заклинание, но оно очень старое и его нет в здешних книгах. Рэнди всегда копался в истории нашего ремесла; вспоминаю вечер, когда он говорил о джиннах и о том, что верно и что неверно в легендах. — Слышно было, как она ходит и ищет. — А, вот оно. Ты по-арабски говоришь?

— Нет.

— Рэнди говорил, это была одна из его специальностей в армии. Кто-нибудь из твоей группы СВАТ говорит?

Я передала этот вопрос.

— Мун говорит, но у него мать из Ирана, — сказал Дэви.

— Я умею читать, — ответил Рокко, — и Мун говорил, что произношение у меня хорошее.

Я отдала ему телефон, и Феба прочла ему заклинание. Он повторил его вслух, и у меня от него волосы на руках встали дыбом, как было ночью.

— Она просит, чтобы ты записала заклинание.

— Я не умею по-арабски.

— Запиши прямо как она тебе будет говорить, по буквам. Она попробует продиктовать так, как произносится. Хочет проверить, будет ли работать заклинание, если его произнести, не понимая.

— Ну, как любое волшебное слово, которое действует, даже если его произнести случайно, — ответила я.

— Да.

— Но они очень редко встречаются, — вставил Дэви. — Большая часть заклинаний не действует, если за ними нет какой-то силы.

Я стала записывать буквы, которые диктовала Феба по одной. При записи по-английски арабского текста получалась бессмыслица, но надо будет попробовать. Записав все, я повторила этот текст Фебе.

— А теперь то же самое, но быстрее.

Я прочла быстрее. Не было покалывания кожи — просто бессмысленный звук.

— Скажи, что оно должно делать, — попросила я.

— Оно посылает их обратно через щит Соломона. И записает вне нашей реальности.

— Чары изгнания, вроде как для демона?

— Да, можно так назвать.

Я попробовала снова, сосредоточившись на том, что должно делать такое заклинание; вложила намерение в звуки, которые должны были бы быть словами, и все равно не получилось. Я отдала запись Дэви — и снова та же энергия стала покалывать кожу.

— Кажется, ты вот здесь и здесь произносишь неправильно, — сказал он.

Я по дороге продолжала усердно отрабатывать произнесение заклинания, стараясь не отстать от ребят. У нас есть Дэви и есть заклинание. Пистолеты этим тварям не страшны.

— Позвони Муну, — сказал Рокко, — дай ему слова. Он знает, как их произносить.

Дэви позвонил. Я спросила Рокко, когда он под скрип тормозов сворачивал за угол, а я вцепилась в дверь:

— Что заставило тебя выучить арабский?

— Я хотел читать для себя Коран и Библию без вмешательства переводчиков. Мало кто знает, что некоторые исходные книги Библии были написаны на арамейском.

— Я знаю, но я не читаю на нем.

— По той же причине я читаю на древнегреческом.

— Ты, я думаю, ревностный прихожанин.

— Каждое воскресенье в церкви, если нет вызова.

Я ему улыбнулась:

— И я тоже.

— Я лютеранин, а ты?

— Епископальная церковь.

Он потратил на меня целую улыбку:

— Церковь Толстого Генриха?

— Ладно, ладно. Я знаю историю своей церкви и ничего против нее не имею.

— Главное, чтобы знала.

— Да. Моя церковь существует потому, что Толстый Генрих не мог развестись, будучи католиком.

Я услышала, как Дэви произносит в телефон звуки заклинания, и они отдались у меня в позвоночнике.

— Колдун погиб, пытаясь сказать эти слова, — напомнил Рокко.

—Да.

—Расплатимся за Колдуна.

—Расплатимся, — ответила я, и хотя ни разу не видела его живым, сказала от души.

Конечно, у меня в номере тигр, который его распорол, но он так же невиновен, как те вампиры, которых мы пытаемся спасти, как люди, которых мы отпустили вечером. Я все же не стала рассказывать Рокко и Дэви про Себастьяна. Что бы я сделала, если бы на столе лежал Эдуард, а оборотень мне объяснял бы, что у него не было выбора, что его заставили? Ответ простой: я бы его убила.

Глава семьдесят вторая

Приехали мы к шапочному разбору. На земле лежали трое слуг-людей со скованными руками и ногами. Оковы надеваются на всех, даже на мертвецов — на всякий случай. Стандартная процедура. Эдуард, Бернардо и Олаф вышли из здания, сильнее прочих оперативников измазанные кровью. Но очень неудобно надевать балахоны поверх оружия, так что получается вот такой эффект. Больше всех крови было на Олафе.

Бернардо сказал, проходя мимо меня:

—Он своих вампиров закалывал колом и головы им срубал нафиг. А мы с Тедом своих перестреляли.

И прошел не останавливаясь, будто не хотел находиться сейчас рядом с Олафом.

—Витторио здесь не было, Анита, — сказал Эдуард. — Нашли пустой гроб, и его там не было.

—Блин! — ответила я и снова что-то мелькнуло в глазах. Кто-то белый, стоящий на коленях.

Эдуард взял меня за руку:

—Анита?

—У тебя опять видение? — спросил Рокко.

—Кто-то в белом, на коленях. Я — высокая, куда выше, чем на самом деле. Смотрю чьими-то чужими глазами, наверное.

—Чьими?

—Витторио, — ответил Эдуард.

—Что? — переспросил Рокко.

—Он же влезал тебе в мозги? — спросил Эдуард у меня. — Хочет тебя взять себе в слуги.

—Да.

—Ты знаешь, как это бывает, когда вампир лезет тебе в мозг. Чем больше он с тобой играет, тем вероятнее тебе приобрести его силы, хотя бы временно.

—Да, со мной у нее так вышло, — сказал Рокко.

Либо Эдуард не уловил, что сержант неявно назвал себя вампиром, либо это для него не было важно.

—Сосредоточься, Анита, постарайся увидеть.

Я закрыла глаза и стала думать о Витторио. О выражении его лица, о глубоких шрамах на груди и на животе.

Мир качнулся — и передо мной на полу, в цепях и с кляпом, лежала возле кровати Вивиана. Витторио повернул голову — там лежал на кровати растянутый Макс, покрытый освященными предметами. Кровать большая, в красном бархате. Я ее знала, я знала, где они. Попыталась не волноваться, сохранять спокойствие. И тихо уйти, чтобы он не заметил.

—Анита, не уходи пока, посмотри, кто еще у меня есть.

Он повернулся в сторону кухни — там с задранными над головой руками висел в цепях охранник Рик. Голый торс уже был окровавлен.

—Не переживай так за Максимилиана, у них тут в потолке крючья. Ручаюсь, он не одного своего врага на них подвешивал.

Рядом с ним висела стриптизерка, предлагавшая мне приватный танец. Брай-как-ее-там... Брайанна. В руках Витторио держал газовый факел, горящий синим пламенем.

—На нее мне наплевать.

—Тогда тебе должно быть все равно, что мы уничтожим ее красоту.

—А зачем? Ты знаешь, что мы знаем, где ты теперь.

—Полиция с тобой?

—Да.

—У нас тут еще один гость есть, Анита.

Он обернулся, и я увидела большой стол, на котором спала с Виктором. Кто-то лежал на нем, привязанный к крышке, скованный цепями и священными предметами. Рубашку с него сняли, как с Рика, и он был голый до пояса. Только Рик уже был в крови, а светлой кожи Реквиема на темном фоне стола никто еще не тронул.

—Но его гроб стоял у меня в номере!

—Ты проверила утром, там ли он?

Блин.

—Нет.

—Мы его вынесли в большом мешке, пока он был мертв для мира, а всем остальным в твоем номере было не до того. Но я его пробудил. Когда-то я умел пробуждать любого вампира до захода солнца. И рад, что эта сила ко мне вернулась. Куда приятнее, когда они могут вопить.

Он тронул Реквиема за лицо. Реквием отдернулся, и Витторио небрежно ударил его тыльной стороной ладони. На щеке появился порез. Витторио посмотрел на большое кольцо у себя на пальце.

—Это хорошенькое личико превратится в кашу, но я бы не хотел портить кольцо. Тем более когда у меня есть кое-что получше.

Он полез в нагрудный карман и достал флакончик со святой водой.

Я не смогла сдержаться:

—Не надо!

—Скажи «пожалуйста».

—Пожалуйста.

—Ладно. Если ты хочешь видеть его целым, а всех прочих живыми, приходи сюда, в эту внутреннюю комнату, одна и без оружия. Освященные предметы тоже оставь.

—Зачем бы мне это?

—Потому что ты знаешь, что я сделаю, если ты откажешься. А я чувствую, что он тебе дорог, и тебе будет неприятно видеть его в ожогах.

Я рассказала ребятам, что я видела и что он сказал.

— Мы не отпустим ее одну, — заявил Рокко.

— Они не отпустят меня одну, — повторила я.

— Полицейские? Я думаю, отпустят. — Он подошел к двери, открывающейся в главный зал клуба. Там были посетители и танцовщицы, зал был набит. — Я вчера пришел и всех их здесь задержал. — Он обернулся к единственной паре дверей, выводящих наружу, и возле одной колебался воздух, а возле другой плавали в воздухе мечи. Что-то переливалось на сцене, как в летний зной. Это был третий джинн, и что делал этот третий, мы не знали. Блин.

— Если полиция тебя не отпустит одну и без оружия, я велю своим слугам убить всех этих добрых людей. Если ты придешь, я отпущу всех посетителей.

— Отпустишь посетителей, тогда я войду.

— Не одна, — подсказал Эдуард.

— Могу я привести с собой еще только одного человека?

— Из твоих маршалов нельзя, из СВАТ можно. Эти легко погибают.

— Нет, — сказал Эдуард.

— А, это Смерть. Я знаю его репутацию. Нет, ему нельзя.

Я повторила его слова.

— Выбирай тщательно, Анита. Это будет всего лишь дополнительный заложник, но если ты хочешь дать мне еще один способ тебя пытать, я тебе мешать ни за что не стану.

Голос звучал очень радостно, и я поняла, что радость эта искренняя. У него полный зал жертв — чего еще желать серийному убийце?

— Но сперва ты отпустишь посетителей.

— Согласен — как только увижу тебя за дверью с твоим другом из СВАТ. А сейчас, пожалуй, я перекрою эту связь между нами. Я мыслью хотел взять тебя под контроль и утром подглядывал. Великолепное зрелище.

Я была слишком испугана и слишком зла, чтобы смутиться.

— Тогда ты знаешь, что случилось с твоим слугой.

— Да, ты освободила его от моей хватки, как умела когда-то Тьма. Ее талант как человека был очень близок к твоему. Надо было мне предусмотреть, но не ожидаешь же встретить двух некромантов такой силы за одну жизнь.

— Повезло тебе.

— Я тебе на прощание покажу кое-что. Это тебя вдохновит сделать именно так, как я просил.

Он вернулся из зала в боковую комнату, что мне не понравилось. Ничего из того, что он задумал, хорошим быть не могло.

Он подошел к Реквиему, как я и знала, и откупорил флакон со святой водой.

— Я иду уже, черт тебя побери! Ты меня убедил.

— О, я не ради убеждения это делаю, Анита. А потому, что мне хочется, и потому что тебе это будет больно, и потому что он красив и я его за это ненавижу.

— Витторио!

Он накапал дорожку воды вдоль ребер Реквиема. Она задымилась, у Реквиема выгнулась спина, из запечатанного клейкой лентой рта вырвался придушенный крик.

— Иду, чтоб ты сдох, иду!

— Спокойствие, спокойствие.

— Это я еще спокойная, Витторио. Ты меня не видел, когда я разозлюсь.

— Как и ты меня, Анита. Как и ты меня.

Он вытолкнул меня, закрыл связь, и я осталась моргать на солнце, вцепившись в руки Эдуарда.

— Кто пойдет с тобой? — спросил Бернардо.

— Каннибал, — ответила я, поискала взглядом и нашла Рокко. Он встретил мой взгляд не моргая.

— Что ты хочешь, чтобы я делал?

— Поговорил за меня по-арабски, и тогда мы этих гадов сожрем.

Улыбка скользнула по его лицу — довольная и чем-то напоминающая Олафа. Я эту улыбку знала. Когда все время ты должен быть хорошим, не может не возникнуть интерес: а каково это — быть плохим? И если возникнет возможность этот интерес удовлетворить, вот именно так и улыбнешься. Я собиралась дать Каннибалу возможность побыть таким плохим, каким ему только захочется и каким духу хватит. Как есть не один способ ободрать кошку, так есть и не один способ сожрать вампира.

Глава семьдесят третья

Граймсу очень не понравилось, что я иду, и уж точно он не хотел, чтобы со мной шел Рокко. Эдуарду не нравилось, что я иду без него. Но спор происходил в машинах по дороге, так что мы вполне уложились в получасовой срок.

— Лейтенант, — сказал Рокко. — Я умею произносить заклинание, изгоняющее джиннов, а Анита не умеет.

— Я знаю, у нее недостаточно хорошее произношение.

— Я умею говорить по-арабски, — сообщил Эдуард.

— Но ты не практиционер, а к этим словам нужно немножко магии.

— Что именно вы мне не хотите говорить? — спросил Граймс в лоб. Мы старались не переглядываться, и это было видно. — Что вы там хотите сделать?

— Фраза, которую вы ищете, сэр, звучит как: «Я не давал такого приказа», — шелковым голосом подсказал Эдуард.

Граймс посмотрел на нас, наморщив брови:

— Вы задумали что-то незаконное?

Мы снова постарались не переглянуться.

— Нет, сэр, — твердо ответил Рокко. — Все будет исключительно в рамках закона.

— Пообещайте, — потребовал Граймс.

— Все законно, — подтвердила я.

— Но мне все равно лучше не знать?

— Какой ответ на этот вопрос даст нам с сержантом Рокко туда войти?

— Что ж, это хотя бы честно. В апартаментах Макса в «Триксиз» стоят устройства, мешающие электронному наблюдению.

Я не стала спрашивать, откуда он знает, но сочла за правду. Меня она не удивила, поскольку Витторио сказал, что нашел там крюки для подвешивания. Понятно, что помещение использовалось Максом для грязной работы.

— И вы туда идете без всякой возможности вызвать помощь, — сказал Граймс.

— Если нам понадобится звать на помощь, лейтенант, — ответила я, — то вы все равно не успеете.

Он внимательно в меня всмотрелся:

— Я вижу, вы говорите всерьез.

— Да.

— А вид у вас спокойный.

— У меня свои приоритеты.

— Свои цели? — переспросил он.

— Если вам так больше нравится.

— И каковы они?

— Спасти моего друга, не дать, чтобы его изуродовали сильнее. Спасти всех заложников. Отправить джиннов туда, откуда они явились. Спасти Макса с его очаровательной женой и их телохранителя, всех прочих тигров, которые на нашей стороне. Ну, и убить Витторио, пока он не набрал столько силы, что атомная бомба на Лас-Вегас покажется хорошей альтернативой.

— Он и правда способен нанести такой вред?

— Представьте себе, что на город выпустили армию тварей вроде тех, что убили ваших людей. Представьте себе Витторио, который может мысленно диктовать свою волю всему населению.

— Вы считаете, что он настолько силен?

— Пока нет, и мы постараемся, чтобы так и осталось. Мы все должны сделать, что в наших силах, чтобы сегодня он был убит.

— Вам может быть интересно, маршал Блейк, что губернатор подписал отсрочку казни для вампиров, задержанных вчера в клубе.

— Это хорошо, лейтенант, и я этому рада. Они не заслужили смерти.

— Ваш доклад сыграл свою роль.

Я кивнула, но уже смотрела вперед, где ждали меня полицейские машины, заграждения и новый бой.

Глава семьдесят четвертая

Мы с Рокко стояли перед «Триксиз», заложив руки за голову. Нас раздели до футболок, штанов и ботинок (Рокко) и кроссовок (меня). Охранник, похожий на человека, но говоривший так, будто Витторио держит руку у него в заднице, сказал:

— Теперь медленно повернитесь, посмотрим, как с другой стороны.

Мы повернулись.

Он будто послушал какой-то голос у себя в голове, кивнул и шагнул вперед. Обыскал нас тщательно, с головы до ног.

— Оружия у вас нет, это хорошо, — сказал он, но интонации были Витторио. — Теперь пойдемте к нам.

— Сперва отпусти посетителей, как обещал.

— О да, полагаю, я обещал.

Говорил этот человек, но на самом деле просто Витторио использовал его тело для разговора. Способность манипулировать людьми за последние сутки у него стала куда полнее, куда изощреннее. Он должен быть убит.

Человек скрылся в здании, и через несколько минут оттуда выбежали люди. Они десятками вываливались на улицу в руки ожидающей полиции, которая тут же доставляла их в безопасное место.

Он снова вышел на улицу и сделал жест рукой, указывая на дверь.

— После вас, Анита и сержант Рокко — вы так себя назвали?

— Да.

— Заходите, не стесняйтесь! — передразнил он голос зазывалы.

— Человека этого тоже отпусти.

— Я говорил о посетителях, а он работал за стойкой, — ответил человек, говоря о себе в третьем лице. У него даже улыбка была как у Витторио в моем сне. Неприятное эхо отражалось на лице незнакомца, будто лицо надели на другого человека.

Тело, которым пользовался Витторио, придержало для нас дверь.

— Заходите, подальше от жары.

Мы с Рокко переглянулись, потом опустили руки, медленно, и двинулись к двери. Ни он, ни я не оглянулись: хотели дать глазам как можно больше времени, чтобы привыкнуть к темноте.

Танцовщиц согнали в центр зала, где обычно стояли стулья для посетителей. При нашем появлении они посмотрели с надеждой, но перед нами оказался джинн с ножами, и он привлек наше внимание. Было искушение — чтобы Рокко произнес слова сейчас, но Витторио начал бы убивать других заложников. Наша цель — спасти их всех, а не частично, и потому надо выждать лучший момент. Признаю, что глядеть на пустоту, держащую все эти клинки, было тяжело. Еще труднее было повернуться спиной, но мы пошли за своим провожатым.

Я ощутила рядом с собой движение воздуха и резко дернулась назад. Пролетел ветерок — какой-то другой джинн попытался до меня дотронуться.

— Ты избежала его прикосновения, — сказал провожатый. — Мало у кого из людей хватило бы быстроты или экстрасенсорной чуткости, чтобы уклониться, но ты же — не человек?

Я оставила вопрос без внимания, но могу поклясться, что отношение джинна перестало быть безразличным. Я бы сказала, даже стало враждебным — а может, это нервы разгулялись у меня. Может быть.

— Кажется, они тебя теперь не любят, — прошептал мне Рокко.

— Ты тоже почувствовал?

— Еще как.

Провожатый открыл нам дверь и придержал ее с улыбкой. Я прошла первой, как мы и решили заранее. Витторио я нужна живой, к сержанту у него могут быть другие чувства. Поэтому придется ему спрятать гордость в карман и дать мне рискнуть. Рокко нам нужен живой, чтобы сказать слова над джинном.

Задняя комната была именно такая, какой я видела ее глазами Витторио. Рик и Брайанна стояли, привязанные цепями за вытянутые руки к крючьям в потолке, и она была совершенно голая, как тогда, когда мы с Тедом здесь были. Ее лицо было замотано лентой, и глаза смотрели на меня с мольбой — я чувствовала накатывающие на нее волны страха. Он обеспокоил живущих во мне зверей, и я им велела вести себя тихо. На этот раз они послушались. Рик не был испуган — он был рассержен. Точнее, зол как черт — я даже удивилась, что он еще не перекинулся.

Ава стояла возле Рика, держала в руке нож и играла лезвием, прикасаясь к коже. Она не резала Рика — только гладила. По всей комнате расселись тигры-оборотни, их энергия покусывала, как оголенные провода, если подойти близко. Почти у всех лица бессмысленные, будто ожидающие инструкций. Сколькими же он может управлять одновременно и насколько хорошо?

Я заставила себя медленно обойти комнату, не броситься сразу к Реквиему. Мне не хотелось давать Витторио новых причин делать ему больно, а чем больше я буду о нем тревожиться, тем большая опасность ему будет грозить.

Но Витторио не стоял у стола — он сидел на краю кровати с Максом и Вивианой. Был он голым до пояса, и очень, очень резко были заметны шрамы. Вивиану перенесли на кровать, связали ей руки над головой, привязав к спинке кровати, и ее тело лежало поперек руки Макса, а другая его рука была привязана к краю спинки. Ноги у нее были прикованы к ножкам кровати, но она была недостаточного роста, чтобы ее ноги скрестились с ногами ее мужа. Она казалась бледной и хрупкой, как и полагается принцессе, которую надо спасать. Макс был без рубашки. Очевидно, некоторый стриптиз здесь произошел, пока они ждали, но Витторио сдержал слово. На их телах не было новых повреждений — только на одежде.

— Ну, вот, мы здесь. Что дальше?

— Я хочу того же, чего хотел, когда приглашал тебя в Вегас своим подарком.

— Это человеческая голова в коробке?

Он радостно улыбнулся и кивнул.

— В другой раз присылай просто коробку конфет.

— Ну, это каждый может. Я хотел, чтобы мой дар был уникальным.

Я улыбнулась, сама чувствуя, что улыбка недобрая.

— На самом деле мне однажды прислали в подарок голову в корзине.

Улыбка у него исчезла, будто ее и не было. По-настоящему старые это умеют — лицо становится пустым в мгновение ока.

— Что ж, Анита, значит, придется мне как-нибудь тебе доказать свою уникальность среди твоих обожателей.

Я бы многое отдала, чтобы взять назад свое язвительное замечание. Оно было правдивым, но все равно можно было промолчать.

— О, я уверяю тебя, что приглашение было совершенно неповторимое.

— Нет, Анита, ты права, надо мне лучше постараться. — Он был на меня сердит, будто я его оскорбила. — Давай поиграем в одну игру.

— Мы пришли на переговоры об освобождении заложников, — сказал Рокко.

— И мы этим займемся, сержант. — Он похлопал Макса по голому животу. — Подойдите ближе, чтобы вам было видно.

Мы замерли в нерешительности:

— Вот вам первое правило. Когда вы заставляете меня повторять второй раз, с вашими заложниками что-нибудь происходит.

Из соседней комнаты раздался звук — Ава сделала новый порез на груди у Рика. Он не вскрикнул, но все же издал приглушенный стон. Она подняла лезвие, осторожно облизала кровь.

Я снова повернулась к Витторио.

— Ты не испугалась, даже не была потрясена. Ты уже видала нечто подобное?

Видела и не раз. Вслух я сказала:

— Я не знаю, какой реакции ты от меня хочешь. Просто скажи, и я постараюсь так и поступить.

— Какое у нас первое правило?

— Если мы заставим тебя повторить просьбу, пострадает кто-то из заложников.

— А вот второе правило. Я предлагаю вам что-нибудь сделать приятное. Если вы отказываетесь, я делаю что-нибудь болезненное. Это ясно, господа полицейские?

— Кристально ясно, — ответила я.

— Да, — сказал Рокко.

— Подойдите к кровати, будьте добры.

На этот раз мы послушались без колебаний. Встали возле кровати на возвышении, глядя на Макса, на его жену и на улыбающегося маньяка рядом с ними.

— Анита, поцелуй Макса.

— А если нет? — спросила я.

Он вытащил из-под одеяла нож.

— Я ему пущу кровь. Один порез за каждый отказ.

Я сделала вдох, потом выдох. Просьба казалась незначительной, но я готова была спорить, что просьбы незначительными долго не будут.

— О'кей. Но если мы это делаем, ты за это освобождаешь заложника.

— За поцелуй? Это должен быть всем поцелуям поцелуй.

Я пожала плечами.

— Если я откажусь кого-нибудь освободить, готова ли ты видеть, как я буду полосовать мастера города?

Я лихорадочно думала, но просто не знала, что делать. Витторио провел по груди Макса неглубокий разрез.

— Я не сказала «нет».

—Ты нарушила правило номер один: ты заколебалась. Теперь я снова попрошу тебя поцеловать Макса.

Я просто подошла к кровати, обошла Витторио по кругу и залезла на кровать рядом с ним. Посмотрев ему в глаза, я сказала:

—Прости, Макс.

Наклонилась и поцеловала в заклеенный лентой рот.

—Да, ты сделала то, что я просил, но вряд ли это стоит освобождения заложника.

—Ты хочешь, чтобы я поцеловала его лучше?

—Сними ленту и покажи мне малость того таланта, который у тебя, как мне известно, есть.

Вивиана замычала заклеенным ртом, я подняла на нее взгляд:

—Прости меня, Вивиана.

И отклеила ленту от губ Макса.

—Он нас все равно убьет, ты это знаешь.

—Ну-ну, Макс. Я что сказал насчет разговоров?

—Ты сказал не пререкаться с тобой. Я разговаривал с Анитой.

—Да, верно. — Он похлопал себя лезвием по ноге. — Что ж, Анита, поцелуй его всерьез, и твой сержант увидит, как уходит одна из танцовщиц.

Я наклонилась и поцеловала его в губы. Они не шевельнулись. Я посмотрела на Витторио:

—Освободи танцовщицу.

—Нет.

—Что не так было?

—Поцелуй его по-настоящему.

Уже не было юмора в этом голосе, и серьезность показалась мне опаснее.

Я пристально посмотрела на Макса. Почти полностью лысый, лицо круглое, но массивные бицепсы, груды мышц на плечах. Я видела его силу, но просто меня она не заводит — мне нравятся мужчины красивые и несколько утонченные. А Макс — как уличный хулиган: здоровенный, страшный и ничего в нем утонченного. И все же я наклонилась над ним еще раз. Тронула его за лицо, закрыла глаза и поцеловала его. Сперва осторожно, потом сильнее, охватив руками эти твердые мышцы под голой кожей, добавив к поцелую пантомиму, но Макс даже не шелохнулся. Вивиана пыталась что-то провизжать из-под ленты.

Я обернулась к Витторио.

—Хорошо, одну танцовщицу. Но в следующий раз придется постараться получше, или сделка отменяется. Ава выберет, кого отпустить, а сержант — Рокко, да? — посмотрит, как она выйдет на свободу.

Ава вышла, Рокко смотрел из двери, и, очевидно, танцовщица ушла, потому что Рокко утвердительно кивнул.

—Я тебе теперь предлагаю двух по цене одной, — сказал Витторио. — Пусть вот эта маленькая танцовщица станцует для тебя приватный танец. И я освобожу ее и еще какую-нибудь.

Я подошла к Брайанне без колебаний, но спросила у него:

—Что ты хочешь выяснить, заставляя меня это проделывать?

—Может быть, у меня, как у всех мужчин, свои маленькие лесбийские фантазии.

—Прямо не знаю, что на это сказать.

—Тогда пойди и сядь в кресло рядом с Авой.

Я села в кресло. Вреда мне от этого не будет, а давать им повод еще кого-нибудь резать я не хотела.

—Отвяжи девушку.

Ава сделала, как ей сказали. Брайанна сама отклеила ленту от рта, посмотрела на меня. Краска расползлась по ее лицу как черные слезы. Потирая запястье, она сделала ко мне неверный шаг в туфельках на шпильках.

—Я тебе предлагаю лучшие в твоей жизни чаевые, Брайанна. Станцуй вот для маршала приватный танец, и если он будет хорош, я отпущу тебя и кого-нибудь из твоих подруг.

Брайанна еще раз шагнула ко мне, шатаясь. Я подумала: «Она же не сможет, она слишком боится». Наверное, ему пришла в голову та же мысль, потому что он сказал:

—Если ты откажешься или если будешь танцевать плохо, я вот этим факелом ткну вот в эту идеальную, розовую, мягкую кожу.

Голос у него был почти скучающий.

Брайанна сбросила халат на землю и встала передо мной.

— Погоди, — сказал Витторио. Мы оба на него посмотрели. — Сержант, займите место Аниты. Пусть она танцует для вас.

Рокко без слов направился в нашу сторону. Я встала, он сел, и Брайанна начала танец. Музыки не было, но у нее в голове, очевидно, звучала какая-то мелодия. Начала она чуть дергано, но потом поймала ритм, и это был хороший ритм, и ее тело извивалось сверху вниз перед Рокко, а он вцепился мертвой хваткой в подлокотник, потому что по правилам танцовщица может к тебе прикасаться, а ты к ней — нет.

Брайанна закончила танец у него на коленях, верхом, прижимаясь интимными частями к его грубым штанам. У него лицо стало суровым, и я готова на что угодно спорить, что он старался думать о бейсболе, налогах, дохлых кошках, — только не о том, что делает женщина у него на коленях.

Я ему очень сочувствовала, но радовалась, что я не на его месте.

Очередной раз вильнув телом, она отклонилась назад, оплетя ногами Рокко и его кресло. Тело грациозно изогнулось, груди отклонились назад, очередной раз показывая, что они настоящие.

Витторио даже хлопнул в ладоши:

— Прекрасно. А самообладание сержанта выше всех похвал. Убегай, маленькая балерина. Анита, проследи, чтобы она вышла на свободу. Не думаю, что наш сержант уже в состоянии ходить.

Брайанна подняла с пола халат и помчалась к двери с предельной скоростью, которую могла развить на каблуках.

— Выбери другую танцовщицу, которая уйдет с тобой, Брайанна.

Она прибавила шагу. Я из открытой двери смотрела, как она схватила за руку ближайшую танцовщицу и выбежала с ней наружу

Я быстро пересчитала остальных по головам. Еще шесть осталось. Шесть, а потом можно убрать джиннов и попытаться убить Витторио. Всего шесть.

— Я заставляю танцовщиц меня развлекать перед тем, как убиваю их, Анита. Обычно, впрочем, я их не отпускаю.

— Так это входит в твою обычную...

Я поймала себя за язык, потому что любое сказанное дальше слово можно было бы воспринимать как оскорбление.

— Да. — Он встал и подошел к Рику. — Вот этим я могу управлять лишь частично. Ни его, ни Виктора я не могу подчинить полностью, как других. Они слишком доминантны, слишком тигры. Я мог бы сделать любого из них своим слугой посредством меток, но не могу ими владеть, как владею вон теми, в углу.

Он двигался так быстро, что я едва успевала следить.

— Он мне замыливает мозги, — сказал Рокко.

— Нет, — ответила я. — У него действительно такая быстрота движений.

Витторио снова оказался на прежнем месте — струйка крови только показалась на животе Рика.

— Ты нас ни о чем не просил, — сказала я.

— Не просил. Ава, отпусти еще одну шлюху.

Ава просто подошла к двери, и я видела, как она хлопнула по плечу одну из женщин. Та вылетела в дверь навстречу вспыхнувшему прямоугольнику солнца. Осталось пять.

— Анита, выпей крови из раны, которую я нанес только что этому тигру.

Это мне не понравилось, но я подошла к Рику и опустилась около него на колени. Порез был над линией брюк, так что я доставала. И наверняка место было выбрано не случайно.

Я взялась за ремень для устойчивости, наклонилась и лизнула рану. Это была кровь — горячий, соленый, металлический вкус. Приложив губы к ране, я присосалась. Гладкие медные монетки покатились по языку, но не только: под губами было мясо с брюха, мягкое, над мышцами, и ощущалось под ним что-то мягкое и нежное. Мои руки обхватили его тело сзади, я подавила соблазн не только присосаться к ране, но и укусить кожу, вгрызться в мясо.

С судорожным вдохом я оторвалась от раны, голова кружилась, как будто я чуть не в себе. Тут до меня дошло, что я питалась сегодня от всех тех мужчин, но энергию от этого получил и Витторио. Причем взял столько, что я в своем питании отстала от графика. Блин.

Я встала, и мне пришлось опереться о Рика, чтобы не упасть. Вытерла рот рукой, понимая, что нужно и руку вытереть обо что-нибудь.

— Почти любой бы заколебался, если бы ему пришлось пить кровь ликантропа, — сказал Витторио.

— Если мы будем колебаться, заложникам будет нанесен вред.

— Ава, еще одну танцовщицу, — скомандовал он.

Рокко проследил, чтобы девушка вышла на улицу. Осталось четверо.

Витторио расхаживал кругами, похлопывая себя лезвием по ноге.

— Надо бы мне начать предлагать что-то неприятное, а то у меня кончится запас заложников до того, как я смогу кого-нибудь еще помучить. — Он повернулся ко мне с широкой улыбкой, но она резко натянула обожженную сторону его лица, что сильно ослабило ее воздействие. — Отсоси у кого-нибудь. Можешь выбрать любого из мужчин, лишь бы довести до конца. Чтобы подогреть твой энтузиазм, если ты откажешься, я полью этого твоего красивого дружка святой водой.

Я перевела взгляд с Рика на Реквиема

— Можно мне задать вопрос?

— Можно.

— Реквием сегодня питался?

— Нет.

— Тогда ты знаешь, что ни орально, ни каким-либо иным путем его до оргазма не довести.

— Тогда у тебя только две возможности — если ты не хочешь включать сюда сержанта.

Я постаралась не показать смущения, в которое меня повергла это добавка.

— Макс тоже сегодня голоден, значит, остается Рик. Ты только притворился, что даешь мне выбор.

— Тебе остается притвориться, что ты его сделала.

Он стоял над Реквиемом, и я сообразила, что на столе за головой привязанного вампира выстроились в линию флаконы святой воды.

Я подошла к Рику, стала расстегивать на нем ремень. Он замычал протестующе, я набрала воздуху, выдохнула и прошептала:

— Рик, это все же не участь хуже смерти.

Он застыл в цепях, только смотрел, как я расстегиваю на нем штаны. Вот даже непонятно, что мне было бы труднее: протестующее мычание, дергающееся тело — или этот терпеливый взгляд.

Я расстегнула ему молнию на брюках и спустила их вниз — чтобы молнией ни себя, ни его не травмировать. Трусы оставила на месте, только убрала их с дороги, встала перед ним на колени. Ниже талии он был так же красив, как и выше, и здесь еще не было порезов. Я надеялась, что так и останется.

Взгляну вверх вдоль его тела, я увидела, что он на меня смотрит. Синие глаза были сердиты, это да, но еще что-то в них сейчас тоже было. Очевидно, мое «не участь хуже смерти» он принял близко к сердцу, потому что в его глазах уже была та темнота, которая появляется в этот момент у каждого мужчины. Я взяла его в руки и опустила к губам — он уже настолько выпрямился, что его пришлось отгибать вниз, поскольку он был прижат к животу. И он вошел мне в рот, гладко и полно, как любой другой.

Я люблю исполнять оральный секс. Люблю это ощущение у себя во рту, люблю выражение лица мужчины, когда ты это делаешь. Люблю звуки, которые они издают, люблю реакцию их тел. Я сейчас полностью себя отдала стоящему передо мной мужчине и ощущению собственного рта, охватившего его вокруг. Я целовала, сосала и лизала, рукой направляла, сжимала и поглаживала, я позволила себе выплеснуться в секс и ничего не осталось, кроме этого.

Глянув вверх, я увидела его широко раскрытые глаза, он задышал быстрее, он был так тверд весь, кроме гладкого кончика. Тело в цепях свело судорогой, и на этот раз — не от боли. Он закрыл глаза, закинул голову, и я быстрее задвигала им туда и обратно, туда и обратно, как можно быстрее. И ощутила на вкус первые предвестники приближающегося конца. Изменилось ощущение, чуть-чуть, как краткое изложение того, что сейчас будет.

Голос Витторио:

— Двух танцовщиц, если грудь вытащишь.

Я не колебалась — просто сдернула через голову футболку и бросила на пол. Его я сжимала в руке, тискала, подносила поближе — не хотела снижать градус процесса. Но мне пришлось отпустить его, чтобы расстегнуть лифчик и бросить его через плечо туда, где лежала футболка. А потом я снова насадилась на него ртом, охватывая и играя, дразня и присасываясь, пока не почувствовала, как он напрягся у меня во рту. И я успела его выхватить как раз вовремя, поглаживая рукой, а он выплеснулся вверх, наружу, густым теплым дождем. Мне забрызгало плечи и грудь, а я закинула голову назад, чтобы выставить груди и чтобы в глаза не попало.

Рик надо мной дергался, гремя цепями, постанывая сквозь кляп.

Витторио прижался к бару, глядел на меня, на Рика, на все представление с выражением желания и ужаса.

Я слышала, как Ава и Рокко открыли дверь, выпуская очередных заложниц. Я поползла к вампиру, груди свисали вниз, и с них капала теплая жидкость. Он вскочил на ноги и завизжал:

— Убейте их!

У меня по коже поползла будто шипящая магия, и я знала, что это: Рокко произнес слова, и джиннов не стало. Ава вскрикнула. Я рискнула глянуть и увидела, что Ава сунула нож в бок Рокко, но он ухватил ее за руку — а я знала, что умеет он делать таким с виду невинным прикосновением.

Этот взгляд был ошибкой. Витторио со своей невероятной быстротой уже стоял над Реквиемом. Мне быстроты не хватило бы, но есть у меня одна сила, действующая быстрее мысли. Я открыла ardeur и метнула его в вампира, подобно оружию. Могло бы ничего не получиться, но только что он заставил меня исполнить одну из его фантазий, и мысль обо мне и сексе крепко сидела у него в голове. Он хотел посмотреть.

Я не побежала — я кралась, извивалась, манила всем телом, и он не мог отвести глаз. Изувеченный вампир таращился на меня, а я обвила ладонью его руку, накрыла флакон со святой водой, выплеснув ее на пол безвредными каплями.

— Я его изуродую, — прошептал он.

— Ты хочешь не этого.

— Того, что я хочу, я не могу получить.

Я положила его опустевшие руки себе на груди, взглядом удерживая его взгляд. Его руки стали размазывать жидкость у меня по груди, будто он сам не понимал, что делает.

— Глаза, — сказал он. — У тебя глаза полны огня, как коньячные бриллианты!

— Скажи вслух, — прошептала я.

Он нагнул голову, я подняла лицо к нему:

— Скажи, скажи, — прошептала я.

— Освобождения. Я хочу освобождения.

Наши губы встретились, и мы поцеловались. В первый миг нежно, но тут же он стал кормиться из моего рта, и так интенсивно, что клыки порезали мне губы и наши рты наполнились сладким вкусом крови. От нее встрепенулись все виды голода, живущие во мне, но для всех прочих было поздно, и остался только ardeur. Я ему сопротивлялась, пыталась загнать в клетку, взять под контроль, но тут я поняла, почему короли предлагали Белль Морт свои короны, почему женщины готовы были отдать все за ночь с Жан-Клодом. Я поняла, что значит принадлежать к линии Белль Морт. Ardeur — это не что-то, что я должна питать, чтобы выжить, это способ получения пищи для меня. Это кровь моя.

Витторио нетерпеливо стонал зажатым ртом, руки жадно бродили по мне. Я почувствовала в нем возрастающее давление, ощутила, как смешивается ardeur с силой зверей, и она живая и горячая, совсем не вампирская. Витторио задышал быстрее. Тело его напряглось, и я прямо в него воткнула и ardeur, и силу тигров, как ищущую руку, и на миг, всего на миг дала ему понять вкус всего этого. Дала ему тень того, что он утратил — и он оторвался от меня с воплем, но тело его прильнуло ко мне, и руки в меня вцепились. Он свалился на пол, увлекая меня за собой, не отпуская из рук, и он плакал, и он смеялся.

— Как ты это сделала?

— Я из линии Белль Морт, я принадлежу Жан-Клоду. Наше назначение в мире — доставлять наслаждение.

Его рука нащупывала пол, и я поняла, что он хочет сделать еще до того, как блеснуло серебро. Я откатилась прочь — но он бросился за мной, и был он просто слишком быстр.

Но белая размытая полоса ударила ему в бок, за ней следующая. Двое тигров сплелись с вампиром, и от быстроты ему было мало толку, потому что они на него уже налетели. Я отползла прочь, мне была видна кровать — в цепях никого не было. Где Макс, я не знала, но я знала, где его жена и Рик. Остальные тигры вырвались из угла, где до того застыли, и на страшный миг мне показалось, что они нападают на нас, но они летели в схватку, летели к Витторио.

Из кухни появился Макс, протягивая мне полотенце. Я встала и начала вытираться. Оба мы не сводили глаз с драки, но видели только вихрь зубов и когтей.

— Ты ему замылила мозги, и это была та слабинка, которой я ждал. Тигры снова мои.

Ко мне подошел Рокко, зажимая рану на боку. Ава лежала перед ним на полу, глядя в потолок неподвижно.

— И как оно было на вкус? — спросила я.

— Отлично, — ответил он. — Ава не была под контролем. Она тебя предала, Макс.

— Я знаю. Она чувствовала, что мы обращаемся с ней как с тигром второго сорта, и была права.

Комнату залил фонтан крови.

— Артериальное кровотечение, — сказала я.

— Бой окончен, — ответил Макс.

Я бросила полотенце на пол, взяла с пола лифчик и футболку и подошла к Реквиему. Вспрыгнув на стол, сняла с него цепи. Он сорвал с себя кляп, я его обняла, он судорожно вздохнул. Я тронула ожоги — и почувствовала, что у меня глаза щиплет.

— Реквием, как мне жаль, что так вышло!

— Ты меня спасла.

Я могла только кивнуть.

— Анита, одевайся, — сказал Рокко. — Мне пора вызывать кавалерию и предупредить, что тигры на нашей стороне.

Я посмотрела туда, куда смотрел он, и увидела окровавленных белых тигров, некоторых в получеловеческом виде. Куски Витторио валялись на полу — он был мертв, а есть они его не стали. Вампирское мясо горько, как мне говорили.

Я оделась, пообещав себе душ потом. Макс предложил забрать Реквиема к себе в подземное убежище до наступления ночи. Я поцеловала Реквиема и обернулась к полицейским. Они строем вбежали в дверь за спиной у Рокко, но дело уже кончилось. На этот раз к шапочному разбору успели Эдуард с ребятами.

Эпилог

Остаток дня Реквием провел под землей с Максом. Нам с Рокко много пришлось объяснять, но кое-что мы оставили за кадром. Ава на него напала, ему пришлось свою силу использовать на максимум. Может быть, он мог бы остановиться раньше, но зачем? Так или иначе, она все равно была обречена — по ордеру.

Вивиана наедине спросила:

— Ты дала ему первое за много сотен лет наслаждение. Зачем он на тебя напал?

Мы с Максом переглянулись, и он сказал:

— Он понял, что ради этого ощущения готов будет на все. Понял, что принадлежит Аните со всеми потрохами, а этого он вынести не мог.

— Он предпочел силу наслаждению? — спросила она.

— Он знал, что придется выбирать, — ответил Макс. — Я думаю, что Анита держала бы его на еще более коротком поводке, чем ты меня.

Они добродушно рассмеялись и обнялись.

Реквием предложил, чтобы мы следующей ночью срезали ожоги и попытались вылечить их сексом, как бывало раньше со свежими ранами. И у нас получилось, он снова идеален. Такой исход наводит на мысль попробовать с Ашером. Но мы начнем с маленького кусочка кожи — на всякий случай. Вдруг для более глубоких ожогов не получится?

Сестра Дениса-Люка Сент-Джона мое сообщение ему не передала. Он звонил, расстроенный, что все пропустил, но сестра его об этом не сожалела — он остался жив. Я с ней в чем-то согласна.

Лейтенант Граймс сказал, что если мне когда-нибудь надоест быть охотником на вампиров, чтобы ему позвонила — пройти тест и посмотреть, не стану ли я первой женщиной в их группе. Я была польщена, причем искренне, и даже не сказала «нет». Представить себе жизнь в Вегасе я не могу, а вот работу в группе СВАТ — вполне. Пилотная программа использования практиционеров в других городах проходит пока весьма успешно, и о ней много говорят — пока не в Сент-Луисе, но я не теряю надежды. Брошу ли я на самом деле охоту на вампиров? Я все равно буду в ней помогать, но идея работать в группе, где главное — спасать жизнь, а не отнимать ее, меня очень привлекает.

Криспина и Домино я увезла с собой в Сент-Луис. Красноголового отправила домой к его клану. Их королева попросила свидания в нейтральном городе, потому что я продолжаю похищать у нее самцов — один даже оказался ее сыном. Это Алекс, который был первым из них. Пока что я еще не подействовала так на красных тигров, как на белых или черных. Себастьян вернулся к своей обычной жизни. Его ко мне тянет, но возвращаться к службе кому бы то ни было он не хочет. Я его могу понять.

Синрик — это другая проблема. Да, в Вегасе это законно, и его опекуны Макс и Вивиана не возражали, и никакого судебного преследования поэтому, но для меня это было недопустимо. Это было еще хуже, чем с Криспином, потому что у него меньше внутренних защит — такой юный, такой открытый. Тигры (белые по крайней мере) тяготеют к моногамии, а я у него была первая. Мысль о массивном питании ardeur'a, о групповой оргии в качестве первого опыта для мальчишки — мне от этого просто плохо делалось.

Но его продержат в Вегасе как минимум год, потому что только после своего дня рождения он достигнет принятого в Миссури возраста согласия. Я сказала Вивиане, что это не важно, что все равно он дитя, а она ответила:

— Ты его сделала тигром своего зова, Анита. Ты должна принять за это ответственность.

— Я ему мозги не замыливала, это Витторио.

— Но запал он на тебя.

Я допустила ошибку, задав вопрос:

— Что ты хочешь, чтобы я по этому поводу сделала?

— Пусть он приедет на следующий год.

Я пообещала, что мы это обсудим. Но на самом деле не просто «нет», а «нет, черт побери!»

Лежавших в госпитале оперативников СВАТ удалось расколдовать. У каждого из них нашлась подруга, или жена, или ребенок, или кто-нибудь из родителей, чтобы выдать поцелуй любви. Все получилось. Правда, у одного из пострадавших никогда не было жены, родители умерли, но кто-то догадался привести его собаку. Один раз как следует лизнули в морду — и ее хозяин жив-здоров. Любовь горами двигает, это да.

Жан-Клод, Ашер и я обсудили, что случилось в Вегасе с ardeur'ом и с Витторио. Мы согласились с Максом в том, из-за чего он на меня напал, но почему секс подорвал способности древнего вампира? Жан-Клод наконец сказал следующее:

— Все считают, что линия Белль Морт слаба, поскольку наша сила — любовь, но если серьезно, ma petite, то что сильнее любви?

С этим я могла бы поспорить. Я видала любовь, убитую ненавистью, или насилием, или... но в конечном счете он, быть может, прав. Витторио был побежден не силой — его победила предложенная любовь.

«Так красавица победила чудовище», — говорил старый фильм. Так любовь убила этого вампира. Или не любовь, а вожделение, но я не уверена, что между этими двумя понятиями такая уж большая разница, как мы привыкли считать. Это если вдуматься как следует.

Я не пыталась лгать, предлагая Витторио ardeur. В тот момент я хотела отдать ему то, что он утратил, потому что ощущала его голод, ощущала эту скорбь, превратившуюся в ярость. Я хотела его обнять и сделать ему лучше, и я так и поступила — а он захотел убить меня за это.

Кто может понять, чего на самом деле хотят мужчины?

Литературно-художественное издание

Гамильтон Лорел

Обнаженная натура

Фантастический роман

Компьютерная верстка: С.Б. Клещёв
Технический редактор О.В. Панкрашина

Общероссийский классификатор продукции
ОК-005-93, том 2; 953000 — книги, брошюры

ООО «Издательство АСТ»
141100, Россия, Московская обл., г. Щелково, ул. Заречная, д. 96
Наши электронные адреса: WWW.AST.RU E-mail: astpub@aha.ru

Широкий ассортимент электронных и аудиокниг
ИГ АСТ Вы можете найти на сайте www.elkniga.ru

ООО «Издательство «Астрель»
129085, г. Москва, пр-д Ольминского, д. 3а

Типография ООО «Полиграфиздат»
144003, г. Электросталь, Московская область, ул. Тевосяна, д. 25